La V'limeuse autour du monde

Carl Mailhot   Dominique Manny

La V'limeuse

AUTOUR DU MONDE

avec la participation
d'Évangéline, Damien, Noémie et Sandrine

Préface de Réal Bouvier

Groupe Nautique
Grand-Nord et Bas-Saint-Laurent

La V'limeuse autour du monde est une publication
du Groupe Nautique Grand-Nord et Bas-Saint-Laurent

Conception graphique de la couverture : Gianni Caccia

Photos de la couverture :
page 1 : Carl Mailhot
page 4 : Pierre McCann, *La Presse*

Photos intérieures :
Carl Mailhot, Évangéline, Damien, Noémie et Sandrine De Pas.

© Groupe Nautique Grand-Nord et Bas-Saint-Laurent
Dépôt légal, 3e trimestre 1997
Bibliothèque nationale du Québec
Bibliothèque nationale du Canada

Diffusion au Canada :
Groupe Nautique Grand-Nord et Bas-Saint-Laurent
4628 rue Saint-Germain,
Laval (Québec),
H7C 1G1
télécopieur : (514) 674-0119
e-mail : vlimeuse@videotron.ca

Données de catalogage avant publication (Canada)
Mailhot, Carl
La V'limeuse autour du monde
ISBN 2-9804473-0-7 (v. 1) ISBN 2-9804473-1-5 (v. 2)
1. Mailhot, Carl, 1937- - Voyages. 2. Manny, Dominique, 1956- - Voyages.
3. Voyages autour du monde. 4. Navigation à voile. 5. Bateaux à voiles -
Conception et construction. I. Manny, Dominique, 1956- .
II. Groupe nautique Grand-Nord et Bas-Saint-Laurent. III. Titre.
GV810.92.M34A3 1995   910.4'1   C95-940380-9

À la mémoire de Gerry Roufs

*Mais les navigateurs solitaires
qui sont aussi fous, que veulent-
ils, que cherchent-ils quand ils
sillonnent les mers et courent les
pires dangers pour boucler le
tour du monde ?
Est-ce l'esprit de compétition qui
les anime ?
Que sont ils en réalité ?
Les mêmes que les vieux de la
marine. Le même inexplicable
attrait s'exerce sur eux. Ce sont
les navires qui changent de formes et de dimensions. (...)
L'homme reste.
Rien ne peut le retenir de courir
vers la mer, d'embarquer, d'ap-
pareiller. Vers quel port ? SON
DESTIN.
(...) Et qu'importe que leur destin soit tragique, qu'il reste ano-
nyme ou fasse honneur à un
pays ! Leur pays, c'est la mer et
leur destin s'inscrit dans un
rythme dont l'ampleur et la nécessité leur échappent. Leur bonheur, c'est de n'être que cela,
c'est-à-dire plus qu'eux-mêmes.*

Georges Bordonove
*Grands mystères et drames
de la mer*

REMERCIEMENTS

Nous aimerions remercier Edith de Villers et Robert Blondin pour le regard à la fois professionnel et complice qu'ils ont porté sur notre manuscrit. Leur appréciation, leurs avis et encouragements nous ont été des plus précieux.

Qu'il nous soit permis de rappeler ici l'impact énorme qu'a eu notre passage à l'émission L'Aventure de Radio-Canada, diffusée en septembre 1993 et reprise au printemps 1995. Les six heures d'enregistrement en compagnie de Robert Blondin furent parmi les moments privilégiés qui marquèrent notre retour. Ce succès, nous le lui devons. Sans son talent, cette touche magique qui transforme un narrateur maladroit en un conteur décent, le récit parlé de notre aventure n'aurait peut-être pas eu les mêmes échos.

La disparition de cette tribune radiophonique est une lourde perte pour tous ceux qui comme nous cherchent à faire partager des expériences riches d'enseignement.

Dans le tome 1 de La V'limeuse autour du monde, nous avons cité les noms des petites, moyennes et grandes entreprises qui nous ont aidés à construire la V'limeuse. Qu'elles soient remerciées de nouveau. Toutefois, derrière ces sociétés, des individus ont pris des décisions, et c'est leur apport personnel que nous tenons à souligner ici.

Enfin, que parents, amis, et tous ceux qui, par désir de partager un rêve, ont participé de près à notre aventure acceptent notre profonde reconnaissance.

En toute humilité, nous leur dédions ce livre.

LETTRE D'UN COMMANDITAIRE

Dès le début, soit il y a près de vingt ans, nous aussi avons cru à votre rêve. C'est pourquoi nous avons décidé d'y participer sans hésitation et ainsi faire en sorte que tout au long des vents et marées et au fil des ans, peu importe l'endroit au monde où vous décidiez d'accoster la *V'limeuse*, vous pourriez compter sur l'appui inconditionnel de Peinture Internationale afin de lui redonner sa fière allure.

Aujourd'hui c'est le lancement du deuxième tome de votre extraordinaire odyssée et c'est avec beaucoup d'impatience que nous attendons de lire le dénouement de cette merveilleuse aventure et leçon de vie qui nous a tellement fascinés et qui continuera à nous faire rêver.

Amicalement,

Robert Verville,
Vice-président-directeur général
pour le Canada,
Peinture Internationale

✖ International

PRÉFACE

DE RÉAL BOUVIER

Depuis l'exploit d'Alain Gerbault, en 1929, faire le tour du monde représente quelque chose de mystique pour les amateurs de voile, leur Graal en quelque sorte. Bien d'autres depuis ont suivi son sillage, les Bardiaux, Moitessier, Blyth et Tabarly, et chez nous, Réal Desrosiers, Yves Gélinas et Évangéliste Saint-Georges demeurent des symboles de surpassement et de détermination. Et comment ne pas avoir une pensée pour notre compatriote Gerry Roufs, ce grand régatier que la mer nous a ravi lors du dernier Vendée Globe. Quand j'y pense me reviennent à l'esprit ces paroles que Justin Scott met dans la bouche du commandant Ogilvy, dans Le tueur des mers : « La seule victoire que permet la mer est de survivre. »

Dans le premier tome de La V'limeuse autour du monde, Carl Mailhot note dans son journal personnel : « Le tour du monde, ça ne veut rien dire. C'est tout au plus une figure de style pour dire qu'on part de chez soi, qu'on avance toujours, et qu'ainsi on finit par revenir au point de départ. »

11

Carl, Dominique et leurs quatre enfants sont revenus au point de départ. Ils font aujourd'hui partie de la famille des circumnavigateurs. Après six ans, le retour n'est pas facile. On a les pieds ronds, il faut réapprendre à marcher droit. J'ai pu constater moi-même après trois ans de navigation autour de l'Amérique du Nord à bord du J.E.Bernier II *que je n'étais plus le même. La mer nous transforme. Nous cherchons encore cet oiseau qui fuyait devant l'étrave et ce sillage qui se perdait derrière à l'horizon. Il nous reste à dire le bonheur qu'on y a trouvé, mais aussi les chagrins et les difficultés qu'on y a éprouvés.*

Dans ce deuxième tome, Carl, Dominique et les enfants relatent les trois dernières années de leur périple autour du monde et expliquent comment ce long voyage a modifié leur attitude, leur rapport entre eux et les gens.

Comme Carl le dit au moment de leur départ en octobre 1986, ils n'étaient pas sûrs de ce qu'ils allaient trouver devant, mais ils savaient ce qu'ils laissaient derrière. Ils partaient, précise-t-il, à moitié pour fuir, à moitié pour découvrir le monde. Dominique, pour sa part, cherchait un équilibre qu'elle trouvait difficile à atteindre sur terre.

Ils en avaient certainement plus qu'ils ne le croyaient car si on n'a pas trouvé l'équilibre sur terre, ce n'est pas en mer qu'on le trouvera.

Faire le tour du monde comme Carl Mailhot, Dominique Manny et leurs quatre enfants l'ont fait relève du prodige. Tout parent sait qu'éduquer des enfants est une tâche ardue même à terre. Le faire sur un voilier qui cingle d'un continent à l'autre, voilà tout un défi qui mérite notre admiration et duquel on peut tirer plus d'une leçon.

Réal Bouvier
Août 1997

12

NOTE DES AUTEURS

Aux lecteurs, nouveaux ou anciens, de *La V'limeuse autour du monde*.

Ce récit est la suite et fin d'un voyage à voile, mené pendant six ans en compagnie de nos quatre enfants. Il nous conduit de Bali jusqu'à l'arrivée au Québec, à l'automne 1992.

Le tome 1, pour sa part, paru en mars 1995, situe le récit dès le premier chapitre à l'hiver 1977 où le froid vient paralyser les travaux de construction du bateau. En dépit des difficultés nombreuses qui se dresseront au cours des cinq années suivantes, la goélette de 14 mètres sera baptisée *V'limeuse* par un beau jour de septembre 1981. Les dernières-nées, Noémie et Sandrine, sont alors âgées de quelques semaines, Damien s'apprête à fêter ses 3 ans et Évangéline, l'aînée, en a 6.

Nos premiers ronds dans l'eau ont d'abord lieu dans le golfe Saint-Laurent, durant deux étés, puis au cours d'une traversée vers Saint-Malo, en 1984, avec retour par les Antilles et les Bermudes en juin 1985.

Des débuts difficiles, spécialement pour Damien, viennent près de compromettre nos projets. Heureusement, il réussit de peine et de misère à vaincre son appréhension qui se traduit par un mal de mer chronique.

De retour au Québec après ce galop d'essai d'un an, les derniers ajustements et modifications sont apportés au bateau et l'on se prépare pour un nouveau départ. Le 11 octobre est choisi au hasard comme jour d'embarquement à Longueuil pour un voyage dont on n'ose présumer de sa destination et encore moins de sa durée.

Nous quittons définitivement la terre d'Amérique à Port-Hawkesbury, Nouvelle-Écosse, à la fin octobre et nous cinglons dans les mers tempétueuses d'automne vers les Açores, Madère et les Canaries, trop heureux de renouer ensuite avec la route des alizés.

Deux Québécois sont à bord comme compagnons et équipiers.

Après quelques courtes escales dans certaines îles des petites Antilles, la *V'limeuse* pointe l'étrave vers Panama, porte du Pacifique mythique. Pour la première fois depuis longtemps, la famille se retrouve seule devant les vastes horizons et goûte à des moments privilégiés. Les découvertes défilent : Galápagos, Marquises, archipel des Tuamotu et enfin l'arrivée à Tahiti au bout d'une année : 12 000 milles ont défilé sous la quille.

Les deux prochaines années de navigation réalisées dans le Pacifique seront marquées par des distances plus réduites car les coins de paradis se succèdent et sont plus invitants les uns que les autres. Nous profitons aussi de la saison des cyclones pour approfondir nos visites.

L'Australie est le premier continent en vue après deux ans et demi. Nous y séjournons neuf mois au cours desquels nous visitons l'intérieur du pays. La remontée de la Grande Barrière conclut notre séjour et fait partie de nos plus beaux moments de navigation à voile.

La distance parcourue jusqu'en Australie représente déjà la mi-parcours d'une circumnavigation.

Nous mettons le cap ensuite vers l'Indonésie et l'approche de Bali marque la fin de nos trois premières années de voyage et clôture par le fait même le tome 1.

Ce premier livre dépeint aussi, sous le titre des « histoires du capitaine » certains moments déterminants qui apparaissent comme des pistes sérieuses menant à la mer. Des souvenirs d'enfance en Gaspésie refont surface, et plus près dans le temps, notre rencontre en décembre 1972. Une liaison jugée impossible en regard de la différence d'âge.

Mais à la lumière de ce que nous avons traversé ensemble au cours des vingt-cinq dernières années, on pourrait presque dire qu'on gagne sûrement à aimer, mais qu'avec beaucoup de complicité, on peut aller plus loin... jusqu'à conquérir le monde.

V'limeuse, eux : *adj. et n.* Se dit d'un être qui a de la ruse, de l'habilité, de l'audace pour s'amuser au dépens d'autrui, se tirer d'embarras ou réussir.

Dictionnaire du français québécois,
Les Presses de l'Université Laval.

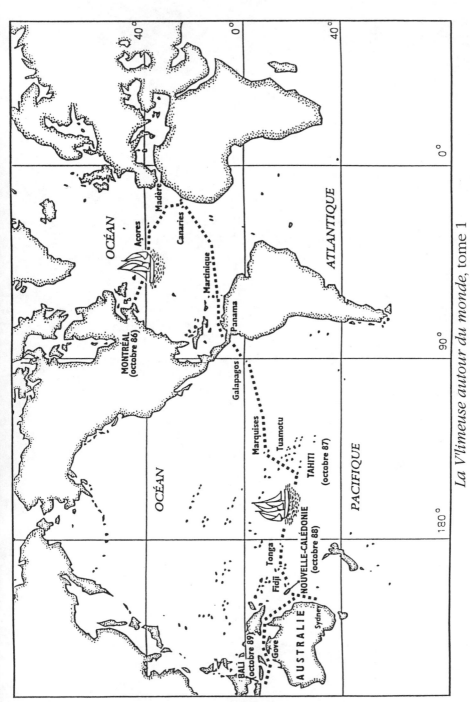

La V!imeuse autour du monde, tome 1

1ère année : Montréal – Tahiti : 12 000 milles   2e année : Tahiti – Nouvelle-Calédonie : 2 600 milles

3e année : Nouvelle-Calédonie – Bali : 4 600 milles

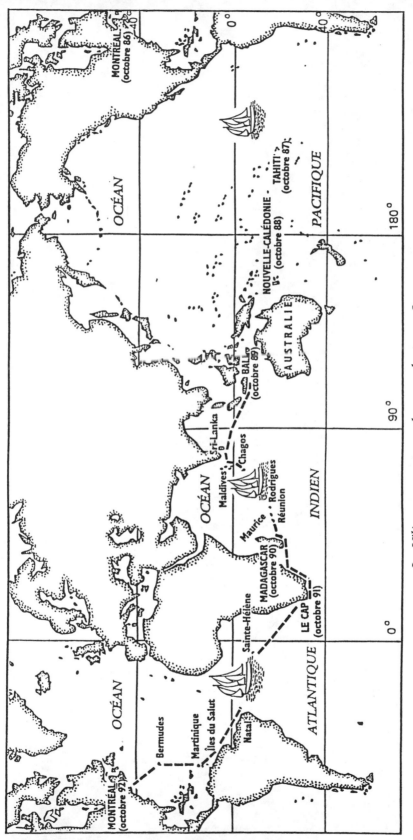

La V[i]limeuse autour du monde, tome 2

4e année : Bali – Madagascar : 5 600 milles   5e année : Madagascar – Le Cap : 1 700 milles

6e année : Le Cap – Montréa. : 7 500 milles

I

MER DE TIMOR – MADAGASCAR
octobre 1989 à octobre 1990

> *Elle est retrouvée !*
> *Quoi ? L'éternité.*
> *C'est la mer mêlée*
> *Au soleil.*
>
> Rimbaud

En mer   (Carl)

En mer... deux mots qui n'évoquent aucun pays.

Quels sont ces minuscules îlots qui dérivent loin au large de notre vocabulaire terrestre ?

Il m'arrive de les percevoir comme deux hublots liquides qui s'ouvriraient sur le subconscient de notre planète. Sorte de flaque d'eau échappée de notre appréhension du cosmos.

En mer, en mer... J'émets par intermittence ce signal pour sonder la fuyante dimension de notre voyage. Parfois je les écris comme titre de mes journées dans mon carnet de bord ; parfois, comme en ce moment, je les remue dans un demi-sommeil.

Alors que je suis allongé dans la nuit tiède, un faisceau de lumière vient soudainement balayer mes paupières. Je n'ai pas besoin même d'ouvrir l'œil. C'est Évangéline à la barre qui doit promener ainsi la lampe de poche vers le petit boîtier noir accroché dans la descente. À son profond soupir, j'en déduis que l'heure qu'elle vient d'attraper ne passe pas assez vite à son goût.

Mais je suis là sur la banquette, tout près, à portée de sa main qui vient m'implorer avant les mots : « Papa, papa, dors-tu ? »

Je grogne un peu, pour le principe, puis j'attends qu'elle m'annonce un cargo ou un nuage menaçant qui vient vers nous. À moins que ce ne soit les premiers éclats d'un phare sur la côte de Bali :

— Tu vois quelque chose ? dis-je, la voix pesante, indiquant par là que je ne bougerai qu'en cas de force majeure.

— Non, c'est pas ça... Il me reste encore trois quarts d'heure à barrer et j'ai d'la misère à garder les yeux ouverts. S'il te plaît, va me chercher une cassette, ça va me réveiller un peu.

— Il est quelle heure ?

— Minuit et quart.

— T'es bien certaine ?

— Certaine de quoi ? De l'heure ou que je m'endors ?

— Non. Que tu tiennes absolument à me faire lever.

Mes moments de léthargie profonde sont toujours difficiles à négocier. Damien, d'un strict point de vue de pêcheur, estime qu'on finit toujours par m'attraper, mais que je suis long à remonter.

Pas de chance toutefois avec Évangéline. Moins patiente que son frère et pas dupe de ce dialogue de sourd, elle est prompte à la menace. Il y aura son habituel coup de semonce : « Meerrrde... papa, commence pas ! »

Sinon, bien entendu, je devrai avoir honte dès demain matin, à la fin de son *caucus* dans la cabine avec Dominique qui ne manquerait pas de m'apostropher : « Vraiment sans-cœur, Carl Mailhot ! Te rends-tu compte de ce que tu demandes à ta fille d'à peine 14 ans ? D'être assez vaillante pour se lever en pleine nuit et conduire pendant deux heures ton foutu bateau que tu n'as pas eu la décence d'équiper d'un système de pilotage automatique convenable ; mal réglé, défectueux, brisé, toujours quelque chose qui ne va pas. Et pour la remercier, monsieur ne daigne pas bouger son derrière. Alors si tu ne veux pas finir ton tour du monde en solitaire... »

Père dégueulasse, si ça leur fait plaisir. En mon âme et conscience, mon attitude se justifie. Comme le concierge d'un immeuble, j'en ai marre d'avoir à laisser ma porte entrouverte jour et nuit, chaque semaine qui vient depuis bientôt trois ans, pour des questions de plomberie. Alors, je ferme et laisse une note : **parti sur le toit.**

J'ai beau crâner, la réalité finit par reprendre le dessus et me force à être mon propre justicier : « Réveille, Carl, secoue-toi, espèce de flan mou ! Tu manges du rêve à pleines dents en ce moment, farci de noms exotiques qui en feraient mourir plusieurs d'indigestion : détroit de Torrès, mer d'Arafura, Bali, Java, Sumatra. Si t'as pas la force de t'essuyer la bouche, alors avoue au moins que c'est bon. »

« Prends toujours ça dans la gueule, mon petit vieux ! » suis-je obligé d'admettre. Et j'avale le point final en m'étouffant presque. Chanceux malgré tout. Mon côté jeune voyou, qui n'a pas son pareil en matière de méchanceté, aurait pu m'esquinter encore plus. Suffit ! Je me lève.

Et hop ! un coup de roulis me ramène debout au rez-de-chaussée où je bougonne un dernier coup, agrippé dans la descente :

– On marche bien en tout cas ! Pour une fois qu'il y a du vent... Non, mais c'est vraiment sacrant ! On l'attend pendant vingt-deux jours et maintenant qu'on a décidé de s'arrêter, le v'là qui part en peur... Maintenant, Djinn (notre diminutif d'Évangéline), aide-moi un peu : Tracy Chapman, Chris Rea, Georges Harrison...

– Les Moody Blues, enchaîne-t-elle. Si tu ne la trouves pas à sa place, regarde dans la poche de mon ciré, elle serait peut-être restée là.

Je réapparais quelques minutes plus tard avec sa demande spéciale et viens reprendre ma position près d'elle. Comme un claquement de doigt, le bruit sec et précis du coffret étanche Sony Sports m'annonce que tout va reprendre son cours. J'ai dû l'entendre des milliers de fois en me répétant sans cesse combien cette petite invention aura motivé l'équipage à la barre. Et avec une telle efficacité qu'elle fait avantageusement office de pilote de secours.

La musique, même rythmée, doit détendre notre barreuse car voici que sa main quitte le baladeur et vient caresser mon front. Brave Évangéline ! Elle reconnaît par ce geste affectueux qu'elle est privilégiée, parmi les très rares à pouvoir me demander pareil service. Encore que pour mes enfants, il y a des limites à ne pas franchir. J'ai accepté à la rigueur d'être disc-jockey cette nuit, mais il n'aurait pas fallu qu'elle me commande un chocolat chaud.

Les mouvements du bateau se remettent à me bercer. Où en étais-je tantôt ? Ah, oui ! À écouter l'écho insaisissable que font deux simples mots...

En mer... et pourquoi ? Pour retrouver ses propres horizons dans ce vide apparent ? Pour les dégager des repères trop nombreux de nos pâturages riverains, gratte-ciel, autoroutes, centres commerciaux, bouches de métro, télévision, qui font tomber la vue ?

Peut-être bien ! Cette saveur, en tout cas, me dit quelque chose.

En mer... Plus enfoncés que jamais dans notre cocon familial ! Comme l'oxygène en altitude, le monde géographique se raréfie à mesure que nous nous découvrons. Les côtes d'Indonésie sont à moins de trente milles et pourtant je me sens à des lieues de l'humanité.

En mer... Depuis trois semaines, nous voguons dans un univers en fusion. L'absence de vent et l'incandescence conjuguée du soleil, de l'air et de l'eau nous maintiennent dans un état second. Comme si, pour fuir la chaleur, des cellules de notre cerveau étaient parties se mettre à l'abri dans la nuit, dans la grande voûte étoilée. Là-haut, elles ne réfléchissent plus. Elles brillent, livrées au chaos. Nos corps se retrouvent à demi désertés, libérés de toute intention.

Ce sentiment intense, à la limite du désarroi, ne m'effraie pas outre mesure.

Mais la vraie question : nos quatre enfants s'en remettront-ils jamais ?

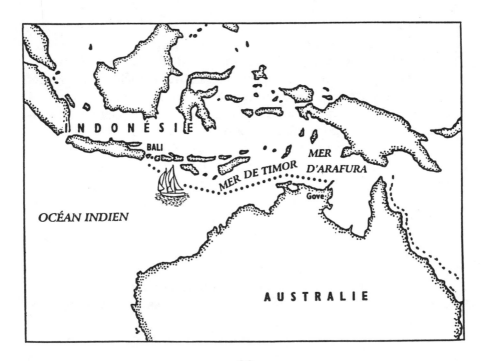

Bali (C.)

Plus vous allez haut, plus grande sera la chute.

Ce vieux dicton, teinté de défaitisme pour tout ce qui cherche à s'élever, était notre argumentation de base pour ne pas arrêter à Bali.

Nous avions atteint de tels sommets de bien-être au cours de ces dernières semaines que Bali paraissait particulièrement mal choisie pour un atterrissage en douceur. Pourquoi ? Parce que, nous disions-nous, le déversement d'un million de touristes par année sur une île relativement petite doit donner des résultats dévastateurs.

Sûrs de tomber très bas, nous préférions ne pas venir piétiner à notre tour cette terre qui depuis très longtemps exerce une magie sur le voyageur.

Ajoutons à cela qu'elle fait partie d'un des plus vastes archipels du monde, celui de la république indonésienne, avec plus de treize mille îles. Cet État insulaire de 190 millions d'habitants, s'étendant sur 5 000 kilomètres d'ouest en est et 2 000 km du nord au sud, représente à lui seul un programme bien chargé.

À cet égard, venir effleurer pendant quinze jours une parcelle, si flamboyante soit-elle, de cette mosaïque n'est pas dans notre mentalité. Nous préférons le séjour prolongé à la visite brève, quitte à rayer deux escales sur trois.

Non ! L'Indonésie, ce serait pour une autre fois.

Cependant, il arrive que des phénomènes météorologiques prennent des décisions à notre place.

Le vent, nommément responsable ici, a fait toute la différence depuis que nous avons quitté le nord de l'Australie. Nous aurait-il gratifiés de sa présence durant ces trois dernières semaines qu'il en aurait été autrement. Nous aurions filé notre route vers le Sri Lanka avec un arrêt probable à l'île Christmas ou aux Cocos, deux dépendances australiennes. Mais nous ayant fait défaut la plupart du temps, sinon avec un taux de participation assez faible, il nous a contraints à reconsidérer nos plans.

Avec des traites journalières moyennes d'une soixantaine de milles, effectuées en grande partie au moteur, nous avons épuisé notre autonomie en carburant-diesel, eau potable et nourriture fraîche. Alors aussi bien effectuer là ce ravitaillement qui s'impose, plutôt que dans les îles australiennes où nous paierons les choses nettement plus cher.

Le suspense, cependant, aura duré jusqu'à la dernière minute. Durant les quatre derniers jours, notre option était à la merci des caprices d'Éole. Le vent faiblissait : on s'arrêtait. Il reprenait : l'on continuait.

Nous n'en demandions pas beaucoup, pourtant. Quand notre verdict est tombé la nuit dernière, d'ailleurs en même temps que la brise, vers 2 heures, il aurait suffi qu'elle tienne bon encore pendant six à huit heures pour que nous gardions notre cap.

Peine perdue ; maintenant que l'étrave est résolument tournée vers ce haut lieu du tourisme international, nos craintes cèdent à la curiosité maladive. Rien de mieux, après tout, que de faire ses propres constats.

Il y a toutefois un hic à cet arrêt non prévu : nous n'avons pas l'autorisation nécessaire. Il aurait fallu l'obtenir sous forme d'un permis de croisière réglementaire, délivré par un consulat ou une ambassade en Australie. Mais je suis confiant. Au pire, les autorités vont devoir nous allouer les trois jours réglementaires stipulés par la convention maritime internationale. Tout navire y a droit, que ce soit pour une réparation d'urgence ou le besoin de s'approvisionner. Au mieux, nous jouerons la carte des enfants en faisant sonner modérément le *p'tit change* dans nos poches de pantalon.

Dominique me rappelle à ce propos que je ferais mieux de commencer « par les enfiler ». Je suis encore dans ma tenue tropicale habituelle et nous croiserons bientôt ce qui ressemble à un papillon bleu clair posé sur l'eau. Dansant et miroitant dans les premiers rayons du soleil, une fragile et gracieuse pirogue apparaît devant nous. Le fort courant de marée qui l'emporte permet tout juste à Damien d'aller chercher son appareil photo alors que le pêcheur solitaire défile à vingt mètres sur notre travers. Clic !

Les sœurs jumelles et leur grand frère, passés maîtres dans la construction de bateaux miniatures, croiraient presque apercevoir un compagnon de jeu tellement ce modèle est réduit. Incroyable ! semblons-nous tous répéter dans notre for intérieur en examinant cette frêle embarcation du haut de nos vingt-deux tonnes.

Chaque fois qu'une rencontre de ce genre se produit, je ne peux que saluer l'audace de ces marins :

— Regardez ! Ces gars-là sont impayables... les fesses coincées sur trois bouts de bois à dix ou quinze milles au large, ça leur fait ni chaud ni froid. Trop de vent, pas de vent, je ne sais pas comment ils font, mais ils finissent toujours par rentrer.

Dominique découvre l'explication des reflets que nous apercevions au loin : la voile de la pirogue est en plastique.

— En tout cas, dit-elle, c'est hautement efficace pour se faire repérer en mer. Souvenez-vous, il devait être à cinq, six milles au moins quand on a aperçu les premiers miroitements de sa voile.

— On dirait que notre bonhomme est parti avec la nappe de la table de cuisine, dis-je.

— À mon avis, conclue Dominique, il a pris ce qui lui tombait sous la main et de meilleur marché.

Il file comme une plume alors que nous faisons presque du surplace et j'enrage d'être pris en défaut :

— Ce brave pêcheur nous dirait certainement que nous sommes de pauvres imbéciles en ce moment.

— Pourquoi ? demande Damien, un peu surpris.

— Parce qu'à ses yeux, mon petit bonhomme, on pourrait sûrement éviter de brûler du fuel pour rien. On navigue au beau milieu du courant, alors que plus près de la côte, il doit y avoir un contre-courant du tonnerre qui nous ferait avancer plus facilement. Et ces pêcheurs le savent mieux que n'importe qui.

— Leur force, à eux, rajoute Dominique avec une ironie à peine contenue, c'est pas de compter sur un moteur de 140 chevaux, mais sur deux mille ans de connaissances acquises à faire ce métier.

Installée à la roue, Dominique lui envoie la main et nous rappelle à l'ordre : escale non prévue, nous n'avons pas de cartes détaillées du coin. Tout ce que nous savons, c'est que quelque part par là, il y a Benoa, le port principal de Bali. Aussi bien réunir le maximum de monde pour cet atterrissage :

— Qui irait réveiller Évangéline ? lance-t-elle à la ronde, en fronçant les sourcils dans la lumière crue du midi. En même temps, apportez-moi mes lunettes de soleil, s'il vous plaît ; je crois qu'elles sont sur l'étagère de la table à cartes.

Je ne peux retenir une taquinerie chaque fois qu'il est question de ses *fameuses* lunettes :

– Vérifie d'abord si tu n'es pas assise dessus ou si tu ne les as pas oubliées quelque part !

Sacrée Dominique, elle est bien obligée de rire après sa dernière mésaventure d'il y a deux ans. Elle avait laissé ses verres fumés à bord de *Nadja*, un voilier que nous aidions à écluser à Panama.

Commencée en avril 1987, l'affaire qui s'est déroulée à la grandeur du Pacifique a mobilisé l'intervention d'au moins trois équipages en tour du monde et s'est finalement terminée en Australie, en août 1989. *Taora*, qui nous a enfin rejoints à Cairns, dans la Grande Barrière, faisait le relais pour *Of the Duke* depuis Tahiti quand ils ont été surpris par une queue de cyclone en approchant la Nouvelle-Zélande. Dépités, Marie-Claire et Raymond venaient nous annoncer qu'ils n'avaient plus jamais revu les verres fumés après leur chavirage.

Comme j'ai alors fait remarquer à Dominique, en blaguant, j'aime encore mieux trouver ses lunettes écrabouillées sous un fond de culotte ou une semelle. Au moins, quand je les ramasse en petits morceaux, il n'y a que nous que ça dérange.

Selamat siang ! (C.)

Alors que les contours du port se font de plus en plus nets, je me répète les différentes salutations d'usage. Selon l'heure du jour, le petit lexique indonésien de notre bibliothèque propose au moins cinq façons de saluer quelqu'un. Debout près du cockpit, je regarde ma montre :

– Ça va aller pour *selamat siang*, dis-je en m'adressant à Évangéline, mais si nous étions arrivés après 3 heures, il aurait fallu dire « bon après-midi » au douanier comme ceci : *selamat sore* ! C'est assez spécial comme division de la journée quand on sait que le « bonjour » du matin, qui se dit *selamat pagi*, est valable jusqu'à 11 heures.

Dominique, responsable à bord des formalités d'entrée et de sortie, appréhende les tracasseries :

– Si leurs salutations sont réglées comme une horloge, j'ai hâte de voir s'ils vont être aussi précis et pointilleux dans leurs paperasseries avec nous. Si oui, préparons-nous à parlementer un bon coup.

Le rite d'approche est enclenché. Pour Dominique, à la barre à roue, cela se traduit par une fébrilité grandissante, surtout quand les plus jeunes choisissent précisément cette occasion pour s'agiter autour d'elle. J'interviens pour que cesse la rigolade avant qu'elle ne perde patience :

– Oh, oh, doucement, les copains ! Vous savez comme ça l'énerve quand vous vous excitez, alors attendez qu'on soit arrivés ou allez plus loin, n'importe où, en autant que vous ne lui bloquiez pas la vue ! Oh ! minute ! Avant toute chose, débarrassez-moi les banquettes, descendez le tas d'oreillers, les bols à soupe et rangez vos livres ! Je vous l'ai déjà répété ; rien qui puisse nuire aux manœuvres. Allez !

Je me rends compte aussi que tout va trop vite à mon goût :

– Dominique, ralentis s'il te plaît, qu'on ait un peu le temps de voir venir les choses.

Pas la peine, à cet instant précis, nous nous échouons en serrant un peu trop la dernière bouée verte de la passe. Pas d'affreux bruits de métal ; notre élan se termine sur un fond sablonneux. Heureusement, j'avais déverrouillé la quille comme à chaque fois que nous rentrons du large. Il me reste à actionner le treuil électrique pour la remonter davantage, se dégager et continuer notre chemin.

En ce début d'après-midi du 17 octobre 1989, nous procédons avec minutie vers la zone d'ancrage réservée aux petits tonnages. Parmi les silhouettes particulières des bateaux de pêche du Sud-Est asiatique, une petite concentration de mâts. D'instinct, nous nous dirigeons vers cette dizaine de voiliers en évaluant d'avance les aires d'évitage qui restent libres pour nous.

Les enfants prennent déjà note de certains pavillons à l'arrière des voiliers visiteurs, faute d'apercevoir aucune tête de leur âge. À mon poste à l'avant, je décroche l'ancre et la laisse pendre à l'étrave, prête à faire son bouillon au signal donné.

Réussi ! Après nous avoir fait culer sur la chaîne, le vent nous positionne à l'endroit voulu, laissant un paravent d'intimité suffisant à nos plus proches voisins. Je me rends compte à quel point nous maîtrisons maintenant la technique du « stationnement » sur l'eau par rapport à nos premiers cafouillages, sept ou huit ans plus tôt.

Cela dit, notre but n'était pas d'incommoder quelqu'un en nous glissant ici, seulement de nous rapprocher le plus possible du ponton de débarquement. Vu l'état pitoyable de notre annexe, nous veillons à ce que nos allées et venues ne se transforment pas en ébats aquatiques.

Les premiers instants de nos arrivées sont d'une étrange douceur. Ça ne manque jamais. Nos corps les premiers, habitués aux mouvements prolongés des vagues ou de la houle, semblent frappés soudainement d'immobilité, tout attentifs à se laisser envahir par un autre effet de pesanteur.

Trop occupés tout à l'heure, nos regards avides sont maintenant prêts à l'émerveillement. Après tous ces jours d'envol, ils aiment se poser sur la première forme venue avec la grâce d'une hirondelle de mer : ne serait-ce que sur ces éternels hangars décrépits qui longent tous les quais du monde.

Hier, dans les limbes du large, nous voulions ignorer Bali. Maintenant, nous sommes disposés à aimer cette île.

Curieux revirement ! Mais n'est-il pas dans l'ordre des contrastes et contradictions sans lesquelles nous ne saurions vivre ?

Nous sommes en train de nous faire beaux, rangement général sur le pont et à l'intérieur, lorsque s'annonce notre première visite. Comme s'il avait pressenti que nous n'étions pas en règle, notre voisin de mouillage s'amène le long de notre bord. Très avenant et fier scandinave – à n'en pas douter par le nom de son bateau *Le grand Danois* – il nous brosse rapidement, et comme s'il était venu sur la pointe des pieds, un tableau ni réjouissant ni alarmant, mais qui ne cache rien de la corruption qui sévit à Bali. Il a visiblement cherché à devancer quelqu'un et il doute que nous puissions nous en tirer sans verser un généreux pot-de-vin, même en invoquant l'arrêt par nécessité.

Dans les quinze minutes qui suivent, nous recevons confirmation que notre arrivée n'est pas passée inaperçue. Alors que nous sommes prêts à nous défendre âprement contre des fonctionnaires

28

arrogants, un souriant personnage en jeans et chemise à fleurs vient se présenter en nous remettant sa carte d'affaires.

Parmi les services que Made Gerip offre aux yachts de passage, se trouve comme par hasard celui d'entremetteur pour les militaires de la marine nationale, notre comité d'accueil obligé. Il nous explique avec beaucoup de doigté que ces derniers décideront sur sa recommandation du prix à payer pour régulariser notre situation. Soyez gentils avec moi, semble-t-il nous dire, il vous en coûtera moins cher.

De toute évidence, sa bonne tête et ses manières courtoises viennent brouiller nos cartes. Sur le point de comprendre pourquoi les hauts gradés l'ont choisi pour garnir leur portefeuille, nous ne parvenons même pas à lui en vouloir pour cet excès de franchise. Tout en se rangeant à nos arguments, il n'en cherche pas moins à sauver sa commission :

– Vous êtes une famille sympathique, croyez-moi, et je suis prêt à plaider pour votre cause. Je ne peux rien vous garantir, mais vos chances, à mon avis, sont meilleures que celles de ce bateau australien, là-bas.

Toutes les têtes se tournent alors dans la direction de son coup de menton.

– Oui, celui-là, poursuit-il en indiquant le voilier rouge. Ils sont arrivés ici avec des problèmes de moteur, ils attendent des pièces. Comme de raison, ils n'avaient pas leur permis et sous prétexte qu'il leur en coûtera assez cher en réparations, ils disent ne pas être en mesure de payer, insistant pour que leur droit soit respecté. C'est beau en principe. Mais en attendant, l'équipage pâtit, dix ou onze jeunes qui sont confinés au bateau depuis deux jours, interdiction d'aller à terre, sauf le capitaine que je dois accompagner chaque fois qu'il veut téléphoner. Enfin, vous voyez, c'est tendu, dur pour tout le monde. Ils auraient montré un peu de collaboration, se seraient cotisés pour verser un petit montant symbolique qu'ils seraient tous en cavale dans l'île à l'heure où l'on se parle.

Nous nous regardons, Dominique et moi, en haussant les épaules. C'est un appel discret à la prudence. Notre état de somnolence, causé par la fatigue des derniers jours et la chaleur, permet tout juste à Dominique de réagir :

– Revenez donc prendre l'apéritif avec nous en fin d'après-midi ! D'ici là, nous serons reposés et en mesure de prendre la bonne décision.

29

– C'est exactement ce que j'allais vous proposer, ajoute-t-il en se levant. Vous avez raison de vouloir réfléchir. Maintenant que je vous connais, je suis persuadé que vous allez adorer mon pays.

J'ai peine à le suivre et cherche à savoir dans quoi il veut m'entraîner :

– Écoutez, je voudrais être sûr qu'on se comprend...

– Oh oui, tout à fait ! s'empresse-t-il de m'interrompre. Vous voulez discuter des conditions ?

– Du montant, dis-je, certain qu'il est, au fond, plus pressé que moi à parler gros sous.

– Soyez tranquilles ! Je vais tout faire pour que leur demande soit raisonnable. Ce sont des officiers très compréhensifs. Vous aurez d'ailleurs l'occasion de les rencontrer à tous les deux ou trois jours pour les tenir au courant de vos réparations...

– ... !

– Oui, je sais, vous n'en avez pas, mais il faudra trouver quelque chose, n'importe quoi. Ces messieurs feront semblant de venir vérifier, c'est tout. Allez ! Je pars les rencontrer et vous donnerai l'heure juste à mon retour.

Évangéline ✍

17 octobre 1989

Nous avons mangé, fait du ménage et ensuite la sieste.
Vers 5 heures l'Indonésien est venu prendre le thé avec nous. Il faut payer 150 $ et ils nous donnent trois jours pour faire du fuel, nos courses, nos réparations (fausses bien sûr). Et après, il faut qu'on retourne au bureau de l'immigration pour redemander trois jours, ensuite encore 3 jours. Bref, il dit que nous pourrons probablement rester ici quinze jours.

18 octobre

C'est la fête de ma belle maman et nous lui avons apporté son petit déjeuner dans la cabine : pain doré couvert de sirop d'érable du Québec que Carl a trouvé à Sydney. Ensuite, on lui a dit de fermer les yeux et quand elle les a ouverts, il y avait deux cadeaux enveloppés sur ses genoux, deux chandails achetés en Australie. Ils sont très beaux, l'un avec plein de papillons bleus, l'autre avec deux gros pélicans sur le devant. Je suis contente que l'on se soit arrêtés ici. Carl est allé faire les papiers et le douanier est venu un peu plus tard. Il a dit à Carl : « *You have a beautiful daughter* » C'était moi. Je vous raconte pas comment je suis devenue rouge.

Comme notre annexe est pleine de trous, Made, notre copain indonésien, nous a donné un *lift* pour aller à terre et ensuite jusqu'à Kuta dans sa camionnette.

C'est terrible !!! Tout le temps, tous les Indonésiens qui font de la vente de trottoir te sautent dessus : « *You want buy this, cheap, very cheap* ! » Tu te promènes et c'est partout comme ça, mais au moins les gens ont le sourire. Ça c'est bien ! Il y a plein de magasins de musique qui vendent des cassettes pirates à 5 000 roupies (3,20 $). Nous avons acheté celle de Tracy Chapman. J'ai vu de superbes boucles d'oreilles en bois, peintes de toutes les couleurs, en forme d'oiseau, etc., comme celles en Australie qui valent jusqu'à 10 $. Ici : 1 000 roupies ! Ce qui fait exactement en monnaie canadienne, tenez-vous bien : 66 sous. Terrible !!!

Nous sommes revenus de la ville et avons mangé dans un petit resto sur le port : un riz au poulet et légumes avec un œuf cuit dessus, tomates, concombre, plus une grosse bière et deux Sprite : 7 000 roupies, c'est-à-dire 4,60 $. Formidable, un souper à six pour 4,60 $!

19 octobre

Cette nuit, nous n'avons pas eu mal au ventre avec le souper d'hier soir chez Kasi. Bon signe car c'était suspect comme propreté mais délicieux. Carl dit que normalement nous aurions dû avoir des crampes, mais que maintenant nos estomacs sont habitués. Ce matin, nous avons mangé du pain aux raisins.

J'ai oublié de dire qu'hier, à la boulangerie, quelqu'un nous a entendus parler et est venu nous dire qu'il était lui aussi québécois. Ça fait quatre ans qu'il vient ici passer six mois par année pour acheter de l'artisanat. Ils sont quatre copains qui ont une boutique sur la rue Duluth à Montréal. Il va peut-être venir au bateau dimanche.

Un guide privé (C.)

Au nombre d'avions qui déchirent l'air à très basse altitude et pratiquement au-dessus de nos têtes, on ne doute pas une minute du chiffre élevé de touristes qui doivent, dans un seul après-midi, débouler sur l'île.

Chaque fois qu'un gros transporteur fait son passage d'approche, André doit élever la voix ou parfois attendre quelques instants avant de poursuivre la conversation. Assis autour du cockpit, nous profitons des pauses sonores pour faire honneur à cette bouteille de rhum vieux que je gardais pour une grande occasion.

Car, parole de capitaine Haddock, nous avons de quoi fêter. Pour nous qui commençons à être en manque de nos semblables, rencontrer un Québécois à Bali, c'est un cadeau tombé du ciel. Déjà que ce minimum nous comblerait, voilà que ce fier représentant de la race, par la barbe de Neptune, nous en donne à revendre. Début trentaine, bien de sa personne, il réunit le nombre d'atomes crochus qui rallient une famille au complet.

En d'autres termes, le clan se serait laissé infiltrer si André avait voulu mettre son sac à bord. Ce qu'il nous raconte sur Bali depuis deux bonnes heures est fascinant :

– Saviez-vous, poursuit-il, qu'il existe environ 20 000 temples sur l'île, c'est affolant. Le plus tordant de cette histoire, c'est comment ils en sont arrivés à ce chiffre.

Il s'adresse alors aux enfants en leur posant une devinette.

– Comment pensez-vous qu'ils ont fait ?

– Ben... ils les ont comptés, fait Évangéline, hésitante.

– Eh non ! Au suivant... Toi, Damien, t'as une meilleure idée ?

– ...

– Bon, je vais vous aider. En 1917, il y a eu un gros tremblement de terre qui a détruit un neuvième de l'île. En faisant le tour des ruines, ils ont compté pas moins de 2 500 temples écroulés. À partir de là, quelqu'un a eu la brillante idée de multiplier par neuf pour connaître le nombre approximatif de temples sur l'ensemble de l'île. Hé ! hé ! Pas mal, non ?

– J'avoue, dis-je, que c'est une drôle de façon de faire des mathématiques. À bien y penser, voilà ce qui m'a manqué à l'école : d'énormes cataclysmes pour m'apprendre l'algèbre ou la multiplication de fractions. Quant à toi, Dominique, tu devrais songer sérieusement à enseigner aux enfants de cette manière : par déduction. Damien, par exemple, trouverait plus intéressant de savoir que les 1 233 poissons qu'il a échappés jusqu'à date représentent les huit neuvièmes de sa pêche. Pas vrai, Dam ?

– Papa, t'es pas très drôle, fait-il, n'entendant pas à rire sur ce sujet.

– Content de te l'entendre dire, fiston. Tu vois, mon cher André, à quel espèce de conseiller pédagogique sans scrupule se frotte quotidiennement depuis au moins trois ans ma courageuse compagne-mère-navigatrice-enseignante-et-j'en-passe !

Et prenant un air faussement pompeux, je poursuis :

– Sois témoin, André, de cet hommage que je tiens personnellement à lui rendre si loin de nos compatriotes restés au foyer, et accepte, toi que nous trouvons sur notre route, de lever ton verre à l'amour qui finit toujours par triompher de tout, et dans le présent cas, de la réunion intempestive d'un pauvre type que vous avez tous reconnu, pompette mais pas chaud, et d'une femme exceptionnelle ! Salut !

– Ça va, Carl, prends une bonne respiration. Je te préviens, André, dans moins de trente secondes, il va se contredire et affirmer dur comme fer que l'amour n'existe pas.

– C'est vrai, j'adore me contredire. C'est mon hobby préféré, comme si je jouais avec deux fils, le positif et le négatif, pour obtenir du courant et, selon moi, avancer.

– En tout cas, réplique Dominique, avant que tu n'essaies de prouver ta théorie des courts-circuits et des flammèches, j'aimerais qu'on revienne à notre petit tour d'horizon de Bali. J'ai une question pour toi, André. Dis-moi sincèrement, puisque tu vis ici, si toutes ces images de rizières et de danses qui circulent sur Bali correspondent vraiment à la réalité ou sont simplement touristiques ? On s'est rendu compte à Tahiti, par exemple, que les fameuses vahinés avec leurs colliers de fleurs et leurs seins nus sont loin de courir les rues. Pas vrai, Carl ?

André pose la main sur son verre.

– Non merci, Carl, assez de rhum pour moi. Vous avez peut-être raison pour Tahiti, mais ici j'aurais de la difficulté à discerner la part de surenchère. Mieux que ça, il me semble parfois que la réalité est encore plus fantastique que tout ce qu'on peut entendre dire ou voir à la télé. C'est pas compliqué, la danse est intimement liée à leur religion et, attention, ils sont plus croyants que nous au Québec.

Nous savions que les Balinais pratiquent l'hindouisme, mais André nous fait remarquer que partout ailleurs dans l'archipel, les Indonésiens sont convertis à l'islam. Il dit qu'il y a certainement des explications à ce phénomène assez unique, mais qu'il préfère y voir là un des nombreux mystères de la géographie humaine.

– En tout cas, poursuit-il en revenant à ses explications, ça ne veut pas dire que chaque personne que vous croisez sur la rue rend hommage à son dieu ou se purifie en effectuant un numéro de danse. Non, le commun des mortels risquerait ainsi d'offusquer les dieux en livrant des performances très quelconques. Il faut que l'interprétation soit parfaite, qu'elle atteigne le niveau de l'art. Elle est donc confiée à des danseurs, très jeunes pour la plupart. Certains ont débuté leur entraînement alors qu'ils avaient six ou sept ans tout au plus.

Sandrine et Noémie, qui ont justement huit ans, voient alors tous les regards se tourner vers elles. Les pauvres petites rougissent instantanément, comme si, en les prenant à témoin de la virtuosité des danseuses balinaises, nous n'avions réussi qu'à les rendre infirmes.

– Si je vous disais, poursuit André, que l'une des plus fameuses de ces danses, justement, appelée *legong kraton*, exige que l'enfant n'ait pas plus de douze ans. Imaginez la pression sur les épaules d'un aussi jeune danseur quand il sait que sa performance doit plaire aux dieux. Soit dit en passant, il faut absolument que vous assistiez à l'un de ces spectacles religieux. Il y en a environ 35 000 par année. On devrait donc être capable d'en trouver un bon d'ici à ce que vous partiez.

Je souris dans ma barbe en entendant cette dernière phrase, spécialement les cinq premiers mots, *on devrait donc être capable*... une expression qui, à des milliers de kilomètres de chez nous, m'apparaît comme la plus jolie tournure qui soit pour dire que nous sommes dorénavant ses invités.

Le reste de la conversation, d'ailleurs, le confirme rapidement : André part pour trois ou quatre jours dans l'île rendre visite à ses principaux fournisseurs et il nous demande de l'accompagner... dans sa Suzuki Sidekick. Il reconnaît que ce n'est pas l'idéal pour loger sept personnes. Mais si nous sommes prêts à ce sacrifice, ce sera une occasion rare d'approcher le milieu des artisans de l'intérieur, et non par-dessus le comptoir à la façon des touristes. Autre énorme avantage qu'il met à notre disposition en plus de ses quatre années de contacts avec les Balinais : il parle couramment l'indonésien et, comme eux, a toujours le sourire accroché au visage.

Deux jours plus tard, nous entamons le circuit planifié pour nous, en tenant compte de ses visites obligées à des peintres, sculpteurs et joailliers. Il nous met cependant en garde : le trajet nous fera découvrir des endroits touristiques, comme Ubud, mais leur développement a été contrôlé afin que l'erreur de l'affligeante Kuta, à dix kilomètres de notre ancrage, ne se répète pas.

Dans la région de Celuk, alors que la route commence à prendre de l'altitude, il stoppe souvent sa 4 X 4 et s'engage avec nous à sa suite sur des sentiers qu'il semble connaître comme le fond de sa poche. Il ne dit pas un mot et rendu au bout de ces couloirs feuillus et humides, il se tourne d'un seul coup pour bien goûter notre surprise. Wooow ! font ceux qui n'ont pas le souffle coupé. Nous venons à l'instant de déboucher sur nos premières rizières étagées à flanc de montagne. D'aussi haut, l'effet est saisissant. On dirait un amphithéâtre romain avec ses centaines de gradins d'un vert comme nous n'en avons jamais vu.

Pendant que nos regards se promènent à travers ces somptueuses terrasses, André remplit admirablement son travail de guide, expliquant que depuis plus de deux mille ans et grâce notamment à deux récoltes annuelles, Bali a pu profiter de l'exceptionnelle fertilité de son sol volcanique pour produire cette denrée qui se hisse au premier rang de leur production.

Là où il veut en venir, ce n'est pas tant de nous dresser le profil économique de Bali comme de nous annoncer qu'il existerait, selon des études, un lien assez étroit entre la culture du riz et les origines de l'intense activité artistique et culturelle de l'île. Elle serait explicable en partie par les périodes de temps dont la population disposait entre le piquage du riz et sa récolte.

– Tout se tient, répète-t-il souvent dans un brillant exercice de vulgarisation qui rejoint les petits comme les grands. Tout s'enchaîne, ou plutôt tourne autour de la danse, en commençant par leur bonne humeur proverbiale. Ils sont devenus musiciens pour accompagner les danseurs, et artisans pour orner les temples de magnifiques sculptures ou pour confectionner les nombreux masques portés par les interprètes. Vous verrez ce soir...

Évangéline ✍

24 octobre

Vers 3 heures, nous étions à Ubud. C'est plein de belles boutiques où ils vendent de l'artisanat. Carl trouve que si Kuta ressemble à Old Orchard, ici c'est comme la rue Laurier à Outremont. Nous sommes allés manger un morceau de tarte aux pommes dans un café et après, André nous a conduits dans la forêt des singes. Nous en avons vu plein ainsi que des touristes.

Nous avons choisi un hôtel qu'André connaissait pour la nuit. Le patron était content de le revoir. Il nous a fait un très bon prix : 20 000 roupies pour trois chambres, petits déjeuners inclus. C'est super : il y a plein d'allées de fleurs et d'arbustes et ce n'est pas une grande bâtisse, ce sont des petits cottages à deux chambres. Elles sont superbes : un énorme lit avec une douche et une toilette à la mode indonésienne, c'est-à-dire lavage à la main. J'ai dormi avec Sandrine et Damien dans une chambre, Dominique, Carl et Noémie dans l'autre. André s'en est pris une à lui tout seul.

Nous sommes allés manger dans un resto chic du poulet barbecue et après, comme nous étions chanceux, il y avait un festival avec plein de danses dans un temple. Il a fallu entrer avec des sarongs qu'ils nous prêtent à la porte. C'était génial, nous avons vu la danse du *barong*, le *jauk* et le *legong kraton*. André nous explique toujours des choses. Là, il disait qu'à cause de tous les masques des danseurs, des costumes qu'ils portent, des bracelets et toutes les parures et ornements des temples que les Indonésiens ont dû fabriquer, ils sont devenus très bons à faire de l'artisanat. Au début, c'était fait pour les dieux hindous, maintenant les touristes les achètent.

Carl et Dominique ont trouvé le spectacle très beau. Ils ont demandé à André s'il était sûr qu'ils organisent toujours leurs cérémonies sans penser aux touristes.

25 octobre

Ce matin, on nous a servi un très bon déjeuner : thé, salade de fruits avec des morceaux de banane, d'ananas et de papaye, crêpes aux bananes et encore du thé.

Nous avons visité plusieurs peintres et ensuite un fabricant de bijoux qui prépare une commande pour André. Le monsieur nous a montré comment il faisait des bagues montées avec des pierres et aussi des joncs en argent avec une ligne d'or au centre. Dominique ne porte jamais de bagues mais elle a trouvé les joncs tellement beaux que Carl lui a dit : « Choisis-en un, je te l'offre pour tes 33 ans. » C'était la première fois qu'il lui donnait une bague ! On a fait des blagues en disant qu'ils allaient peut-être finir par se marier un jour !

Après nous sommes allés jusqu'au mont Batur (1 700 mètres) et nous avons mangé en regardant le grand lac Batur qui a rempli cet ancien volcan. C'était très beau, les vieux temples sur le bord de l'eau.

Nous sommes redescendus jusqu'à Tampaksiring où j'ai acheté cinquante paires de boucles d'oreilles (poissons, perroquets et masques) à 750 roupies chacune (50 sous). Incroyable ! ! !

Là, en repartant, nous avons décidé de retourner au bateau ce soir au lieu de demain car c'est un peu fatiguant d'être tassés comme des sardines. Nous sommes arrêtés une dernière fois chez Anom, un copain d'André qui sculpte des masques et qui était lui-même un ancien danseur. Il prenait les masques accrochés aux murs de son atelier, se les posait sur le visage et mimait les personnages en dansant. Il est très, très bon. Dominique et Carl en ont acheté un en cachette pour l'anniversaire de Damien dans deux jours : c'est le masque du « doux héros balinais ». Il est peint en blanc, avec de vrais cheveux noirs pour la frange, les sourcils et la moustache, et un grand sourire avec des dents en nacre. Magnifique !

29 octobre

Aujourd'hui c'est dimanche et nous partons encore nous promener dans l'île, cette fois juste la famille, en marchant, en prenant l'autobus et en faisant du pouce. Carl et Dominique veulent aller au mont Batukau. Ils disent que là-bas il n'y a que des petites routes pour se rendre et surtout pas de touristes.

Nous avons d'abord marché environ cinq kilomètres avant d'avoir un pouce pour Denpassar. Ensuite nous avons pris une voiture à trois roues jusqu'au terminus d'autobus et un petit bus jusqu'à Tabanan. De là, nous avons marché un autre trois ou quatre kilomètres et un jeune (18 ans) nous a embarqués dans sa camionnette et nous a emmenés chez lui. Sa mère nous a préparé du thé. Ensuite il a proposé de venir avec nous jusqu'au mont Batukau. Sa grand-mère habite là-bas et il a dit que nous pourrions probablement dormir chez elle.

Le livre d'images (Dominique)

Sandrine me dit bonne nuit. Je la serre davantage contre moi, pour la réchauffer. Il fait froid et humide dans ce village en altitude. À notre arrivée en fin d'après-midi, les quelques habitations baignaient déjà dans la brume. Maintenant la pluie tombe en violentes rafales, martelant les tuiles au-dessus de nos têtes, fouettant les murs de tôle du pavillon où nous sommes allongés.

Bien coincée entre Carl et Sandrine, je sens la chaleur nous envelopper peu à peu. Damien, moins chanceux, partage l'autre lit de bois avec Nengah, le jeune Balinais qui nous a pris sur le pouce cet après-midi et nous a conduits ici, chez sa grand-mère.

J'imagine l'époque où ces grands lits jumeaux, surélevés d'un mètre du sol et garnis de simples nattes, devaient accueillir une famille nombreuse. Aujourd'hui, la vieille dame vit seule dans la maison principale, à trois pas d'ici, et elle utilise ce pavillon pour entreposer ses récoltes de riz et de café.

Elle a déplié un second lit dans sa chambre pour Évangéline et Noémie. En effet, il n'aurait pas été convenable de laisser son petit-fils Nengah et la jeune étrangère dormir dans une même pièce...

Chère Évangéline ! Comme elle change ! À 14 ans, elle navigue avec prudence autour des garçons, silencieuse, secrète. Et lorsqu'elle vient me trouver dans la cabine, certains soirs, c'est pour m'entraîner vers mes souvenirs. Comme si elle avait besoin que je lui lègue, par bribes, ma propre vie amoureuse d'adolescente.

À quoi pense-t-elle en ce moment ? Elle doit ruminer l'événement de sa journée : un peu plus tôt, Nengah l'a invitée à redescendre chez lui pour troquer la camionnette familiale contre sa motocyclette. Tous deux sont revenus à la nuit tombée, trempés par la pluie et accueillis par les sourires en coin de Damien et des jumelles, sourires vite ravalés devant l'humeur de leur grande sœur.

38

Son impatience trahissait un léger malaise. Peut-être s'est-elle sentie inconfortable avec ce jeune garçon de 18 ans. À moins que ce ne soit le symptôme d'un agacement bien légitime. Son frère et ses sœurs excellent dans l'art de la taquinerie et du sous-entendu. Évangéline n'a jamais le temps de réfléchir à ce qui lui arrive, que déjà ils s'en mêlent.

Je souris... Dois-je vraiment la plaindre ? C'est vrai qu'à son âge, j'avais toute l'intimité dont elle rêve. Mon frère, ma sœur et moi grandissions côte à côte comme des solitaires réunis par le pur hasard familial. Mais à force de n'être complices d'aucun jeu, d'aucune aventure, nous partagions uniquement les petites querelles du quotidien et nous gardions pour les amis nos gestes tendres et affectueux.

Au moins ai-je l'impression en voyageant avec mes enfants que les moments de chamaillerie et ceux de tendresse s'équilibrent. Ils me font penser à de jeunes fauves qui se mordillent à journée longue avant de s'endormir emmêlés les uns aux autres.

Peut-être est-ce pour cela que j'aime tellement la nuit. Une vieille habitude de mère, penchée au-dessus de ses enfants endormis, métamorphosés en petits anges...

Cette nuit, je voudrais rester éveillée. Je savoure non seulement le calme mais cette rare sensation de dépaysement, à des milles du port et de nos repères familiers. Bali m'apparaît beaucoup plus mystérieuse ici, loin des routes fréquentées.

Je nous revois, un peu plus tôt, dans le vieux temple de Pura Lahur, vaste enceinte érigée en pleine jungle sur un flanc du mont Batukau. Les dieux doivent se plaire au milieu de cette végétation luxuriante, dans une éternelle pénombre propice au recueillement et aux prières.

Nous avançons d'un autel à l'autre, revêtus de paréos comme le veut la coutume religieuse, mais avec l'insouciance des athées. Nos regards croisent ceux des statues, divinités ou gardiens muets du temple, qui nous fixent avec une gravité troublante.

Sommes-nous vraiment seuls, dans ce lieu consacré à la reconnaissance des forces divines ?

Pour sonder certains mystères, il nous manque d'abord la foi. Et le temps. Ici encore, nous effleurons une réalité totalement différente de la nôtre. Autrefois, j'en aurais éprouvé de la frustration : pourquoi voyager si nous naviguons à la surface des choses ?

Ne sommes-nous pas pris au piège de ce mouvement qui nous pousse ailleurs, à peine arrivés au seuil d'un autre monde ?

Il m'a fallu longtemps pour saisir la profondeur de notre errance. Comme l'oiseau migrateur, nous dirigeons une grande part de notre énergie dans le vol lui-même. La gravité de notre voyage se dissimule, ainsi, au cœur de son apparente légèreté.

Les rafales de pluie me tiennent à demi-rêveuse jusque tard dans la nuit. À mon réveil, les nuages ont rejoint les sommets du mont Batukau. La journée sera belle.

Après un café, un œuf frit et quelques arachides grillées sur le traditionnel bol de riz, nous embrassons la grand-mère de Nengah et nous apprêtons à redescendre à pied vers la mer.

– Évangéline, *do you want to come with me*?
– ...
Ses deux casques de moto à la main, Nengah perçoit l'hésitation. Damien l'a senti, lui aussi, car il décoche à sa sœur des œillades sévères. Comment peut-elle hésiter entre une balade en moto et vingt-trois kilomètres à pied ! Et après tout ce que Nengah a fait pour nous...
– Vas-y, Évangéline ! chuchote-t-il. Sois pas vache avec lui !
– Vas-y donc, toi !
– J'irais c'est sûr, mais c'est pas moi qu'il a le goût d'inviter !
Évangéline me regarde, espérant un peu de compréhension.
– Tu n'es pas obligée d'y aller, tu sais.
– Il va être déçu, sinon.
– Il t'embête ?
– Non, non, il est gentil...
– Alors quoi ?
– Je sais pas...

Quelques minutes plus tard, je regarde la moto disparaître au bas du chemin, avec, à l'arrière, la silhouette de notre aînée, puis me tourne vers Carl :
– Comme dirait ta mère : « Si vous tardez trop, Évangéline va nous revenir mariée avec un beau grand Zoulou d'Afrique ! »

40

Damien, Sandrine et Noémie ouvrent déjà la marche, en poussant de longues tiges devant eux. Ces bouts de bois ramassés sur le bord du chemin sont dorénavant investis d'un pouvoir magique : placés entre les mains des enfants, ils leur insuffleront l'énergie nécessaire pour sautiller jusqu'en bas de la montagne.

Comme cette campagne est belle ! Jamais je n'avais contemplé, avant Bali, une telle harmonie entre une nature sauvage et des jardins créés de main d'homme. Et sur cette route qui descend vers la côte et serpente à travers les rizières émeraudes, je m'amuse à penser que nous sommes les personnages d'un conte.

Voilà que même les paysans s'étonnent de nous apercevoir en haut de la page, au beau milieu de leur histoire ! Lorsque nous traversons le premier village, les femmes et les enfants nous crient avec de grands sourires lumineux : « Hello ! Hello ! Marcher ? Marcher ? »

Ces gens doivent nous trouver bien pauvres pour déambuler comme eux à l'humble vitesse de nos jambes. S'ils savaient que nous sommes venus jusqu'à Bali aussi lentement par les mers que maintenant par la route, ils seraient encore plus étonnés.

Comment leur expliquer que la lenteur nous enchante, qu'elle nous permet d'étirer le temps à l'infini, et que cette longe marche nous laissera des souvenirs plus profonds qu'une ballade en 4 X 4. Car en voiture ou en autobus, les paysages défilent trop vite, et il nous manque les odeurs et les sons de la vie quotidienne.

Si les enfants m'écoutaient penser, ils me corrigeraient : « Parle pour toi ! Nous, on aime quand ça va vite... »

C'est vrai qu'ils ont toujours hâte : hâte de partir, de faire du pouce, d'être arrivés. J'admets que la lenteur convient davantage aux parents, moins pressés de vieillir et plus gourmands dans la dégustation du temps qui passe.

Je les regarde sautiller, nos trois moussaillons lâchés dans la campagne balinaise. Pris dans leur nouveau jeu, ils sont devenus de jeunes paysans et conduisent leurs troupeaux de canards imaginaires jusqu'aux abords des rizières inondées.

Autour de nous, les vrais canards barbotent dans ces petits lacs où le riz vient d'être récolté. Des femmes vêtues de robes ou de sarongs longent les étages de cultures avec d'énormes sacs en équilibre sur leur tête. De jeunes palmiers se dressent çà et là au travers de cette mosaïque, comme de grands éventails agités par le vent. Et tout est si parfaitement vert et harmonieux ; je voudrais marcher toujours et ne jamais sortir du livre d'images.

Une vingtaine de kilomètres plus bas, nous rejoignons la première intersection. C'est ici que le songe s'achève.

De retour au cœur du Bali touristique, ce sera bientôt la folie des taxis-camionnettes qui roulent à grande vitesse en nous klaxonnant, toujours en quête de nouveaux passagers. Il vaut mieux, comme le suggèrent les enfants, prendre l'un d'eux pour atteindre le port.

Évangéline et Nengha nous attendent au Yacht Club. Nous invitons notre nouvel ami à dormir à bord. Il rêve, lui aussi, de connaître une nuit singulière...

– *Selemat tidur*, Nengha !

Évangéline ✍

2 novembre

Hier, Nengah m'a demandé si je voulais redescendre avec lui en moto. J'ai mis du temps à décider mais j'ai dit oui à la dernière minute. C'était un peu pour ne pas le décevoir. Nous sommes allés à Tabanan voir une parade. Il y avait des danses et plein de musiciens. Il y avait aussi des centaines d'écoliers. J'étais la seule Blanche !

Après nous sommes allés à Tana Lhot : c'est un temple sur un énorme rocher couvert d'arbres et entouré d'eau, à 200 mètres du bord. Superbe ! Ensuite il m'a emmenée à la forêt des singes, mais c'était très très touristique, avec des boutiques tout autour. Comme il était encore assez tôt, on est allé s'asseoir au bout d'un quai. Là je me suis sentie vraiment mal à l'aise quand Nengah a voulu me prendre la main ! J'avais hâte qu'on ne soit plus tout seuls tous les deux.

Nengah a dormi au bateau et ce matin il est parti pour l'école. Aujourd'hui, nous n'avons rien fait de terrible.

Il y a un bateau de guerre qui est arrivé dans le port. Alors, c'est plein de militaires qui viennent d'Angleterre. Il y en a un, vachement beau, qui est venu parler avec moi. Comme toujours, je fais plus vieille que mon âge. Il était gentil, je crois qu'il était un peu bourré.

Je m'ennuie de Gove (d'Andrew) encore de temps en temps.

Héros de bandes dessinées (D.)

Assis sur sa couchette à l'arrière du carré, Damien range les cadeaux reçus pour ses onze ans.

Il prend le masque balinais et pour me faire plaisir le pose encore une fois sur son visage. J'aime lui voir cette expression souriante et tendre du « doux héros ». Puis il l'enveloppe dans un vieux chandail, le coince au fond d'un panier d'osier qu'il accroche au mur.

Il sort ensuite son coffre de pêche. Sur le point d'y mettre les deux nouveaux leurres destinés aux poissons de grandes tailles, il suspend son geste...

– Si j'étais un espadon, me dit-il, c'est sûr que je les avalerais d'un coup sec. Elles sont vraiment trop belles, ces poulpes en plastique, toutes picotées d'étoiles... Tu penses qu'elles brillent sous l'eau ?

– On dit UN poulpe, Damien.

Mais il m'écoute à peine, déjà rendu au large avec l'espadon pris au piège...

Le combat imaginaire terminé, le coffre de pêche est remis au fond de l'équipet tribord, tout près des coquillages et autres objets précieux. Damien attrape les trois livres qui restent sur le couvre-lit et se laisse glisser en bas de sa couchette. Un dernier coup d'œil derrière lui : tout est à l'ordre. Si seulement ses sœurs accordaient la même attention au ménage !

– T'as vu, me dit-il, Évangéline et les jumelles sont encore parties à terre avec Carl, sans avoir fait leur lit.

– Mais non, elles en ont profité pour aller prendre leur douche au yacht club.

– Tu les défends toujours, proteste-t-il. Tu devrais être beaucoup plus sévère avec elles. C'est encore moi, ce matin, qui les a engueulées pour qu'elles rangent le fouillis dans la bibliothèque.

Pauvre Damien ! Ses livres à lui s'alignent avec soin, les plus beaux recouverts de tissu, à l'abri de la poussière : bandes dessinées, albums sur la faune, revues de plongée et de pêche, quelques guides sur les poissons des différentes régions du monde, et enfin, tout au bout, quatre ou cinq romans-jeunesse.

Contrairement à ses sœurs, qui dévorent fictions et récits, Damien lit très peu. Mais quand il se plonge dans une histoire qui le passionne, il y va doucement, avec une grande patience vis à vis des mots et un souci de la dégustation. Ses aventures préférées se déroulent sur la mer. Héros-pêcheurs, capitaines, pirates ou ardents défenseurs des océans, ces personnages lui ressemblent tous un peu et l'amènent à réfléchir sur son propre avenir.

Plus vieux, il se voit naviguer à la rescousse des mammifères marins comme les membres du mouvement écologique Greenpeace. À bord d'un puissant Zodiac, il pourchasse alors les derniers baleiniers russes, s'interpose entre victimes et harpons... D'autres fois, il s'imagine plongeur à bord de la *Calypso*, consacrant sa vie à l'exploration et à l'observation du « monde du silence ». Enfin, certains jours de doute, il trouve ces existences trop fantastiques, hors de sa portée. Ces jours-là, il redevient simple pêcheur.

Pour son anniversaire, nous venons de lui offrir une nouvelle aventure de l'équipe Cousteau, publiée en bande dessinée. Et, belle coïncidence, voilà qu'aujourd'hui nous apprenons que l'*Alcyone,* le plus récent navire océanographique de la société Cousteau, est entrée tôt ce matin dans le port.

Le quai commercial se trouve à deux pas du yacht club. Nous y découvrons bientôt la silhouette futuriste d'une trentaine de mètres, gréée de deux immenses cylindres profilés, les turbo voiles.

– C'est pour cela qu'elle s'appelle *Alcyone*, dis-je aux enfants. Cela veut dire « la fille du vent ».

– Je crois même, ajoute Carl, que le commandant Cousteau voulait mettre au point un système qui permette aux navires commerciaux, dans un avenir prochain, d'utiliser l'énergie du vent pour diminuer leur consommation en pétrole.

Très impressionnés, nous espérons que nos allées et venues le long du quai attirent l'attention d'un membre de l'équipage.

– On n'a surtout pas l'air de vouloir visiter, fait Évangéline en riant.

C'est vrai que nous n'oserions jamais une manœuvre aussi caricaturale dans le port de Montréal. Mais en voyage, nous voilà prêts à toutes les audaces pour satisfaire notre curiosité.

On nous le répète souvent, les voyageurs à voile ont un petit je-ne-sais-quoi dans leur allure qui trahit leur mode de vie. Cela tiendrait, entre autres, à l'éternel sac à dos et à une tenue vestimentaire à la fois différente de la population locale et des touristes en vacances. Bref, en nous apercevant sur le quai, le mécanicien d'*Alcyone* ne s'y trompe pas. Et s'il trouve un peu bizarre l'accent de nos matelots, curieux mélange de tonalités québécoises et d'expressions à la française, il devine l'essentiel du propos : cette bande de petits *v'limeux* meurent d'envie de sauter à bord.

Très gentiment, Paul Martin accepte de jouer au guide. Nez en l'air vers le sommet des turbo voiles, les enfants essaient de comprendre comment l'action du vent sur ces étonnants cylindres suffit à propulser le navire à huit ou dix nœuds. Mon propre cerveau émet des signaux de détresse devant tant d'ingéniosité. Paul me rassure. Même à bord d'*Alcyone*, certains membres de l'équipage observent ces principes appliqués d'aérodynamique avec un brin de perplexité. « L'important pour tout ce beau monde, c'est que ça marche ! »

À l'intérieur, nous reconnaissons le capitaine, Bernard Deguy, pour l'avoir rencontré aux Açores il y a trois ans. Je m'en souviens maintenant, nous avions discuté des premiers essais d'*Alcyone* dans l'Atlantique. Bernard participe à la plupart des missions depuis la mise à l'eau en 1984. Ses fonctions de capitaine le rendent responsable du bateau, mais, tout comme à bord de la *Calypso*, c'est un commandant qui dirige les missions. Jean-Michel Cousteau, le fils de Jacques-Yves, arrivera de France ce soir, par avion, et aussitôt l'équipage reprendra la mer.

Alors que nous regagnons la *V'limeuse*, les fesses enfoncées dans notre vieux Zodiac, Damien paraît songeur. Il ne parle pas beaucoup de la visite. Mais plus tard, comme je vais l'embrasser pour la nuit, il finit par me confier :

— Tu te rends compte, ils s'en vont filmer les grands requins blancs au sud de l'Australie ! Ils vont PLONGER au milieu d'eux... Rien qu'à y penser, j'ai la trouille. Peut-être que, finalement, j'aimerais mieux être cuisinier à bord de la *Calypso*, je pêcherais et préparerais le poisson pour l'équipage. Ou encore je pourrais conduire les Zodiac...

Sacré petit homme, j'ai beau lui dire à quel point, moi, je le trouve courageux, pour l'instant il mesure sa bravoure à celle de ses héros. Peut-être est-ce un processus nécessaire dans le lent cheminement vers l'âge adulte.

L'*Alcyone* a quitté Bali depuis bientôt une semaine quand nous décidons de partir, nous aussi. À moins d'un événement exceptionnel, nous lèverons l'ancre au changement de marée, en début d'après-midi.

Tandis que Damien et Sandrine sont occupés à gonfler notre semblant d'annexe pour la troisième fois depuis ce matin, voilà qu'un gros Zodiac apparaît au bout du quai où s'amarrent les cargos. Les enfants connaissent par cœur toutes les embarcations des alentours. Celle-là n'appartient à aucun voilier. D'ailleurs, vu sa taille, il s'agit probablement d'un modèle pour expédition.

— En attendant qu'on en achète un comme ça, Damien, ça te dirait de pomper un peu ? fait Sandrine, accroupie au fond du dinghy, tenant le tuyau en place.

Le Zodiac fonce maintenant vers notre mouillage et Damien, resté sur la *V'limeuse* avec la pompe, ne le lâche pas des yeux.

— Attends une minute, il y a un dessin sur le boudin...

Noémie, qui a suivi la conversation de l'intérieur, sort dans le cockpit avec les jumelles.

— Je vais vous dire ce que c'est, moi.

— Alors ?

– Il va trop vite, je n'arrive pas à bien voir. Mais ils sont trois gars assis sur les boudins.

– Qu'est-ce qui se passe ici ? intervient Évangéline à son tour.

Sandrine rigole :

– On sait bien, toi, quand t'entends le mot gars, tu sors aussitôt, hein ?

– Gnan, gnan, gnan !... très comique. Bon, passe-moi les jumelles, Noémie !

– Pas d'affaires !

– *Envoye* donc ! Juste un peu.

Le temps de se mettre d'accord, le Zodiac a déjà disparu à l'autre bout de la baie. Mais malgré la distance, Damien, très excité, pense avoir reconnu le sigle de la *Calypso*. Il descend aussitôt trouver Carl au ras du moteur, parmi les bidons de vieille huile et les guenilles sales.

– Tu te rends compte, on va quand même pas s'en aller sans vérifier s'ils sont vraiment ici, supplie-t-il.

– Petite minute ! Ton histoire de Zodiac à l'effigie de la *Calypso* n'a pas l'air très sérieuse. Tu crois, mais tu n'es pas sûr...

Carl n'a pas le temps de terminer sa phrase que les filles restées sur le pont se mettent à crier :

– Damien, vite, viens voir l'hélico !

Cette fois, aucun doute. Nous identifions sans problème l'hélicoptère *Félix* pour l'avoir vu si souvent dans les films et les livres du commandant Cousteau. Et comme il se pose à l'endroit précis où se trouvait *Alcyone* la semaine dernière, une joie tout enfantine s'empare de nous : la *Calypso* est bel et bien amarrée derrière les entrepôts.

Évangéline, qui de temps en temps jetait un œil vers le fond de la baie, annonce alors le retour du Zodiac.

– O.K., les copains, calmez-vous un peu et laissez-moi ça ! fait Carl en s'essuyant les mains pour en enlever les dernières traces d'huile. Vous allez voir que votre père, c'est pas un *téteux*...

Là-dessus, il siffle à deux reprises en direction du pneumatique en faisant signe à l'équipage de s'approcher. Évangéline disparaît en un éclair.

– Mais où elle va ? demande Damien.

– Se brosser les cheveux, voyons... répond Noémie d'un ton moqueur.

Le Zodiac vient se coller au flanc de la *V'limeuse*. Damien croit rêver : ces gars-là doivent être des plongeurs, peut-être les mêmes que dans ses bandes dessinées, et ils sont là devant lui, agrippés aux filières... Carl parle avec eux comme si de rien n'était. Il leur demande si nous pourrions visiter la *Calypso*... et, pourquoi pas, s'ils accepteraient de passer nous prendre, vu que notre annexe... L'un d'eux, Éric, répond : pas de problème, je reviens vous chercher dans vingt minutes, ça vous va ? Il fait même un grand sourire en apercevant Évangéline... Et tout à coup, Damien est si fier de sa sœur qu'il se promet de ne plus la taquiner parce qu'elle a des boutons.

Branle-bas à bord.
– Maman, qu'est-ce que je mets comme chandail ?
– J'aime bien celui que tu viens de peindre, Évangéline. Celui avec Snoopy.
– Dominique, as-tu vu mon short bleu ?
– Oui, Carl, sur le coffre du moteur.
– Évangéline, où as-tu mis la brosse à cheveux ?
– Heu... Regarde au bout de mon lit...
– Damien, n'oublie pas ta caméra, et tu devrais apporter ta nouvelle bande dessinée pour te la faire dédicacer, propose Carl.
– Mais Éric a dit que le commandant Cousteau arrivait seulement demain...
– Eh bien, tu demanderas à quelqu'un d'autre, au capitaine Falco par exemple.

Enfin, nous sommes prêts quand Éric s'amène. Nous échangeons des clins d'œil complices en embarquant dans le « Super-Zodiac », comme l'appellent maintenant les enfants. Pour une fois, personne ne se chamaille. Nos voisins habitués de nous voir traverser piteusement le mouillage, les fesses au ras des vagues, s'amusent de cette métamorphose et nous envoient la main.

Daniel et Maupiti, les deux autres membres du trio avec lequel nous avons conversé tout à l'heure, nous attendent à l'arrière de la *Calypso*. Éric disparaît avec la bande dessinée de Damien.

À son retour, il affiche un air espiègle :
– Voilà, mon gars. Ton album vient de prendre de la valeur.

Quand le couchant
vous va comme un
gant.

Magnétisés par le
ciel orageux... ou
appareil déréglé ?

Damien porte
son cadeau
d'anniversaire :
11 ans à Bali.

Promenade dans
une plantation de
thé.

Une cueilleuse
tamoule.

En haut des marches,
l'hôtel à 5 dollars
la nuit.

Sur ces hauteurs, il y a 1 500 ans, s'élevait le château du roi Kasyapa.
Voyager à l'arrière du camionnette, à la manière des travailleurs cinghalais.

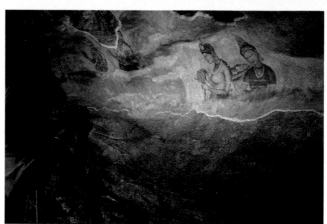

Nos jeunes
reporters photographes
à l'œuvre au Sri Lanka :

Pause familiale et sculpteur
d'éléphants, signé Damien.

Damien et Noémie cadrent des
vestiges archéologiques.

Persuadé qu'il trouvera une dédicace d'Albert Falco, Damien ouvre le livre à la première page blanche et commence à prononcer à voix haute : « Bonne chance dans la vie ! »

Puis, perplexe, il marque une pause avant d'ajouter :

– C'est un *S* ou un *T*, avant Cousteau ?

– Un *S*, répond Éric. *S* pour Simone... la femme du commandant.

Simone Cousteau : « la Bergère » (D.)

Nos airs surpris en disent long. Bien sûr, nous connaissions l'existence de madame Cousteau, mais nous l'imaginions plutôt en France. Selon nous, l'épouse du commandant devait sûrement préférer la vie terrestre aux missions océaniques puisqu'elle n'apparaissait jamais dans les aventures de la *Calypso*. Drôle de hasard qu'elle soit justement à Bali, en vacances sans doute, pensons-nous.

N'osant pas poser de questions, nous suivons Éric qui nous entraîne vers la seule créature féminine à prendre la vedette dans les récits de Jacques-Yves Cousteau : *Denise*. D'un geste spontané, Damien caresse les formes arrondies de la fameuse soucoupe plongeante. Quelle sensation fantastique ce doit être de descendre jusqu'à trois cents mètres sous l'eau dans un semblable engin...

La *Calypso* est singulièrement déserte et Éric nous explique que la plupart des gars sont en congé dans l'île pour l'après-midi. Nous visitons l'atelier, le local des plongeurs, le carré, puis la timonerie.

Situées au plus haut des navires, les timoneries m'ont toujours attirée. On ne trouve plus ces hublots réservés aux cabines sombres ; sur le pont supérieur, l'horizon entre à pleines fenêtres. Et dans cette lumière de ciel et de mer, entourée d'instruments et de cartes marines, j'ai chaque fois l'impression de toucher la mémoire des lieux. Une impalpable atmosphère chargée de toutes les heures de quart, d'attention, d'inquiétude ou simplement de rêves échappés par-dessus la barre à roue.

Celle de la Calypso est juste devant moi. Mes mains s'y posent doucement. Par les grands hublots, mon imagination prend le large... je suis en plein océan, dans la tempête...

Carl interrompt ma rêverie :

– Tiens, regarde la carte-météo de ce matin.

La *Calypso* est équipée d'un récepteur de cartes météorologiques par télécopieur, communément appelé *weather-fax*. Un nombre sans cesse croissant de yachts possèdent cette aide à la navigation qui permet une évaluation rapide de la situation atmosphérique au-dessus d'une zone particulière ou à la grandeur d'un océan : fronts froids et chauds, anticyclones et dépressions, direction et force des vents, isobares, tout y est.

Sur la carte que j'examine, nos craintes sont dessinées noir sur blanc. L'hémisphère sud de l'océan Indien ressemble à tout sauf à une invitation à la croisière. On dirait que l'ensemble des isobares s'est donné rendez-vous dans l'ouest...

– D'après toi, la petite lettre ici, c'est un A ou un D ?

– Difficile à dire, mais si c'est un A, il pourrait s'agir de la première dépression tropicale de la saison, baptisée Amélie ou Arthur... De toute façon, elle est beaucoup trop loin à l'ouest pour nous menacer.

Éric nous propose alors :

– Écoutez, si vous ne partez pas aujourd'hui, revenez vers 4 heures, on aura reçu la prochaine carte-météo, et vous verrez peut-être mieux l'évolution de tout cela, d'accord ?

Les visages des enfants s'éclairent. D'accord ? Et comment ! Ils sont toujours heureux de ces légers contretemps ou changements au programme qui reportent nos départs en mer.

Tel que convenu, nous retournons chercher la carte-météo en fin d'après-midi. Pendant que nous discutons avec le chef-radio, de part et d'autre du bastingage, Mme Cousteau s'approche pour parler aux enfants. Elle nous invite ensuite à prendre l'apéro dans le carré, s'excuse quelques minutes, revient avec les bras chargés de tee-shirts et d'écussons de la *Calypso* pour ses jeunes invités.

« Non, je ne suis pas ici en vacances », nous corrige-t-elle avec un brin d'amusement dans le regard. « Je m'occupe de l'intendance pour toutes les missions de la *Calypso* depuis trente-sept ans ! »

Si elle n'apparaît jamais aux côtés du « Pacha », son mari, ni dans les films ou les reportages de l'équipe Cousteau, c'est qu'elle préfère les coulisses à l'avant-scène.

Imperceptiblement, l'ambiance s'est modifiée au sein de l'équipage depuis que Simone Cousteau s'est mise à parler. Est-ce le verre qu'elle tient à la main qui rend les hommes légèrement nerveux ? Existerait-il des terrains glissants à bord de la *Calypso* ? Ils n'ont pas à s'en faire puisque la femme du commandant dévie elle-même la conversation en nous interrogeant sur nos futures escales. Avons-nous besoin de médicaments pour prévenir la malaria qui sévit, croit-elle, au Sri Lanka ? Aussitôt, le médecin va chercher sa trousse et nous offre une importante quantité de quinine et de *lariam* en comprimés.

Quant à nos hôtes, leur prochaine mission les mènera près du détroit de la Sonde, au-dessus du cratère englouti du Krakatoa. C'est là-bas que s'achèvera la carrière du capitaine Falco, à la grande tristesse de l'équipage. « Bébert », le compagnon de plongée du commandant depuis les premières navigations de la *Calypso*, vient tout juste de fêter ses 62 ans et il prend sa retraite.

Ce soir, je m'endors en pensant à la vie pour le moins mouvementée du couple Cousteau. Je me souviens du tragique accident d'hydravion de leur fils cadet Philippe, disparu dans les eaux du Tage à 39 ans. Se remet-on jamais de la mort de son enfant, même devenu adulte ? Il doit rester, j'imagine, une déchirure qui vous donne un blues à l'âme, les jours de mauvais temps. J'ai peut-être rêvé, mais il m'a semblé percevoir un léger tangage, comme une indicible tristesse, dans le regard de Simone Cousteau. La fatigue, sans doute. À 70 ans, la grande dame de la *Calypso* peut bien paraître solide et fragile à la fois.

À notre retour au Québec, je tomberai par hasard sur une biographie de Jacques-Yves Cousteau. J'apprends alors la mort de Simone, un an après notre rencontre à Bali. Parmi les citations du biographe se trouve l'éloge d'Albert Falco. Il la décrit comme une femme admirable, modeste et courageuse, ayant passé plus de temps sur la *Calypso* que son illustre mari : la seule femme de marin à avoir attendu son mari en mer !

On y parle aussi de sa tendresse à l'égard des hommes qu'elle menait comme des agneaux lors des expéditions, d'où son surnom : la Bergère.

51

En feuilletant les dernières pages du livre, j'arrive à l'arbre généalogique du commandant et j'y découvre non seulement son second mariage, en 1991, avec Francine Triplet, de trente-cinq ans sa cadette, mais aussi l'existence de leurs deux enfants, Diane et Pierre-Yves Cousteau, respectivement âgés de 11 et 9 ans !

Ces nouvelles me remuent. Simone Cousteau connaissait-elle, depuis toutes ces années, l'existence de cette autre « famille » du commandant ? Si oui, quelle étrange atmosphère avait dû régner à bord !

Depuis notre visite à Bali, la *Calypso* m'apparaît de moins en moins comme l'univers du commandant. Ou comme un lieu où s'affairent uniquement des plongeurs, des scientifiques et des marins dans un grand ballet professionnel. Qu'en est-il de la vie en coulisse ? Quel type d'amitié a bien pu se développer entre des êtres aussi exceptionnels que Simone Cousteau et Albert Falco, qui ont vécu côte à côte pendant trente-sept ans et, curieusement, ont quitté la *Calypso* à quelques mois d'intervalle ?

La vie de la Bergère me fascine, je l'avoue. Peu de femme de cette génération ont choisi une existence aussi marginale. Moi-même, j'aurais sûrement aimé cette vie de recherches à travers le monde.

Très souvent, mon imagination vagabonde dans les coulisses du navire, à la recherche d'indices... De mes promenades imaginaires, je reviens bredouille. Mais à défaut des mystères résolus, je rapporte une sympathie grandissante pour cette curieuse bergère de la haute mer.

Évangéline ✍

3 novembre

Nous partons ce matin. Nous avions encore un rendez-vous avec le gars météo vers 8 heures. Carl, Dominique et Damien y sont allés et le capitaine Falco leur a donné des cartes du détroit de la Sonde au cas où on changerait de route.

Ce qui m'a étonnée le plus, c'est que Mme Cousteau reste presque tout le temps sur la *Calypso,* soit huit à dix mois par année.

Elle est vraiment très gentille et rigolote.

L'hélicoptère vient de décoller pour aller chercher Jacques-Yves Cousteau à l'aéroport. Nous, on va lever l'ancre aussi. Il fait très beau et nous avons beaucoup de chance de partir avec un bon vent.

Allons-y, Alonzo ! (C.)

Le petit hélicoptère jaune, surnommé *Félix*, apparaît au-dessus des toits comme une abeille laborieuse qui revient à sa ruche.

« C'est lui, c'est le commandant Cousteau qui arrive », crient les enfants. « Maman, fais un autre tour et rapproche-toi plus », insistent-ils pour mieux voir pendant que nous manœuvrons au ralenti dans le port commercial de Benoa.

Nous reconnaissons, appuyés aux bastingages de la *Calypso*, quelques-uns des membres d'équipage qui nous ont accueillis ces jours derniers et qui nous envoient la main : Albert Falco, Simone Coustcau, Éric le Breton, Maupiti, le chef-radio, et d'autres dont nous oublions ou ignorons les noms.

Toute fière de cet honneur, la *V'limeuse* vient frôler le célèbre navire océanographique au moment où *Félix* se pose sur sa plate-forme. L'attente est révérencieuse, la bouche des enfants capte l'air, leurs regards se bousculent à distance derrière la porte qui va s'ouvrir d'un instant à l'autre.

Ça y est : le plongeur légendaire fait son apparition, courbé sous les pales qui tournoient encore. Même en tenue de ville, porte-documents à la main et privée de son éternel bonnet rouge, cette silhouette énergique de 79 ans nous est familière et nous l'accompagnons de brèves secondes avant qu'elle ne disparaisse de notre vue.

Hommage à un héros défenseur des mers et adieux en même temps à Bali, joyau en danger ; nous pouvons le certifier, le tourisme de masse est en train de prendre des proportions de marée noire dans certains coins du monde. Quand la nappe se répand sur des endroits comme Mexico, New-York ou Las Vegas, c'est une dégradation qui en recouvre une autre et on ne s'en afflige pas outre mesure. Mais il existe encore des parcelles de paradis...

Notre tour est donc venu de reprendre la route sans que nous ayons, nous, de mission bien précise, autre que de voir de près les grandeurs et les misères qui jalonnent notre parcours. Notre rôle est bien terne, notre voyage en rien comparable à l'odyssée de cette équipe. Nous parcourons les océans du globe sans but sérieux. Nous payons, comme on dit, une visite à l'humanité en lui rendant le sourire et en baragouinant quelques mots d'une langue étrangère. Mais tout cela est-il une activité suffisante ?

Peut-on bêtement aimer la vie quand elle se résume parfois à venir s'asseoir certaines fins de journées dans l'oasis du grand large avec son bol de riz au thon, la fourchette suspendue et l'intelligence égarée dans les couleurs du crépuscule, en ne comprenant rien, mais rien de ce qu'elle nous veut ? Ces moments de pure anesthésie locale sont-ils méritoires, dignes d'estime ?

Adorer son bateau, l'avoir baptisé pour lui donner une âme, écouter son étrave fine et élancée parler aux dauphins, se lever et jouer de longues minutes avec les écoutes bleues des voiles pour optimiser les écoulements laminaires, enseigner à ses enfants qui n'en demandent pas plus, l'intarissable privilège que le vent nous fait... Tout cela s'accorde-t-il à une logique qui nous rendrait utiles d'une certaine façon ? Cette idée vient souvent me tourmenter. Mon esprit doute devant l'envergure de tels hommes.

Notre entreprise n'est pas scientifique comme la vôtre, Jacques-Yves, si vous me permettez cette familiarité. C'est un peu ma faute, voyez-vous, ayant eu le tort de m'ouvrir en éventail ; d'où une ligne de vie un peu *valsante*. Bilan : une série d'étincelles mais pas de feu en nulle part ; au mieux une flamme naissante sur le tard de ma vie. Mais avec le temps qui m'échappe, je ne cherche guère plus qu'à remettre ce... (j'allais écrire ce flambeau, grandiloquent que je suis !) ce bout de chandelle, dis-je, à ma relève afin qu'elle n'ait pas peur d'entreprendre d'aussi longs détours pour arriver au cœur de la vie.

Allez ! Cap au large ! Nous reparlerons ou nous débattrons de tout ça, commandant, au prochain sommet de l'IMFHM, l'Inefficacité Mondiale des Flâneurs de Haute Mer.

Nous entamons ainsi, le jeudi 2 novembre 1989, ce qui sera notre plus longue traversée en nombre de jours et certainement, pour moi, la plus éprouvante. En cette journée radieuse – nous les choisissons toujours dans leurs plus belles toilettes pour ouvrir le bal –, je suis loin de me douter qu'un méchant creux de vague m'attend dans les parages de l'équateur.

Le moteur ronflant d'aise, nous laissons défiler la dernière bouée du chenal et obliquons à droite vers la sortie sud du détroit de Lombok. Juste avant, alors que nous étions debout au vent, j'ai pris soin de lever la grand-voile pendant qu'elle n'offrait aucune résistance, se contentant de faseyer. Mais aussitôt sommes-nous engagés par le travers que la poussée est instantanée. La *V'limeuse* lève sa hanche côté bâbord et enfonce celle de tribord dans un mouvement qui réclame encore plus de puissance. Nous nous empressons d'envoyer le reste de la voilure pour équilibrer la barre. Un coup d'œil à l'ampérage des batteries : pleine charge. Parfait, nous pouvons dételer nos 140 chevaux et les envoyer au pacage pour quelques jours.

Dès la première soirée, nous venons à deux doigts de nous emmêler dans un filet de pêche. Quand on l'aperçoit, bloquant la voie, aussi soudainement qu'à quinze mètres devant, c'est déjà trop tard pour baisser les voiles et démarrer le moteur pour tenter un freinage d'urgence en marche arrière. Il ne reste qu'une solution : le virage à quatre-vingt-dix degrés.

Un automobiliste aurait le réflexe d'appliquer les freins en braquant les roues, ceci pour éviter de se retrouver sur le toit. Mais au volant d'une goélette qui porte près de 150 mètres carrés de toile au portant, il n'y a ni pédales ni ceintures pour les quatre voiles qui, dans une fraction de seconde, sont projetées d'un bord à l'autre en un cinglant coup de fouet, secouant la mâture comme un prunier. On dirait autant de portes de grange qui, soufflées par un violent courant d'air, viendraient s'étamper contre la bâtisse.

En y réfléchissant après coup, c'est à se demander s'il ne vaut pas mieux, dans ce genre de situations, foncer tout droit, au risque d'avoir à plonger une partie de la nuit, couteau aux dents parmi les requins. Pour être franc, j'aurais attendu au matin pour libérer le fouillis de mailles où la quille, le safran et l'hélice ne manquent jamais de s'accrocher.

Ces brusques virements de bord par vent arrière, qualifiés d'empannages involontaires dans le langage du milieu, peuvent avoir des conséquences sérieuses. En plus des voiles déchirées, gréement ébranlé, poulies arrachées, etc., il arrive que des têtes volent, pour ne pas dire que des personnes entières passent par-dessus bord, fauchées par la bôme de grand-voile.

Nous en sommes quittes pour quelques palpitations, assorties d'un embrouillamini général sur le pont, rien de plus grave sinon une envie folle d'étriper le pêcheur qui n'a pas cru bon baliser son filet si loin au large. Nous devons être à dix ou douze milles.

Quand un bateau longe une côte à moins de trois milles, l'équipage prend un risque. Car très peu de pêcheurs, surtout dans ces régions, ne se formalisent avec les convenances. La plus élémentaire serait de faire flotter une perche ornée d'un fanion, à chaque extrémité de leurs agrès de pêche.

Damien nous avait effectivement signalé une barque, assez éloignée, mais personne n'a fait le rapprochement nécessaire. Nous avons plutôt pensé que l'homme pêchait à la ligne.

Nous pourrons bientôt mettre un visage sur le coupable qui nous a servi ce croc-en-jambe. Le piège que nous longeons maintenant pour trouver l'eau libre nous conduit droit vers lui. Oulala ! Ça va chauffer.

Toutefois, comment faire pour exprimer notre divine colère quand on ne maîtrise pas l'ombre d'un juron indonésien ?

Délicat ! La fureur bien sentie est un art que je retrouve seulement dans les bandes dessinées. Ces invectives muettes sous forme de têtes de mort qui voltigent dans les bulles, accompagnées de poignards, de foudre qui s'abat, de points d'exclamation en rang de quatre et de boule de feu qui tourbillonnent, ont toujours suscité mon admiration. J'aimerais avoir autant de classe, alors que dans la vie de tous les jours on ne réussit souvent qu'à être grossier.

Notre lascar ne paye quand même rien pour attendre. Nos chérubins lui préparent une petite manifestation de leur cru : quand il comprend enfin que nous ne venons pas l'éperonner, il a juste le temps d'apercevoir, alignées sur le pont, quatre langues bien tirées.

L'insolence des enfants ne doit pas exister dans son patelin car il paraît plutôt amusé et il fait, bien haut, de grands signes avec des poissons dans les mains. La mine renfrognée, nous le saluons timidement à notre tour et reprenons notre cap non sans nous demander, en revoyant sa mine réjouie, si nous n'avons pas raté notre effet.

– Imaginez un instant, dis-je aux enfants pour rigoler un peu, que vos simagrées, vos grimaces de tout à l'heure n'aient pas par ici la même signification que chez nous... D'un coup que ce serait, comme on dit, le monde à l'envers et qu'il a pris ça pour des « p'tits becs », on serait morts de rire, non ?

Après avoir échafaudé plusieurs hypothèses, nous en venons à la conclusion qu'il valait mieux, somme toute, qu'il ait interprété cette petite mise en scène comme une marque d'affection et qu'il cherchait visiblement à nous offrir quelques-unes de ses prises, comme pour s'excuser du contretemps.

À part cet incident de parcours et la nuit suivante où nous traversons une zone orageuse avec foudre, pluie et rafales sous les grains, tout s'annonce pour le mieux. La mer reste maniable malgré une certaine confusion : résultat probable d'une houle résiduelle du sud combinée à un courant croisé qui nous freine. Nous établissons néanmoins nos cent milles de moyenne journalière dans ces alizés en fin de course. Les nuits suivantes contrastent avec la première. Elles sont magnifiques. Nous nous sommes éloignés davantage de la côte de Java, à environ 70 milles : il y a moins d'orages.

Le 6 novembre, je note en style télégraphique quelques impressions dans mon journal de bord. Les deux premières lignes paraissent banales ; on les verrait écrites au verso d'une carte postale envoyée de Fort Lauderdale : « Il fait un temps superbe, soleil, vent du sud-sud-est, léger, pas plus de quinze à dix-huit km/h. C'est comme ça depuis notre départ... »

Pourtant, quelque chose me dit que je viens d'écrire là, en termes anodins, une combinaison gagnante. Plus je me répète cette phrase : *Il fait un temps superbe...,* plus ma perception se modifie et redonne à notre train-train quotidien du bord la véritable splendeur d'un moment de vie qui s'éternise autour de nous. Je la vois couler de source comme un début d'histoire qui commencerait, non pas par *Il était une fois...* mais par *Il faisait un temps superbe...*

C'est vrai qu'il fallait lire entre les lignes ce jour-là, comme de nombreux autres jours d'ailleurs. Il s'y cachait, je m'en souviens, un fabuleux trésor, étincelant, fait de particules de bonheur qui tournaient autour d'un noyau, un noyau non fissuré et dont on ne saura jamais qui de la famille, du majestueux voilier ou des deux en symbiose créait une telle masse d'énergie douce.

Ces particules de bonheur, si je devais faire un rapprochement avec les baleines, constituaient notre plancton : des centaines de petits gestes microscopiques du quotidien que nous prenions le temps de filtrer un à un. Pas besoin de chasser et de tournoyer frénétiquement en bombant le dos comme les grands prédateurs sur le point d'attaquer. Nous avancions, imperturbables et n'ayant pas l'air d'avoir faim, comme six rangées de fanons qui avalent des tonnes d'eau mais n'en retiennent que l'invisible.

Oui, *Il faisait un temps superbe…* et celui-ci conduisait d'abord à une grande trouvaille : nous pouvions voir le temps passer. Et rien de cette richesse que représentent vingt-quatre heures dans la vie de nos enfants n'était perdu. Ils ne partaient pas le matin en emportant sandwichs et cahiers d'exercices, ils ne revenaient pas à la maison tous les après-midi pour étudier et faire leurs devoirs en se disant que le plus vite ils allaient se débarrasser de cette corvée, plus vite ils auraient le droit d'allumer le poste.

Paradoxalement, ils conduisaient tous leur navire-école, que nous avions peint d'un jaune qui fait penser aux autobus scolaires : une couleur choisie pour différentes raisons, mais qui, à la fin, servait parfaitement cette idée d'une bande de galopins en voyage d'études.

Le cockpit représentait le poumon du bateau. Chacun de nous venait obligatoirement s'y oxygéner par ronde de deux heures, à l'exception des trois plus jeunes, limités pour le moment à une heure de barre. C'était notre lieu favori de rencontre durant la journée et d'isolement la nuit. Un lieu de contemplation en compagnie des étoiles et, aux petites heures du matin, de combat contre l'insistant sommeil. La jouissance consistait à voir s'égrener les dix dernières minutes de son quart en pensant plonger ensuite dans sa couchette.

Une fois la relève arrivée, nous jetions un dernier regard en descendant vers la cabine. Et le ciel disait que nous pouvions dormir en paix.

Un repos bien court parfois. Le lever du jour coïncidait avec le petit déjeuner des poissons. Le sifflement du gros moulinet qui se dévidait à toute allure sonnait l'alarme. Les bruits de pas tambourinant le pont, suivis des appels à l'aide de Damien, finissaient par réveiller tout le monde. C'était à moi, bien entendu, d'accourir le premier pour l'aider à remonter le poisson à l'aide du long harpon.

Elle avait beau nous jeter carrément en bas du lit, une bonne prise, tôt le matin, commençait la journée sur une excellente note. Mais déjà plus question de retourner dormir ; il fallait nettoyer, dépecer ces kilos de bonne chair et déterminer ce qui allait être mangé immédiatement, mis en conserve ou tranché en fines lamelles pour le séchage.

Commençait une autre journée, sans que nous ayons pu nous repaître d'une nuit complète. Ce chambardement dans un horaire normal de sommeil nous procurait sans doute, physiologiquement, cet effet bien réel de vivre dans un univers enveloppé de ouate.

Il ne fallait pas chercher loin, les instants prenaient vie là où l'on se trouvait. Il me suffisait parfois d'être sous le taud, à l'abri du soleil, et d'observer Dominique. Les deux mains à la roue, elle n'en tissait pas moins d'indéfectibles liens avec un ou deux enfants regroupés autour d'elle. Une fascinante relation où la mère disparaissait et laissait place à la grande copine, tombée amoureuse des voyages.

Cela pouvait m'insuffler une énergie nouvelle, comme celle de vouloir inconsciemment me rendre utile, moi aussi, en bricolant quelque chose ; ça ne manque jamais sur un bateau. J'avais le choix de réparer la pompe à pied de la cuisine qui fuyait, de gratter le vert-de-gris des contacts électriques qui empêchait les feux de route de fonctionner ou d'atténuer d'une façon ou d'une autre l'éclat de la lumière du compas qui éblouissait trop la nuit.

En allant chercher mes outils, il m'arrivait d'oublier mon travail en cours et, happé par un nouvel épanchement, d'opérer un grand rangement dans les tiroirs et les tablettes de ma mini-quincaillerie. Il ne fallait pas y voir du maniérisme de ménagère mais une application à répondre rapidement à une urgence. Je savais qu'en cas de situations critiques, quelques secondes de trop à chercher le bon outil ou le boulon de cinq millimètres pouvaient hasarder nos vies.

Tout près sur sa couchette, Évangéline, si elle n'était pas en train de préparer un dessert, faisait des mathématiques ou lisait. Normalement, il y aurait eu de quoi s'arracher les cheveux en constatant l'indescriptible fouillis dont elle s'entourait. Mais en passant tout près de cette belle adolescente insouciante, la grâce qui nous touchait alors transformait ce vilain défaut en un trait marquant de caractère.

Nous étions heureux sans le savoir ; c'est ce qui nous a protégés.

L'aurions-nous su, que nous serions devenus nerveux, comme quelqu'un sur la rue à New-York qui découvre que sa valise est bourrée de billets de 100 $. C'est seulement à notre retour au Québec, en octobre 1992, que les gens nous ont appris la nouvelle : « Vous avez réalisé un rêve, le rêve de beaucoup de monde... »

Et, comme de raison, en accrochant un tel prix à notre quotidien, ils se sont mis à nous poser des questions nerveuses : « Comment avez-vous fait financièrement ? Pensiez-vous partir si longtemps ? Aviez-vous déjà enseigné ? Les enfants ont-ils trouvé ça extraordinaire ? »

Extraordinaire ? Non ! Simplement superbe.

Évangéline ✍

7 novembre 1989

J'ai terminé mon quart à midi. Maintenant, je fais la sieste. Damien et les jumelles jouent à fabriquer des petits Zodiac avec des tubes de carton. Dominique est à la barre, elle tousse un peu et a le nez bloqué. Carl est sur un banc dehors. Il fait beau mais il y a une très grosse houle. Hier, nous avons fait une moyenne de cinq nœuds, c'est pourquoi nous avons parcouru 125 milles. Super, non ? La nuit dernière, j'ai vu plein d'étoiles filantes dans le ciel, au moins dix.

8 novembre

Ah ! barrer, barrer, on dirait que l'on ne fait que ça dans une journée. Hier soir, j'ai fait mon quart de 6 à 8 heures. Après, c'était le quart d'une heure de Damien. Alors je lui ai préparé son chocolat chaud puis je suis allée me coucher. Mon deuxième quart était à minuit. J'avais froid, je piquais du nez sur la roue tellement j'étais crevée et pour finir le bateau était terrible à barrer, une vraie savonnette.

Là, il y a un gros soleil mais l'horizon est toujours un peu bouché. Nous avons hissé le spi car nous ne faisions pas le bon cap avec les autres voiles. Le vent rentre à environ 170 degrés. Pas très fort mais juste bien. Nous avons fait tourner le moteur environ deux heures car les batteries étaient très basses. Journée moyenne : 105 milles.

9 novembre

Nous avons réussi à garder le spi toute la nuit. Parfois, j'avais un peu peur des grains au loin, mais on a réussi à les éviter.
Ce matin, il y avait d'énormes nuages noirs devant nous qui se rapprochaient. Nous sommes rentrés dessous vers 1 heure de l'après-midi. Bien sûr, le vent s'est mis à souffler dans le nez et assez fort.
À 2 heures, c'était mon quart, alors j'y suis allée. Bof ! Ce n'était pas trop dur. Heureusement, un peu plus tard, la houle s'est aplatie et le vent a molli.

10 novembre

Aujourd'hui, c'est comme tous les jours, sauf qu'il n'y a pas de vent. Alors, nous avons avancé au moteur toute la journée. J'ai fait mes quarts comme d'habitude et nous avons dîné et soupé avec des Maggi*.
C'est génial, ces repas tout préparés quand tu n'as pas le goût ou que tu ne peux pas faire la cuisine, comme en ce moment, à cause d'une houle infernale. Tu mets les barquettes dans l'eau bouillante durant dix minutes et c'est prêt à servir. Il ne reste qu'à faire du riz ou des nouilles pour accompagner. Ce soir, ce sera un succulent « Bœuf à la Madras ».
On n'a pas pu s'arrêter cette nuit pour attendre le vent car il y avait trop de houle, alors on a continué au moteur.
Ah oui ! J'oubliais de dire que nous avons vu ce matin deux gigantesques cachalots (enfin, nous croyons que c'est ça). Nous sommes passés très proches, à vingt mètres environ, car ils semblaient faire la sieste. On avait un peu peur.
Petite journée : 66 milles.

---

* Maggi : marque déposée de la multinationale suisse Nestlé pour sa gamme de plats cuisinés.

11 novembre

Des fois, je ne sais pas quoi écrire et j'en ai marre de répéter à peu près toujours les mêmes choses, à part les trucs spéciaux comme les cachalots d'hier. Oui, cette fois c'est certain ; nous sommes allés vérifier dans un livre et les cachalots ne soufflent pas comme les baleines, leur jet est moins droit, plus en oblique vers l'avant et ça correspond avec ce que nous avons vu.

Ce matin, nous avons arrêté le moteur pour nous reposer du bruit. Ensuite nous avons hissé le spi car il y avait une légère brise. Mais après mon quart, il ne restait plus un pet de vent.
Aujourd'hui, un peu de mathématiques : « Équations de la forme : $ax + b = 0$ ». Pas trop difficile.
Pour nous rafraîchir, nous avons mangé de la pastèque. Plus tard, j'ai voulu faire une crème aux ananas mais j'ai finalement fait un gâteau renversé aux pêches pendant que Dominique préparait un plat de pâte à la mexicaine avec haricots, sauce tomates et finalement gratiné au four.
Il y a un énorme cumulus derrière nous, très, très haut, avec le sommet tout blanc. Damien a fait plusieurs photos.
Nous avons eu une superbe soirée et un délicieux repas autour du cockpit.

12 novembre

J'écris dehors en ce moment ; je sais que n'ai jamais rien de terrible à dire mais, ces jours-ci, c'est pire que tout. Soit on barre ou on dort, on mange ou on lit.
Moi, j'ai fait beaucoup de mathématiques. Encore les équations de la forme... bidule. Je comprends bien, mais parfois je me trompe dans les signes + et −. Maintenant je sais que quand $2 (x + 1) = 3 (x - 2)$, $x = 8$.
On est entourés de grains. D'ailleurs, il commence à tomber quelques gouttes. C'est pour ça que j'ai des petites taches bleues sur ma page.

Vague à l'âme (C.)

Un brin d'ennui commence à suinter ici et là dans les comptes rendus journaliers d'Évangéline. Si ce signe avant-coureur de ma propre lassitude a un air de parenté, seuls nos gènes le savent. Ce qui est indéniable en tout cas, c'est qu'un lien direct s'établira peu à peu entre mon moral et les conditions que nous allons rencontrer dans les prochains quinze jours.

Nous avons pris un retard significatif dans la dernière portion de notre navigation en Australie et toute la différence entre une bonne ou une mauvaise traversée va tenir autour d'une simple question de vent. Avec deux mois d'avance, notre navigation aurait pris une tout autre tournure. Les alizés bien établis, ce qui signifie d'abord qu'ils ne tombent pas la nuit, nous auraient garanti des moyennes au-dessus de 150 milles par jour, tout en venant appuyer la voilure et atténuer les mouvements du bateau. Inutile de vanter leurs bienfaits dans cette mer que nous n'avions jamais connue aussi furibonde et désordonnée. Et, ce qui est quasiment une vérité de La Palice, s'il avait venté, il aurait fait moins chaud.

Je résiste très mal à la chaleur, c'est un fait, mais je ne soupçonne pas à ce moment précis du voyage que cette eau que je perds à grosses gouttes déminéralise sérieusement mon organisme ; ce qui peut, selon des spécialistes qui relient cette carence à certaines fonctions cérébrales, contribuer à m'affaiblir psychologiquement.

J'apprendrai seulement aux Maldives, cinq mois plus tard, que l'eau que j'ingurgite pour combattre la chaleur, même en grande quantité, ne règle pas tout le problème, spécialement s'il s'agit d'eau de pluie puisqu'elle est déminéralisée. Et comme sur beaucoup de bateaux, nous en récoltons à profusion dans les gros orages pour garnir nos réservoirs.

L'infirmière qui me traitera pour une déshydratation aiguë, avec fièvre, raideur à la nuque et courbatures générales – symptômes que je crois associés à la malaria –, me demandera d'additionner dorénavant à mes nombreux litres d'eau des doses massives de minéraux en sachets, et ce, chaque fois que la sueur me pisse au bout du nez.

Autre recommandation qu'elle me fait et qui n'est pas sans m'inquiéter : boire plus de Coca-Cola que de bière. C'est de l'avis même de certains médecins un tonique très recommandable ; peut-être pas pour se refaire une santé, mais pour faire briller ce qui en reste.

Pensez aux poignées de portes que nos grands-mères frottaient avec ce produit miracle !

Pour le moment, je ne sais rien de tout cela et il fait chaud, une chaleur de rond de poêle comme j'ai coutume de dire lorsque nous devons sautiller sur le pont tellement le métal est brûlant pour les dessous de pieds. À l'abri du soleil, toutefois, et en prenant soin de ne pas trop bouger ou réfléchir, nous supportons assez bien ces quarante-cinq degrés Celsius. Quelle adaptation quand même ! Il y a trois ans, quand nous avons quitté le Québec, nous aurions survécu à grand-peine dans ce fourneau.

Mais la route est longue et il me faut tôt ou tard quitter mon immobilité et manœuvrer ce voilier dont le gréement de goélette commence à me faire littéralement suer, au propre comme au figuré.

Le vent léger qui hésite, tombe, reprend, s'amène en force sous un grain en changeant momentanément de direction, faiblit ensuite, puis retombe jusqu'au prochain gros cumulus noir qui se forme tout au loin et qui, s'il passe sur notre route, nous apportera du vent... Tout ce cirque, dis-je, ne se déroule pas sans que je hisse, affale et règle la voilure autant de fois qu'il est nécessaire, jusqu'à quinze fois par jour.

Il faut bien se rendre à l'évidence, nous pénétrons dans une zone où les nuages dictent la règle.

Je dois reconnaître également que mon bateau n'est pas adapté à ce genre de conditions. Quatre voiles réparties sur deux mâts, parfois cinq quand je hisse la trinquette, c'est parfait comme discipline d'entraînement pour une classe de cadets de marine ou pour offrir un coup d'œil spectaculaire à ceux qui vous regardent partir, mais je n'en vois pas d'autres avantages ; pas sous ces latitudes du moins où ce type de voilure est trop exigeant pour moi, malgré le concours de mes valeureux moussaillons.

L'idée derrière ce choix était pourtant louable... en 1975, année où l'architecte français Michel Joubert, de La Rochelle, a dessiné le Damien 2, notre modèle de bateau. À cette époque pas si lointaine, la technologie des enrouleurs de voile n'existait pas. Dans le cas d'un voilier de quinze mètres gréé en sloop, c'est-à-dire portant un seul mât, cela impliquait de grandes surfaces de toile à manipuler.

Le concepteur a voulu éviter cela en optant pour le gréement de goélette, divisant ainsi la surface totale en quatre voiles plus petites et plus maniables.

J'ai pourtant fait longtemps mon numéro de bête de pont, comme on dit dans le milieu de la course, prêt à bondir sur la moindre risée qui passait à portée, jour et nuit, avec le bon jeu de voiles, sans jamais démordre. Je me surprends maintenant à ne pas accourir aux manœuvres pour grignoter quelques milles de plus, à ne plus vouloir lancer le spi à moins d'être certain qu'il va demeurer en l'air un minimum de temps, à laisser les voiles claquer dans le roulis du bateau, au point qu'elles risquent d'éclater parce que le vent va peut-être reprendre et que j'essaie de m'épargner une opération.

Bien entendu, j'ai perdu depuis une certaine fougue. C'était presque du gaspillage, j'en conviens, et tant mieux si je suis revenu à un programme d'économie d'énergie. Mais j'ai peur que ce soit autre chose qu'une partie de mes forces qui m'abandonne

– Dans ce cas, jeune homme, diriez-vous que c'est l'âge ? ironise l'homme sage en moi.

– Écoutez, m'sieur, répond l'éternel adolescent, si je dois accepter votre remarque comme un tort, je refuse même de me poser la question. Oui, je sais, vous ne vouliez pas brusquer ma susceptibilité et bon ! pas d'offense. Je vous fais marcher, vous le voyez bien, car si j'ai à me soucier, ce n'est pas de mes cinquante-deux ans, mais de l'âge qu'on me donne et là, pour être franc avec vous, il paraît que je suis gagnant.

Non, il n'y a pas que le nombre des années qui importe présentement, même si je tiens compte de cette donnée. Ce dont je veux parler se passe dans la tête. Le petit virus qui sabote toute ma belle philosophie et veut devenir ces jours-ci un grand tourment, si je ne me ressaisis pas, cherche à me convaincre d'une chose : je suis peut-être au mauvais endroit ! Oui, c'est ça, je me trouverais parfaitement paumé sous les tropiques, tout à fait aux antipodes de la route que nous devions prendre, Dominique et moi, au début de notre projet, dans les années 1976-1977.

C'est vrai, j'ai beau rêver comme je le fais en ce moment à un sloop en aluminium – finies la rouille et les cinq ou six tonnes en trop de l'acier – équipé d'un génois sur enrouleur et d'une grand-voile, *that's it, that's all*, il n'en reste pas moins que mon vieux camion-remorque de vingt-deux tonnes, tout compliqué qu'il est, donnerait

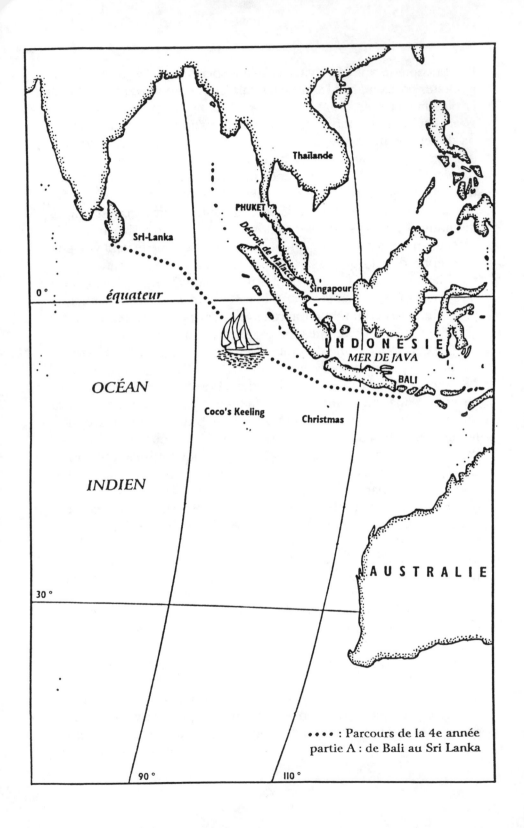

Thaïlande

PHUKET

Détroit de Malacca

Sri-Lanka

Singapour

0° équateur

I N D O N E S I E

MER DE JAVA

BALI

OCÉAN

Coco's Keeling   Christmas

INDIEN

A U S T R A L I E

30°

•••• : Parcours de la 4e année
partie A : de Bali au Sri Lanka

90°   110°

sa pleine mesure sous d'autres latitudes. Ce voilier a été dessiné et construit pour passer par le cap Horn, non par le canal de Panama.

Le projet d'aller surfer dans ces vents de tempête des latitudes sud a toujours été inscrit à notre programme, et il le reste. Mais au moment où nous construisions la *V'limeuse*, nous comptions d'abord aller vers les glaces de notre Arctique canadien, réaliser un hivernage ou deux et éventuellement forcer « le passage du Nord-Ouest », seule autre voie navigable, et pas la moindre, pour rejoindre le Pacifique, si on excepte d'aller virer le Horn ou d'emprunter tout peinard le canal de Panama.

Puis, nous avons cédé à l'envie d'être un peu plus raisonnable pour commencer à naviguer. À tel point que je me demande aujourd'hui si nous ne l'avons pas été trop. Je me retrouve ici à rêver au froid... ou à Singapour, je ne sais plus. Bref je m'accroche à toute idée qui m'emporterait loin de ces lieux et de cette insoutenable houle qui est en train de me démolir.

Je ne peux que ressasser cette autre option qui s'offrait au départ de Bali et me la tourner dans la plaie, faute de l'avoir envisagée avec assez de sérieux. Oui, nous aurions mieux fait d'emprunter la route intérieure vers Singapour, le détroit de Malacca et la Thaïlande avant de viser directement le Sri Lanka.

La mer de Java, parfaitement protégée des houles du sud par le bouclier d'îles indonésiennes, aurait été certes moins chaotique que l'océan Indien. Quant aux risques de mauvaises rencontres associées à cette région du monde, je crois que j'aurais préféré me colleter avec des pirates bien en chair plutôt qu'avec ces esprits malfaisants qui se convulsionnent sous la surface.

Heureusement ces jours-ci, comme pour faire contrepoids, Dominique est en pleine forme. Elle vient de nous servir pour le repas du soir un délicieux riz basmati, nappé d'une sauce blanche au saumon qu'elle a recouverte ensuite d'une généreuse louche de petits pois. Un chardonnay aurait été plus approprié pour honorer ce plat, mais nous nous limitons à terminer le cubitainer de rouge de deux litres, un cabernet-shiraz australien, commencé avec un plat de pâte il y a quelques jours.

Je surnage de cette manière, très près de mes sens puisque mon esprit ne me donne plus grand plaisir. Ainsi, depuis deux jours, nous avons pu nous doucher amplement sous d'énormes grains. Quel bonheur ! La pluie était tellement abondante que nous avions le temps de nous savonner, de nous faire un shampoing, de nous rincer au complet et ensuite de recueillir à chaque fois une centaine de litres d'eau avec des casseroles et des seaux de plastique que nous portions sous la grand-voile.

On peut aussi se réfugier dans la lecture, à condition bien entendu de trouver le livre qui convient exactement à la situation. Sur ce point, j'ai été chanceux d'ouvrir par hasard *L'île au trésor* de R.L. Stevenson et d'être littéralement happé dès les premières lignes. Et du coup, de me demander comment j'ai pu passer aussi longtemps à côté de ce classique du genre, que tout le monde à bord a lu. Pas trop en état de prendre un autre blâme, j'ai voulu me faire plaisir en me disant qu'il m'était probablement destiné pour ce moment précis de l'an de grâce 1989, par environ cinq degrés de latitude sud et 98 degrés de longitude ouest, où j'allais en tirer le meilleur.

Note intéressante de l'éditeur : il rapporte qu'un jour, cet auteur jusque-là inconnu et sans succès, en observant son beau-fils colorier une carte, se servit de l'occasion et inventa l'histoire derrière la carte. Les chapitres d'ouverture à l'Auberge de l'amiral Benbow sont particulièrement intenses et savoureux. Ils vous plongent dans un décor et une ambiance lugubre de la côte anglaise, à la fin du siècle dernier, où évoluent des personnages de mer tout aussi mystérieux qu'inquiétants. Pas étonnant que ce même auteur, quelques années plus tard, en 1886, ait versé dans le récit fantastique avec son aussi fameux *Docteur Jekill et Mister Hyde*.

L'inversion des saisons (C.)

Un titre doit être judicieusement formulé s'il doit annoncer l'essentiel du message. J'ai appris cela en journalisme et en publicité, deux domaines très connexes au fond.

J'aurais pu intituler ce chapitre : *Le passage de l'équateur*, ce qu'effectivement nous allons vivre dans les prochains jours, mais, toute limpide qu'elle soit pour le commun des mortels, l'expression manque de puissance.

Il me revient en mémoire ce roman français qui a atterri à notre bord, orné de ce titre singulier : *L'inversion des saisons*. L'impact de ces trois mots m'avait alors séduit d'emblée. Mais que signifiaient-ils ? En réalité, cette formule décrit le changement de saison de part et d'autre de l'équateur. Mais dans l'histoire, l'auteur se servait de cette image pour illustrer la transformation d'une histoire d'amour.

Fruit probable d'un de ces échanges de bouquins pratiqués couramment entre bateaux, le roman a dû repartir par la même filière avant que je ne me décide à le lire. Grande dévoreuse de sentiments, Dominique en fit une bouchée. Ce qui semble l'avoir jetée dans une grande confusion car elle n'arrive plus à me préciser depuis ce jour si *la transformation d'une histoire d'amour* débouche sur un dénouement heureux ou malheureux.

Peu importe, en me remémorant l'ouvrage, j'ai su aussitôt qu'il n'y avait pas titre de tableau plus éloquent pour décrire la complexité de deux systèmes climatiques qui se repoussent autour du degré zéro.

En six ans, nous franchirons quatre fois l'équateur et il nous est arrivé de passer d'un hémisphère à l'autre sans remarquer de changement météorologique notable. Nous serons bien loin de ce profit pour notre second « passage de la ligne » où le printemps pourri de novembre que nous avons commencé à subir ces jours derniers va se métamorphoser de l'autre côté en un splendide automne.

En attendant cette délivrance, il faut être très patient. Dû à notre faible progression journalière, ce virage bout pour bout d'une saison ne va pas s'opérer en criant ciseau. Les journées grises et pluvieuses, pour la majorité, n'apportent pas grand vent ; seulement des bourrasques très localisées, liées au phénomène des grains, puis presque rien. Il ne faut pas imaginer que c'est le calme plat même s'il y a absence de vent. À ce propos, j'ai repéré une incroyable bourde dans mon journal de bord du 15 novembre : « (...) ce qui nous laisse à la merci d'une houle... ».

Non ! mais avais-je perdu la raison pour raconter pareille sottise. Car s'il s'agissait vraiment de *houle* comme on l'entend ordinairement, le bateau serait soulevé dans un mouvement régulier, ample et ondulatoire... et ce que je m'évertue à vouloir décrire maintenant n'a strictement rien à voir avec le mot *houle*, quand bien même j'ajouterais *mauvaise* ou *croisée*, ça ne resterait toujours *qu'une mauvaise houle croisée*. Il doit y avoir un vocabulaire que j'ignore car c'est dix fois pire. Je pense que si j'avais à réinventer l'enfer, je mettrais **Ça** dedans, à la place des flammes.

— Voyons, Carl, cesse tes fantasmes de curé ! Si tu n'arrives pas à réprimer totalement les résurgences de ton enseignement religieux, essaie au moins de trouver des images moins apocalyptiques pour tes enfants.

— D'accord, mes brebis, disons alors pour mettre un peu de baume sur mes écrits incendiaires que s'il y avait des cloches dans les mâts, nous sonnerions l'angélus avec toute la puissance d'une basilique... Contents ?

Enfin, quand nous n'en pouvons plus d'être secoués et que nous croyons que les voiles vont partir en lambeaux, nous affalons tout et nous démarrons le moteur. En dépit du bruit, les coups de roulis disparaissent complètement et nous pouvons reprendre un semblant de vie saine à bord. Ces interludes représentent un tel soulagement que j'ai toujours peur que l'engin refuse de partir ; je crois que je deviendrais fou.

Avec un cap de 300 degrés au compas, nous remontons lentement en diagonale, au rythme d'une quarantaine de milles par jour. Cette nuit, nous franchirons le cinquième degré de latitude sud et aurons parcouru environ 1 317 des 2 400 milles du début.

Et vogue la baratte à beurre ! Rempli de crème, on en produirait en quantité industrielle. Je viens de retrouver mon stylo sous la couchette d'Évangéline. Normalement, c'est le marché aux puces dans son coin ; là, c'est le gouffre. Tout ce qui plane à l'intérieur ces jours-ci finit par y atterrir. Des objets de toutes sortes qui, depuis des lunes, devaient rêver au jour où ils se réfugieraient dans cet indescriptible royaume où notre reine du bric-à-brac règne avec une main de fer.

Hier, vers 14 heures, nous avons remonté un thon de quatre kilos et demi. C'est rare qu'un poisson morde à cette heure, surtout par une journée ensoleillée. On s'est dit en le mangeant qu'il n'avait pas fait exprès. Il devait être « sonné » par les vagues.

En préparant les filets, nous n'avons pu résister à l'envie de le manger cru. Cette chair d'un beau rouge foncé, tout imprégnée de ce goût caractéristique d'iode et de sang, est un pur délice que la cuisson viendrait saboter. Nous l'avons découpée en cubes, servis

70

ensuite à la façon du sushi japonais, c'est-à-dire trempés dans une sauce à base d'huile d'olive, de pâte de tomate, d'ail, de raifort et de sauce soya (tamari légère). Ce matin, Damien a tranché le reste en fines lamelles pour les faire sécher. Sous ces rayons, c'est l'affaire de quelques heures.

La journée précédente, j'avais boulangé, entreprise extrême dans ces conditions. Les enfants tenaient bien fort le sac de farine et les plats et se relayaient avec une serviette pour que je n'inonde pas la pâte pendant que je pétrissais. Ils ne voulaient pas manger leurs tartines *à la sueur de mon front*! Ils sont formidables, pas un mot, pas une plainte ; ils font l'école ou la lecture malgré le bruit du moteur.

Je relis des passages de Slocum, *Seul autour du monde sur un voilier de onze mètres,* et de Bernard Moitessier, *Un vagabond des mers du sud.* Ces récits de navigation qui nous ont ensorcelés un jour en tant que profanes deviennent plus tard des outils de références intarissables quand notre propre route s'allonge et vient croiser la leur. C'est tout différent de se retrouver à bord du *Spray* de Slocum lorsqu'il remonte la Grande Barrière australienne en 1896, maintenant que nous y sommes passés avec la *V'limeuse* en 1989.
Et aujourd'hui, alors que nous naviguons dans les mêmes parages que Moitessier à bord de *Marie-Thérèse* en août-septembre 1952, je prends la mesure exacte de cet homme qui livre pendant quarante-neuf jours – et quarante-neuf nuits, insiste-t-il – une lutte désespérée aux éléments, à la sortie du détroit de Malacca. Une prodigieuse épopée qui a donné naissance à des pages sur l'acharnement humain que je considère parmi les plus glorieuses.
À mon avis, ces types démesurés correspondaient parfaitement au dicton de la vieille marine à voile : bateau de bois, hommes d'acier. Aujourd'hui, c'est l'inverse : bateaux d'acier, hommes de... ! Quelque chose se perd, mon vieux ! Comme leur pifomètre qui valait toutes nos consoles sophistiquées de navigation.
« Quel mec, ce Slocum ! » diraient les Français. « T'écœures, Bernard ! » me contenterai-je d'avouer au nom de tous les miens, tout marins d'eau douce que nous sommes. Aux douches !

Aujourd'hui, quinzième jour depuis Bali et un peu plus de la moitié de la route parcourue.

Un petit requin suit depuis ce matin. Les enfants lui lancent des restes de thon. Moi, je mange mon dernier morceau de gâteau fourré à la sauce caramel. « Meuuusieur voudrait peut-être gooooûter ? » Pas question, Dents de la mer ! Si l'océan avait été sucré, Spielberg aurait dû vous équiper de dentiers avant de réaliser son tournage.

Mon journal de bord, daté du 19 novembre, signale une découverte susceptible de nous ronger davantage le moral :

Nous avons définitivement des cafards à bord. J'en ai surpris trois cette nuit en ouvrant une lampe du comptoir de cuisine. C'est parti pour l'invasion, mon kiki ! Avec leur copulation effrénée, où cela s'arrêtera-t-il ?

Malgré nos précautions, ces bestioles sont probablement montées à Bali, usant de ruse car nous prenons toujours soin de vider nos sacs et cartons d'épicerie sur le pont avant de ranger les provisions dans les équipets.

Il y a aussi de minuscules fourmis, pas méchantes ni embarrassantes, qui se déplacent en interminables colonnes. Nous ne leur faisons aucun mal et apprécions leur art d'apprêter les restes de cuisine. Elles nettoient mieux qu'un aspirateur. De plus, elles doivent servir de nourriture pour nos deux petits lézards qui se cachent quelque part sur le pont ou à l'intérieur. L'autre jour, en montant la grand-voile, j'en ai fait tomber un dans le cockpit. Il a détalé en me laissant une partie de sa queue entre les doigts.

Damien barre maintenant ses quatre heures par jour – deux fois deux heures –, à moins que les conditions soient trop exigeantes. Les jumelles se partagent deux heures en ligne, ce qui nous laisse donc 18 heures à se diviser également en trois, Évangéline, Dominique et moi.

Le taux de participation est en pleine ascension chez nos jeunes et je vois déjà le jour où l'on me criera de rester bien allongé dans ma cabine et de me reposer tant que je veux... : « Pas la peine même de sortir le nez dehors, m'ordonneront-ils, on s'occupe de tout, la bouffe, etc. »

Et vingt jours plus tard : « Hé ! poupse ! », comme ils ont l'habitude de m'appeler, « Viens voir où on va jeter l'ancre ce soir ! ». Ce sera le paradis sûrement.

23 novembre : depuis deux jours, nous commençons à sentir les effets de la mousson du sud-ouest qui sévit encore dans l'hémisphère nord. Maintenant qu'il y a du vent, il nous malmène au point que nous nous interrogeons sur une route alternative. Le mirage de Pukhet en Thaïlande refait surface et pourquoi ne pas y aller puisque nous n'en sommes qu'à 540 milles.

C'est oui ! Nous soulageons l'allure en abattant de 120 degrés et cap au nord-nord-est.

La météo continue de se détériorer et en fin de journée nous nous dirigeons droit vers un mur noir qui bouche complètement l'horizon et... s'illumine de temps en temps. Message reçu cinq sur cinq : Dominique descend éteindre tous les instruments de peur que la foudre ne grille l'électronique pendant que je réduis la grand-voile au dernier ris. Engoncé dans mon épais ciré, je titube ensuite jusqu'à l'avant et hisse la trinquette derrière le foc numéro 1, déjà à poste.

Comme je n'ai pas d'enrouleur, je peux toujours compter sur cette petite voile d'appoint et garder ainsi le bateau manœuvrant pendant les sept ou huit minutes où j'aurai, le cas échéant, à effectuer un changement de foc. Par exemple, si le vent atteint 45 nœuds, j'affale le numéro 1 et le remplace par son petit frère, le numéro 2. Au-delà de 50 nœuds, comme en juin 1985, au nord des Bermudes, où l'aiguille de l'anémomètre avait indiqué des pointes à 60 pendant quelques heures, il m'est arrivé de ne conserver que cette brave trinquette pour toute voilure.

Certaines images de la nuit dernière ne s'effaceront jamais de ma mémoire. Comme prévu, il se concoctait sous cet épais manteau noir un orage électrique époustouflant. Pourtant ce n'était pas la foudre qui nous menaçait ; heureusement d'ailleurs, elle semblait toujours s'abattre loin devant.

Malgré les éclairs intermittents qui s'ouvraient les veines, la nuit semblait impénétrable. J'avais l'impression presque réelle que nous allions être écrasés. Quand je suis monté prendre mon quart à minuit, le plafond de cette perturbation était tellement bas qu'on aurait dit entrer dans un tunnel où la tête des mâts allait finir par s'accrocher. Jamais je n'avais vu courir des nuages aussi menaçants. Chargés de fureur, ils prenaient des formes tentaculaires prêtes à fondre sur une proie. Ils arrivaient par derrière en lâchant une mitraille de pluie et de vent qui crépitait sur le vinyle de mon ciré. J'étais sûr qu'un ce ceux-là nous était destiné, qu'il allait piquer, lâcher sa tonne de dynamite et nous pulvériser sur place.

À l'horrible succédait le pénible : les violentes rafales en nous dépassant emportaient tout : plus une brindille de vent qui flottait dans l'air, rien pour nous accrocher. Après la lévitation, nous retombions lourdement au creux de ce calme qui était loin d'être plat. Il fallait impérativement partir le moteur pour combattre ce roulis, sinon tout dans le bateau foutait le camp par terre.

Puis les ténèbres libéraient un autre monstre. Je l'entendais venir en rugissant et c'était plus fort que moi : le cou rentré dans les épaules, je me retournais comme un cavalier voûté qui cherche à voir l'ennemi et se cramponne en prévision du moment où les nuées de noirs bourdons piqueront sa monture.

Enfin, quelques jours plus tard, l'équateur est dans le sac. Mais en avons-nous fini avec les sud-ouest ?

Depuis une trentaine d'heures, nous avons vaguement l'impression d'être sortis du bois. Après être passé nord-ouest, puis nord-est, le vent s'est établi de nouveau au sud-est et, *sorry* Thaïlande, nous sommes revenus à notre premier amour et avons pris la direction du Sri-Lanka. Tellement plus simple d'aller avec le vent.

Environ 500 milles nous séparent de Galle.

Le soleil est de retour. Le crépuscule flamboyant d'hier soir l'avait en quelque sorte annoncé : « *Red sky at night, sailor's delight..* » Les enfants sortaient ce matin comme des marmottes de leur trou. Ils ont l'art de s'effacer dans ces moments où nous, les adultes, en avons plein les bras.

Ont-ils seulement mangé quelque chose depuis deux jours ? Je ne sais pas ; j'ai tendance dans mes malheurs à m'isoler. Dominique s'abandonne toujours plus volontiers. Elle me rassure ; ils ont grignoté des biscuits et, de toute façon, n'avaient pas grand appétit dans ce tohu-bohu.

Le vent manque cependant de régularité et nous avançons au moteur de 16 à 22 heures. Nous faisons, comme on dit, un peu de frigo ! La nuit sera parfaite à sec de toile. Il y a un petit souffle venant de l'arrière, mais il peut attendre. Je m'en vais dormir sous les étoiles.

À mon réveil, une jolie brise venait rider la mer. Je suis descendu à la cuisine vers 5 heures et j'ai préparé le petit déjeuner – petit en effet – : biscuits soda, confitures et café. Vers 8 heures, nous étions sous spi.

Un magnifique lundi, couronné par une fin de journée autour du cockpit où nous savourons en famille un succulent spaghetti qu'Évangéline a pris l'initiative de nous préparer. Elle a beaucoup changé ces derniers mois : moins agressive avec nous. Crâneuse mais plutôt gentille.

De peur qu'une divinité nous entende et nous fasse regretter notre outrecuidance, nous préférons dire que ce n'est pas nous, mais Galle qui se rapproche : plus que 200 milles.

La nuit dernière, il n'y avait pas à hésiter. Le vent s'épuisait de plus en plus et notre cap nous obligeait à croiser la ligne des cargos. Alors, moteur ! pour se dépatouiller.

Pas moins de dix-sept navires ont défilé près de nous, certains à 500 mètres, les plus éloignés à deux milles. Surprenant sur le coup, mais logique lorsqu'on regarde bien la carte. Tout ce qui arrive du canal de Suez et navigue vers l'Asie en général, le Japon, les Philippines, l'Indonésie et l'Australie en particulier doit forcément contourner le sud du continent indien.

Nous avons tous hâte d'arriver.

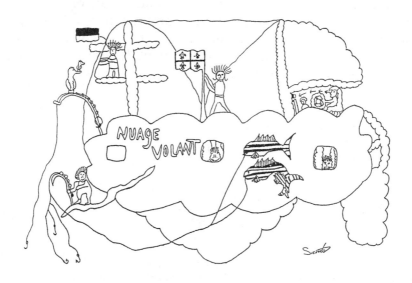

La remontée dans le temps (D.)

Une chose me manque durant nos longs séjours en mer. Une forme de création. Je l'ai compris vers la fin de cette traversée. Je souffre de ce qu'on pourrait appeler le syndrome du voyageur au long cours. En état de perpétuelle réception, je me sens souvent comme une éponge imbibée d'images, de rencontres, de musiques, de lectures, d'odeurs et d'émotions. Et dans ces moments, je regrette de n'être ni musicienne ni peintre, en somme de n'avoir développé aucun talent pour épancher ce trop-plein et exprimer la beauté de notre nomadisme.

Tant pis pour le génie, je peux toujours m'amuser à dessiner, me suis-je dit il y a trois jours. Nous approchions du Sri Lanka et comme je n'avais pas le drapeau du pays, l'occasion était bonne de sortir les feutres et la peinture à tissu.

J'ai proposé un concours aux enfants : nous allions faire, en plus du drapeau cinghalais, un pavillon spécial pour la *V'limeuse,* et j'avais besoin de leurs idées. Tous ont accepté sauf Évangéline qui s'est défilée en alléguant ses travaux de couture. Elle pose des bandes de velcro sur son moustiquaire, en prévision des nuits infestées de maringouins, et sa bonne humeur est aussi fragile que son fil à coudre.

Aujourd'hui, il fait un temps magnifique et nos œuvres sèchent le long des haubans. Dans la foulée, nous avons aussi travaillé sur de nouveaux tee-shirts. Celui de Sandrine est empreint de la poésie du large : un oiseau blanc emporte au bout de ses pattes une sirène à la longue chevelure et au corps emprisonné dans un nautile.

Installée au soleil avec les enfants, j'achève de peindre le drapeau du Québec sur la girouette de notre régulateur d'allure. Bientôt, nous hissons nos pavillons dans la chaude lumière du couchant. Le lion d'or cinghalais flotte au vent sous la première barre de flèche, côté tribord. C'est l'un des plus jolis drapeaux du monde et j'en suis assez fière.

Côté bâbord, Neptune brandit la *V'limeuse* au bout de son trident. Nous levons nos verres à sa santé. Sans rancune, mon vieux ! À moins d'un revirement total de situation, nous allons terminer cette longue et pénible traversée dans moins de quarante-huit heures.

Tout comme son père, Évangéline trouve que le simple plaisir de naviguer a disparu dans les parages de l'équateur. Depuis dix jours, elle multiplie les visites à la table à carte, espérant accélérer les choses. Ses marques au crayon remplacent maintenant les miennes. Elle visualise ainsi notre progression vers la délivrance. Même Damien et les jumelles, pourtant bien occupés à jouer ensemble, manifestent leur impatience de se dégourdir les jambes.

Durant ces quatre semaines de navigation lente, je ne me suis, quant à moi, jamais ennuyée. Bien sûr, la chaleur m'a éprouvée comme les autres. J'aurais souhaité davantage de brises, de souffles réguliers pour appuyer nos voiles dans cette mer agitée par le seul souvenir du vent. J'aurais préféré ne jamais utiliser le moteur, ne jamais troubler la quiétude du large.

Mais malgré la suprême indécision d'Éole, l'océan Indien nous a offert des spectacles d'une grande beauté. Nous avons fait provision d'une palette extraordinaire de couchers de soleil, plus tourmentés, plus majestueux les uns que les autres.

Durant tous ces jours et toutes ces nuits passés loin de l'humanité, je savourais notre insensible avance vers l'inconnu. Car en dépit de nos supposées misères, n'étions-nous pas privilégiés de nous retrouver ainsi au beau milieu d'un océan ?

À moins de quatre-vingts milles de Galle, l'atmosphère du large s'estompe. Nous entrons dans le champ d'attraction d'une terre nouvelle.

Première sentinelle de ce monde inconnu, un bateau de pêche s'approche. Les pêcheurs à la peau sombre, dissimulés sous leurs chapeaux de paille, nous font de grands signes avec des poissons dans les mains. Ils espéraient des cigarettes... Pour les consoler, les enfants vont fouiller sous les banquettes et remontent avec du chocolat.

Le jour nous abandonne à trente-cinq milles du but, le regard rivé aux éclats lumineux du phare de Dondra Head. Le magicien des arrivées en a décidé ainsi. Nous nous glisserons dans cette vingt-neuvième et dernière nuit comme des aveugles à qui l'on a promis un éblouissement miraculeux à l'aube.

Jamais je n'ai vu autant de cargos à la file indienne. Heureusement, nous avons déjà franchi l'autoroute empruntée par la majorité d'entre eux. Les quelques navires qui font escale au Sri Lanka ne se dirigent pas à Galle, comme nous, mais vont à Colombo, plus au nord. En nous rapprochant de la côte, nous devrions les éviter et naviguer dans cette nuit noire en toute tranquillité.

Il est 4 heures du matin. Le vent s'est calmé. Il nous pousse avec une lenteur calculée vers les lumières de Galle... et vers d'autres lueurs qui tremblotent comme de jolies lucioles au-dessus de la mer, nous indiquant la présence de pêcheurs.

Bientôt la *V'limeuse* se glisse entre les feux de ces barques invisibles. Je ne discerne aucun mouvement dans la nuit. Les pêcheurs dorment-ils ? Ou sont-ils simplement silencieux, attentifs aux poissons qui rôdent près de leurs lignes... Car, pas une seule minute, nous n'imaginons qu'ils puissent pêcher autrement. Quand, tout à coup, des hurlements éclatent à tribord. Une silhouette gesticule, affolée, en brandissant sa lampe de poche dans notre direction.

– Merde, Carl ! Je crois qu'on fonce dans un filet !

Carl se précipite à l'étrave et me crie qu'il n'y a rien. De mon côté, je n'ai pas quitté le pêcheur des yeux. Il me semble, durant une brève seconde, que nous le remorquons dans la noirceur... Mais tout se passe si vite... Déjà, Carl accourt à l'arrière, se penche par-dessus le balcon et finit par décréter que le fameux filet a dû glisser sous la coque.

D'ailleurs, le pêcheur s'est calmé. Tout le monde en est quitte pour la peur.

– Tu devrais faire le guet en avant, dis-je à Carl. On va devoir être plus prudents.

Au même moment, le faisceau d'une seconde lampe de poche se met à clignoter droit devant, puis bientôt un autre... Je ne sais plus où aller et je crie à Carl :

– Ça ne passe pas par là, prépare-toi à empanner, vite !

Aussitôt le virement de bord effectué, je m'éloigne, remonte au vent, cherche une trouée d'obscurité parmi les nouvelles lumières qui s'affolent. Mais c'est à croire que notre homme a réveillé tout le voisinage. Peu importe où la *V'limeuse* s'engage, elle déclenche une panique générale. À perte de vue, maintenant, des lampes de poches s'allument et nous révèlent l'étendue de cette incroyable toile d'araignée.

– Vaut mieux partir le moteur, décide Carl. Jamais on ne pourra manœuvrer à voile au milieu de tous ces filets.

Mais exceptionnellement nos 140 chevaux se mettent à tousser, comme pour s'excuser de nous fausser compagnie en un pareil moment. Les réservoirs de fuel seraient-ils déjà vides ? Nous n'avons pas de jauge, mais nos derniers calculs en mer de Timor nous confirmaient une autonomie d'environ 175 heures-moteur. Hors nous venons d'en accumuler 150 depuis Bali. Peut-être aurait il mieux valu jouer de prudence pour l'approche des côtes. Bien sûr, nous gardons en permanence une réserve de trois ou quatre cents litres dans la quille. Il suffit de la pomper.

Les toussotements du moteur ont tiré Damien hors de sa couchette. En voyant sa binette ensommeillée surgir devant moi, je pense avec plaisir que cet enfant de 11 ans a développé de belles qualités de marin, dont celle, essentielle, de dormir avec une oreille pour son bateau.

Une demi-heure plus tard, le père et le fils ont pompé suffisamment de fuel pour nous assurer l'approche et l'entrée au port.

Alors que nous avançons prudemment vers le havre en évitant les filets, guidés par les éclats lumineux des pêcheurs, la nuit s'estompe peu à peu. Et avec elle, nos certitudes de naviguer au vingtième siècle.

C'est une vision d'un autre âge qui émerge dans les premières lueurs de l'aube. La mer est couverte non de barques, mais de troncs d'arbres creusés où des hommes remontent tranquillement leurs filets. Ils sont trois, parfois quatre dans ces pirogues étroites à balancier, et leurs gestes lents semblent détenir le pouvoir d'immobiliser le temps.

Nous avançons toujours, anachroniques et médusés. Les pêcheurs doivent lever la tête pour nous regarder passer. Et nous en ressentons une gêne soudaine, nous les voyageurs sur notre grand bateau d'acier.

La lumière devient rose, l'air se met à danser. Posées sur le sommet du cap, les murailles fortifiées de Galle vacillent dans les vapeurs matinales, comme un mirage enveloppé de chaleur.

L'ancien fort hollandais surplombe ainsi la mer depuis des siècles, vestige d'une autre époque. Pendant 300 ans, les Portugais, les Hollandais et les Anglais ont déferlé sur le Ceylan par vagues successives. Les grandes puissances européennes colonisaient le monde après l'avoir prétendument découvert. Elles s'en arrachaient les richesses, se séparaient les îles, se divisaient la terre.

Puis les vagues se sont retirées les unes après les autres en laissant quelques traces bien visibles sur la terre ferme, comme ces hautes murailles de pierre.

Mais ici, entre les pirogues où les pêcheurs cinghalais rentrent leurs lourds filets de chanvre, la mer en a effacé tout souvenir. Et ces hommes qui répètent les mêmes gestes depuis des millénaires semblent nous dire : vous arrivez, vous repartirez. L'humanité s'agite. Elle oublie souvent la quête de l'humilité et de la sagesse.

— Damien, va réveiller tes sœurs, demande Carl.

Je peux déceler au ton de sa voix, l'émotion d'un père qui offre à ses enfants l'immatérielle et fugitive beauté du monde.

Noémie et Sandrine se poussent un peu dans l'échelle avant de se blottir près du mât en silence, soudainement intimidées par les pêcheurs. Puis c'est le tour d'Évangéline. Les hommes dans leur pirogue creuse échangent des mots à voix basse et répondent à nos gestes de la main par de larges sourires.

Alors le soleil se lève au-dessus des palmiers et nous pénétrons dans l'enceinte portuaire, laissant derrière nous la mer.

Le décor n'est pas très spectaculaire. Une grue, deux ou trois quais de béton bordés d'entrepôts, et tout au fond quelques maisons et bâtiments parmi les cocotiers. Une dizaine de voiliers de nationalités différentes, la plupart américains et australiens, reposent immobiles au centre du havre. Malgré l'heure matinale, notre arrivée soulève une réaction immédiate. Deux annexes se détachent, l'une de *Liquid Amber* et l'autre de *Melody,* et s'avancent à notre rencontre.

Paul et Hans connaissent les meilleures zones d'ancrage. Le fond n'est pas d'excellente tenue, nous annoncent-ils. Pour avoir la paix, nous devrons mouiller une généreuse quantité de chaîne. Ensuite, il faudra porter une amarre sur l'un des corps-morts afin d'empêcher l'arrière de pivoter et restreindre ainsi notre zone d'évitage. Plus manœuvrants dans leur dinghy, ils nous aideront pour cette dernière opération.

Hans nous avertit, toutefois, qu'on ne peut se fier à ces mouillages permanents. Peu importe leur nature exacte, morceaux de fer ou blocs de ciment coulés au fond du port, ils sont sous-dimensionnés par rapport au poids des voiliers.

Ainsi quand le vent force et vire bout pour bout, ce qu'il fait d'ordinaire en même temps et en pleine nuit, la situation devient infernale. Ne tirant plus sur leur ancre mais sur des corps-morts faussement sécuritaires qui chassent à la moindre rafale, les voiliers dérivent alors les uns sur les autres, se cognent, s'emmêlent... Le bordel, quoi !

Paul nous suggère d'ancrer exactement là où nous sommes. Le fond est meilleur que près du rivage. De plus, en demeurant à l'écart, nous ne risquons pas d'accrocher quelqu'un.

Ce n'est pas l'avis de nos aînés qui grommellent durant les manœuvres.

– C'est toujours pareil, on se retrouve à l'autre bout du mouillage, commence Évangéline.

– J'sais pas à quoi ça sert d'avoir une quille relevable pour se mettre derrière tous les autres, renchérit Damien.

– Et comment on va faire pour aller à terre ? À la nage ? Parce qu'au cas où vous l'auriez oublié, fini, *kaput,* le Zodiac !

Mis au courant de notre problème d'annexe, Paul pense à une solution temporaire :

– Je crois qu'Allan, sur le bateau danois *Lykke,* en a une deuxième, dit-il. Laissez-moi lui en parler.

À peine sommes-nous rentrés à l'intérieur, encore étonnés de cet accueil fort sympathique, qu'un troisième visiteur s'annonce. La dame, elle aussi membre de la petite communauté des *yachties,* nous apporte un ananas. Puis Paul revient avec un pain frais et de la confiture de mangue.

– Voilà pour votre déjeuner, les enfants ! Et pour le dinghy, Allan passera vous voir tout à l'heure. Bon, je vous laisse. Les autorités seront là vers 9 heures.

Au Sri Lanka, on ne fait pas de différence administrative entre un voilier et un cargo. Peu importe le navire, son équipage doit utiliser les services d'un agent. Cet intermédiaire se charge des formalités d'arrivée et de départ, remplit la paperasse et allège notre porte-feuille de soixante dollars américains par mois. Une petite fortune ici, mais comme le mouillage est gratuit nous aurions tort de nous plaindre.

L'agent s'est amené en compagnie du médecin, lequel vérifie si nous resplendissons de santé avant de nous accorder la libre prati-que.

Sa visite tombe bien. Nous avons deux ou trois questions pour lui, au sujet de la malaria. Aucun danger ici, nous assure-t-il. La maladie, transmise par la piqûre de l'anophèle, un lointain cousin du maringouin québécois, sévit uniquement au nord du pays. Nous cesserons donc, avec grand plaisir, de prendre ces amers compri-més de quinine qui nous donnaient des maux de ventre et nous coupaient l'appétit.

L'idée d'en avaler durant plusieurs mois nous déplaisait souve-rainement. D'autant plus que la dite prévention n'offre aucune ga-rantie pour le type le plus grave de paludisme sévissant ici. C'est pourquoi le médecin de la *Calypso* nous avait donné du *lariam*, médicament beaucoup plus puissant, à n'utiliser qu'en cas de crise, et dont les possibles effets secondaires nous dressaient les cheveux sur la tête.

Un mois et demi plus tard, lorsque nous visiterons les nouvelles zones d'irrigation à l'intérieur du pays, nous devrons néanmoins être extrêmement prudents. « Ne prenez aucun moustique à la légère », nous répétera Ravi, l'ami cinghalais qui nous reçoit. Chaque fenêtre, chaque porte de sa maison est couverte d'un fin moustiquaire et nous dormirons sous des rideaux de mousseline. « Je n'aime pas les médicaments non plus, poursuivra Ravi. Un Cinghalais devrait pren-dre de la quinine toute sa vie, c'est absurde. Alors je suis prudent. Parfois, je l'avoue, ce n'est pas suffisant. Mais nous avons l'avantage de connaître exactement les premiers symptômes du paludisme et de pouvoir neutraliser les crises en les traitant aussitôt. »

Pour l'instant, à Galle, les moustiques ne nous empêcheront pas de dormir. Toutefois, précise l'agent en refermant sa mallette, d'autres bestioles s'en chargeront... Et de nous raconter, tout en grimpant l'échelle, que les corbeaux adorent les gréements de voiliers, et qu'ils viennent y croasser en chœur dès le lever du jour.

Nous raccompagnons les deux hommes sur le pont puis commençons le grand ménage. Les dernières odeurs du large se lovent dans les plis des voiles ferlées. Nous sommes prêts à découvrir le pays.

Notre première impression, un moment dissipée dans le brouhaha des manœuvres et les retrouvailles avec la micro-société des *yachties*, va ressurgir sitôt les limites du port franchies.

Dans le quartier qui entoure la baie, la vie n'a pas dû beaucoup changer depuis les derniers siècles. Nous aimons aussitôt ces ruelles étroites, bordées d'échoppes en bois, où nous déambulons panier à la main, achetant ici le pain, là quelques œufs, ailleurs une laitue frisée, des carottes et des tomates, et enfin un large bol empli de yogourt. Les enfants suivent religieusement le rituel de la pesée des légumes sur les grandes balances de fer noir. Puis Évangéline ramasse les factures et s'amuse à convertir les montants entre deux boutiques :

– Devinez combien pour un kilo de tomates : soixante sous !

Il y a 800 000 habitants à Galle, mais autour du port on se croirait plutôt dans un village. Nous sommes agréablement surpris par la propreté des rues, et par la simplicité et l'extrême gentillesse de ce peuple tout en sourire.

Le lendemain, nous marchons jusqu'à l'ancienne cité fortifiée, calme et magnifique sous ses vieux arbres. J'explique aux enfants que Galle, par sa position stratégique dans l'océan Indien, fût hautement convoitée au cours de l'histoire de la colonisation. Les traces, invisibles sur la mer, se multiplient ici. De vastes demeures coloniales, des boutiques affichant leurs dentelles, des écriteaux où l'on peut lire, sous l'inscription cinghalaise, des noms européens comme Da Silva. Mais le plus subtil héritage laissé par les Portugais et les Hollandais, nous le découvrirons peu à peu sur les visages.

Évangéline me fait remarquer à quel point les femmes et les jeunes filles sont élégantes, vêtues de saris colorés, leurs longs cheveux sombres nattés ou remontés en chignon. Beaucoup d'hommes, comme à Bali et en Polynésie, portent un paréo noué à la taille, à la manière d'une longue jupe. La blancheur immaculée de leurs chemises nous laisse rêveurs. Dans un milieu aussi humide que la *V'limeuse*, nous avons renoncé depuis longtemps au linge impeccable. Nous acceptons les taches de rouille comme des marques de notre différence.

La tranquillité du vieux Galle, isolé sur son promontoire, contraste avec l'animation du centre-ville. Nous voilà dans ses rues bruyantes et achalandées, parmi les autos, les camions, les motocyclettes, les taxis motorisés à trois roues, les charrettes à bœufs et les nombreux vélos où le passager, assis de travers sur la barre, tient le guidon tandis que son copilote pédale à l'arrière.

Nous avançons au ralenti, les uns derrière les autres. Un peu étourdis après les silences du large, nous tirons des bords à travers ce grand tourbillon.

Notre voyage ressemble à un immense mouvement de pendule qui nous mène des solitudes extrêmes de l'océan jusqu'au cœur de l'humanité, et vice-versa. Ainsi j'ai l'impression d'osciller entre les contrastes et de les pénétrer chaque fois avec un peu plus d'élan.

Les gens devinent-ils notre soif à leur égard ? Il me semble qu'ils nous sourient comme à des enfants dont la naïveté émeut. C'est vrai que nos esprits critiques n'ont pas encore droit d'intervention. Nous voulons aimer d'abord, sans réfléchir.

Au bout de quelques heures, toutefois, la famille commence à traîner de la patte. Nous avons atteint notre niveau de saturation et il est temps de rentrer au port.

Nous hésitons sur le mode de transport. La seule vue des grappes humaines accrochées à l'extérieur des autobus nous rend claustrophobes. Comment pourrions-nous respirer là-dedans ? Cela semble impossible.

Tant pis, ce soir nous rentrons à pied. Demain, demain... nous irons un peu plus loin dans notre incursion au sein de l'humanité.

Et nous découvrirons alors, coincés au milieu de ces hommes, de ces femmes et de ces enfants en majorité bouddhistes, l'étonnante sérénité du peuple cinghalais.

Jamais je n'oublierai ce bien-être inattendu. Tous ces trajets en autobus et en train à travers le pays, quand la foule était si dense que j'aurais pu m'endormir debout, ballottée dans les virages, mais soutenue par les corps de ces êtres calmes. Dans ces moments d'abandon, je fermais les yeux, et le monde n'était plus qu'un bourdonnement d'énergie...

Sandrine

Nous sommes arrivés au Sri Lanka.
Nous avons mis la planche à voile à l'eau, mais sans la voile, et nous arrivons à la rame à doubler une annexe à moteur de 3 chevaux.
Ici ce n'est vraiment pas cher. Exemple de menu au restaurant : énorme assiette de riz cinghalais, avec plein de petits plats au curry autour, avec du poulet, des lentilles, du poisson, des légumes etc., très piquant... le tout pour 4.50 $, pour toute la famille ! !

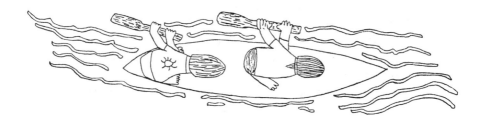

La lutte pour la survie (C.)

Les voyages en mer ont le don de créer des attentes. Au bout de ces trente jours de réclusion depuis Bali, notre curiosité est à vif, notre soif des humains et des patelins où ils se démènent, plus forte que jamais.

Comme des pirates propulsés des sociétés modernes, plus exotiques apparaissent nos proies, plus cinglants sont nos abordages. Je sens que nous allons faire un massacre chez cette population demeurée si désarmante. En termes moins barbares, cela revient à dire ceci : nous allons nous efforcer de découvrir où ils placent leurs valeurs, mettre la main sur ce butin inespéré et enrichir nos vies.

Mais l'ennemi est nombreux et agité. Évangéline croit que c'est à cause de leurs plats très épicés. La vie grouille de partout. D'abord parce qu'il y a beaucoup de monde ; mais à bien y réfléchir, ce n'est pas la vraie raison. Non, on dirait qu'elle tourne sur place comme une joyeuse fête au village, alors que chez nous elle cherche à arriver quelque part. Pour nous, pauvres occidentaux industrialisés, habitués à la voir circuler sur des autoroutes à toute allure, l'effet de dépaysement ici est total.

L'atmosphère du sauve-qui-peut général saute aux yeux. Comme si le soleil bombardait continuellement leurs positions.

Les premières impressions en tout cas sont très rassurantes. Elles indiquent clairement que la richesse, ici, repose sur les rapports humains et que l'accumulation de biens se limite au strict minimum.

Nous en avons la preuve à chaque fois que nous arrivons sur les quais avec nos sacs de vidanges : ils sont attendus, ouverts et examinés soigneusement par des habitués qui ne sont pas des miséreux comme on les connaît dans nos villes. Ce sont des manœuvres du port, jusque-là invisibles, qui guettent ce moment et accourent vers le gros bac à déchets aussitôt que nous nous éloignons. Ils se disputent parfois âprement ce privilège.

Toutes les bouteilles sans exception, boîtes de conserve, contenant de carton, papier d'aluminium ainsi que certains emballages sont récupérés. Il nous est arrivé de reconnaître des petits flacons de notre pharmacie sur le comptoir d'une boutique et offerts à un prix qui nous faisait quasiment regretter de les avoir jetés.

Bref, quand ils en ont terminé avec leur fouille, il ne reste que quelques pelures d'oranges ou coquilles d'œufs. Maintenant que nous les connaissons presque tous, nous procédons différemment. Pour éviter qu'ils se chamaillent, nous faisons nous-mêmes et le plus équitablement possible la répartition des sacs verts entre les différents intéressés.

La première fois que les enfants ont surpris cette scène, le jour de notre arrivée, ce fut d'abord comme un vent de panique. J'étais sous la douche, à me délecter royalement sur ce béton moelleux qu'aucune mer ne viendrait jamais remuer, quand je me souviens avoir entendu Damien et Évangéline interpeller leur mère. Ils accouraient vers le lavoir où Dominique et les jumelles lavaient leurs linges sous le soleil : « Maman, maman, criaient-ils en même temps, des hommes se disputent nos poubelles, viens voir ! Ils les ouvrent et fouillent dedans... »

Pour les mettre face à une réalité, on ne pouvait espérer mieux. Un professeur de polyvalente aurait parlé pendant quatre heures du tiers-monde qu'il aurait réussi seulement à aller chercher sa paye. En quinze secondes, nos enfants venaient de comprendre l'essentiel. Quelque chose de capital, qu'on retient pour toujours, nécessaire pour mieux aimer les largesses de la vie.

Nous planifions pour les prochaines semaines des percées importantes à l'intérieur du pays. En attendant, nous menons nos petites incursions quotidiennes dans les rues de Galle où se poursuit le combat pour la survie. Trompés par les apparences, certains individus nous croient plus riches que nous sommes et tentent de nous vendre quelque chose. Dans ces moments, rien de tel comme de sortir l'appareil photo. Nos poursuivants se figent alors sur place, prisonniers à jamais de nos souvenirs.

Les Cinghalais sont conscients toutefois que nous possédons une arme redoutable : la puissance ravageuse des frimousses qui nous accompagnent. Quand ils les aperçoivent tous les quatre, nez en l'air, avec ces regards frondeurs qui toisent la beauté du monde, ils ont peur de ne pas avoir beaucoup à offrir... et se confondent en sourires. Ils ignorent toujours que c'est ce que nous leur volons sous les yeux, des centaines de fois par jour. Nous avons presque honte.

Après nous être bien défendus avec quelques phrases empruntées à leur langue, ce qui fait croire que nous avons percé leur mystère, nous nous replions vers le port et poursuivons notre siège. Avec nos dollars qui valent une fortune ici et la *V'limeuse* qui ressemble à un cuirassé parmi les pirogues du port, nous pourrions tenir très longtemps.

Au fond, c'est une magnifique lutte que l'on nous oppose, tout en ruse, comme chaque fois qu'il est question de survie. La dernière embuscade qu'on nous a tendue était très ingénieuse. Heureusement, personne de blessé d'un côté comme de l'autre.

En plein après-midi, au centre-ville, par un beau dimanche où tout le monde a échangé son treillis pour la chemise blanche et le sarong, trois jeunes gens nous abordent. Ils demandent poliment s'ils peuvent nous accompagner. Ils sont étudiants et désirent, précisent-ils, pratiquer leur anglais. *Why not* ! En échange de quoi ils nous feront visiter la ville.

Ils sont gentils, courtois et... assoiffés d'apprendre. Ils nous conduisent d'abord dans un boui-boui pour le traditionnel plat de curry, puis à la plage pour la baignade. Enfin, après quatre heures de leçons intensives, ils nous font la surprise :

– Accepteriez-vous de venir prendre le thé chez mon oncle ? propose le leader du groupe. Il habite tout près et il sera ravi de vous rencontrer.

Il rajoute aussi que l'oncle est propriétaire d'une mine dans les environs. Sauf qu'insérée à la toute dernière minute dans la conversation, la petite phrase est illisible. Comme la clause au dos d'un contrat qu'on n'a pas jugé important de déchiffrer parce qu'il aurait fallu une loupe.

Nous découvrons rapidement que nos trois compères servent de représentants de commerce en maraude pour leur soi-disant oncle, vendeur de pierres précieuses. Nous sommes reçus avec beaucoup d'égards, la demeure indique un rang élevé, les enfants y trouvent leur compte en petits gâteaux, orangeade et, personnellement, je n'ai rien contre les pierres fines, prêt même à délier les cordons de ma bourse. Ce serait l'occasion de nous rattraper pour l'affaire loupée des opales australiennes.

Lors de notre passage là-bas, il y a un an, nous avons raté une belle occasion, faute d'avoir obtenu l'information à temps. Pour réaliser de beaux profits, la combine consistait à acheter des pierres brutes sur place et à les faire tailler et polir dans un pays où la main-d'œuvre est très bon marché, comme à Bali ou ici. Ensuite, il restait à les revendre à La Réunion, en Afrique du Sud, à La Martinique, où de préférence à New-York, si nous n'étions pas trop pressés d'encaisser les billets verts.

Nous avons peut-être une seconde chance aujourd'hui, chez l'oncle. Mais au moment d'ouvrir les écrins, tout commence à se gâter. Le personnage qui intervient, présenté comme le gendre, détonne dans cette mise en scène jusque-là amusante. Il arrive avec ses gros canons, manque de tact, met de la pression et de toute façon sa tête ne nous revient pas. Nous avons l'air de profanes, soit, mais nous en avons appris quelque peu en Australie sur l'art de détecter les impuretés d'une pierre. Confronté à des imperfections que nous lui mettons sous le nez, notre vendeur d'encyclopédie s'en tire par des âneries.

L'oncle a perdu une bataille, mais il pense encore gagner la guerre, ce dont nous doutons avec son planton qui se prend pour un colonel. Après cet accrochage entre deux factions, il nous attend le lendemain de Noël pour un engagement majeur autour d'un plantureux repas. Nous apporterons le rhum.

Ce fut la clef de notre succès. Sous l'effet de la boisson, le gendre se tira dans le pied dès qu'il se mit au garde-à-vous. Le champ libre, nous sommes montés tranquillement à l'assaut du salon et des invités qui offraient peu de résistance. Il faut dire qu'avec toutes nos anecdotes de voyage, ce ne sont jamais les munitions qui manquent. Finalement, l'oncle alla jusqu'à oublier pourquoi nous étions là et la fête se termina dans la plus totale déroute.

Le lendemain, autour de notre cockpit, attendant sous le taud que le soleil décline, j'avise mes petits cerveaux :

— Ce que vous voyez tous les jours dans ce pays, sous une forme ou une autre, s'appelle « la lutte pour la survie ». Elle est universelle, elle existe aussi chez nous, mais se passe à un haut niveau, dans les bureaux de grandes entreprises, les usines, entre les syndicats et les propriétaires, le gouvernement élu et l'opposition, chez les couples, etc., alors qu'ici, elle se déroule sous nos yeux, dans la rue. Fantastique !

Je ne peux m'empêcher de leur expliquer à ma façon l'histoire de l'oncle :

— C'est un très bel exemple et une sacrée leçon pour vous. Rappelez-vous le petit mensonge des trois jeunes. Ce qui est intéressant, selon moi, c'est l'ingéniosité du plan. Ils ont dû procéder à partir d'une première indication : la présence des yachts dans le port. À leurs yeux, les gens de bateau ne sont pas des poissons d'eau douce, des touristes à la semaine. Il faut appâter comme tu le fais, toi, Damien, pour la « pêche au gros », et pour ça, ils ont dû élaborer une mise en scène habile. Se seraient-ils contentés de nous tirer par la manche en nous proposant leur camelote à la manière de petits vendeurs sans envergure, qu'ils auraient été virés proprement. Ça, ils le savaient. Alors ils ont mis un beau gros ver sur l'hameçon. Pas de chance cependant avec de vieux malins comme nous : nous avons mangé tranquillement le ver sans même tirer sur la ligne.

Les voyageurs savent tous que leur richesse apparente attire beaucoup de convoitise. Dans certains coins du monde, vous n'êtes qu'un portefeuille qui circule et les petits truands attendent simplement le bon moment pour mettre la main dessus. Je n'ai effectué qu'un voyage au Mexique et l'expérience du brigandage général organisé, avec la bénédiction des autorités policières, m'a tellement dépouillé et écœuré que je n'y remettrai probablement plus jamais les pieds.

Je suis partant pour l'aventure qui réserve des surprises de ce genre, mais elle doit m'amuser. Autrement dit, j'accepte d'être étourdi par certains manèges, pas d'être assommé en pleine rue.

Au Sri Lanka, le combat m'apparaît plus loyal, plus stratégique. À Galle, il a fallu mettre un temps pour comprendre que nos déplacements étaient notés, nos visites attendues. Comment se douter par exemple qu'en achetant le riz, les fruits et légumes, le poisson ou la viande, etc., aux étals du marché, j'allais payer une commission à deux ou trois gamins que j'avais pris pour des aides-commis.

C'est pourtant ce qui m'est arrivé bon nombre de fois car je me réserve cette corvée du matin pendant que le reste de la famille vaque aux études dans le bateau. Les individus en question devaient me repérer pratiquement tous les jours, me suivre discrètement et, profitant de l'effet de foule, apparaître à mes côtés dans la fraction de seconde où je tendais la main pour la denrée de mon choix.

Toute la partie se jouait à l'instant précis où l'un d'eux parvenait à accompagner mon geste du sien, soit en palpant les tomates en même temps que moi, en m'aidant à soulever une pastèque, à mettre les fruits dans mon sac à dos... toutes les astuces étaient bonnes. Des as de l'infiltration qui se relayaient ainsi tout le temps que duraient les achats, de manière à ne pas éveiller mes soupçons.

Ainsi, le tour était joué. Les patrons de kiosques n'avaient plus d'autres choix que d'ajouter à leurs prix cette « taxe » qu'ils leur remettaient après mon départ. Je payais plus cher, d'abord pour être perçu comme un touriste, et ensuite pour cet encadrement non désiré.

L'habile subterfuge fut découvert par mes petits détectives un jour que nous faisions nos emplettes en famille. Cela mit fin aux harcèlements de mes garçons-ventouses.

C'était un bon coup et j'ai voulu en savoir plus long. Se pouvait-il, par exemple, que les commerçants soient carrément de mèche avec eux, ayant conclu un arrangement afin qu'ils m'attirent vers leur étalage ? Bien entendu, tous s'empressèrent de démentir cette hypothèse. Toutefois, certains ont avoué se plier aux règles de cette bande afin d'éviter les représailles. Quant aux autres, ils semblaient accepter ces agissements avec condescendance, permettant aux plus démunis de ramasser les miettes qui tombent de la table des riches.

Par après, en réfléchissant mieux à toute la situation, j'en suis venu à croire que la communauté entière, toutes classes confondues, doit obéir à une solidarité instinctive contre les étrangers. Marque profonde laissée par des siècles de domination.

J'ai été le dindon de la farce, mais je dis bravo. Ils devaient récolter l'équivalent de vingt-cinq sous par jour, à trois ou quatre, ce qui me coûtait moins cher que de marcher cinq minutes sur la rue Sainte-Catherine, à Montréal, en donnant « un peu de monnaie ».

Toujours dans cet esprit de forces en présence, il n'y a qu'un personnage qu'on peut craindre à Galle et c'est Don Windsor. Non, il n'est pas d'origine anglaise, quoique ce surnom pompeux puisse indiquer. Connu d'un océan à l'autre grâce à cinq ou six guides nautiques américains, australiens ou anglais qui le présentent sous ses meilleurs jours, ce vieil intrigant cinghalais est fort sympathique tant que vous tirez dans le même sens que lui.

Il a eu ses jours de gloire une dizaine d'années plus tôt, sous un précédent gouvernement. Pour des raisons inconnues, mais sans doute reliées à son penchant pour tout contrôler, Colombo lui a retiré depuis son rôle d'agent auprès des yachts de passage. Malgré cette désaffection politique, il n'en continue pas moins d'ouvrir les portes de sa confortable demeure, qui fait office de yacht club.

Parfaitement situé, à deux pas de la barrière qui donne accès au port, l'endroit est incontournable, difficile même certains jours de ne pas se joindre au va-et-vient qui y règne. Je dois avouer qu'il fait bon s'y arrêter, les prix sont raisonnables. On peut prendre une douche, une bière fraîche, confier son lavage, ramasser son courrier ou faire ses téléphones.

Avant même que nous passions le saluer lors de notre arrivée, il avait entendu parler de nous. Évidemment, il y a très peu de bateaux qui naviguent avec autant d'enfants et nous faisons bien malgré nous partie des rumeurs qui circulent.

Régnant en maître depuis son fauteuil de cuir tout près de l'entrée, interpellant ses employés qui doivent accourir comme des esclaves, l'important personnage se plaît à tisser sa toile. Il a vu défiler tellement de bateaux et entendu d'histoires qu'il excelle dans l'art de captiver son auditoire.

Sauf que ses manières courtoises et son entregent ont des limites ; elles ne sont qu'un préambule pour vous inciter à utiliser des services plus rémunérateurs, comme lui confier l'organisation de votre visite dans le pays : location d'autos, réservations d'hôtels, etc.

Arrivés à ce point, nous avons pris nos distances et le sourire de Don s'est effacé peu à peu. De toute façon, il n'apprécie guère que nous prenions notre douche ailleurs que chez lui. Mais pourquoi payerions-nous, alors que le port met gratuitement ses cabines à notre disposition.

Évidemment, nous ne représentons pas beaucoup de bénéfices pour lui, et de ce fait, nous cessons de l'intéresser. Vraisemblablement aussi que les nouvelles de notre appartenance plus québécoise que pan-canadienne lui sont arrivées aux oreilles. De là à ce qu'il en déduise que nous nourrissons une antipathie viscérale pour la reine d'Angleterre dont la photo trône dans son salon, il n'y a qu'un pas.

Nous n'avons pas que des sympathisants parmi les bateaux. Certains équipages canadiens ne peuvent tout simplement pas supporter de voir claquer au vent notre valeureux fleurdelisé, et pas l'ombre d'une feuille d'érable.

Malgré des sourires forcés, l'équipage de *Bagheera*, un bateau de la côte ouest canadienne, voisin de mouillage, ne nous a pas dans son estime. Nous les surprenons souvent en grande conversation avec Don Windsor et lorsqu'ils nous aperçoivent, nous pouvons ressentir la connivence du léger mépris.

Le redoutable Don ne va pas tarder à nous confronter à sa toute puissance, passant à deux doigts de me faire jeter en prison.

Animé d'un incontrôlable sentiment de vengeance envers l'agent qui lui a ravi son job, il s'efforce tellement de le prendre en défaut qu'un beau jour il y parvient. Mais, malheureusement, nous allons faire les frais de cette rivalité ; l'agent a négligé de renouveler notre permis de séjour. Don Windsor aperçoit aussitôt la brèche et prévient l'officier à l'immigration que notre visa est échu.

La surprise vient de la méthode utilisée pour régler l'affaire.

Depuis que nous franchissons le contrôle du port, régulièrement tous les jours, nous n'avons jamais senti d'animosité chez les militaires de faction. Bien au contraire, nous devons être un sujet de divertissement favori dans leurs longues heures de guet. En voyant défiler en rangs serrés notre corps d'élite, visiblement plus discipliné qu'eux, ils ont peine à tenir leur vieille .303 Lee Enfield de la dernière guerre. C'est l'armée de la rigolade.

Et puis, arrivé au jour où Don Windsor transmet son ordre d'attaque, roulement de tambour et volte-face chez ceux qui habituellement se tapent les côtes en soulevant la barrière : des visages crispés font mine de ne plus me reconnaître. Les fleurs tombent du bout des carabines. Je dois les suivre à l'intérieur. À tout instant, je m'attends à ce que l'un d'eux pouffe de rire. C'est trop caricatural : d'accord, les copains, vous m'avez bien eu !

Mais l'affaire semble sérieuse. Le chef en poste me demande mes papiers. Je le connais tout aussi bien que les autres. Encore ce matin, il rayonnait de bonne humeur. Voilà maintenant qu'il joue un rôle, maladroit, pas convaincant, parce qu'il n'a pas eu le temps de bien l'apprendre. Il essaie néanmoins de ne pas le faire paraître. Il se lève, le teint cramoisi, agite mon passeport, tourne les talons et le lance sur son pupitre comme s'il résumait dans ce geste tout son abus de pouvoir. Cet homme est sous influence, j'en mettrais ma main au feu :

– Vous êtes en illégalité, m'annonce-t-il sèchement, votre permis de séjour est passé dû.

La nouvelle ne me surprend pas. Le temps file si vite quand la vie est belle.

– D'accord, dis-je, mais on y est absolument pour rien. On ne s'est pas amusé à compter les jours. C'est le rôle de notre agent, il est payé pour ça et il a dû oublier de faire le renouvellement. Maintenant, est-ce une raison pour me créer des ennuis le jour même où j'invite des amis sur mon bateau. Ils sont venus spécialement d'Hikkaduwa et sont là dehors à se morfondre sous le soleil... Ce n'est pas pour un jour... s'il vous plaît, on va pouvoir régler ce détail demain matin, j'en suis certain.

Je le vois tiquer sur le mot « détail ». Il s'empourpre davantage.

– Monsieur, c'est une chose très importante d'observer les règlements de notre pays. Cela votre agent ne vous l'a pas dit ? m'interroge-t-il avec un rictus que j'ai déjà vu dans de mauvais films. Et s'il ne l'a pas fait, poursuit-il, il devra assumer ses responsabilités tout de suite. Prenez le téléphone et demandez-lui de venir le plus tôt possible ! Nous avons été patients, nous savons... vous semblez ignorer, se reprend-il dans un mauvais anglais, que vous circulez depuis une semaine sans permis.

– Si vous le saviez, dis-je, pourquoi ne pas nous avoir prévenus ? Vous en auriez eu l'occasion puisqu'on se croise au moins trois fois par jour. C'est dimanche, l'avez-vous oublié ? Le bureau de notre agent est fermé et je ne sais pas où le trouver.

Je ne doute plus une seconde que c'est un coup fourré de Don Windsor. Il doit en vouloir à mort à ce rival qui lui rafle les dollars sous le nez. Et là, soudainement, réalisant le ridicule de la situation, je perds rapidement patience :

– Vous nous connaissez, non ? Vous savez qui l'on est. Nous ne sommes pas venus faire la loi ici, nous sommes venus en amis et nous raffolons du Sri Lanka. Alors, à quoi rime cette comédie... qu'est-ce que vous voulez au juste... ?

Les copains français qui m'attendent à vingt mètres de là, près de la guérite, me raconteront plus tard qu'ils ont eu peur pour moi. Ils ont entendu nettement l'escalade, puis les cris. J'étais furieux, paraît-il, hors de moi, je hurlais, le chef aussi. Nous étions montés comme deux coqs, sauf qu'il avait le gros bout du bâton...

Puis plus rien. Je venais d'écraser, faute de quoi, je prenais le bord des cellules. Vu du dehors, ce silence prêta à confusion : les Français ont cru que je m'étais fait tabasser.

Au bout de cinq minutes, ils voient arriver quelqu'un qui pénètre dans le bâtiment : Don Windsor en personne !

La chose peut paraître surprenante de sa part. Puisqu'il s'agit de sa machination, on ne s'attendrait pas à ce qu'il vienne intercéder en ma faveur. C'est mal le connaître : il doit pouvoir prouver qu'il a le parfait contrôle, d'un bout à l'autre, et qu'il dicte même la conduite de la police.

Il a sans doute deviné que son exécuteur a perdu les pédales. Ce dernier devait m'effrayer, exercer des pressions sur moi pour embarrasser mon agent et obtenir de lui un généreux bakchich – ce qui s'est confirmé par la suite –, et non m'envoyer derrière les barreaux comme il menaçait de le faire.

C'est la seule fois au Sri Lanka où l'adversaire avec lequel nous nous sommes bien amusés a marqué un point. Je le dois pour m'être emporté si sottement, moi qui croyais avoir un sens de l'humour à toute épreuve. La chaleur probablement... Je ne vois rien d'autre !

Évangéline ✑

14 décembre.

Ce matin, je suis allée flatter mon petit papa car c'est son anniversaire, il a 52 ans. C'est tout ce qu'il aura aujourd'hui, des caresses avec du pain doré pour déjeuner. Dominique lui a déjà donné son cadeau en mer : un tee-shirt qu'elle a peint et qui s'appelle « quart de lune » : ce sont des quartiers de lune qui descendent du ciel et deviennent les voiles et la coque d'un bateau, il y a quelqu'un assis sur le pont avec son baladeur, et les notes de musique montent vers les étoiles.

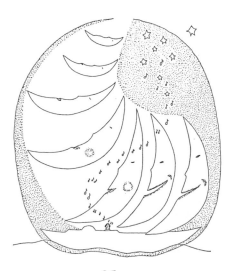

Nous partons pour Hikkaduwa, célèbre pour sa grande plage où il y a de gros rouleaux et où tu peux faire du surf. Tout le long de la plage, c'est plein d'hôtels et de petits *guest houses* sympathiques. C'est assez loin, au moins une demi-heure quand l'autobus va vite, sinon trois quarts d'heure. Mais ça ne coûte vraiment pas cher : 12 roupies le billet, ce qui donne 32 sous canadiens !!

C'est génial de se baigner, l'eau est tiède, et on peut se mettre ensuite à l'ombre sous les cocotiers. C'est sûr que la première fois, j'ai pris un coup de soleil terrible, mais bon...

Aujourd'hui, nous sommes allés dans un petit resto pour le midi. On a mangé des frites, de la salade et du poisson, et comme on avait encore faim on a recommandé trois assiettes de frites avec deux Sprite et une bière : tout ça nous a coûté 5.26 $!

Ce soir, nos trois voisins français du bateau *Toï* (Érica, Dominique et Éric) sont venus manger à bord. Ils arrivent de la mer Rouge. Ils ont apporté un paquet de nouille et un chou. Dominique a fait la sauce pour les pâtes. J'ai acheté deux gâteaux et fait une crème anglaise aux pêches. Nous avons parlé, tout ça, c'était bien. Ils s'extasiaient pour tout : le parmesan, le vin, le rhum, la sauce, etc. Les pauvres, ils mangent que des nouilles, pas de sauce, depuis qu'ils sont partis de France.

Nous avons parlé jusqu'à 11 heures et demie. J'ai trouvé ma journée géniale !

16 décembre

Ce matin, nous partons encore pour la plage aux rouleaux.

Nous nous sommes installés en face du Rita Guest House. La propriétaire est très gentille. Nous lui avons commandé un curry aux légumes pour 2 heures 30. Carl et Damien ont fait un peu de surf. Le propriétaire des planches est un gars de bateau et il les laisse ici. On peut s'en servir en faisant attention.

Je me suis mis une crème au zinc rose sur le nez et les pommettes pour me protéger du soleil. Dominique n'arrête pas de me dire qu'avec mes cheveux blonds et mes yeux bleus, je suis vraiment jolie. Je me suis regardée dans le miroir et c'est vrai, je ne suis pas si mal !

On s'est baigné, baigné et encore baigné. Après, nous avons mangé le délicieux curry que Rita nous avait préparé, juste bien piquant pour nous. Il y a un couple en voyage de noces ici, une superbe Cinghalaise avec de très longs cheveux noirs, mariée à un jeune Anglais, blond et pas moche. La fille est vraiment gentille, elle m'a donné l'adresse de ses parents en montagne, à Haputale.

En ce moment, je lis un livre formidable. Je crois que je ne l'oublierai jamais. Cela s'appelle *La Cité de la joie*, de Dominique Lapierre. J'adore. J'en ai lu un avant, *Gabrielle, Girofle et Cannelle*, de Jorge Amado, un Brésilien. C'était très bien aussi.

21 décembre

Ce matin, je me suis levée à 6 heures car je vais à Hikkaduwa avec nos copains de *Toï*. J'ai mangé quelques tranches d'ananas et une crêpe, et je suis allée sur leur bateau. Je les ai réveillés car ils dormaient encore.

Nous devions prendre le train. C'est plus rapide et surtout plus relax que l'autobus, et au moins on est sûr de s'asseoir. Mais il était déjà trop tard et on a dû y aller en autobus.

Après la journée sur la plage, ils m'ont invitée à manger des nouilles sur leur bateau. Nous étions en train de les faire cuire quand Marc – il fait partie de l'équipage d'un bateau très grand et luxueux, dont le propriétaire passe seulement deux semaines par année à bord ! – Marc, donc, est venu nous inviter à manger un spaghetti à la bolognaise et à regarder des vidéos sur *Dorado*. Ce bateau, tout le monde ici dans le port rêve de le visiter. Alors, inutile de vous dire qu'on a tourné les nouilles *off* et qu'on a embarqué dans son super dinghy.

On est montés sur le bateau : ouf, que c'est chic ! Mélissa, la copine de Marc, est vraiment une fille super gentille. Elle nous a préparé un cocktail au rhum et ananas avec de la glace, délicieux ! Nous buvions ça en regardant *The rope*, d'Alfred Hitchcock, écrasés sur les grandes banquettes. Ouahou, le bonheur ! Le spaghetti était délicieux. Ensuite nous avons regardé *Les Dieux sont tombés sur la tête*. Qu'est-ce qu'on a rigolé !!! On est partis de ce bateau génial à minuit !

Chez Alain et Wendy (C.)

Il arrive que les bourlingueurs de notre espèce nourrissent une grande jouissance pour les intérieurs douillets. Parfois, cela se transforme même en rêve : on se prend à imaginer des situations tout à fait folles qui finissent invariablement dans la demeure d'un riche inconnu.

Il y a deux semaines exactement, nous sommes venus effectuer quelques démarches à Colombo pour un nouveau pneumatique. Nous traînions de la patte sous une chaleur torride, le tumulte des rues nous étourdissait et j'ai dû rêver tout haut en disant aux enfants :
— Imaginez un peu le bonheur si nous rencontrions quelqu'un... Oui, un bon Québécois, pourquoi pas, ça doit se trouver ici, comme André Lapointe, que le hasard a mis sur notre route à Bali...

Ma phrase a semblé tomber dans le vide, mais quelqu'un a dû m'entendre. Car peu de temps après, durant les vacances de Noël passées sur la plage d'Hikkaduwa, j'allais croiser ce Québécois par le plus pur des hasards... en recevant ma planche de surf sur la tête !
Ailloye, host...! Sur le coup, ça fait mal. Plus tard, on découvre que ce fût une chance inouïe.

Suite, donc, à une embardée dans la partie pentue d'un colossal rouleau, me voilà projeté cul par-dessus tête parmi les baigneurs, en proférant, ô ! oubli malheureux, un chapelet de jurons.
Il se trouve bien quelques « locaux » qui barbotent autour, mais cette manifestation catholique, à des lieues de leurs vénérations bouddhistes, passe inaperçue. Parmi eux, Alain, qui a l'oreille pour ce genre de profanation, reconnaît un frère :
— Ah, Québécois ! Qu'est-ce que tu fabriques par ici...?
Présentation sur-le-champ, du moins en nous dirigeant vers le haut de la plage :
— Ah oui, fantastique ! s'exclame-t-il. Je passerai peut-être à Galle vous saluer. Votre bateau est jaune, c'est ça ? Parfait. Sinon, voici ma carte. La prochaine fois que vous venez à Colombo, téléphonez-moi, j'enverrai quelqu'un vous chercher à la gare.
— Mais nous sommes six, mon pauvre vieux, dis-je pour le préparer à l'invasion, au cas où il voudrait y penser deux fois.
— Oublie ça ! réplique-t-il comme s'il balayait un moustique du

revers de la main. Aucun souci à te faire. C'est pas la place qui manque.

– Bon, ben tant mieux, dis-je. En tout cas, crois-moi, on est pas difficiles.

– J'imagine que sur le bateau, vous en avez vu d'autres... Combien de mètres fait-il ?

– Quatorze.

– Une bonne grandeur, c'est sûr, mais ça ne vaut quand même pas le confort d'une maison... ; vous devez vous piler sur les pieds parfois.

Je m'attendais à cette remarque ; ma réplique fuse avec assurance.

– Pas vraiment, vois-tu, on est comme les pièces d'un puzzle. On s'imbrique les uns dans les autres.

C'est ma phrase préférée, mise au point après de nombreuses années de recherches. J'en suis très content : elle vient clore de façon assez imagée ce sujet-cliché sur lequel à peu près tout le monde accroche. Allez donc répondre par de savantes théories lorsqu'on vous lance à la blague : « Au bout d'un certain nombre de jours, vous devez avoir le goût d'aller prendre une marche . non ? »

Avant, je m'évertuais en explications sur cet aspect de la vie à six à bord d'un voilier. Maintenant je leur dis à ma façon qu'ils n'ont pas raison de s'en faire une angoisse. C'est la plus merveilleuse chose qui nous arrive.

Je regarde Alain dans les yeux pour voir s'il a accusé le coup. Il semble que oui car il se prépare à enfourcher sa moto.

Une semaine plus tard, coup de téléphone pour prévenir et nous nous amenons. De la rue, et par la hauteur du mur dont les notables ici entourent leur propriété, nous soupçonnons être au bon endroit. Un domestique en livrée nous ouvre.

– Ouaow ! Attention, les enfants, de ne pas trop vous emballer ! dis-je. Il faudra bien revenir sur terre, un jour, en rejoignant le bord de notre vieille *V'limeuse*.

Le domestique nous fait traverser un parterre pendant que nos regards mesurent cette débauche de béton et de persiennes.

Un brin inquiets tout de même. Nous n'avons jamais encore rencontré la femme d'Alain, sûrement sympathique, sinon il se serait abstenu de nous inviter... mais, enfin, nous savons seulement qu'elle est anglophone de Vancouver. Se limitera-t-elle à être une bonne Canadienne...?

En apercevant Wendy sur le seuil de la porte, c'est comme si elle venait de franchir les Rocheuses, les plaines de l'Ouest et toute l'immensité de nos différences pour nous ouvrir les bras. Son sourire, ses yeux, sa bouche disent : « OUI, vous êtes une famille *distincte* ! » Hum ! Dès cet instant, et de part et d'autre, nos atomes commencent à s'accrocher.

Huit chambres, trois salles de bain, une femme de ménage, un jardinier, une cuisinière, un chauffeur, deux gardiens – un de jour, un de nuit –, la réalité dépasse nos plus folles espérances.

Non, nous ne rêvons pas, c'est réel et mieux que toutes les splendeurs imaginées. Cet étalage de confort quasi scandaleux par rapport au revenu moyen de la population s'explique par le statut d'Alain. En effet, notre hôte est l'administrateur d'un projet de l'ACDI (Agence canadienne de développement international), ce qui dans le contexte du Sri Lanka en fait l'équivalent d'un magnat de la finance. Enfin, il serait mal venu de dénoncer ces gaspillages de fonds publiques puisque que nous en profiterons.

À chacun de nos passages à Colombo, la capitale, nous aurons dorénavant l'immense bonheur de loger chez ce couple qui a deux enfants, aspect non négligeable pour les nôtres. Nous apprécions grandement ce luxe et la gentillesse de nos hôtes. C'est l'oasis assuré quand nous venons dans cette ville affligeante pour régler des choses telles que des virements bancaires, achats d'importance, envois de messages par télécopieur, cueillette du courrier au Haut-Commissariat canadien, etc. Colombo est aussi un point de jonction ferroviaire lorsque nous partons pour la montagne, le *up country* comme ils disent ici.

Et là, je nous revois, quelques jours après cette première visite à la demeure cossue de nos amis coopérants, accueillis cette fois par des paysans cinghalais tout aussi chaleureux, mais qui nous offrent pour déposer notre couche le plancher de leur modeste intérieur. Est-ce ainsi que nous devons vivre, à coup de contrastes, passant de l'opulence au dénuement, du calme à la tempête, du chaud au froid... ?

Au pays des « théières » (C.)

Suivez le guide, nous allons justement quitter la « cuve » de Colombo et passer au climat plus tempéré de la montagne. Un premier train nous amène vers Kandy, capitale des anciens rois cinghalais, puis un second nous grimpe jusqu'à Nuwara Eliya, village situé au cœur du massif montagneux central dont les sommets culminent autour des 2 500 mètres. L'air est bon le jour, frais la nuit, et le fait de devoir se couvrir pour dormir est un luxe inouï.

C'est dans ce paysage accidenté des hauts plateaux que s'est bâti cette fameuse réputation du thé de Ceylan. Aussi beau à voir que bon à goûter. Les plantations d'arbustes courts, touffus et taillés en boule, vues des collines avoisinantes, ressemblent à s'y méprendre à un champ de brocolis géants. La même texture de vert. Évangéline prend des notes, commence à photographier, circule avec nous dans les allées. Elle est en reportage et doit nous produire en arrivant au bateau un travail illustré, texte et photos, sur ce que toute vieille Anglaise devrait savoir en préparant son infusion.

La récolte n'a pas de saison précise, elle se fait durant toute l'année par les femmes tamoules, généralement attitrées à la cueillette des feuilles. Nous les croisons en nous promenant, affublées du caractéristique sac de jute qui leur pend du front jusqu'au bas du dos. Une équipe est justement à l'œuvre dans un versant assez prononcé et nous encourageons Évangéline à cerner mieux son sujet, à mettre un peu plus de vécu dans son histoire. Et la voilà partie pour le feu de l'action, perdant pied au milieu des rires, s'agrippant aux branches avant de se retrouver à genoux, le souffle court et l'amour-propre froissé, réalisant à cet instant l'entraînement exigé pour accomplir ce travail exténuant, payé un dollar par jour.

Des mains généreuses l'aident à retrouver son aplomb et notre as reporter peut enfin prendre position et réaliser ses gros plans. Elle s'applique à saisir par l'image l'intensité de ces visages. Elle voit également les doigts de ces cueilleuses voltiger d'une tige à l'autre en prenant soin de ne couper que les deux feuilles terminales de chaque côté du bourgeon. Les mains se remplissent et partent à la vitesse de l'éclair se vider dans la poche derrière la tête. Il ne faut pas chômer pour cette maigre pitance. Évangéline est toute proche, elle enregistre les premiers éléments d'une constatation qui la conduira, nous l'espérons de tout cœur, à s'interroger sur la condition humaine.

101

Déjà elle sympathise avec ces femmes et souhaite en apprendre davantage sur leur mode de vie. Après les avoir accompagnées jusqu'à l'endroit où leur chargement de feuilles est pesé et payé sur place, nous rentrons avec elles à leurs baraquements. Un médecin indien qui parle anglais accorde une entrevue à notre jeune pigiste. Prenant bien au sérieux le rôle qu'endosse Évangéline, il va jusqu'à lui demander si son article peut avoir une portée et l'aider éventuellement à obtenir plus de médicaments. Nous l'écoutons décrire son travail héroïque contre des problèmes de santé majeurs, toux creuses, bronchites, pneumonies, qui frappent la communauté des travailleurs tamouls. Leurs demeures très rudimentaires n'offrent qu'une faible protection contre le froid vif de certaines nuits.

Le lendemain, en reprenant nos visites dans la région, il s'en faut de peu pour que nous revenions de toute urgence voir le médecin avec un blessé grave dans les bras. Damien a fait une chute qui aurait pu lui être fatale... s'il n'avait pas eu la chance de retomber sur ses pieds comme un chat.

Récapitulons. Nous sommes attablés dans un petit restaurant en bordure de route. Damien se lève de table en ayant l'air d'aller aux toilettes et... disparaît de notre vue comme si une trappe s'était subitement ouverte sous lui. Nous entendons un bruit sourd de sac de patates qui tombe au sous-sol. Le temps de bondir de nos chaises vers le fond de la pièce en imaginant le pire, qu'une faible voix parvient d'un étage plus bas et nous signale que « ça va ».

Nous voilà alignés sur le bord d'un trou béant dans le plancher, consternés. Il n'y a ni escalier, ni rampe de protection, ni le moindre signe qui préviendrait du danger. Le proprio arrive précipitamment avec une échelle et nous tirons Damien de là, plus préoccupés à le tâter qu'à penser engueuler cette tête vide qui a la responsabilité d'un lieu public, après tout. Heureusement que le sol était franc et libre. Damien marche, mais il se peut aussi qu'il tienne debout seulement par « les nerfs », comme on dit. Nous aurions voulu partir en claquant la porte de ce funeste endroit ; il n'y en avait pas non plus !

Quelques heures plus tard, ses chevilles commencent à lui faire mal, à enfler et nous devons interrompre notre marche pour la journée, décidés à rejoindre dès le lendemain matin l'hôpital le plus proche pour faire prendre des radiographies.

Durant la soirée, quelqu'un du *guest house* se propose et entreprend de le soulager par plusieurs applications de pommades,

102

suivies de manipulations et de massages vigoureux qui amènent Damien au bord des larmes. Cela valait sans doute la peine car le miracle a lieu durant la nuit. Le lendemain, nous pouvons reprendre la route.

Dans les jours qui suivent, la malheureuse histoire devient source de taquineries. Elle est bien bonne après coup et Damien rougit à chaque fois que ses sœurs la lui rappellent. Car la raison qui l'a propulsé de sa chaise dans le restaurant est d'ordre... disons féminin ; lui, le pêcheur passionné, venait d'apercevoir, épinglé au mur, un leurre autrement plus perfide que ceux qu'il lance aux poissons. Et la vérité « toute nue », c'est qu'il a failli se casser le cou en voulant voir de plus près le poster d'une plantureuse pin-up... de l'autre côté du trou, on s'entend.

Cette excursion d'une semaine est une première depuis notre départ du Québec, en ce sens que nous ne comptons pas les dépenses. L'économie du pays nous permet de jouer les touristes fortunés. Nous prenons le train, dormons dans des hôtels ou des *guest houses,* où l'accueil convivial est dans le style de nos auberges québécoises, et nous ne lésinons pas sur le prix des repas. Surtout, nous marchons toujours beaucoup, un plaisir au-delà des choses que l'argent peut offrir.

Nous ne le faisons pas pour attirer l'attention, mais le résultat est le même. Nous devons offrir une scène, sinon insolite, du moins inconcevable. A-t-on jamais vu circuler des touristes à pied ? Jamais ! Il coûte moins cher ici de prendre le bus que d'user ses semelles. Alors qui sommes-nous ? C'est ce que plusieurs cherchent à savoir : ils immobilisent leur véhicule, s'informent, nous offrent de monter... Dire que j'ai pu passer des heures, des journées parfois, dans ma longue carrière d'auto-stoppeur, à tendre le pouce avant que quelqu'un daigne s'arrêter. Ici, il faut presque se battre pour faire un peu d'exercice. « Avoue quand même, me fait souvent remarquer Dominique, qu'à cette époque tu n'avais pas quatre enfants pour attendrir les automobilistes. » Évidemment, et comme certains vieux disaient, j'avais encore toute ma famille dans le corps.

Nous refusons gentiment les invitations jusqu'au tour de cette camionnette et de ses deux passagers. Un seul parle anglais et il insiste tellement que nous finissons par sauter derrière. Nous faisons plus ample connaissance vingt minutes plus tard dans les allées et la flore exubérante d'un jardin botanique. Ravi se prend aussitôt d'amitié pour nous. Il s'est tellement entiché de notre histoire que sa réaction est immédiate : il tient absolument à nous présenter à ses nombreux parents et amis de la région.

La boîte ouverte de la camionnette vaut mille fois tous les autocars. Vivement les voyages désorganisés ! Nous sommes bien avec ce vent tiède dans les cheveux, emportés au gré de sinueuses et paisibles routes de terre. La vie semble suspendue. Elle retombera ensuite comme la poussière, longtemps après que les derniers petits cailloux auront fini de rouler sur le bas-côté du chemin.

Je frappe sur la cabine : le conducteur se retourne. Il se demande bien pourquoi je le fais arrêter. Rien en vue, hormis ces attelages de bœufs poussifs qui labourent la rizière. Pour moi, c'est une image d'un monde romantique, une réalité avec laquelle je ne vivrais probablement pas, mais qui m'aide à vivre. Photos.

Pendant deux jours, Ravi nous trimballe sans merci, nous brandissant à chaque fois comme un trophée rare. Notre ami est à des lieues parfois de se soucier de l'embarras qu'il occasionne. Comme cette mémorable fois où les modestes paysans n'ont eu d'autre choix que de vider le salon de tous ses meubles afin que nous puissions nous corder pour la nuit. Mais quelle hospitalité ! Inscrite à tout jamais dans nos cœurs avec une note soulignée en rouge : **revenir si possible un jour.**

Elia, Welimada, Bandarawela, Haputale, Badulla, les villages et les visites se succèdent, le *rice and curry* afflue dans nos assiettes à une telle cadence que les estomacs refusent de prolonger cette fête. Ma responsabilité devient trop lourde à assumer. Je dois faire la preuve pour le reste de ma famille que le curry n'est pas la cause de leur malaise. Je mange pour six, le ventre gonflé comme une baudruche.

Ravi a compris. Il faut que nous rentrions à Galle. D'abord pour se remettre l'estomac d'aplomb, ensuite pour régler notre problème d'annexe. Mais c'est partie remise. Nous projetons déjà une prochaine virée dans le pays et Ravi, qui est ingénieur, nous intime l'ordre de passer le voir à son travail, en pleine brousse : « Cela vous intéressera, dit-il, de venir visiter un important projet d'irrigation où, justement, le Canada est impliqué. »

104

Nos jeunes reporters-photographes ✉

Bonjour chères Émilia et Michèle,
Que vous êtes chanceuses d'avoir trois mois d'hiver par année alors que nous, pauvres navigateurs, nous suffoquons depuis trois ans ! Ici, à Galle, c'est à peine s'il y a assez d'air pour dormir la nuit. Alors on se chicane pour savoir qui dormira dehors.
L'air frais des montagnes nous a fait beaucoup de bien, mais nous ne pouvions y rester indéfiniment.
Quand il fait vraiment trop chaud, nous sautons dans un autobus bondé, comme on en voit partout au Sri Lanka, pour aller nous rafraîchir à la plage.
Depuis quelques jours, Carl m'a donné un travail qui consiste à photographier des visages de Cinghalais. Mais comme Carl est toujours avec moi et qu'il adore les vaches, je fais davantage de photos de charrettes à bœufs.
À Galle, on rencontre les vaches dans la rue tout aussi normalement que les chiens. Certaines se laissent toucher par Carl, mais d'autres non, comme cette vache qui, fatiguée des avances de Carl, a décidé de l'encorner. Heureusement il a pris ses jambes à son cou sous les rires des Cinghalais.
Les gens d'ici croient que j'ai au moins 18 ou 19 ans, car les femmes cinghalaises sont très petites. On me demande souvent si je suis mariée et ça les surprend toujours quand je leur dis non. Presque tout le monde pense aussi que Dominique est ma sœur.
Bref, on s'amuse bien au Sri Lanka avec les Cinghalais qui rigolent tout le temps quand on leur baragouine quelques mots dans leur langue, comme bonjour (*ayu bo wan*), comment ça va (*obé sapa sanipa kohomada*), merci (*istouti*), etc. C'est Carl qui parle le mieux.
Je suis heureuse de voyager comme nous le faisons, mais je donnerais cher pour aller passer trois semaines au Québec. Je m'ennuie beaucoup de tout le monde. Je vous embrasse très très fort.
XX Évangéline.

Ayu bo wan !
En ce moment il fait très beau, comme tous les jours
depuis que nous sommes arrivés. Galle est une ville
que j'aime car elle a de belles petites rues et ruelles.
Nous avons fait deux balades en train et en autobus
dans le pays.

Après Noël, nous sommes partis visiter le centre du
Sri Lanka. Les montagnes sont magnifiques avec les
« théières » (plantation de thé) d'une couleur jaune-
vert.
Nous sommes restés dix jours dans les montagnes. Ça
nous a fait du bien d'avoir eu froid, pas tant qu'au
Québec mais quand même 12 à 15 degrés.
Durant ce premier tour nous avons dormi un peu partout : parfois chez des amis, par terre sur des nattes,
tassés comme des sardines, parfois dans des petites
chambres très simples et aussi dans des hôtels.
Un mois plus tard, nous sommes repartis cette fois
pour visiter les ruines, plus au nord. Les photos que je
t'envoie ont été faites à Dambulla, à Sigiriya et à Po-
lonnaruwa. Comme tu vois, ma caméra fait des photos bizarres. Il y a un problème pour faire avancer le
film et des fois les photos embarquent une par-dessus
l'autre, comme celle où on voit l'énorme tête d'un
bouddha qui passe à travers la vitre d'un magasin.
Au Sri Lanka il y a beaucoup d'histoires anciennes de
roi. Sur la photo un peu sombre, on voit l'intérieur
d'une grotte de Dambulla. Et bien un roi s'était caché
là il y a 2 000 ans parce qu'il fuyait la guerre. Il a vécu

quatorze ans dans les grottes. Après tout ce temps, il est retourné dans son royaume. Mais pour remercier Bouddha de l'avoir protégé, il a fait construire un temple à cet endroit.

Sur l'autre photo, nous sommes en haut du rocher Sigiriya dans les ruines d'un palais. Encore une histoire de roi !

Il y a 1 500 ans, un prince qui s'appelait Kasyapa et qui était très cruel a tué son père pour devenir le roi. Il lui a arraché toute la peau et il a caché son corps dans un mur. Ensuite Kasyapa a voulu tuer aussi son jeune frère Moggalena, mais heureusement celui-ci a réussi à s'enfuir.

Comme le roi Kasyapa avait très peur que son frère revienne un jour pour l'attaquer, il a fait construire un palais sur ce très haut rocher de 200 mètres. Personne ne pouvait monter sauf lui et ses prêtres. Les gens vivaient en bas dans des grands parcs appelés « jardins des plaisirs ».

Mais au bout de dix-huit ans, son frère est quand même venu lui faire la guerre et Kasyapa est mort. Alors le rocher est devenu maudit. Tout le monde est parti vivre ailleurs. Maintenant on peut monter pour visiter les ruines parce que le gouvernement a mis des passerelles et des escaliers. Mais il faut faire attention de ne pas crier, surtout quand on arrive presque en haut parce qu'il y a des centaines d'abeilles qui vivent dans les craques du rocher. Elles n'aiment pas le bruit et peuvent attaquer les visiteurs.

Comme tu vois sur la dernière photo, Damien est en train de photographier des portraits de très belles femmes avec les seins nus. Le roi Kasyapa en avait fait peindre 500 sur une paroi du rocher. Sigiriya est devenu très célèbre pour cela. Aujourd'hui les peintures sont presque toutes effacées. Il en reste seulement une dizaine.

Voilà, je t'embrasse fort et j'espère que tu aimeras mes photos.

♥ Noémie

Bonjour grand-maman,

Comment vas-tu ? Moi je suis en forme. Nous sommes à Galle, dans un petit port très tranquille à 116 km de Colombo. Galle est une ville fortifiée par les Portugais qui avaient attaqué les Arabes qui avaient aussi attaqué les Cinghalais... mais les Cinghalais ont gagné pour maintenant.

Bon je reviens à moi. Ici tout va bien. Nous avons passé Noël sur une plage à 17 km de Galle, où nous allons souvent nous baigner. Il y a beaucoup de grosses vagues d'au moins trois mètres de haut et c'est là que j'ai réussi pour la première fois à plonger dans la vague qui déferle.

Nous sommes partis à l'intérieur du pays juste après Noël. Nous avons pris le train pour aller dans les montagnes.

Le Sri Lanka est le deuxième producteur de thé au monde. J'ai vu les femmes avec leur grand panier qui en cueillaient. Les feuilles de thé poussent sur des arbustes à flanc de montagne. Nous avons aussi visité une fabrique où les feuilles sont séchées et j'ai été très surprise de voir les femmes qui les écrasent avec leurs pieds nus pour bien remplir les énormes boîtes.

Nous avons dormi deux nuits chez une famille cinghalaise dans une petite maison à la campagne, avec quatre enfants et deux chiens. Ils ont vidé une petite pièce pour nous et ils ont mis des nattes par terre. On rentrait juste tous les six.

Maintenant nous revenons de notre deuxième balade dans le pays.

Un ami cinghalais que nous avons connu en marchant nous a fait visiter le projet d'irrigation où il travaille. C'est un projet pour avoir de nouvelles terres cultivables en coupant la jungle et en irriguant avec des canaux. Nous avons passé trois nuits chez lui. Il avait un cuisinier nain très gentil.

Nous avons vu avec lui un groupe d'éléphants sauvages à moins de 300 mètres. Notre ami Ravi nous a dit que nous étions très chanceux de voir des éléphants sauvages d'aussi près. Ils peuvent être très dangereux et attaquer sur des terrains plats. Mais nous étions un peu plus haut qu'eux, alors ça allait.

Il n'y a pas que des éléphants sauvages au Sri Lanka. Il y en a aussi des domestiques. Ils sont drôles parce qu'ils ont la trompe et les oreilles tachées de rose. Certaines personnes les appellent les éléphants « batik ». À la pleine lune de février, il y a un grand défilé religieux à Colombo avec cent-trente éléphants décorés qui viennent de tous les coins du pays.

Quand on est arrivés dans la ville, ils étaient attachés aux arbres dans un grand parc. Comme il faisait très chaud, il y en a qui se faisaient arroser avec un boyau et d'autres qui prenaient leur bain dans les bassins comme des gros bébés. Les hommes qui s'occupent d'eux et qui ont des turbans autour de la tête s'appellent des cornacs. Ils étaient dans l'eau eux aussi et ils frottaient les éléphants autour des yeux et derrière les oreilles avec une moitié de noix de coco.

Carl dit toujours qu'il aimerait être un chien pour se faire caresser plus souvent, mais maintenant il voudrait être un éléphant.

On a vu des mamans avec leur bébé et aussi des mâles énormes avec de grandes défenses. Tous les éléphants avaient des chaînes autour du cou et des pattes et ils mangeaient des branches de palmiers.

À la fin de l'après-midi, les Cinghalais ont commencé à les habiller. Nous on a suivi trois énormes mâles que des hommes conduisaient au temple. Quelqu'un nous a expliqué que le plus gros allait porter une relique de Bouddha sur son dos et les deux autres porteraient des princes.

Ils nous ont permis d'entrer dans la cour du temple parce que Carl s'est présenté comme reporter-photographe. Damien aussi prenait des photos. Il y avait des jeunes garçons habillés comme des moines, avec la tête rasée, et ils étaient surpris de nous voir.

Ensuite les hommes ont habillé les trois éléphants avec des tissus de soie brodés. Quand la lune s'est levée, la parade a commencé. Il y avait des danseurs, des

109

musiciens, des personnages masqués, des jongleurs de feu, etc. C'était très beau.
Malheureusement, Évangéline n'a pas pu venir parce qu'elle était malade. Un moustique l'a piqué et lui a donné un virus qui s'appelle la dengue. Elle a fait de la fièvre et elle avait des taches rouges partout. Maintenant elle va bien.
Je t'embrasse fort,
♥ Sandrine ♥

Bonjour grand-maman !
C'est ton « dingo » photographe qui te parle. Maintenant je fais des photos avec ma nouvelle caméra Olympus qui m'a été donnée à Sydney par un distributeur de caméra, en échange de publicité. Durant les traversées, j'ai fait de belles photos de requins, de dauphins et de couchers de soleil.
Je t'en envoie quelques-unes du Sri Lanka.
Ici, dans le port de Galle, il y a des centaines de corbeaux qui font leurs crottes sur le pont et même par le panneau de la cuisine : c'est dégueulasse ! Alors comme tu vois sur la photo, nous avons fait des épouvantails pour leur faire peur.
En ce moment, dans le port, il y a un seul bateau avec des garçons de mon âge qui vient de New-York. Nous jouons le plus souvent avec nos petits bateaux. À

Hikkaduwa où nous allons nous baigner, j'ai appris à faire du surf et même à me mettre debout sur la planche.

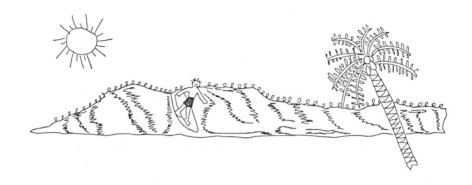

Tu vas rire en voyant la photo avec moi dans notre vieux Zodiac. C'était juste avant de le jeter aux poubelles à Galle. Il était toujours dégonflé. Comme tu vois, je suis debout dedans et il est presque plié en deux. Ensuite, tu vas être surprise de voir notre nouvelle annexe que Carl a fait venir du Japon. Je l'essayais pour la première fois avec Sandrine et nous allions très vite dans la photo. L'autre photo montre la petite barque en fibre de verre fabriquée ici. Elle est jaune comme la *V'limeuse*. En ce moment, comme tu vois, nous pouvons mettre une voile et un mât pour faire de la voile, mais c'est aussi une simple barque à rames quand nous le voulons.

J'ai hâte d'être rendu aux Maldives pour retrouver les lagons d'eau claire. Il paraît qu'on ne peut pas faire de la chasse sous-marine dans les atolls touristiques parce que les poissons sont protégés. Mais on a le droit de pêcher à la ligne et je vais pouvoir plonger.

J'aime bien ce beau voyage mais quand même je m'ennuie de toi et du Québec.

Bilan (C.)

Notre séjour tire à sa fin. Nous avons non seulement complété nos visites dans le pays mais nous pourrons repartir avec deux annexes neuves : une rigide que nous avons fait fabriquer sur place et une gonflable, arrivée tout juste du Japon. Deux valent mieux qu'une, bien sûr, surtout pour un équipage nombreux, mais ce choix va d'abord permettre une meilleure utilisation.

Le pneumatique possède des qualités nombreuses. D'une part, il se dégonfle et se range facilement, d'autre part, sa stabilité en fait l'embarcation idéale pour pratiquer la plongée.

En contrepartie, il est mal conçu pour être propulsé par avirons et devient une véritable ventouse sur l'eau dès qu'on n'a plus recours au petit hors-bord. Lorsqu'une panne de moteur survient dans de forts vents, vaut mieux avoir un bon coup de rame pour compenser l'importante dérive du dinghy.

Autre désavantage, son tissu demeure fragile aux rayons ultraviolets et aux frottements excessifs. Pour cette raison et compte tenu de son prix d'achat, on a tout avantage à le ménager, en évitant de l'abîmer sur des plages de coraux coupants, le long de quais en ruines ou au fond de ports crasseux. C'est ici que l'annexe « en dur » doit prendre la relève.

Jusqu'à maintenant, je m'étais fait un point d'honneur à ne rien mettre d'encombrant sur le pont. Celui de la *V'limeuse* offre une belle surface dégagée, et rien ne devait entraver ma liberté de manœuvre, ceci pour des raisons évidentes de sécurité. Ensuite intervenait un souci purement esthétique. Notre goélette possède une silhouette racée et je ne voulais pas qu'elle ressemble à une Ferrari avec une baignoire sur le toit.

Seulement voilà, malgré mes beaux principes, il fallait trouver une solution rapide en attendant de remplacer notre défunt Zodiac.

Elle s'est présentée sous la forme d'une mignonne prame en fibre de verre qui se dandinait à couple d'un voilier australien. Conçue intelligemment pour loger six personnes sans avoir la taille d'une barge de débarquement, elle avait fière allure et on pouvait aussi la doter d'un mât et d'une voile et la convertir en petit dériveur, ce qui ne manquerait pas d'amuser les enfants.

112

J'avais déjà trouvé un artisan compétent à Galle, capable d'en mouler une copie. Et justement, le propriétaire australien partait pour quatre jours de visite dans la région de Kandy et ne voyait aucune objection à nous prêter sa barque.

Dix jours plus tard, au retour de notre seconde virée dans le pays, nous avions notre youyou. Pour 250 $, l'ensemble comprenait deux solides rames et le kit de conversion pour le faire avancer à voile, soit le gouvernail et l'aileron de dérive. J'avais prévu utiliser notre actuel gréement de planche à voile et, dès les premiers essais, l'idée s'est révélée astucieuse.

Restait maintenant à dégoter un pneumatique. Le transport jusqu'ici représentait l'essentiel du problème. Zodiac acceptait de m'expédier le modèle Mark I, au prix de l'usine, mais la livraison par avion doublait le coût. Quant à l'envoi par liaison maritime, le délai donnait à réfléchir.

Un autre élément me retenait de plonger : les célèbres pneumatiques français ne méritent plus leur réputation. Fini le temps où l'on utilisait du tissu néoprène-hypalon et où les collages s'effectuaient à la main. Avec le PVC (*Poly Vinyle Chloride*) et la thermo-soudure, Zodiac a modernisé sa production au détriment de la fiabilité. Les histoires de boudins et de tableaux de bord qui se décollent sont maintenant si courantes que les navigateurs hauturiers en font des gorges chaudes.

J'avais découvert en Australie l'existence du fabricant japonais Toyo. Il offrait une gamme de modèles qui n'avait rien de révolutionnaire ou d'innovateur, mais c'était du solide. J'ai donc téléphoné au Japon et obtenu là aussi le prix-usine et la garantie que notre nouvelle Dynous serait à Colombo en moins de quinze jours, le cargo *Ruwan Lanka* étant justement en instance de partir.

Tout se déroula dans le délai prévu. La compagnie de navigation m'avisa que le colis était arrivé. La voix à l'autre bout du fil aurait pu ajouter « Bonne chance », je n'aurais pas été surpris. J'avais entendu ou lu tellement de récits, aussi invraisemblables et ahurissants les uns que les autres, décrivant le gouffre de ces administrations moyenâgeuses, que je me voyais, à mon tour, en train d'écrire un chapitre épique : « Douze jours pour venir du Japon, six jours pour franchir un océan de paperasses »...

J'aurais dû adopter mon profil le plus bas et me présenter avec les quatre enfants. Un père de famille paraît moins riche et suscite un peu de compassion.

J'ai commis une autre erreur, celle de brandir une lettre venant du Haut-Commissariat canadien à Colombo. Qu'un gouvernement demande à un autre de porter une attention particulière à mes démarches a été mal interprété : on a conclu que je devais être un personnage important. Tous se sont alors pris très au sérieux, cherchant visiblement à m'impressionner par l'extrême minutie de leur appareillage bureaucratique.

On m'a envoyé d'un bureau, d'un édifice à l'autre, durant deux jours. Ayant malgré tout franchi les étapes préliminaires, celles des antichambres encombrées de poussière et de montagnes de documents, je me suis finalement retrouvé dans une immense salle où je faisais face à une rangée de vingt guichets : lequel choisir ? Dans un coin, un groupe d'hommes ricanaient en m'observant. Ils attendaient probablement que j'avance et m'informe à un préposé derrière sa cage vitrée, « non, pas ici, monsieur, essayez à côté », pour voir ensuite combien de fois j'allais rebondir.

L'un d'eux s'est avancé vers moi et m'a demandé, un peu railleur et avec un doigt pointé derrière ma tête, pourquoi je portais une queue de cheval. Sans trop réfléchir, je lui ai répondu que ma religion me le commandait. J'avais sur le sujet de la longueur de mes cheveux déjà dit passablement de conneries et je ne m'attendais pas à ce que celle-là vienne me sauver la vie.

Miracle, deux heures plus tard, j'étais dans le train pour Galle avec mes deux gros emballages dans l'allée, détendu, souriant même en pensant à l'effet qu'avait eu ma réplique. Qu'a-t-elle déclenché chez ce petit bonhomme qui s'est offert aussitôt à m'aider ? Je me le demande encore. Il a empoigné mes papiers, couru faire de la monnaie et le jeu de la machine à boules a commencé. Il était agent de dédouanement, savait qui aller voir, quel tampon exiger, quoi donner en retour. Il lui en a coûté environ deux dollars et demi en pourboires. J'étais si content de son efficacité et de son honnêteté que je l'ai remercié par un dix dollars. C'est ce qu'il gagnait par semaine, m'a-t-il avoué. Il m'avait surtout évité la compagnie, de Colombo à Galle, d'un officier des douanes chargé de vérifier que le pneumatique soit bien déposé à notre bord.

La voile de notre annexe rigide était prête et, du même coup, je suis passé la prendre à l'usine de North Sails à Colombo. En parcourant l'annuaire téléphonique quelques semaines plus tôt, j'étais tombé sur le nom de cette réputée voilerie internationale. Que fait-elle dans un pays où le yachting n'existe pas ? Des affaires, tout simplement. North y a établi sa division planche à voile au même titre que les grands noms de la couture qui produisent là où la main-d'œuvre est bon marché, soit aux Philippines, en Indonésie et en Chine. Le directeur d'usine a été très accommodant. Il a confectionné la voile du petit dériveur et m'a permis d'acheter en plus, pour la modique somme de 100 $, une nouvelle voile pour notre planche. Dernier cri en matière de performances, elle valait approximativement 800 $ sur le marché.

Hier soir au souper, Dominique nous a prévenus que nos menues dépenses au Sri Lanka étaient très élevées. Cela excluait, comme elle le disait avec le vocabulaire d'un chef d'entreprise, les montants consacrés aux acquisitions. Elle s'en est tenue à notre « flottant ». Qui aurait cru, nous annonça-t-elle, que ce serait notre séjour le plus coûteux. Incroyable mais vrai. Alors que nous sommes sur nos gardes dans les pays où la vie est chère, nous avons réussi ici, sous prétexte qu'il n'en coûte rien, à dépenser plus qu'ailleurs. Il faut vite quitter ce merveilleux pays, a-t-elle ajouté, sinon nous allons droit à la banqueroute.

Nous avons parlé aussi des dernières lettres de nos familles, dans lesquelles tout le monde s'accorde à nous demander notre date de retour, et si nous passerons par la mer Rouge ou le cap Bonne-Espérance. Sans qu'on puisse dire pourquoi, cela nous a foutu le cafard. Les nouvelles qu'on me donne sur la santé de ma mère, 84 ans, ne sont pas alarmantes, ni réjouissantes. Le moral est bon, mais les articulations se raidissent. Il faudra lui écrire plus souvent pour la tenir sur le seuil de la porte.

Elle a déposé 500 $ comme cadeau de Noël dans notre compte de banque. Le père et la mère de Dominique en ont fait autant, ce qui nous a permis d'acheter plusieurs jolis batiks que nous espérons revendre plus loin sur la route.

Quel sera justement notre plan de route, à partir d'ici ? Nous hésitons encore. Mais il n'est pas question de rejoindre l'Atlantique par la Méditerranée. Ce chemin nous rapprocherait trop rapidement de l'Europe et d'un circuit plus achalandé. Nous préférons virer le cap Bonne-Espérance. Et d'ici là, le court terme reste sujet à changements.

Ainsi, nous avions d'abord pensé nous diriger vers les îles Seychelles et le Kenya, à l'ouest, pour ensuite suivre la côte africaine vers les Comores et Madagascar. Mais les dernières semaines de grande chaleur nous ont fait changer d'idée. Nous filerons plutôt vers le sud de l'océan Indien via les Maldives et les Chagos.

Notre séjour au Sri Lanka s'achève. Nous avons passé deux mois merveilleux de découvertes et un troisième, moins palpitant, où nous avons atteint progressivement le niveau de saturation. Maintenant, nous avons hâte de partir, cela dit sans malveillance ou sans laisser entendre que nous soyons las du pays ou de ses gens. Bien au contraire. Nous garderons du Sri Lanka et des Cinghalais des souvenirs extrêmement vivaces. À notre avis, l'une de nos plus intéressantes remontées dans le temps.

À quoi donc attribuer ces symptômes de fatigue ? Peut-être au fait que le pouls rapide de la vie dans ce type de société, tout fascinant qu'il soit pour nous, voyageurs occidentaux, impose une cadence à laquelle nous ne sommes pas habitués. Sous l'angle des rapports que nous voulons toujours chaleureux avec la population, c'est comme ressentir le besoin de se couvrir ou de se réfugier à l'ombre après une bonne cure de soleil.

Nous pensons alors à nos arbres préférés, nos deux mâts. À nos voiles qui bruissent comme un feuillage sous le souffle brûlant de ces latitudes. Et blottis dessous, nous reprenons toujours notre rêve où nous l'avons laissé. Il se situe entre deux terres, il n'accoste jamais la prochaine, mais nous laisse l'aborder pendant que lui se met en panne au large.

Le rêve, le seul repos possible.

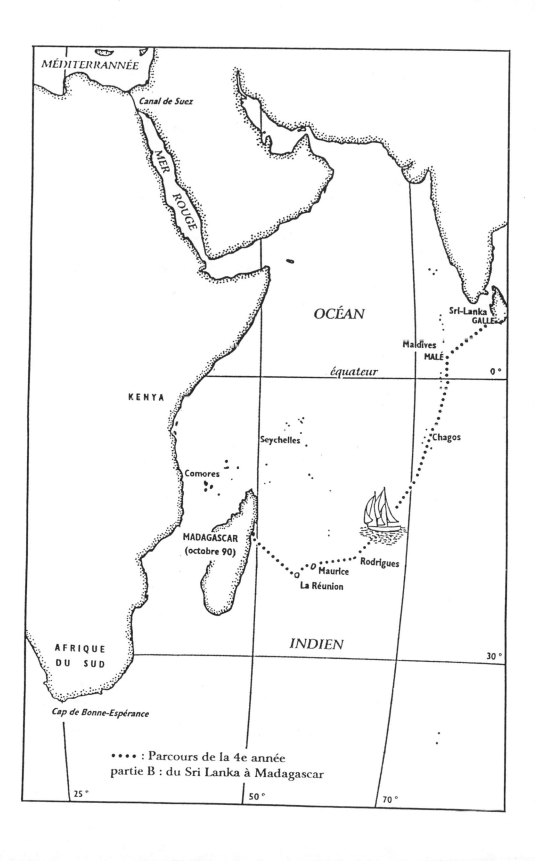

MÉDITERRANNÉE

Canal de Suez

MER ROUGE

OCÉAN

Sri-Lanka
GALLE

Maldives
MALÉ

équateur   0°

KENYA

Seychelles

Chagos

Comores

MADAGASCAR
(octobre 90)

Rodrigues

Maurice
La Réunion

AFRIQUE
DU SUD

INDIEN   30°

Cap de Bonne-Espérance

• • • • : Parcours de la 4e année
partie B : du Sri Lanka à Madagascar

25°   50°   70°

Vacances aux Maldives (Évangéline)

Dimanche, 18 mars

Youpi ! Après une traversée pépère de cinq jours, je me suis réveillée ce matin pour découvrir le grand atoll de Malé, à moins de 7 milles devant nous.

Nous avançons à voile, il ne vente pas beaucoup, mais ça va. J'ai déjeuné tranquillement, enfin tranquillement n'est pas le mot car à toutes les cinq minutes, Dominique me criait : « Évangéline, on empanne ! » Alors, vire le génois et la grand-voile ! Et vire encore...

On a contourné le motu pour s'ancrer devant la ville, dans 45 mètres d'eau ! ! Pas moyen de faire autrement. C'est ici qu'on remplit les papiers d'entrée.

Ensuite j'ai préparé des *bananas fritas* : des beignets de bananes. Je suis restée plantée devant le réchaud pendant deux heures à faire cuire ces cochonneries. Maintenant je ne pourrai plus sentir les bananes pour un bon bout de temps.

La sécurité nationale est venue. Pas très bavards, les mecs !

Depuis qu'un voilier est entré aux Maldives avec des armes cachées dans les bouteilles de plongée, les militaires font la gueule à tous les gens de bateau.

Tout à l'heure, un petit voilier français avec son drapeau jaune pour la douane s'est ancré derrière nous. J'arrive mal à lire le nom. C'est un truc comme *DUMA* ou *OUNÂ*, je ne sais pas. Ce que je sais, par contre, c'est qu'ils ont un gros chien et un chat. Après la visite des douaniers, on a pu aller à terre. On s'est baladés un peu et puis tout à coup on a regardé le ciel : il y avait un énorme nuage noir. On s'est dépêchés de revenir au port. Mon Dieu, le grain était tout proche, le pire que j'avais jamais vu de ma vie ! On a couru jusqu'à l'annexe. Il fallait se grouiller car la *V'limeuse* est assez proche de la jetée et elle n'est protégée par rien.

Heureusement, le petit moteur 4 chevaux ne nous a pas laissé tomber et nous sommes arrivés au bateau de justesse. Les rafales étaient tellement violentes qu'il a fallu partir les 140 chevaux de la *V'limeuse* et se mettre en marche avant. L'ancre a quand même chassé un peu. Mais après, elle tenait mieux. Le grain a duré assez longtemps. Ensuite, on a coupé le moteur.

19 mars

Il a venté toute la nuit, avec de la grosse vague, et je n'ai pas très bien dormi. Aujourd'hui nous allons mouiller dans le lagon du Club Med, à trois milles d'ici. Ça va être génial. Mais d'abord il faut remonter notre mouillage : 60 mètres de chaîne plus autant de corde, je ne sais pas si vous imaginez le travail. Tout ça avec notre vieux guindeau, bien sûr. Normalement, ça va plus vite de remonter la chaîne à la main, mais là il y en a beaucoup trop et surtout, elle est trop lourde. Alors on a dû se servir du gros winch à l'arrière, amener la corde jusque là, etc. Bref, ça nous a pris un temps fou.

Le mouillage du Club Med, c'est super : il a fallu entrer par une petite passe étroite et tellement pas profonde qu'on a dû relever la quille, et après on a traversé la partie bleu foncé du lagon et on s'est ancré dans une belle eau claire et turquoise. Quoi de mieux ! !
Il y a environ deux cents atolls aux Maldives et plus de deux mille îles ! Mais les Maldiviens ont eu une bonne idée : ils ont réservé quelques îles seulement pour les touristes, comme ici. Ailleurs les pêcheurs peuvent vivre tranquilles.

20 mars

C'est génial, c'est génial, c'est...
Ce matin, je marchais autour du bateau avec de l'eau au-dessous des épaules.
C'est dingue comme il y a toujours du vent et des grains, ici, durant la nuit. Mais maintenant on n'a plus peur car ce n'est vraiment pas profond et l'ancre ne pourrait pas chasser très loin. À cause de la barrière de récifs, il n'y a pas de vagues non plus. Tout le contraire de Malé, quoi. Oulala ! j'ai des frissons juste à repenser à avant-hier durant l'énorme grain.

21 mars

Ce matin, il ventait un peu. J'étais contente parce que j'allais apprendre à faire de la planche à voile. Je n'avais jamais essayé avant.
Bon, je suis tombée pas mal de fois, mais c'est normal pour une débutante. Le plus important c'est d'avoir de l'équilibre et bien tenir son mât, etc. Je peux dire qu'après une heure, ça été

génial. Il y avait juste le petit vent parfait et j'ai fait au moins sept ou huit virements de bord sans tomber une seule fois. À la fin, je me tenais debout et j'avançais tranquillement sans avoir « le cul en pot de fleur » (voir le livre : *La planche à voile*, de Stéphane Peyron). Je faisais ça, peinarde, wahou ! j'étais fière de moi. Mes parents aussi.

Nos copains de *Leonore* sont ancrés devant un autre motu, à un mille d'ici. *Leonore* est un superbe Swan de vingt-quatre mètres. Nous l'avons connu à Galle, quelques jours avant le départ. Comme le propriétaire n'est jamais là – il vient juste passer une semaine de temps en temps – alors l'équipage est toujours en train de faire la fête. Ils sont quatre gars : deux Américains, un Sud-Africain et un jeune Australien pas moche du tout. Ils sont tous très gentils. C'est drôle comme ces gars-là qui sont célibataires peuvent *tripper* sur une famille comme la nôtre ! Peut-être qu'ils rêvent de voyager un jour avec leur femme et leurs enfants. Ils m'ont donné plusieurs cassettes de musique avec les meilleurs *hits*. On a souvent pris l'apéro sur leur bateau. Une fois, j'ai bu trois verres de vin blanc ! Je vous dis pas comment j'étais pompette après !

On est contents de les revoir ici, mais ils repartent déjà demain matin. Les gars ne peuvent pas rentrer dans le lagon avec *Leonore* parce qu'il n'y a pas assez d'eau dans la passe. Mais eux, ça ne les dérange pas de mouiller par 50 mètres. Ils ont un super guindeau électrique.

22 mars

Hier soir, j'étais en train de faire la vaisselle, Carl lisait et Dominique dormait quand j'ai entendu un bruit de moteur. Je suis sortie sur le pont pour recevoir la lumière d'un spot dans la figure. Et bien, croyez-le ou non, c'était Creg, le skipper de *Leonore* qui était venu en dinghy, malgré la distance et les vagues, nous dire au revoir. Cher Creg ! Il nous a laissé son adresse. Dominique a promis de leur envoyer des tee-shirts de la *V'limeuse*.

23 mars

Ce matin, il y a un bon petit vent et le lagon bleu clair est tranquille. La journée parfaite pour faire de la planche à voile. Je deviens assez bonne.

Nous avons rencontré un Québécois en vacances au Club Med. Ça fait drôle d'entendre l'accent. Ensuite nous sommes allés saluer le « chef du village » et sa femme, Pierrot et Marie-Laure. Ils sont jeunes : 32 et 35 ans environ, et très gentils. Pierrot nous a offert une tournée et ensuite un livre sur la lune. Il m'a dit que je pourrais échanger des livres car ils ont une petite bibliothèque.

Les serveurs au bar sont soit maldiviens, cinghalais ou mauriciens, super sympathiques, ils n'arrêtent pas de rigoler.

27 mars

Cette nuit je n'ai pas très bien dormi. Peut-être parce que j'ai trop lu hier soir ? Nous avons échangé au moins une trentaine de livres. Ça faisait super longtemps que je n'avais plus rien à lire. Bon bref, je ne file pas très bien, j'ai un peu mal à la tête. Le bout de la quille touche le fond parce que le vent a viré dans la nuit et nous sommes cul à la plage. Comme nous devons changer de place, nous allons en profiter pour ancrer à l'île voisine de Furuna.

28 mars

Nous sommes dans notre nouveau mouillage à Furuna. Ici, c'est une autre île pour les touristes. Ce matin, Damien, les jumelles et Carl sont partis en annexe pour pêcher à la traîne, comme le font nos voisins français et suisses. Dominique et moi avons décidé de visiter les alentours avec nos masques et nos tubas. C'est nul sous les bateaux, on ne voit que du corail mort.

Ensuite on a nagé jusqu'au motu. Le *resort* est plutôt triste, ça manque d'activités. D'ailleurs, ils vont le fermer pendant un an pour refaire ça plus moderne.

Nos pêcheurs sont revenus au bateau avec leur butin : une belle aiguillette, un mérou et deux poissons-soldats. Nous les avons fait cuire avec du riz. Mais avant de manger, nous sommes allés plonger sur le tombant, près d'une passe.

C'était superbe ! Il y avait des centaines et des centaines de poissons qui venaient se nourrir dans le courant, mais le plus beau c'était les couleurs. Je suis sûre que toutes les couleurs au monde étaient là. On aurait dit l'œuvre d'un peintre ! Des bandes de petits poissons tous pareils nous suivaient, on pouvait même les toucher. Eux, ils ne se gênaient pas en tout cas. Il y en a même un qui m'a mordu le genou. Ça m'a fait juste un petit pincement. Ils sont trop drôles ! C'était vraiment une super plongée.

30 mars
Ce matin, Dominique et Carl sont allés prendre un café sur *Oumâ*. Ils voulaient regarder des cartes marines.
Pendant ce temps, j'ai préparé le mélange à crêpes et ensuite, les quatre enfants, on a mangé tout seuls, comme des grands. Les parents sont revenus vers la fin du déjeuner et maintenant il faut que j'aille sur *Oumâ* pour leur porter des cartes qu'ils vont calquer. Je vais essayer d'échanger quelques livres en même temps. Sur ce bateau, il y a un couple, François et Dominique, en plus du chien et du chat. Deux Dominique dans le mouillage, ça sera pas évident. Dominique d'*Oumâ*, disons que je l'appelle Dom, elle lit beaucoup, beaucoup. Dans mon genre. Je lui ai échangé six livres.
Il y a aussi un bateau suisse : *Flores*. Le capitaine s'appelle Alfred et il a deux jeunes équipiers suisses : Cédric et Christine. Ce sont des amis d'*Oumâ*. Ils naviguent ensemble depuis la mer Rouge. C'est bien, parce qu'ils vont faire le même chemin que nous : Chagos, Maurice, la Réunion, etc. Alors on risque de se revoir.
Cédric a embarqué son compresseur et ses bouteilles, il a plein de brevets, etc. Alors cet après-midi, je vais avoir mon BAPTÊME ! !
Vers 3 heures, on est d'abord allés dans une passe peu profonde. Dominique, Carl et Cédric ont plongé les premiers, ensuite moi... Oulala, ça fait drôle ! En plus, l'air que tu avales est froid. Au début, j'ai eu de la misère, mais après c'était bien, même si j'avais un peu mal aux oreilles. Il paraît que je « palmais » trop vite. Je crois que j'étais nerveuse. Mais bon, un baptême c'est énervant. Et puis je ne me sentais pas très à l'aise avec une grosse bouteille attachée dans le dos. Malgré tout, j'ai adoré ça.

3 avril
Finies les vacances ! Nous sommes revenus à Malé pour faire des courses et les papiers de sortie. Cette fois, on a réussi à rentrer dans le port en relevant la quille et en se glissant entre

deux bateaux du gouvernement. Comme ça on peut visiter la ville, tranquilles. Hier soir, on s'est payé une petite visite dans les magasins. La nourriture ne coûte pas trop cher. J'aime bien la ville de Malé, avec ses rues et ses maisons en corail blanc. Il paraît qu'il y a 46 000 habitants. On ne dirait pas.

Nous sommes rentrés à 10 heures et demie et j'étais crevée. Sur le bateau voisin, les gars préparent leur premier repas de la journée. Ils m'ont expliqué que pendant le ramadan, qui dure un mois par année, les musulmans jeûnent du lever au coucher du soleil. Je ne sais pas si je serais capable.

J'ai mal dormi. Il fait très chaud dans le port, une chaleur lourde comme avant la pluie. Je peux sentir la sueur qui me coule le long du dos.

Aujourd'hui, nous avons fait des courses toute la journée : vingt-cinq kilos de farine, 8 kilos de sucre, 5 kilos d'oignons, 8 kilos de pomme de terre, du fromage, du beurre en boîte, de la margarine, du Seven-Up, du jus en carton, des œufs, des épices, etc. J'ai même trouvé du tapioca. Les Maldiviens le mangent de la même façon que nous, cuit dans du lait et avec des œufs. Nous avons aussi acheté du tissu pour recouvrir notre nouvelle annexe pneumatique et la protéger du soleil.

5 avril

J'ai fait du tapioca hier soir. Ça goûtait la même chose que quand j'étais petite. Wahou ! J'étais contente car ça va faire un autre dessert au menu. Ce matin, on fait les dernières courses et on se barre. Je suis allée à la poste avec Dominique. Ça nous a pris des heures tellement ils sont lents, les Maldiviens.

Nous allons retourner au Club Med pour nous baigner une journée avant de repartir vers le sud. Nous n'avons pas eu trop de mal pour sortir de ce minuscule port, avec toutes les amarres des bateaux. Dominique a bien fait ça, elle a manœuvré comme une grande.

6 avril

Ce matin, *Oumâ* et *Flores* sont supposés quitter Furuna et venir nous rejoindre dans le lagon du Club Med. J'ai hâte. Hier soir, Carl a eu un problème. En se brossant les dents, un gros morceau de plombage attaché à un petit morceau de dent est tombé

dans le lavabo. Ça veut dire qu'il va être obligé de retourner à
Malé pour se la faire réparer. Ça veut dire aussi qu'on va rester
plus longtemps ici...

Damien ne file pas aujourd'hui, il a 39 de fièvre. Les jumelles et
moi, on est allées à terre, au Club. Les Français et les Suisses
étaient là. On s'est baignés, on a fait de la planche à voile et du
Hoobie Cat. On a bien rigolé. Depuis qu'on connaît Pierrot, on
peut participer aux activités du Club. On est même invités aux
soirées, comme ce soir. C'est bien, parce que Carl et Dominique ne sortent jamais le soir, mais là je vais pouvoir y aller avec
nos nouveaux amis.

7 avril

Je suis rentrée à minuit. La soirée cabaret s'est bien passée.
Dom, Cédric et Christine étaient venus me chercher en dinghy.
J'avais mis ma grande jupe et un petit haut vert. Il y avait une
bonne ambiance. On a dansé, on a parlé avec un tas de gens et
surtout on a bien rigolé. J'ai beaucoup aimé ça. Ça change du
bateau.

Nous avons téléphoné ce matin à Malé pour prendre un rendez-
vous chez le dentiste. Malheureusement ça ne pourra pas être
avant mardi – aujourd'hui c'est dimanche –. Bon, ben, on n'a
qu'à rester ici tranquillement, c'est tout.

8 avril

Il y a eu quelques grains durant la nuit. Celui du matin a été très
violent. Le ciel est gris et chargé de pluie. Il vente très fort.
Nous récupérons de l'eau grâce à notre nouveau système : une
bâche tendue entre les haubans et les filières, avec un enton-
noir au centre. On a rempli trois bonnes chaudières. On a intérêt à ramasser beaucoup d'eau car elle est rare ici et nous n'en
avons pas pris à Malé.

Nous n'avons pas fait grand-chose aujourd'hui à part lire et
manger. Moi j'ai dormi la plupart du temps. Carl, lui, ne fait
plus rien depuis deux ou trois jours. Il avait mal à la tête tout le
temps. On ne savait pas pourquoi. Alors, ce matin, il est allé
voir l'infirmière du Club. Elle lui a dit qu'il souffre de déshydratation et elle lui a donné des sachets de sels minéraux à mettre
dans son eau. Il doit en boire au moins trois litres par jour.

124

12 avril

Ça y est, on quitte notre beau lagon. Les Chagos sont à 600 milles au sud, mais on va longer d'autres atolls des Maldives pendant plus de 300 milles. Normalement, on n'aura pas le droit de s'arrêter sauf si on a un problème.

Oumâ part aussi. Alors tranquillement on se prépare, on enlève le moteur de l'annexe, on monte la Dynous sur le pont, on attache tout bien et enfin on lève l'ancre.

La mer est forte dehors. Il vente pas mal. On avance bien. Je crois que je vais aller me coucher un peu.

Maintenant, on ne voit plus la terre car on a piqué au large pour éviter le prochain atoll. J'ai fait mon quart de 7 à 9 heures, et je suis claquée. J'ai juste envie de rejoindre mon lit. Le vent a forci avec la lune qui s'est levée.

14 avril

Je n'ai pas écrit hier. Je ne filais pas très bien. Ce matin, ça bouge ferme. La quille cogne contre le puits. Il va falloir s'arrêter quelque part. Il y a l'énorme atoll de Suvadiva à tribord. Il fait plus de 110 milles marins de circonférence et il est rempli de petits ïlots. Dominique a sorti la carte. Je crois, j'espère qu'on va y aller. Il vente fort, au près, et la mer cogne dur. Moi, j'ai légèrement mal au cœur. C'est le bordel à l'intérieur. Depuis hier soir, on navigue avec *Oumâ* à vue. Je pense qu'eux aussi veulent se mettre à l'abri.

17 avril

Fantastique ! Nous sommes ici depuis déjà trois jours, mouillés devant notre îlot de rêve. Il y a 45 mètres d'eau sous la coque, mais c'est pas grave, on est à l'abri du vent. C'est superbe comme décor, vraiment le truc paradisiaque dont rêvent les touristes. Une île minuscule avec une plage de sable blanc et des cocotiers qui se penchent au-dessus d'un étroit lagon d'eau claire... À dix mètres de la plage, il y a comme une barrière de corail en miniature. C'est encore plus beau sous l'eau, avec du corail de différentes couleurs et des millions de poissons.

Damien est fou de bonheur. Tous les matins, il fait la pêche à la langouste avec Carl et François d'*Oumâ*. Hier, ils en ont attrapé quatre, avec en plus six poissons. Carl a blessé un super gros mérou, qui a coulé au fond, et les requins sont venus le manger.

Sandrine et Noémie ont vu leur premier requin sous l'eau et elles ont eu un peu peur. Moi je ne me baigne plus depuis hier car j'ai mes règles.

Aujourd'hui, on a eu de la visite : un doris à voile avec deux hommes et un petit garçon. Comme on ne parle pas la même langue, ils nous ont fait de grands sourires. Je crois que c'est leur île et ils sont venus nous souhaiter la bienvenue. Ensuite, un des hommes a grimpé en cinq secondes en haut d'un très grand cocotier pour faire tomber une bonne vingtaine de noix. Ils les a ouvertes à une vitesse éclair avec sa machette et nous les a données pour qu'on boive l'eau sucrée. Le petit garçon a essayé les palmes et le masque de Noémie. Il avait le tuba à l'horizontale et il avalait plein d'eau, mais il avait l'air très content.

Tout ce temps là, on ne se disait pas un mot, que des sourires. François leur a offert des paquets de cigarettes. Ils sont repartis un peu plus tard. TRÈS GENTILS.

On s'en va nous aussi, en fin d'après-midi. Nous allons faire une dernière escale à Gan, dans l'atoll d'Addu, à 60 milles au sud. C'est un village plus petit que Malé, mais où il y a des douaniers et où on peut s'arrêter pour acheter de l'eau et des provisions.

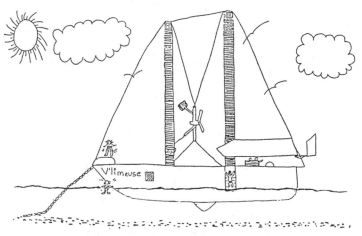

Le rendez-vous des Robinson (D.)

Nous avons hâte d'arriver aux Chagos. Pourtant, d'après nos lectures, les îles qui apparaîtront sous peu à l'horizon ressemblent à celles des Maldives. Basses, bordées de cocotiers et de sable aveuglant, entourées de corail et d'eau turquoise. Oui, des îles aussi belles, mais infiniment plus attirantes car elles possèdent une qualité rare et qui, de l'avis de nombreux bourlingueurs, mérite de grands détours : elles sont désertes.

Partis de l'extrémité sud des Maldives il y a trois jours, nous approchons du but. Évangéline me cède la barre à l'aube, pressée d'aller dormir : « Réveille-moi, s'il te plaît, quand tu verras les îles... »

La mer s'éclaircit à l'est, immobile et dorée ; ce n'est pas encore ce matin que nous hisserons les voiles. Le moteur n'en finit plus de tourner, il fait chaud à l'intérieur, et nous rêvons de silence et d'eau fraîche.

Damien s'est levé lui-aussi avec l'aurore. Il m'apporte une tasse de café brûlant, gentillesse de Carl, et une assiette de biscuits soda couverts de confiture. Puis, d'une démarche endormie, il se dirige vers nos toilettes à ciel ouvert, sur le balcon arrière. Longtemps il reste là, debout, à scruter la mer pour y déceler la présence de bancs de poissons.
– On arrive dans combien de temps ? demande-t-il enfin en revenant s'asseoir auprès de moi.
– Dans deux heures, environ. Tu serais gentil de me monter la carte des Chagos quand tu auras fini de mettre tes lignes à l'eau.

Un peu plus tard, nous étudions la carte ensemble. Damien s'enthousiasme devant le groupe des Peros Banhos, une vingtaine d'îles formant le plus large atoll de l'archipel.
– T'as vu les noms ? Île Diamant, Petite Sœur, île Poule, Grande Île Coquillage... Est-ce qu'on va aller sur celle-là ? C'est sûrement plein de coquillages rares...
– Malheureusement, mon beau Damien, il paraît que c'est nul pour les mouillages. Trop de houle. Alors on va ici, à côté...
Un peu à contrecœur, Damien suit mon doigt vers l'atoll des Salomon, plus petit avec sa dizaine d'îles et d'îlots.

127

Une seule ouverture, au nord, permet aux bateaux de pénétrer à l'intérieur d'un lagon qui mesure quatre milles dans sa partie la plus large.

— Tu trouveras sûrement des coquillages là aussi. Même que, d'après la carte, on pourra marcher d'une île à l'autre, puisque l'anneau de corail qui encercle le lagon se découvre à marée basse. Et puis, ici, sur l'île Boddam, il y a un village abandonné...

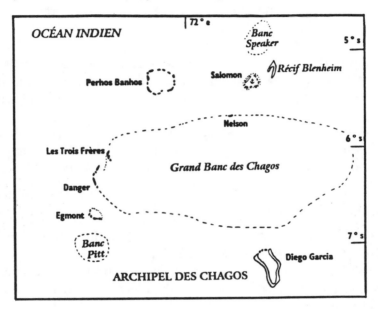

Je lui apprends que plusieurs familles seychelloises et mauriciennes habitaient l'archipel il y a trente ans. Elles géraient l'exploitation du copra pour une compagnie privée de l'île Maurice. À cette époque, tout comme aujourd'hui, les Chagos étaient britanniques, ainsi que les îles Seychelles et Maurice. Mais ces dernières avaient précédemment appartenu à la France et la population parlait un créole à base de français. Cela expliquerait la poésie de certains toponymes que nous découvrons sur la carte.

En 1968, année où Maurice devient un État indépendant, les activités cessent aux Chagos et toutes les familles doivent quitter l'archipel. Les Britanniques ont d'autres projets pour celui-ci.

— Tu comprends, Damien, ce ne sont pas vraiment quelques cocotiers qui intéressaient la Grande-Bretagne. Mais ces atolls de rien du tout, parce qu'ils sont isolés au centre de l'océan Indien,

Spectacles d'eau
et de lumière
dans les atolls
des Maldives
et des Chagos.

Le boulanger de l'atoll Salomon : « Prenez, ceci est mon corps... »
Pique-nique en silhouette sur fond turquoise, aux Chagos.

Préparation des repas
sur la plage ou à
l'intérieur du bateau :
Damien réglait tout,
de la capture à
la cuisson.

Après le tohu-bohu
d'une navigation
jusqu'à Rodrigues,
nos pas pour célébrer
la terre ferme et
découvrir des visages
comme des havres
de paix.

prennent tout à coup une grande valeur stratégique. Souviens-toi de Mururoa, dans le Pacifique...

– Tu veux dire que les Anglais font des essais nucléaires ici aux Chagos ?

– Non, rassure-toi. Mais ils ont loué un atoll aux Américains. Celui-là, tout au sud. Diego Garcia abrite maintenant une base navale et aérienne. Si une guerre se déclenche dans ce coin du monde et que les États-Unis décident de s'en mêler, ils peuvent intervenir rapidement.

– Tu crois qu'on verra des bateaux de guerre ?

– Je ne sais pas. Les voiliers, en tous cas, ne doivent pas s'approcher de la base militaire. Mais partout ailleurs, on peut s'installer sur les îles désertes et jouer aux Robinson. Et tout ça, imagine-toi, sans aucune paperasse à remplir !

Eh, oui ! Pour la première fois en trois ans et demi, nous allons goûter le plaisir de mouiller l'ancre, légalement, sans devoir en rendre compte à quelque autorité.

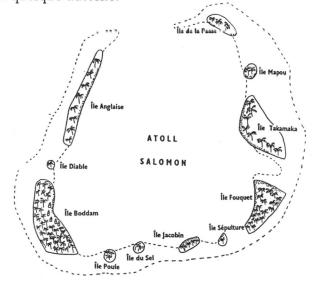

Le soleil est déjà haut quand nous embouquons la passe, heureux comme des gamins sur le point de découvrir un immense terrain de jeu. Chaque île nous apparaît d'une incomparable richesse et pourtant il n'y a rien que du sable et des arbres.

Perché sur la deuxième barre de flèche du mât de misaine, Damien a pris son poste de vigie. Il nous annonce que sept bateaux sont mouillés entre l'île Takamaka et l'île Fouquet, dans ce qui lui semble, vu d'en haut, l'unique étendue d'eau turquoise du lagon. La couleur révèle à cet endroit un fond de sable uniforme, sans pâtés de corail, alors que partout ailleurs les bords des plages en sont encombrés.

Évangéline, vissée à sa paire de jumelles, reconnaît les silhouettes d'*Oumâ* et de *Flores*. Puis elle vient m'embrasser, joyeuse, un sourire de connivence au coin des lèvres : « Je suis contente que les copains soient là », dit-elle avant de s'éloigner pour rejoindre ses sœurs à l'avant.

J'ai l'impression d'arriver avec une précieuse cargaison de moussaillons, déjà prêts à prendre le large une fois rendus au port. En grandissant, nos enfants ont développé l'art de tisser des liens étroits avec le reste du monde. Et plus le voyage avance, plus ils manifestent le besoin d'aller vers les autres et de retrouver cet échange de tendresse que nous pratiquons entre nous sur le bateau.

Pendant un mois et demi, ils seront les seuls enfants de notre petite communauté, éparpillés sur les voiliers des copains, en plongée ou en balade autour des îles avec eux.

Nous ne pensions pas rester plus de deux semaines. Mais une fois à l'abri de notre grand cercle de corail, dans ce paysage de ciel, de sable, de cocotiers et d'eau, nous décrochons du temps. Nous sommes ici comme au milieu de l'océan, venus de nulle part, allant nulle part. Momentanément éblouis par la lumière. Brûlés le jour par le sel et le soleil, drogués par la douceur des nuits... Écoutant, dans un demi-sommeil, la mer qui brise sur le récif comme un lointain souvenir.

De temps en temps, un nouveau voilier arrive du nord, d'autres repartent vers les Seychelles, Madagascar ou Maurice. Puis, vers la mi-mai, le va-et-vient ralentit et bientôt nous formons un petit groupe de Québécois, Suisses et Français, organisant notre vie quotidienne autour de gigantesques pique-niques.

Les enfants, ces êtres adorables et toujours affamés, s'amusent comme des fous. Ici, pas de magasins, chacun prend sa ligne à pêche, son fusil-harpon, son seau pour ramasser des palourdes, ou sa machette pour ouvrir des noix de coco, et part à la recherche du dîner.

Dès le troisième jour, Damien note dans son journal :

Ce matin, je suis allé avec Sandrine sur le récif pour attraper des poissons pour appât. Avec ces appâts, nous sommes allés pêcher le « gros » dans la passe entre les îles Takamaka et Fouquet. En moins d'une demi-heure, j'ai attrapé une belle carangue de six kilos, un gros mérou de 5 kilos et 4 autres petits d'un kilo.

La pêche à la ligne dans ces aquariums naturels ne laisse pas grand chance aux poissons. Bon prince, Damien décide d'affronter ses proies sous l'eau, comme tous les chasseurs mâles de notre communauté.

Je précise « mâles » car très peu de filles apprennent à se servir d'un fusil-harpon. Évangéline, les jumelles et moi préférons les plongées contemplatives. Et lorsque nous accompagnons les chasseurs, c'est en tirant le dinghy afin qu'ils y déposent en vitesse leurs poissons blessés, avant que les vibrations et le sang n'attirent les requins du lagon.

Puis voilà qu'un beau jour, Évangéline décide de s'y mettre. Notre adolescente dont la légendaire émotivité ponctue chacune de nos pêches au large, celle qui pleure et court se réfugier sur son lit pour ne pas voir la brève agonie d'un thon ou d'une daurade coryphène... la voilà soudain revêtue de sa combinaison néoprène, battant des palmes, fusil en main, autour des pâtés de corail, un œil pour ses proies et l'autre pour les requins. Toute fière lorsqu'elle brandit son premier rouget transpercé !

Damien n'en revient pas. Bien qu'il félicite sa sœur et l'encourage à continuer, je le devine vaguement inquiet. Et si Évangéline allait le surpasser en habilité ? Déjà que les filles se moquent de sa lenteur en français et en maths, s'il fallait qu'il perde sa longueur d'avance dans un domaine aussi exclusif que la pêche et la chasse sous-marine... son estime personnelle en prendrait un coup !

Heureusement pour lui, Évangéline dépose les armes après deux ou trois essais concluants, l'air de nous dire : voilà, j'ai prouvé que « la petite ado émotive » pouvait survivre sur un atoll désert.

Les jours s'égrènent avec lenteur. Je me sens d'une humeur paisible, heureuse d'assouvir mes vieux fantasmes de solitude. Au fond, c'est peut-être moi qui ai le plus souvent rêvé d'une île déserte.

L'adolescente solitaire n'est pas devenue mère de quatre enfants sans éprouver, de temps à autre, de brèves mais fulgurantes envies d'un lieu sauvage et perdu.

Takamaka, la petite île où nous pique-niquons avec les copains, semble tout droit sortie de mon subconscient. Comme les autres îles de l'atoll, elle ne possède rien en soi d'extraordinaire. Mais sur moi, elle exerce un pouvoir spécial. Il est lié, je crois, au sentiment de plénitude que j'éprouve à chacune de mes marches. Sur Takamaka, je ne me sens pas en pays étranger, je suis quelque part en moi-même, dans un ancien lieu rêvé.

J'aime y revenir en fin d'après-midi. L'air s'est allégé, a perdu sa densité écrasante. Moi qui porte le jour un chandail et un chapeau pour me protéger du soleil, je peux les laisser dans l'annexe et marcher nue sur la plage.

Je zigzague entre l'eau et la ligne de marée, à l'affût des minuscules trésors échoués sur le sable. J'arrive au bout de mon île quand le ciel s'embrase. Le temps qui m'a paru ralentir à chacun de mes pas se fige alors au-dessus de l'atoll. Même l'alizé s'alanguit. Il plane des odeurs salées d'algues, en suspens dans la lumière.

Les pieds enfoncés dans la tiédeur du sable et l'esprit devenu aussi léger que l'air, je me sens comme une infime particule d'un poumon qui aspirerait à la fois la beauté et l'invisible essence des choses. Chacune de mes inspirations lentes et profondes mémorise l'alchimie du bien-être absolu. Bientôt mon corps et mon cerveau en sont saturés. Je cherche alors un tronc lisse et usé par la mer, m'y assois et regarde la *V'limeuse* perdre peu à peu son éclat d'or, au milieu des voiliers posés sur le lagon comme sur une carte postale.

Devant ce tableau onirique, je me surprends à sourire, à réfléchir au bonheur... qui n'aurait rien à voir avec le bateau, l'atoll, les plongées, les copains. Il ressemblerait plutôt à une responsabilité que l'on a face à soi-même. Un sentiment si discret qu'il serait facile de l'ignorer ou de l'oublier. Nous serions heureux sans le savoir, simplement parce que nous vivons en accord avec nous-mêmes.

J'aperçois la silhouette de Carl sous le taud, adossée à la bulle. À cette heure, il jouit du calme à bord et en profite pour lire ou écrire. De temps à autre il lève la tête, se repose les yeux dans la lumière devenue très douce. Je sais qu'il attend la fraîcheur des débuts de soirée et des nuits comme une délivrance ; sans elle, il aurait déjà fui vers le sud.

Mon sourire devient plus tendre. Vu d'ici, Carl semble un homme heureux, mais je le connais, il s'amuserait à s'en défendre, jurerait que le bonheur et l'amour ne sont pour lui que des concepts éculés, surexploités par les vendeurs de rêve. Qu'il leur préfère les tourments des incertitudes et des contradictions humaines. Puis, sous-entendant qu'aucune femme ne saurait vivre heureuse auprès d'un type de son espèce, il conclurait par sa phrase habituelle : « Mais tu es jeune, Dominique, et il est encore temps pour toi de refaire ta vie... » Ce qui lui vaudrait les regards assassins des enfants.

Où sont-ils d'ailleurs, nos bienheureux chérubins ? Les va-et-vient d'annexes entre les autres voiliers signalent les préparatifs en vue de l'apéro. Carl et moi y participons rarement, mais les enfants ne ratent jamais une invitation. Le temps où ils auraient souhaité nous voir plus sociables semble révolu. Maintenant nous devinons entre les lignes qu'ils s'amusent mieux sans nous.

Ce soir, la Dynous est attachée derrière *Oumâ*. Damien doit s'y trouver. Il aime beaucoup François, devenu le grand copain de plongée depuis les Maldives. J'avoue que notre voisin a une personnalité séduisante : calme, drôle, passionné de montagne autant que de mer, avec un passé de skieur acrobatique et des talents pour la chasse sous-marine, bref, tout pour plaire à notre fils en quête de modèle masculin.

François a vécu de nombreuses aventures sous l'eau, mais la plus incroyable lui est arrivée avec une pieuvre. Après l'avoir pourchassée d'un pâté de corail à l'autre dans un jeu de cache-cache épuisant, il s'est lassé. Comme il remontait vers la surface, il a senti quelque chose l'agripper à l'épaule, s'est retourné... Le poulpe était là, deux grands yeux amicaux et doux qui avait l'air de lui dire : « Tu ne joues plus avec moi ? »

Aujourd'hui François est incapable de tuer un poulpe. Nous non plus, d'ailleurs.

Sa blonde, Dominique, craint l'eau et ne sait pas nager. François invite alors Damien à l'accompagner lors de ses chasses. Parfois, lorsqu'il passe le prendre, il est avec Alfred, le skipper suisse de *Flores*.

Ça ne va pas très bien chez les Suisses. Évangéline nous rapporte régulièrement la version des deux jeunes équipiers, Cédric et Christine : selon eux, tous les torts vont au capitaine, un homme

133

taciturne qu'ils accusent des pires colères. À nos yeux, Alfred paraît surtout préoccupé et déçu par des relations qui tournent au vinaigre. Aussi, quand Évangéline prend parti pour ses amis, l'avertissons-nous d'être prudente dans ses jugements. Elle ne doit pas oublier que la cohabitation sur un aussi petit bateau exige beaucoup de souplesse de part et d'autre.

Dommage que dans ce genre de situation, le temps ne fasse qu'envenimer les tensions ; à croire qu'en milieu marin, le sel gruge peu à peu les plaies au lieu de les cicatriser. Ainsi le mouillage est témoin d'un curieux chassé-croisé où skipper et équipiers s'esquivent à tour de rôle, tantôt à la nage, tantôt en dinghy pour éviter de se retrouver tous les trois ensemble sur *Flores*. Heureusement, lorsque nous nous réunissons sur la plage pour préparer nos festins ou « ventrées », comme les appelle François, la bonne humeur générale efface les relents de tension.

Une fois de plus, force est de constater qu'à bord des bateaux, à l'exception de rares solitaires, les couples ou les familles s'en tirent mieux que les autres. Rien ne vaut le ciment affectif pour souder un équipage. Celui de *Mamaru* en est un bel exemple. Patrick et Nicole me font penser à des amoureux en perpétuel voyage de noces à travers l'océan Indien. Ces Français dans la quarantaine – lui, grand, maigre, le regard espiègle..., elle, petite et rondelette, toujours souriante et débordante de vitalité – n'en sont pas à leur première lune de miel aux Chagos. Et quand ils s'amènent ici, les cales de *Mamaru* regorgent de provisions. Cette fois, ils repartiront vers Mayotte après plus de quatre mois d'escale.

Patrick m'a indiqué les meilleurs mouillages de Madagascar. Comme je n'avais qu'une carte générale, j'ai aussi calqué les détails des ports d'entrée. Une simple précaution. Si un alizé d'une force exceptionnelle nous empêchait d'atteindre Rodrigues, Maurice ou la Réunion, nous serions prêts à nous rabattre sur la côte malgache.

Il faudra bientôt songer au départ. Malgré la pêche intensive, certaines de nos denrées s'épuisent. Nous avons déjà remplacé le lait en poudre par le lait de coco dans les mélanges à crêpes. Bientôt nous manquons de café. Dominique, sur *Oumâ*, propose de nous en échanger pour de la farine. Puis Alfred nous offre du miel, des flocons d'avoine et de l'alcool à brûler qui nous permet d'utiliser notre vieux poêle au kérosène pour la cuisson, car il n'y a plus de gaz propane.

La lune s'emplit une seconde fois depuis notre arrivée. Elle éveille en nous des nostalgies. L'atoll paraît rétréci, la mer plus proche. Rassasiée de *désertitude*, j'ai maintenant des goûts de cresson et de tomate fraîche dans l'imagination, comme après un long séjour en mer. Mes jambes réclament une île plus vaste. Je suis parée à hisser les voiles.

Évangéline ✍

5 juin 1989, atoll Salomon

Dimanche dernier, quelqu'un a appelé sur la VHF : c'était le capitaine d'un bateau de pêche mauricien en route pour le Speaker Bank, à environ 15 milles de l'atoll Salomon. Il voulait savoir combien il y avait de voiliers, si nous avions eu du mauvais temps, et nous dire que dimanche prochain, ils viendraient prendre une journée de congé ici pour « rigoler » un peu. Cédric, Christine et moi, nous étions morts de rire à cause de l'accent mauricien créole.

Ce matin, donc, nous avons aperçu le bateau dans la passe. Vers 11 heures, le capitaine a appelé pour dire qu'il mettait une pirogue à l'eau et qu'il venait nous voir. Il allait nous apporter du poulet et du bœuf congelé. La joie ! !

Dominique était seule sur *Oumâ* alors elle est venue avec une bouteille de vodka. Pas longtemps après, le capitaine, le second, le chef mécano et le chef des pêcheurs sont arrivés. Comme le capitaine préférait le whisky, Dominique est retournée en chercher une bouteille. On a discuté de plein de choses. Ils disent qu'avant de partir de Maurice, ils ont oublié le chargement de boisson. Alors je vous raconte pas ce qu'ils ont bu comme whisky, surtout le capitaine. Des vrais trous ! Pas d'alcool depuis un mois ! ! ! Quand ils sont partis, le capitaine était complètement bourré. Il nous a invités (*Flores*, *Oumâ* et la *V'limeuse*) à venir manger ce soir à bord du *Star Hope*.

135

Une pirogue est venue nous chercher à 5 heures 30. On s'était habillés « propre », et quand on est arrivés près du bateau, on a eu la surprise : c'était un vieux rafiot rouillé. Tous les matelots nous regardaient, on avait l'air d'une bande de touristes en vacances au Club Med : ridicules ! Le capitaine nous a emmenés au « salon », une toute petite pièce crasseuse, à peine plus grande qu'une cabine. On s'est assis, tous collés, les jumelles sur les genoux des grands. En apéro, ils nous ont servi des accras de poissons, délicieux. On s'attendait à passer ensuite dans une salle à manger, mais non, les gars mangent sur leur lit ou sur le pont. Alors on est restés là.

Le capitaine était encore pas mal saoul. Il n'arrêtait pas de répéter que *c'était un bon dimanche, et qu'on avait fait semblant !* Il voulait peut-être se convaincre qu'il avait fait semblant de boire ! Ensuite, quand il regardait mon frère, il disait : « Ah ! Damien, c'est un nom qui me fait penser à Gorbatchev, à la fin du monde, vous savez, dans l'écriture, l'apocalypse... ». Et comme Alfred lui rappelait un chanteur français, Jacques Perret, alors il voulait toujours qu'il chante ! On a quand même ri comme des fous.

Plus tard ils nous ont fait visiter le bateau. Les matelots dorment vraiment à deux centimètres les uns des autres, c'est terrible. Mais au moins la pièce est grande, avec beaucoup de hublots, ce n'est pas un trou sombre. On a visité ensuite la salle des machines et les congélateurs.

Le *Star Hope* est un ancien bateau japonais, il fait 300 tonnes et ils sont soixante-quatre hommes d'équipage. Il y a environ vingt barques empilées les unes sur les autres sur le pont et les pêcheurs s'en servent pour pêcher à la ligne sur les bancs des Chagos.

Avant de venir nous reconduire, ils nous ont donné des patates, des oignons, un énorme pot de café et une tonne de viande congelée, steak, poulet et viande à pot-au-feu, à séparer entre les bateaux. Super ! Nous avons leurs adresses à Maurice, alors on se reverra peut-être là-bas.

Bonjour Mamie,

Voici donc que nous sommes aux Chagos depuis un
long mois et nous nous apprêtons à partir. Ici les jours
sont faciles et passent très vite.

Chaque jour, Damien et Évangéline partent chasser le
poisson avec Carl et Dominique ou avec les copains.
Les trois derniers jours, il y a eu de la pluie, mais avant
nous faisions des feux sur la plage tous les jours.

Durant les grandes marées de la lune
noire, Damien, Évangéline et nos
copains allaient pêcher la
langouste que nous faisions
griller sur le feu.
C'était un délice !

Pour accompagnement, chaque bateau apportait un plat de riz, de semoule ou de salade. La spécialité de Dominique était le *dahl* : un plat cinghalais fait avec des lentilles jaunes, des oignons, des épices indiennes, tout ça cuit dans le lait de coco. Nous préparions aussi « la salade des chagos » c'est à dire un cœur de cocotier dans la vinaigrette.

Maintenant je vais te parler de la pêche au crabe. Elle se fait à marée basse. Nous partons de très bonne heure le matin, avec une flèche de métal pour les piquer dans leurs trous. Le platier est fait de corail découvert à marée basse. La plupart du temps, les crabes se promènent dans les flaques. Il faut avoir l'œil parce qu'ils sont de la même couleur que le corail. Quand les crabes nous voient, ils se mettent en garde en écartant leurs deux grosses pinces. Avec l'aide de nos flèches nous les poussons dans la chaudière.

Ici, sur le platier, il faut faire attention aux murènes qui sont très nombreuses et vicieuses. Nous mangeons les crabes cuits au court-bouillon et c'est délicieux. Quelques jours plus tard, nous avons découvert sur une autre île les crabes de cocotiers. Ces crabes sont vraiment très gros et impressionnants. On ne les voit que la nuit. On doit d'abord les attirer avec des noix de coco ouvertes en deux et placées près de leur énorme trou. On revient la nuit avec une lampe de poches pour les attraper. Nous sommes allés deux fois avec nos amis et chaque fois nous avons attrapé environ huit kilos de pinces et de pattes.

Cette île qui s'appelle Boddam était autrefois habitée par 250 personnes. Aujourd'hui le village est en ruine et les habitants sont repartis à Maurice. Il reste encore des citronniers, des orangers et un puits d'eau douce.

Demain, Sandrine et moi sommes supposées faire notre baptême de plongée en bouteille avec nos amis suisses. J'ai hâte.

Je t'embrasse fort.

Noémie X X

Bonjour Nicolas ! ✉

Je t'envoie un tee-shirt : « le menu des Chagos ». La pieuvre tient dans chacun de ses tentacules ce que nous trouvions là-bas pour manger parce qu'il n'y avait pas de magasins.

La noix de coco est bien sûr la première chose que l'on ramasse sur les îles. On boit l'eau et on râpe l'intérieur pour faire des gâteaux. On peut aussi faire du lait en pressant dans un linge la pulpe râpée et trempée dans un peu d'eau chaude. On s'en sert dans les recettes de crêpes, de lentilles, de poisson au curry, etc. Avec le cœur de cocotier, très tendre, nous faisions des salades pour accompagner les brochettes de poissons. Le goût ressemble à celui du chou.

Nous attrapions les poissons avec des fusils-harpons. Ensuite je les préparais en filets et on cuisait les brochettes sur le feu de bois.

Les teks-teks sont de petits coquillages blancs que nous trouvions dans le sable à marée basse. Nous les mangions frits avec de l'ail ou du ketchup piquant. Le bénitier, lui, est un très gros coquillage que l'on ramasse en plongée. On le décolle du corail en lui coupant le muscle. Nous récupérons les lèvres (la partie colorée) et le muscle à l'intérieur. Cuit d'abord à la vapeur, il est frit ensuite avec des oignons et rajouté à de la sauce à spaghetti.

Nous chassions les crabes sur le platier à marée basse et nous les cuisions au court-bouillon. Le bernard-l'hermite, par contre, se trouve sur le bord des plages. Il vit dans une vieille noix de coco ou dans une grosse coquille vide. On le fait bouillir comme le crabe.

Enfin le requin était notre compagnon de plongée. Mais parfois il s'approchait un peu trop...

La tête de la pieuvre, sur le dessin, représente l'atoll des Salomon avec les petits voiliers au mouillage.

Tous nos amis suisses et français sont venus à bord de la *V'limeuse*, chacun leur tour, pour peindre leur tee-shirt. Comme ça ils ont un souvenir des semaines que nous avons passées ensemble aux Chagos.

J'ai aussi fait mon baptême de plongée. Cédric, un copain suisse, m'a donné un embout et je me suis accroché à sa bouteille. Je me sentais bien, comme dans un rêve. Il m'a montré à enlever mon embout et à prendre le sien. Ensuite il m'a mis sa bouteille sur le

dos, mais comme j'avais trop de plomb dans ma ceinture, je coulais au fond de l'eau. J'ai bien aimé ma
première plongée.

En tout cas, on s'est bien amusés aux Chagos et j'espère que toi, tu aimeras ton tee-shirt.

Embrasse Yoan, Pascal et Marie-Ange pour moi.

Damien X

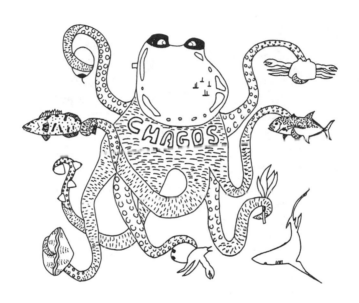

Voyage à Rodrigues   (C.)

12 juin 1990. Après un mois et demi aux Chagos, nous quittons
l'atoll Salomon, laissant derrière nous au mouillage *Oumâ, Flores,
Storm, Magoo* et *Harmony*. Surprise en remontant l'ancre : une bouteille apparaît, attachée à la chaîne, puis une deuxième, cinq mètres
plus loin, encore une longueur et une troisième... La première contient un message, mais les autres sont pleines, rhum, liqueur de
menthe, bière... Les copains français et suisses nous observent de
leurs dinghies, photographiant nos têtes étonnées. Ils ont comploté
depuis deux jours, nous avouent-ils, pour mettre au point cette ingénieuse façon de nous dire au revoir.

Il fait beau, il y a du vent, c'est idiot à dire puisque rares sont les équipages qui n'attendent pas les conditions idéales pour partir. Longtemps, les bras s'agitent au-dessus des têtes, transmettant leurs derniers messages pendant que nous nous dirigeons vers la passe. Ils semblent dire, en langage de sémaphore, que toute bonne chose doit avoir une fin. À moins qu'ils ne soient d'accord avec ce que j'écrivais récemment à ma mère : « Si certaines escales sont plus belles, toutes, en revanche, doivent nous laisser repartir. »

Qui sait si le bonheur ne se trouve pas, fatalement, toujours devant.

Les prochains huit jours le confirmeront : nous allons découvrir un petit paradis, 1 200 milles plus au sud. Mais l'océan Indien va s'assurer que nous le méritons.

À peine tournons-nous le coin de la rue que le mauvais temps nous saute dessus. Comment aurions-nous pu le deviner ? Deux heures plus tôt, le ciel était clair, le baromètre stable.

Cette remontée au près serré durera sept jours. Les grains arrivent en force du sud-est, des grains blancs pour la plupart, très rapprochés, violents, entre 35 et 50 nœuds de vent dans les rafales et ils apportent beaucoup de pluie. Pour des gens qui viennent de terminer de longues vacances, la transition est particulièrement brutale. Difficile même d'imaginer plus ignoble retour à l'ouvrage. Un travail de tranchée, au pic et à la pelle, au milieu des éboulis d'eau, dans des vêtements imbibés.

La *V'limeuse* creuse son chemin et rejette tout par-dessus son épaule bâbord, droit vers le barreur prostré sous les paquets d'eau. Les masses liquides nous frappent parfois avec la dureté du roc. Le métal s'oppose avec entêtement : de grands boums retentissent à l'avant où les couchettes sont désertes, personne de toute façon n'arriverait à y dormir. L'équipage court se plaquer au sol ; nous laissons le blindé prendre la mitraille.

L'alerte donnée, quelqu'un voit aussitôt à ce que chaque panneau soit hermétiquement fermé, et le comptoir de cuisine libéré de tout ce qui pourrait glisser et se retrouver par terre. Il reste ensuite à étouffer les bruits de vaisselle et de casseroles. Évangéline, dont la couchette se trouve tout juste à côté, bourre les étagères de linge et de chandails afin que rien ne bouge là-dedans. Il y a de quoi devenir dingue lorsque les mouvements du bateau s'emparent d'un objet qui n'est pas saisi convenablement : ce bruit vous harcèle tant et aussi longtemps que vous n'avez pas trouvé sa provenance. Une fois, au plus fort d'un méchant coup de vent, Évangéline a dû presque vider tous les espaces à rangement de leurs bouteilles et boîtes de conserve. Finalement, elle a mis la main sur le bouchon qui roulait au rythme d'un pendule en faisant tinter un fond de poêlon en aluminium.

Peu à peu, tout le carré arrière du bateau se transforme, moitié en vestibule de vêtements et de bottes éparpillés, moitié en dortoir de camping où chacun vient s'installer temporairement. Les cirés s'empilent sur le coffre du moteur, situé sous la descente. Et de chaque côté, sur la moquette, on prépare les couchettes de gros temps. Ces deux étroits passages dans lesquels nous calons les dossiers de la grande banquette en U, en guise de matelas, coincent parfaitement les corps. C'est l'endroit idéal pour s'allonger et attraper quelques rares moments de repos.

C'est tout ce que je me permets. Tant que la température ne devient pas plus maniable, je me mets en disponibilité 24 heures sur 24, tout à ma tâche de grand responsable de ce voilier qui transporte la cargaison la plus précieuse du monde : ma famille. J'en suis conscient, mais ça ne suffit pas. Je dois faire plus. Je commande à mon imagination les pires scénarios afin de mettre au point des sauvetages appropriés.

Je ne dors pas vraiment. Mon être est aux aguets comme un chasseur qui ne veut pas être surpris. Si je dois intervenir, j'ai mon ciré en permanence sur le dos et mes bottes dans les pieds. Même quand je mijote des jours entiers dans ce cocon poisseux en vinyle, je me sens mieux ainsi. À l'inconfort physique, je préfère le sentiment d'être prêt moralement.

C'est la formule éprouvée après toutes ces années, après toute cette eau qui a passé sous la coque. Ma favorite du moins car, contrairement à Dominique, je n'arriverais pas à me réfugier dans la cabine avec les enfants. J'envie son calme dans ces situations ; je l'observe souvent qui arrive de dehors, dégoulinante d'embruns et de pluie, avec les écouteurs sur les oreilles. Elle allume la petite lampe de la table à cartes, enlève ses vêtements trempés, regarde sur l'écran du SatNav si un nouveau point est rentré. Si oui, elle l'inscrit sur la carte, éteint et s'en va plonger dans des draps secs, l'esprit plus tranquille que moi, c'est certain.

Mais elle a l'oreille fine : quand viendra mon tour de prendre la barre, je peux compter sur sa vitesse de réaction si jamais je réclame assistance. Pas de cris de guerre comme j'ai dû autrefois lancer à des équipiers au sommeil dur. Non, un simple appel suffit et elle se pointe aussitôt au pied de la descente. Souvent, le seul bruit du panneau que j'ouvre du dehors lui indique que quelque chose ne va pas. La nuit, afin de ne pas alerter les autres, j'arrive parfois à la réveiller avec le faisceau de la lampe de poche dirigé vers la tête de son lit. En soulevant le panneau depuis mon poste à la barre, j'ai son visage directement à portée.

Ce qui rend cette atmosphère de survie à l'intérieur plus ou moins pénible à supporter, c'est sa durée. Nous en sommes seulement au deuxième jour que déjà un certain nombre de situations nous échappent, comme ce fouillis de vêtements étalés un peu partout. On peut bien tenter de faire un peu d'ordre, mais, deux heures plus tard, le prochain à prendre son quart va de nouveau tout envoyer promener en cherchant son « accoutrement ». Le mot n'est pas trop fort pour décrire la bizarrerie de notre habillement.

Je parle de nos ensembles imperméables. Il y a l'ancien en vinyle jaune et le nouveau gris et rouge en Gore-Tex, acheté en Australie. L'âge ou la couleur n'a d'ailleurs aucune importance puisque les deux font eau de toutes parts. Dans un ultime effort pour retarder l'inondation, nous choisissons allègrement parmi ce qu'il y a de plus étanche ou de moins percé, de la veste ou du pantalon, en faisant fi des mariages de styles. Il n'est pas rare de se retrouver avec deux ou trois épaisseurs de ces tissus moisis ou éventés, et avec une grande serviette de bain enroulée autour du cou. Celle-là, au moins, nous réussissons à la tordre.

Le coin cuisine est désespérément vide, sombre. Personne n'a encore le goût de manger ; les liquides chauds conviennent pour le moment à faire descendre quelques biscuits salés ou sucrés. La flamme bleue du réchaud et l'odeur caractéristique du gaz qui se répand dans le bateau apporte un réconfort momentané. Cela nous fait penser à aérer un peu, mais il est presque impossible d'ouvrir les panneaux quand les vagues balaient continuellement le pont.

Les quarts de deux heures sont en quelque sorte une délivrance et je suis de l'avis de Dominique : heureusement, répète-t-elle à tout propos, que nous n'avons plus notre système de pilotage automatique et que nous devons barrer le bateau. Une fois dehors, le mauvais temps n'a plus la même allure ; on ne subit plus la mer comme lorsqu'on est confiné à l'intérieur. D'assiégé dans sa tour, on devient assaillant sur le dos d'un cheval fougueux.

À partir de là, nous sommes en pays de connaissance. Car ce mauvais temps, nous l'avons déjà rencontré ailleurs. Il nous ramène à certaines peurs déjà mâtées dans le Pacifique ou l'Atlantique Nord. Ces situations emmagasinées et classées dans la mémoire sont autant de tiroirs que l'on ouvre pour trouver le bon outil de référence. C'est ce qu'on appelle l'expérience. Et aucune police d'assurance n'apporte une telle sécurité.

Je pense qu'en huit ans, nous avons eu quelques bonnes occasions de roder notre machine. Notre sillage s'est allongé, nos premiers ronds dans l'eau ont pris de l'ampleur. Je frémis encore en me rappelant nos plus célèbres bourdes du temps jadis. Si le passé pouvait nous projeter tel quel aujourd'hui, les insulaires de l'océan Indien ne verraient de nous, au bout d'une semaine, qu'une grappe de squelettes accrochés à la barre d'un vaisseau fantôme.

Cette nuit, en descendant de mon quart à minuit, j'ai rabattu le capuchon de ma veste, rincé mes lunettes et mon visage de leur croûte salée. Quel bienfait immédiat ! On dirait que l'eau douce vous soulage d'une partie de la fatigue. Mais je restais malgré tout tendu, il fallait que je m'abandonne, que je réussisse à m'assoupir une vingtaine de minutes. J'ai pensé que l'instant était venu de m'ouvrir une bière. J'avais prémédité ce moment pendant deux heures, dehors, en fixant l'éclairage rouge du compas. Je me voyais comme de nombreuses fois auparavant, assis, les pieds allongés sur le coffre-moteur, la canette à la main.

Nous n'en avions qu'une, celle accrochée à la chaîne par les copains des Chagos. Dans l'état où je me trouvais, elle me ferait un bien immense. Je me suis laissé aller sur le dos, en pensant à Philippe Djian et à son roman, *37.2 °, le matin*. Une lecture à déconseiller si vous aimez la bière, s'il fait très chaud et que le prochain dépanneur est à l'autre bout du monde. J'avais bien mal choisi le moment pour lire ce livre dans un atoll inhabité. À court de canettes, je buvais de l'eau pendant que le personnage principal n'arrêtait pas d'ouvrir des frigos remplis de *six-packs* bien frais.

Jusqu'à maintenant, nous avons réussi à maintenir le bon cap, soit 213 au compas. Mais ce matin, troisième jour, nous ne faisons plus route vers Rodrigues car le vent a viré de quelques degrés vers le sud. Il souffle maintenant du sud-sud-est. Le bateau fonce dans la plume ; c'est de toute beauté. Je suis sorti tout à l'heure, après un bon café, et on s'est régalés tous les deux, Damien et moi. Le *p'tit torpinouche* aimait l'action et il en redemandait. Pendant une quinzaine de minutes, j'ai envoyé la voile d'étai. Elle s'ajoutait à la combinaison déjà en place : grand-voile à trois ris, foc numéro 2 et trinquette. La *V'limeuse* a décollé aussitôt comme si l'on venait d'écraser la pédale. On devait augmenter notre vitesse d'un nœud, ce qui est énorme quand on vient taper dans des collines. J'avais peur de briser quelque chose et nous avons abandonné la régate. Je tenais compte également de l'équipage à l'intérieur pour qui les chocs étaient plus durement ressentis. Nous avons réussi tout de même à aligner 140 milles en 24 heures avec si peu de surface de voile.

La quille se trouve en position médiane à l'heure actuelle, ce qui n'est pas l'idéal pour améliorer notre cap. Je devrais la descendre complètement, mais il y a longtemps que je ne risque plus cette opération, surtout dans ces conditions de mer. En pivotant vers le bas, le centre de dérive se déplace de plus d'un mètre vers l'avant et l'allure au près est meilleure. Mais en même temps, le lest d'environ quatre tonnes, qui avance lui aussi de façon significative, accentue le plongeon de l'étrave dans les vagues.

De plus, je n'ai pas une absolue confiance dans tout le système de vérins qui l'empêchent de prendre du jeu. Régulièrement, quand la mer est forte et que la quille commence à remuer dans son puits, je dois m'armer de la grosse clef à mollette et donner un tour supplémentaire ou deux aux quatre grosses vis de coinçage. Décidément, je me passerais parfois de cette source d'inquiétude et j'en viens à me demander si les avantages de ce choix de bateau font le poids avec les nombreux inconvénients.

Maintenant que la *V'limeuse* taille sa route au près de manière relativement confortable, un son nouveau vient troubler ma tranquillité d'esprit. Mon oreille, première alarme à bord, a déclenché l'alerte en enregistrant un cognement sourd dans les entrailles du bateau. Après vérification, cela ne provient pas du serrage de la quille. Je pense ensuite au safran. Ce dernier est équipé d'une dérive coulissante, mais s'il y avait problème de ce côté, le barreur le sentirait tout de suite. De quoi peut-il s'agir ? Le réservoir d'eau douce, situé tout à l'arrière, pourrait être à l'origine de cette énigme. Fabriqué en acier inoxydable et d'une capacité de 800 litres, nous l'avons équipé de cloisons internes, disposées en chicanes, afin d'éviter que cette tonne d'eau ne se déplace d'un seul coup dans les mouvements brusques du bateau. Des points de soudure ont peut-être lâché. Cette éventualité me soulagerait grandement, indication précieuse que ce n'est pas le bateau qui se disloque. Je vais écouter de près, j'attends la première embardée, mais rien ne se produit.

Tout ce temps, impuissant à découvrir la source du mystérieux bruit, j'ai l'impression de m'entendre répéter : « Connais-tu ton bateau aussi bien que tu le prétends ? Si oui, magne-toi, mon vieux ! Ne te fie plus à tes oreilles si elles n'arrivent plus à te renseigner, cherche avec tes yeux maintenant ! Tu dois trouver vite, c'est peut-être grave ! Retourne dehors... »

Je m'habille, sors sur le pont et me penche longuement par-dessus le balcon arrière. Mes yeux scrutent le bouillonnement d'eau autour du safran, une fois, deux fois, puis, dans un coup de roulis plus prononcé, l'une des deux dérives auxiliaires émerge, à moitié arrachée. C'était donc ça. À la fois soulagé et angoissé, je revis en une fraction de seconde la situation semblable qui s'est produite dans le Pacifique, entre la Polynésie française et les Tongas, en juin 1988.

Cette fois le travail dure une heure. Une heure pour enlever quatre goupilles minuscules, retirer les deux petits axes qu'elles sécurisaient et hisser sur le pont cet appendice maudit que j'aurais dû balancer à la flotte. Je me suis promis de supprimer celui qui reste, côté tribord, afin que pareille affaire ne se reproduise plus jamais. Un exercice trop dangereux à mon goût.

J'ai les deux bras comme de la guenille en ce moment, tellement ils ont fourni d'efforts. Ce bain forcé m'aura au moins ravigoté, et décrassé. Pour le reste de l'équipage, l'incident a eu l'effet d'un électrochoc. Tout le monde est debout maintenant et... ils ont faim, tout à coup, après bientôt cinq jours. Ils réclament quelque chose de chaud, mais personne, à part moi, n'a encore le cœur assez bien accroché pour s'atteler au fourneau. Je reconnais que la tâche n'est pas facile, j'aurais besoin de quatre mains pour réussir une simple casserole de riz. J'y parviens tout de même et les jumelles essaient d'en avaler un peu, mais ça ne veut pas descendre.

Nous les forçons presque à s'habiller et à sortir. Il est temps que leur moral prenne l'air.

La mer est toujours mauvaise, mais le vent repasse plus à l'est et nous pouvons, les jours suivants, reprendre un cap qui nous fera toucher l'île. Cette nouvelle nous fait du bien. Patrick et Nicole, sur *Mamaru*, aux Chagos, nous racontaient leur déception quand ils avaient dû renoncer à Rodrigues, quelques années plus tôt, incapables de remonter assez au près et peu enclins à vouloir tirer des bords par 35 nœuds de vent.

Une mauvaise vague, au soir du septième jour, fait basculer une pleine marmite d'eau bouillante alors que Dominique et Évangéline s'affairent à préparer un spaghetti. Évangéline en reçoit une partie sur le haut des cuisses, mais, heureusement, les brûlures ne sont pas graves.

Nous connaissons quelques belles nuits vers la fin du voyage et au petit matin du huitième jour, vers 8 heures, nous sommes à 80 milles du but. Le délai avant l'obscurité nous semble un peu juste. Dominique propose qu'on se rapproche en prenant notre temps et qu'on mette en panne à 20 ou 25 milles de l'île, attendant le lendemain matin pour prendre la passe qui n'est pas indiquée par des balises lumineuses.

Ma foi, oui, c'est la fin de cette fichue dépression. Le soleil se met à resplendir, le vent passe progressivement sur le travers et devient une belle brise régulière. La mer s'aplatit. Nous abattons même de quelques degrés car, pour compenser une possible dérive lorsque nous marchions au près, Dominique avait calculé un cap très conservateur.

Je hisse de la toile. L'allure au travers est la plus merveilleuse pour une goélette, celle qui donne toute la puissance au jeu complet des cinq voiles. Le loch est en panne, mais l'hélice qui tourne en permanence, moteur ou pas, possède différents niveaux sonores qui nous disent avec assez de précision à quelle vitesse nous filons. Les points du SatNav permettent aussi de la vérifier : moyenne de 8,5 nœuds. La barre est dure, mais notre enthousiasme nous donne des forces à revendre. La possibilité que nous puissions dormir à quai ce soir s'avère plus que probable si le vent ne nous lâche pas.

À midi, nous apercevons l'île à environ 35 milles. C'est dire l'excellente visibilité puisque la carte indique une élévation maximum de 396 mètres. Nous la voyons grossir à vue d'œil en calculant fébrilement ce qui nous reste à parcourir.

C'est la plus belle journée de voile de notre vie. La *V'limeuse* s'ébroue les ailes, les panneaux s'ouvrent, le soleil pénètre partout. Nous ressuscitons après ce long calvaire.

À 5 heures, nous enfilons la passe et tâtonnons un peu en cherchant le chenal. Un bateau de pêche s'amène du large, s'approche et s'offre pour nous guider. Il ne reste qu'à le suivre dans la brunante jusqu'au quai de Port Mathurin.

Port Mathurin... Avec un nom pareil, si vieux jeu et bucolique, on croirait être arrivés au royaume des *chaises berçantes*.

Évangéline

20 juin 1990, île Rodrigues

Nous nous sommes mis à quai et environ dix minutes plus tard, les messieurs de la douane et de la santé sont venus à bord. Il faisait déjà noir. Ils ont été très gentils. Ici, à Rodrigues, tu peux rester très facilement un mois, tu peux rester plus longtemps si tu veux mais il faut remplir des papiers un peu plus compliqués. Bon, nous, y a pas de problème car on pense passer quinze jours à trois semaines.

La tragédie est arrivée quand ils sont partis : Aïe ! Aïe ! Aïe ! je ne peux pas m'empêcher de pouffer juste à y penser, mais ce n'était pas très drôle.

La *V'limeuse* est à quai comme vous le savez et là, c'était marée basse, donc nous étions au moins deux mètres plus bas et il n'y avait pas d'échelle. Le gars de la santé n'a pas eu de problème à monter, alors il a donné la main au mec de la douane qui, lui, est « légèrement plus enrobé ». En voulant s'aider, La Douane a mis le pied sur le dessus d'un chandelier mais, vu son poids, le chandelier a plié, ce qui a fait tomber La Douane à l'eau en emportant La Santé avec lui et en accrochant les lunettes de Carl qui lui poussait le derrière. Bref, le bordel total.

149

Autre malchance, La Santé ne savait pas nager et il criait au secours. Tout le monde lui disait de s'accrocher aux gros boudins de caoutchouc du quai qui servent de défenses pour les navires, mais, manque de pot, il ne pouvait pas les remarquer, car il avait perdu ses lunettes lui aussi. La Douane, lui, faisait la planche sans s'énerver. C'est vrai que les gros flottent mieux. Après cinq ou six minutes, on a réussi à les ressortir d'entre le bateau et le quai.

La Douane n'a rien eu, sinon un mal de bras, mais La Santé, lui, c'est plus grave. Il s'est écrasé le nez quelque part et il s'est fait très mal au dos. Il a pris l'avion pour l'hôpital de l'île Maurice. Quelqu'un va venir plonger, paraît-il, pour tenter de retrouver les deux paires de lunettes qui sont par 7 à 8 mètres de fond. Sinon, nous sommes très heureux d'être enfin arrivés à RODRIGUES. Youppi !

Ma version (C.)

Même si le style et les termes qu'utilise Évangéline confèrent à son récit une saveur de fable amusante, l'incident n'en demeure pas moins très sérieux. Sans vouloir dramatiser le moins du monde, je peux certifier que le plongeon de l'agent de la santé aurait pu lui être fatal. Il a été tiré par son confrère douanier avec une telle force qu'un peu plus il sortait de ses souliers avant de quitter le quai tête première et atteindre l'eau, trois mètres plus bas. Ses chances de passer entre le bateau et le quai, un écart d'au plus 50 centimètres, étaient d'ailleurs pratiquement nulles.

En accéléré, j'ai senti un vif et violent passage de corps entremêlés et, une fraction de seconde plus tard, ils frappaient tous deux la surface de l'eau. Je venais de me faire briser deux orteils, mais je n'avais éprouvé aucune douleur.

Au ralenti, j'arriverais peut-être à décrire la scène de la façon suivante : je me débattais de mon côté avec le douanier qui, après s'être élancé comme un éléphant, avait perdu l'équilibre et tentait le tout pour le tout en pédalant dans le vide. Il avait déjà empoigné cette main tendue de là-haut, mais cela ne lui suffisait pas, il cherchait à s'agripper avec l'autre et j'étais à sa portée. Faute de m'attraper par le cou, il partit avec mes lunettes, m'écrasa un pied et s'éclipsa enfin pour un bain nocturne.

En plongeant derrière son collègue, le type de la santé s'est probablement abattu sur lui, et c'est ce qui l'a sauvé. Si sa chute n'avait pas été amortie, il serait venu sans aucun doute s'ouvrir le crâne sur le plat-bord du pont. Heureusement aussi que dans sa délicate tentative pour s'envoler vers le quai, notre gazelle en grossesse avancée avait éloigné davantage le bateau du mur de béton. Cet écart permit à l'autre de passer sans avoir à rebondir sur la coque avant de couler à pic.

J'ai réalisé seulement le lendemain matin que cette affaire pourrait avoir des suites, lorsque deux policiers sont venus prendre ma version des faits. Ils ont examiné le chandelier tordu, soumis les autres à des petits tests de solidité, etc. Étais-je assuré ? Il m'a semblé qu'ils cherchaient à obtenir cette information avant d'entamer des poursuites. Je leur répondis clairement que je ne possédais aucune espèce d'assurance ni pour la propriété ni pour la responsabilité civile.

Il est vrai que j'avais une part de responsabilité dans cette malheureuse affaire. Au moment où le douanier s'apprêtait à rejoindre son confrère sur le quai, il m'a bel et bien demandé s'il pouvait prendre appui sur le petit tube métallique de la rambarde. Je dois préciser que, plus que « légèrement enrobé » comme le décrit Évangéline, notre homme était passablement balèze, ce qui aurait dû m'inviter à la prudence. Mais encore là, je n'avais pas raison de me méfier : ces chandeliers ont servi des centaines de fois d'escaliers de fortune dans pareilles occasions et ils peuvent supporter énormément si on ne fait que se hisser dessus. Mon erreur fut de ne pas présumer qu'il s'en servirait comme d'un cale-pied pour se propulser vers le quai... avec le résultat que l'on connaît.

Bref, si les autorités du port voulaient m'accuser de quoi que ce soit, je ne manquerais pas de riposter en les blâmant pour l'absence d'échelons à leurs quais. J'étais décidé à ne pas prendre tous les torts.

Les policiers sont repartis et je n'en ai plus jamais entendu parler. Mais j'imagine un peu la tournure qu'aurait pu prendre cette affaire si j'avais été « couvert », comme on dit.

En conclusion et dans la mesure où nous sommes seuls responsables de nos actes, il est toujours préférable d'être prudents plutôt que de compter sur ses assurances. L'argent dédommage, mais ne corrige pas une infirmité ni ne remplace la vie.

L'île au trésor (C.)

Serions-nous arrêtés ici, à Rodrigues, aurions-nous seulement aperçu cette chiure de mouche sur la carte du monde si, un jour, dans une librairie de Papeete, l'écrivain français J.M.G. Le Clézio ne m'en avait révélé l'existence ? Nous étions en novembre 1986, son dernier ouvrage venait de paraître et il s'intitulait *Voyage à Rodrigues*. Le titre m'intriguait : quel était ce nom, un pays fictif ou réel ? J'ai lu la présentation de l'éditeur sur la couverture arrière :

« En écrivant son roman *Le chercheur d'or*, Le Clézio s'était inspiré d'aventures vécues par son grand-père. Dans ce Journal, Le Clézio raconte son voyage à Rodrigues sur les traces de son grand-père et de la légende qu'il a laissée. »

Suit un court extrait de l'ouvrage :

« Ai-je vraiment cherché quelque chose ? J'ai bien sûr soulevé quelques pierres, sondé la base de la falaise ouest, à l'aplomb des cavernes que j'ai repérées à mon arrivée dans l'Anse aux Anglais. (...) Quand je suis entré pour la première fois dans le ravin, j'ai compris que ce n'était pas l'or que je cherchais, mais une ombre, quelque chose comme un souvenir, un désir. »

Rodrigues existait bel et bien, mais j'ignorais encore, en emportant le livre avec moi, où situer ce lieu sur la mappemonde.

Cette lecture passionnante m'apprit qu'il s'agissait d'une île de l'océan Indien. Elle se mit alors à briller comme une étoile et, à la fin, me guida jusqu'ici.

Le trésor que le grand-père de Le Clézio chercha pendant presque trente ans, de 1902 à 1930, a-t-il vraiment existé ? On voudrait le croire, tellement Le Clézio trace de son aïeul le portrait d'un homme infiniment rigoureux et méthodique, plus géomètre qu'aventurier.

Cet homme, à la fin du dix-neuvième siècle, habite l'île Maurice où il met la main sur « un document provenant du Capitaine Albert (qui, précise mon grand-père, l'aurait dérobé à un notaire des Seychelles) – document identique à celui figurant dans la collection du Corsaire Nageon de l'Estang. »

En étudiant ce croquis, le grand-père est frappé par l'étrange ressemblance de « l'île au trésor » avec Rodrigues. Il note que : « l'orientation, la forme d'ensemble et les points saillants des côtes sont autant de preuves que l'île décrite à grands traits par le plan est bien Rodrigues. Le pointillé indiquant la courbure des récifs au N.E. est la reproduction exacte de la rade et de la passe du Port Mathurin (...) »

Le Clézio écrit plus loin : « C'est ce plan, ou plutôt cette grille, où figurent un ruisseau coulant du sud vers le nord, et le tracé d'une côte marécageuse où marne la mer, qui fut l'amorce véritable de la recherche passionnée de mon grand-père, parce qu'il montrait la présence d'une intelligence (la géométrie comme premier langage) et d'une volonté humaine, auxquelles il pouvait lui-même se mesurer... »

Ce n'est pas seulement parce qu'il trouve ce document exceptionnel que le grand-père se met à échafauder les rêves les plus fous. Il a toutes les raisons de croire, en examinant l'histoire de la piraterie dans cette portion de l'océan Indien à partir de la fin du dix-septième siècle, que les probabilités d'y découvrir un trésor ne sont pas que légende. Des abordages célèbres ont réellement existé, mais le sort fait à ces fabuleux butins n'a jamais été éclairci. Tel celui que l'un des plus notoires pilleurs de la mer des Indes, le pirate Avéry, aurait accompli en capturant le vaisseau du Grand Moghol qui se rendait à La Mecque avec sa suite et qui transportait la dot de sa fille, soit des richesses évaluées à plus d'un million de livres sterling. Alors, poursuit Le Clézio en se référant à Charles Johnson dans *History of Pyrates* : « il (Avéry) épousa la fille du Moghol Aurangzeb, puis fit route vers Madagascar et bientôt abandonna son navire et son équipage et sans doute son trésor (caché dans quelque île), pour se rendre à Boston, aux Amériques, où il vécut quelque temps avant de retourner mourir dans la misère à Bristol. »

Des pages entières du livre sont consacrées à ces cryptogrammes que le grand-père a déchiffrés et transposés sur le terrain durant des années. Rien n'est ménagé pour séduire le lecteur et lui faire partager cette fièvre intense. À tel point que progressivement, la perfection de l'énigme devient plus significative que la recherche du trésor elle-même.

Le livre terminé, la valeur de toute cette histoire s'est encore transformée au gré des pages : elle est devenue le rêve impossible d'un homme, un mystère de l'espèce humaine que le petit-fils interprète magnifiquement avec toute l'habilité de sa plume. L'on comprend surtout, en toile de fond toujours présente, qu'il n'y a pas d'autre endroit au monde où cette quête ensorcelée du grand-père aurait pu prendre une telle dimension. Voici ce qu'il raconte en parlant de Rodrigues :

« Il y a ici une impression de lenteur, d'éloignement, d'étrangeté au monde ordinaire des hommes (...) et qui fait penser à l'éternité, à l'infini. J'ai senti cela dès que je suis arrivé dans l'île : (...) Quelque chose que je ne comprenais pas bien et qui m'électrisait, emplissait mon corps et mon esprit, une lumière qui me gonflait, me nourrissait. (...) J'ai senti que j'étais dans un lieu exceptionnel, que j'étais arrivé au bout d'un voyage, à l'endroit où je devais depuis toujours venir. »

Quand j'ai lu ces lignes pour la première fois, à Tahiti, je ne pouvais mesurer, comme en ce moment, toute la poésie infiniment précise et juste dont s'est servi Le Clézio pour dépeindre cet univers qu'il compare à « un radeau perdu au milieu de l'océan, (une île) balayée par les intempéries, incendiée, lavée. (...) L'île était autrefois couverte de forêts. (...) Ce sont les hommes qui l'ont transformée en un tel désert, peut-être ces pêcheurs de baleine américains qui, dans leur chasse aux grands cétacés, s'arrêtaient pour y faire provision de bois à brûler. Maintenant, Rodrigues est ce rocher désert, usé, brûlé, qui expulse les hommes. La pauvreté, la faim, la soif font la vie difficile. Seuls s'accrochent sur l'île les plus misérables, ceux qui n'ont rien à perdre : fermiers noirs vivant au fond des ravins avec leurs cabris, leurs porcs, et quelques arpents de maïs et de fèves. »

Certains visiteurs ne perçoivent que ce premier niveau de la réalité et repartent, déçus. Je pense en souriant à ce bateau australien qui était là depuis deux jours à notre arrivée et en avait déjà terminé avec l'île : « *There's nothing here, just hills* », m'a répondu le skipper à qui je demandais ses impressions. Ce gars-là avait peut-être un problème de langue, donc de communication avec la population créole française, mais cela n'excuse pas une vision parfois courte de l'esprit.

En un sens, sa réponse défavorable me réconforta. Tant mieux, me disais-je, le cachet de l'île ne sera que mieux préservé de cette race de visiteurs.

J'avais obtenu exactement ce genre de remarque, il y a presque vingt ans, sur la Basse-Côte-Nord du Québec à propos d'un petit village de pêche où je pensais m'arrêter. J'étais monté à Sept-îles à bord du *Fort Mingan*, le caboteur de l'époque, et ne sachant où débarquer, je m'étais adressé au contrôleur pour qu'il me conseille. Il commença par me vanter Natashquan, une valeur sûre, parce que tout le monde s'y arrêtait. Je n'avais rien contre le lieu de naissance de Gilles Vigneault, bien au contraire, mais malheureusement mon plaisir de la découverte procède à l'inverse de la popularité d'un endroit. Il devait bien se trouver, me disais-je, entre Havre-Saint-Pierre et Blanc-Sablon, parmi cette liste de jolis noms tel Kégaska, Baie des Moutons, La Tabatière, Tête-à-la-Baleine, Vieux-Fort, un village dont le secret se laisserait cerner par quelques rares promeneurs.

Mais le contrôleur ne voyait pas les choses sous cet angle : nous approchions de Tête-à-la-Baleine et il m'en fit une description si négative que je le soupçonnai d'être une pauvre type... et j'avais vu juste. La beauté du village n'était pas apparente ; elle se trouvait d'abord chez les gens, puis dans les quelques îles au large où les pêcheurs possèdent leur seconde maison. L'île de la Providence reste pour moi, depuis ce jour, une trouvaille de mon cru.

Cette anecdote est la preuve que des trésors sont cachés un peu partout dans le monde et qu'il demeure toujours possible de les découvrir, pour peu que l'on veuille chercher au-delà des apparences.

Plus les jours passent ici, à Rodrigues, plus nous croyons maintenant avoir décelé le filon d'or le plus important de notre voyage. Et si on regarde le cheminement de nos vies qui nous a amenés jusqu'au bateau et à la mer, et ensuite jusqu'ici, on peut faire le parallèle suivant : ce ne fut pas sans peine non plus que nous avons creusé toutes ces années, avant que le pic de notre étrave ne vienne toucher un coffre.

Ouvrons-le ensemble.

La clef (C.)

Tapie contre le quai, la *V'limeuse* ressemble à un gros félin qui se repaît après une chasse fructueuse. La jungle qu'elle vient de franchir héroïquement au cours des douze cents derniers milles lui fait un panache du diable. Un peu plus et je lui passerais la main sur le dos : « Bonne bête, va ! Et bravo pour la série de mornifles infligées à cette meute de molosses qui se disputaient nos fonds de culottes ! »

Et si un amateur de gueules carnassières avait besoin de plus amples présentations : « Oui, mon cher monsieur, ça vous a de l'animal sauvage dans le corps, ce bateau-là, pis en même temps c'est joueur et doux avec les enfants qui sont toujours après elle, comme s'ils étaient ses propres chiots. Elle leur mange bien un jouet ou une sandale de temps à autre, mais, là-dessus, rien à faire pour la corriger ; on dirait qu'elle s'en prend à nos chaussures en représailles de nos marches à pied. Sur ce point, elle est pire qu'une femme jalouse pour qui les routes risqueraient de ne plus nous ramener vers elle. »

Accoudé non loin de là, je savoure moi aussi la tranquillité du port. En même temps, je me laisse envahir doucement ; ces traversées mouvementées creusent immanquablement chez moi un vaste cratère où se forme, dans les moments et les jours qui suivent l'arrivée, comme un miroir d'eau cristalline, bienfaisante. Le volcan a cessé de cracher. Terminée, la visite au fin fond de mes entrailles !

Imperceptiblement aussi, j'ai conscience que nous sommes rendus très très loin, aux confins de la simplicité, du parfait dénuement. Le voyage, qui approche bientôt la quatrième année, nous a débarrassés du superflu. Et au moment où nous atteignons le sommet de cette courbe de légèreté, voilà qu'apparaît ce joyau de terre qui pourrait être la grande surprise de ce voyage. On en fait même une blague en pensant à la tête des gens à qui nous dirions, non pas que nous revenons d'un tour du monde, mais que nous étions simplement partis pour Rodrigues.

« Où ça ? », « Comment était-ce ? », demanderont-ils, anticipant peut-être la description époustouflante d'un paradis oublié des agences de voyages. Il ne sera pas facile de leur expliquer que la moitié du merveilleux, découvert là-bas, se trouvait dans l'île et que l'autre partie était en nous, cela dit sans prétention. Notre bien-être, ce sentiment de délivrance que nous portons depuis nos premières navigations, s'est épanoui là-bas, comme par enchantement.

Rodrigues possède le coffre ; ça tombe bien, nous avons la clef. La vie est belle et je l'aime surtout quand elle se présente de cette façon, lorsqu'elle surgit de la mer comme une terre désirée.

Oui, plus j'y pense, plus j'associe la vie à la navigation à voile, à ce bateau et à cette petite famille que nous sommes. La voile procure cet effet d'éloignement, nous emporte plus loin que les avions, automobiles, pédalos et autres « missiles » du genre. La magie est sans doute là, dans le nombre d'années qu'il faut mettre pour arriver quelque part. Dans ce sens, Rodrigues est une planète perdue pour le reste du monde.

L'isolement aussi que nous vivons au large, par doses successives, expliquerait ce phénomène d'attirance vers les gens. À notre grand bonheur, il opère également ici dans l'autre sens. Les Rodriguais sont aussi friands de rencontres que nous.

Mon bien-être est étroitement lié à la température. En ce moment, début juillet, donc en plein hiver austral, le soufﬂe musclé des alizés atténue passablement la puissance du soleil. Les nuits sont fraîches, personne ne dort dans le cockpit ces temps-ci.

Si l'on parle de dérive douce pour Dominique et moi, il n'en va pas de même pour les plus jeunes pour qui c'est la récréation effrénée. L'atmosphère paisible de ce gros village portuaire, ajoutée à cette sensation de liberté totale qu'offre un quai, leur permet d'aller et venir à leur gré, ou de disparaître des journées entières dans la mesure où nous les savons invités quelque part. Les occasions ne manquent pas, mais ils ont des préférences. Cela tient généralement à ce qu'il leur manque le plus au monde : la compagnie d'enfants de leur âge et, suprême gâterie, quand tous sont fatigués de jouer, la possibilité de venir s'asseoir tranquillement et de regarder des vidéos dans un salon. Évangéline a vite ﬂairé la bibliothèque et s'est fait copine avec celle qui y travaille.

Sitôt arrivés, nous avons repris nos éternelles balades à pied. Rodrigues est presque ronde, six milles par huit environ, et parfaite pour multiplier les boucles d'une dizaine de kilomètres par jour. Il y a quelques routes principales, bien sûr, mais la plus large portion du territoire n'offre qu'un réseau de petits chemins de terre et de sentiers, empruntés quotidiennement par l'ensemble de la population créole pour aller et venir de leurs modestes cases.

Les paysages grandioses, comme aux Marquises, ont tendance à reléguer au second plan les populations qui vivent dans leur aura. Rien de tel ici. C'est un univers familial, dominé par la douceur des collines et enveloppé avec délicatesse par la lumière turquoise qui monte du lagon. Ces cases créoles, sans grâce si elles étaient transportées dans un bidonville, me paraissent ici harmonieuses, équilibrées dans ce décor parcimonieux qui laisse toute la place au spectacle de la mer.

Cette immensité, pour peu qu'on la fixe, vous entraîne invariablement vers le large, vers la lumière lointaine et évanescente qui rend l'horizon vertigineux. Est-ce cela, l'envoûtement dont parle Le Clézio ? Il y a le vent aussi qui ajoute à l'ensemble une touche majestueuse. Le regard se gonfle sous tant de puissance et s'en va dépasser les limites habituelles de sa perception du monde.

En allant notre petit bonhomme de chemin par monts et par vaux, d'éloquentes leçons se dressent sur notre passage pour nos élèves en herbe. D'abord, il y a toujours les exercices photos où tous, comme une bande d'écureuils, font provisions d'images pour les années futures. Les jolis points de vue ne manquent pas, mais les occasions de saisir les personnages sont encore plus fantastiques. Tout l'art est dans l'approche des gens et ils se contentent pour cette leçon difficile d'observer ma façon de faire.

Et mine de rien parfois, on philosophe un peu sur la vie, assis sur les hauteurs en faisant la pause-chocolat. L'argent, le bonheur, le dénuement sont des sujets que nous abordons souvent ces derniers temps. Et pour cause, car beaucoup d'idées reçues sur la richesse ou la pauvreté, par exemple, viennent nous chatouiller dans ce contexte. L'on commence généralement par s'extasier face au paysage, et au bout d'un moment de réflexion, quelqu'un lance une balle, comme aujourd'hui, sur les hauteurs de Port-Sud-Est.

– Quelle température incroyable ! dis-je pour la dixième fois depuis ce matin.

– Oui, soupire Dominique. Un beau soleil, une bonne brise et, pas besoin de chercher plus loin, ma foi, c'est beau tout court. Moi, des cochons, des poules, des chèvres autour de gentilles petites cabanes, je trouve ça reposant, comme un grand livre d'images qu'on se plaît à regarder quand on est enfant.

— C'est en plein ça : on se plaît à regarder, comme tu dis. Et pour moi, ça signifie qu'on ne compare pas. Pas de *plus beau* ou de *moins joli* que... Ces cabanes de tôle que nous apercevons un peu partout, si on les comparait à l'idée que la plupart des gens se font d'une maison convenable, on arriverait à la fausse conclusion que les Rodriguais sont pauvres.

— Rappelez-vous, les enfants, au début du voyage, rajoute Dominique, quand on voyait des poules et des cochons courir en toute liberté dans les rues ou autour des maisons. La première réaction, c'était de trouver ça bizarre : pourquoi les gens ne les enferment-ils pas dans des enclos comme chez nous ?

— Ensuite on s'habitue à voir des choses différentes, dis-je. On comprend qu'il n'y a pas qu'une seule manière de vivre, celle de notre petit patelin.

— Et on ne conclut pas bêtement qu'un mignon petit cochon qui fouine au milieu des enfants, reprend Dominique, c'est parce que le paysan n'a pas les moyens de lui faire un parc.

— Je ne vois pas de misère ici, ni de raisons valables pour plaindre ces gens, pas même ceux qui tantôt cassaient de la pierre.

Effectivement, nous nous sommes arrêtés un moment pour observer cette scène, un peu saisissante d'abord, ensuite très belle. L'homme et la femme, assis en tailleur l'un en face de l'autre, faisaient patiemment avec leur seul marteau ce que les concasseurs accomplissent en quelques secondes. Le tas de gravillons était impressionnant si on le mesurait en journées de labeur. Nous les observions avec des sentiments tendres, presque de pitié...

Ces gens là n'étaient pas malheureux. Pas plus que nous l'étions, nous, à tracer parfois laborieusement notre route depuis des années, à accumuler sagement nos petits tas de pierres en faisant éclater la vague dans les vents contraires.

Nous ne sillonnons pas l'île dans le but de faire des classes vertes. Nous laissons les événements parler d'eux-mêmes, les occasions se présenter.

Irelda et Alex Vieillesse, à la Montagne Fanal, ne savent plus quoi nous offrir ce jour-là pour nous retenir sous leur toit. Nous n'avons plus faim, ni soif, et ils ne peuvent concevoir que notre chance se limite à être parmi eux. Nous devons promettre de revenir car cette fois au moins ils auront le temps d'imaginer d'autres façons de nous faire plaisir.

Comme convenu, la fête a lieu avec beaucoup de parenté venue des cases avoisinantes. En se quittant en fin de soirée, dans cet échange de bises et d'accolades, les différences de sexe disparaissent et je reçois sur la bouche le même témoignage de tendresse de la part des hommes.

On nous fait les grands honneurs aussi chez Basile Castel, connu par l'entremise de son gendre Ali Atchia, originaire de Maurice, qui a d'abord aperçu notre bateau à quai. Chacun de nous a droit à un cadeau, mais le premier prix va à Évangéline que les femmes de la maison enlèvent et font réapparaître, dix minutes plus tard, toute transformée dans sa petite robe rose. Même un peu commandée, sa grâce est telle que nous croyons un instant nous être complètement fourvoyés dans l'éducation de notre fille de 14 ans. Serait-elle plus heureuse à vivre ainsi au ras des pâquerettes ?

Damien, toujours passionné de pêche, vient de monter en grade. Il s'embarque régulièrement sur un bateau et passe ses nuits au large, assez loin ma foi, entre 30 et 50 milles des côtes, pour qu'on s'inquiète certaines nuits où l'on entend le vent rugir au-dessus de l'île. Cette invitation qui vient du capitaine ne semble pas faire l'unanimité parmi le reste de l'équipage. Un semblant de boycottage qui est d'ailleurs de courte durée. Tous se rendent rapidement compte que Damien n'a rien du gamin qui vient emmerder le monde en s'offrant quelques plaisants souvenirs de voyage. Ils comprennent enfin que ce petit homme de 11 ans attrape du poisson pour l'amour du métier et non pour rafler, sous leur nez, des prises destinées à notre table. À la fin, regrettant sans doute leur attitude du début, ils doivent presque l'obliger à nous rapporter quelque chose.

Et coïncidence, puisque l'on nage en plein sujet, il y a ici Jean-Marie Maillard, coopérant français de Cancal, ex-patron de pêche, qui leur enseigne les différentes techniques de capture. Il était sur le quai à notre arrivée et a remarqué notre pavillon québécois. Depuis ce jour, il passe régulièrement faire un brin de *jasette* en nous communiquant les dernières nouvelles sur le débat en cours entre Bourassa et Mulroney. Nous sommes, je le rappelle, en juillet 1990, peu après l'échec de l'accord du Lac Meech. Jean-Marie suit l'affaire à la radio internationale et semble prendre l'enjeu très au sérieux, surtout depuis que notre premier ministre-caméléon a revêtu, paraît-il, la chemise de l'autonomiste, voire du nationaliste.

160

– Pauvre Jean-Marie ! lui dis-je. Toi, quand tu nous fais monter dans ta camionnette, tu sais où tu nous conduis. Tu nous transportes quelque part dans l'île et nous trouvons cela très gentil. Bourassa, lui, essaie d'embarquer les Québécois, mais il n'a jamais rien conduit de sa vie, pas même le panier d'épicerie au supermarché. On dit alors chez nous que quelqu'un nous charrie... vers nulle part.

Bientôt trois semaines ici et nous sommes toujours l'unique bateau visiteur. On ne s'en plaint pas outre mesure. La présence d'autres yachts, spécialement attirants pour les enfants, risque toujours d'accaparer une trop grande part de leur attention. S'ils ont plein d'amis chez les autres équipages, chercheront-ils autant les occasions de créer des liens parmi la population ? Jusqu'ici nous avons su leur éviter ce piège sans pour autant les priver de ce juste penchant que nous possédons tous, à des degrés divers, pour les complices de voyage. À ce propos, où sont passés nos voisins de mouillage aux Chagos, *Oumâ* et *Floros* qui devaient quitter l'atoll de Salomon trois ou quatre jours plus tard et nous rejoindre ici ? Ils ont dû poursuivre leur route vers l'île Maurice ou la Réunion.

Un autre bateau toutefois, celui-là d'une espèce différente, a fait dernièrement son apparition dans le port. C'est le *Marco Polo*, une sorte d'abominable usine montée sur une barge géante qui arrive de Singapour pour draguer le chenal et le port et, à mon humble avis, défigurer à tout jamais le visage de Rodrigues. Oui, l'île perdue, comme je me plais à dire dans ma vision étriquée du monde, saura accueillir de plus grands navires qui vont inaugurer très bientôt, dit-on, un service de va-et-vient croissant avec l'île Maurice.

Nous assistons à la mise en place de tout un réseau de pipelines qui doit cracher à des kilomètres plus loin les centaines de milliers de tonnes de corail que le monstre *grugeur* va aspirer et détruire.

On n'arrête pas le progrès. Cependant, je ne m'attendais nullement au remplissage systématique de deux magnifiques anses. Les mots me manquent pour décrire dans mon journal de bord ce que je viens de voir à l'instant à la baie aux Huîtres. On essaie avec l'âge de faire la part des choses avant de monter aux barricades, mais dans ce cas-ci, hors de tout doute, c'est un véritable carnage écologique. Les bulldozers font du terrassement là où, hier, les pêcheurs ancraient leur barque.

Je me demande combien de temps encore je vais me croiser les bras devant de semblables scènes de folie furieuse. Mon manque de courage me déçoit. Je pourrais retrouver vite mon côté révolutionnaire. J'irais, à la manière des commandos de Greenpeace ou de Sea Shepard's, ancrer la *V'limeuse* dans les pattes de la drague en faisant tout un boucan pour tenter d'alerter l'opinion mondiale.

Pour l'instant, nous n'avons qu'une seule consolation, celle d'avoir été sur place au tournant majeur de la tranquille histoire de l'île Rodrigues.

Flores, le cotre suisse, se pointe alors que nous nous préparons à partir. Une surprise, puisque nous le croyions rendu à Maurice. Les copains français sur *Oumâ*, quant à eux, ont décidé de prolonger leur séjour aux Chagos jusqu'à la fin août. Il paraît aussi que les militaires de la base américaine de Diego Garcia, dont nous attendions la visite avant de quitter les Chagos, sont arrivés le lendemain de notre départ avec pommes de terre, oignons, beurre, cannettes de boissons gazeuses et autres gâteries pour camoufler sous tant de bonhomie leur visite de contrôle. Je suis content de ne pas avoir eu affaire à ces cow-boys arrogants qui font un peu partout les gendarmes. Aucun yacht de Salomon, à ce que je sache, ne leur a recraché leurs bonbons au visage.

Alfred et ses équipiers ont fait une traversée qui n'a eu rien à voir avec la nôtre : des vents faibles et 250 milles de moteur. Leur mauvais temps se situe à un autre niveau. Ils sont tous trois extrêmement sympathiques et je m'explique mal cette tension qui règne à bord. Mais forcément on finit par prendre parti, non contre des individus, mais contre des situations qui sont toujours à craindre dès le départ : comme le risque que deux équipiers se liguent contre le troisième, surtout lorsqu'il s'agit du jeune couple amoureux dans un coin, et du célibataire endurci de l'autre côté du ring.

Le 20 juillet, la ligne de départ pour Maurice est en vue ; peut-être demain. En attendant, les présents nous arrivent des quatre coins de l'île. L'épicier de Mont Lubin vient tout juste de porter des chapeaux de paille pour les enfants et un beau panier pour Dominique. Nous nous voyons offrir également une généreuse provision de limons confits, l'un des assaisonnements typiques de l'île qui hantera longtemps les enfants : « Devinez ce que j'ai mis dans le riz ? » les narguerai-je pour au moins les deux années à venir.

— Ah, non ! Pas encore des limons confits !

— Oui, mais j'ai aussi ajouté autre chose qui devrait rehausser cette saveur authentiquement créole !

En vain, tout cet amour que je mets à leur préparer la cuisine ne suffira jamais à effacer, pour eux, le goût spécial de ce condiment.

Pêcher la nuit   (Damien)
(texte écrit au retour au Québec)

Quand je me revois au petit matin quitter le port de l'île Rodrigues à bord d'un bateau de pêche, c'était comme si je partais dans un autre monde, un monde plus calme et très excitant pour moi.

Le capitaine Salomon me disait : « Damien, veux-tu barrer le bateau, il faut que j'aille préparer mes lignes. » Et je lui répondais : « Bien sûr », heureux de pouvoir rendre service.

Nous partions vers 5 heures de l'après-midi, pour aller à trente ou 40 milles au large sur les hauts-fonds. Une fois rendus là, nous arrêtions le moteur et le bateau dérivait doucement. Alors c'est là que l'action commençait. On laissait tomber nos lignes jusqu'au fond, à environ 35 mètres. Nous pêchions comme ça toute la nuit et le lendemain on rentrait au port, des fois le bateau plein de poissons : requins, mérous, becs-de-canne, thons, tazars, rougets, etc.

Nous étions quatre avec moi sur le bateau. Je m'entendais très bien avec le capitaine et l'un des pêcheurs. Nous parlions souvent de toutes sortes de choses. Ils me montraient leur façon de pêcher et moi je leur racontais la vie à bord d'un bateau à voile avec trois sœurs et mes parents. La nuit, quand nous pêchions en buvant du café pour nous tenir réveillés, je trouvais que c'était vraiment unique ce que j'étais en train de vivre, tout seul à bord d'un bateau, entouré de Rodriguais tous aussi gentils les uns que les autres.

Une fois, c'était moins drôle, j'ai cru qu'on ne reviendrait jamais au port. Nous étions partis le matin avec un ciel nuageux. Puis en fin de journée, à mesure que le soleil baissait, le vent et la mer empiraient. La nuit fut infernale, le vent soufflait tellement fort que les vagues ébranlaient le bateau. Au matin, j'ai vraiment eu peur. Nous avions dérivé toute la nuit et maintenant il fallait combattre les vagues pour rentrer le plus vite possible au port. Le bateau tapait dans les vagues et craquait de partout. Heureusement nous sommes arrivés sains et saufs.

Malgré cette aventure, mes pêches la nuit au large de Rodrigues resteront parmi mes plus beaux souvenirs de voyage.

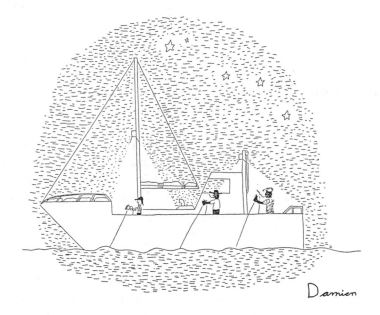

L'express pour Maurice (C.)

Que d'émotions pour un petit dimanche matin !

Nous aurions dû quitter l'île en douceur, mais un ami français désire profiter de notre départ pour photographier la *V'limeuse* sous voiles. Denis Étienne est à bord du bateau d'Alfred, pas très loin derrière, et il attend vraisemblablement que je lui en mette plein la vue. Après quoi, ils feront demi-tour.

Soucieux de ne pas les entraîner trop au large, je précipite les manœuvres. Les alizés sont fougueux, la mer bien formée et nos voiles commencent à avoir de l'âge. Sitôt hissé, le génois fatigué rend l'âme. Puis la grand-voile éclate à son tour quand nous empannons pour prendre notre cap sur Maurice.

Au même moment, nous coupons la route à un bateau-citerne qui répond à un appel. Nous voyons une vague se dresser, crête bien haute, mais il est trop tard pour l'éviter. Les pompiers sont furieux et nous arrosent copieusement. Toutes les ouvertures donnant sur ce côté du carré se changent en gicleurs, imbibant, dans l'ordre, bibliothèque, coussins, enfants et moquette.

C'est juré, le prochain venu qui me demande de faire des photos de la *V'limeuse*, je lui... holà ! doucement... Bon, d'accord, je lui suggérerai de les prendre confortablement à quai.

En tout cas, quel départ ! On pivote la tête deux ou trois fois, puis l'île s'enfonce à une vitesse folle derrière la houle. Et comme à chaque fois où l'on reprend la mer, on reste surpris de la rapidité avec laquelle la page se tourne. Quitter un endroit par la route est moins abrupt, on a le temps de se détacher peu à peu au fil du paysage, de prolonger des liens, de continuer d'appartenir aux moments et aux êtres qu'on laisse derrière. Sur l'eau, c'est le phénomène inverse une fois au large. Un grand rideau tombe subitement. Il n'efface pas ; il recouvre ce qu'on vient de vivre, laissant place à l'imagination déjà tournée vers la réalité suivante.

Clair derrière, clair devant, l'île Maurice est à 345 milles, distance négligeable que nous franchissons allégrement tant l'on se voit déjà arrivés. Pour des marins au long cours, c'est une sortie de fin de semaine et la bonne humeur revient vite après le cafouillage du début. Nous n'avons pas eu à réparer ni l'une ni l'autre des deux voiles. Le foc a remplacé le génois, que je n'aurais jamais dû envoyer dans ce vent, et la grand-voile est utilisable à partir du deuxième ris puisque la déchirure s'est produite plus bas. Conscients que la traversée sera courte, les enfants affichent l'entrain de ceux qui rentrent à la maison avec congé de devoirs.

La fatigue n'a pas le temps de s'installer ; on approche, trop vite d'ailleurs. Même avec ce peu de voilure, il est impossible de contenir la vitesse. Cela nous ferait passer en pleine nuit au milieu des îlots, au nord de Maurice, avant de longer la côte sous le vent pour atteindre Port-Louis, la capitale. Comme nous ne sommes pas en course, nous allons stopper la machine et attendre le lever du jour afin d'éliminer tout risque inutile.

Le deuxième jour, vers 18 heures, à moins de quarante milles des côtes, je monte mettre en panne : grand-voile réduite à trois ris et bordée très plate, trinquette à contre et safran en position de

165

remontée au vent. Avec la quille relevée de moitié, la dérive est rapide, elle aplatit la mer et rend la vie à bord drôlement confortable. Malgré tout, je veille toute la nuit car les points satellites font soupçonner un fort courant vers le sud.

Je remets en route à 3 heures du matin. Nous attrapons bientôt les éclats du phare et les dernières craintes s'évanouissent avec l'obscurité. La terre est là, impassible. Elle produit toujours le même effet sur moi : en observant cette silhouette inchangée depuis des milliers d'années, je ressens les frissons des premiers découvreurs quand ces monuments gigantesques et empreints de mystère se dressaient devant, pour leur gloire ou leur perte.

Travers au vent, l'allure favorite de notre goélette, l'avant-midi se passe à l'abri de l'île à lâcher le frein dans un sprint final. Grand fisherman en l'air, nous accusons chacune des rafales par un vigoureux coup de gîte qui plonge l'hiloire dans l'eau. La côte, toute proche, baigne dans un lumière dorée. Un toit rouge, une colonne de fumée blanche près d'une plage, un reflet de soleil sur le poli d'une automobile, tous ces signes nous parlent le langage de l'escale imminente.

Au quai de la douane, les formalités sont réglées promptement, mais l'accueil est franchement réservé : on nous donne un maigre quinze jours avec possibilité d'une extension, si besoin est. Dominique fait répéter le fonctionnaire pour mieux l'embarrasser. Et sans attendre sa réponse :

– Nous arrivons de Rodrigues, insiste-t-elle, une toute petite île qui, soit dit en passant, relève de votre juridiction, et l'on nous a accordé un mois. Alors quel...

Elle voudrait continuer en montant le ton, je le sens bien, et c'est dommage que son anglais la fasse hésiter car notre homme aurait eu affaire à quelqu'un d'extrêmement rapide et mordant. Elle lui aurait demandé en des termes non équivoques s'il voulait rire de nous en lui brandissant les passeports sous le nez :

– Si vous savez compter jusqu'à six, aurait-elle poursuivi, ça serait un bon point de départ pour comprendre qu'on ne fait pas que visiter, on doit s'occuper des enfants, leur faire l'école, passer plus de temps juste à régler l'ordinaire. Écoutez-moi au lieu de répéter inlassablement que ce n'est pas vous qui faites les règlements et que je n'ai qu'à aller dire tout ça à votre supérieur. Je cherche seulement à vous expliquer ceci : le temps dont nous avons besoin pour arriver quelque part, c'est-à-dire nous reposer de la traversée, mettre de l'ordre dans le bateau, faire une grosse lessive, l'épicerie, les démarches pour un virement bancaire à l'occasion, tout en planifiant un tant soit peu notre séjour, et nous préparer aussitôt à repartir en supposant qu'on ne veuille rien faire d'autre, tout cela équivaut déjà à une semaine.

J'en ai gros sur le cœur moi aussi car nous devinons, derrière cette attitude, de la ségrégation pure et simple dirigée contre les voiliers. Aux îles Seychelles, par exemple, où nous pensions aller, le message est encore plus clair : on exige un *per diem* de 100 $ U.S. et obligation stricte, si vous vous éloignez de la capitale durant le jour, de revenir y passer la nuit. Cette politique de dissuasion commence à s'étendre dangereusement. Et sous différentes formes.

En nous consentant deux misérables petites semaines, les autorités mauriciennes nous signifient que nous ne sommes pas des visiteurs très payants. Pourquoi les touristes qui arrivent par avion ont-ils un mois ? Emmerdant, n'est-ce pas ? Évidemment, nous n'allons pas dans les hôtels, mangeons rarement au restaurant, ne louons pas d'automobiles et achetons moins de souvenirs. Bref, tant que leurs foutus règlements ne feront pas la distinction entre touristes et voyageurs, ils seront discriminatoires. Les premiers dépensent largement, les seconds économisent. C'est une question de durée entre les vacances annuelles de quinze jours et le voyage de plusieurs mois ou années. De plus, les touristes abordent leur séjour dans un esprit de fête où la dépense est généralement associée au plaisir qu'ils escomptent en tirer. J'entendais tout récemment à la télévision l'annonce du prix offert par Air Canada à un concurrent gagnant de la Course Destination Monde : le séjour de deux semaines aux Indes valait 15 000 $! Pour nous, ce montant équivaut au budget de trois années de navigation avec six personnes à bord.

Imperturbable, notre agent de l'immigration ramasse ses papiers et s'en va rejoindre son confrère de la douane qui l'attend sur le pont. Il me vient l'envie de lui demander pour qui ils se prennent, les Mauriciens, puisque c'est la première fois depuis notre départ du Canada qu'on se montre si chiche avec nous. Mais je me connais, mes attaques risquent de tourner au vinaigre : « À très bientôt donc, dis-je, sarcastique, vous allez voir comme ça passe vite quinze jours. »

Maintenant que les formalités sont terminées, nos ventres nous guident vers le marché public, à quelques rues de là. Après avoir connu la rareté à Rodrigues, nous sommes tout flageolants devant ces enfilades de denrées fraîches. Les commerçants nous interpellent, et nous prenons leurs sourires comme une invitation pressante à discuter de prix. À ce chapitre, je me suis passablement assagi au fil des ans. Le redoutable marchandeur que je m'amusais à être adopte depuis quelque temps une attitude plus sereine.

Nous préférons négocier un arrangement avec un seul commerçant plutôt que de courir les allées en jetant notre dévolu sur chaque étalage rencontré. Nous proposons à l'heureux élu de devenir notre approvisionneur exclusif pour la durée de notre escale ici. En limitant ses bénéfices quotidiens avec nous, il y gagne à la longue. Cette démarche donne de si bons résultats que nous regrettons presque de ne pas y avoir pensé plus tôt.

Les plats de légumes sont à l'honneur au menu du soir. Une fois la table desservie, Dominique déverse un plein sac d'informations sur l'île, cueillies au bureau du tourisme. Nous repérons beaucoup de jolis noms comme Floréal, Vacoas, Bois Chéri, Quatre-Bornes, Pamplemousse, Coin de Mire...

– As-tu vu celui-là, Carl ? fait Damien en m'interrogeant du regard.

Je m'approche au-dessus de son épaule :

– Curepipe, tiens, c'est rigolo, on ne manquera pas ça, juste le nom mérite le déplacement. Oh ! minute... regardez ici... Tuyau de Poêle !

On se bouscule pour voir, avec des « où ça ? ».

– Mais là, bande de crétins ! dis-je d'un air anormalement sérieux qui me trahit.

– C'est pas vrai, y'a même pas de Tuyau de Poêle ! réagit Évangéline avant les autres, en me poussant d'un coup d'épaule.

J'en suis quitte finalement pour qu'on me traite d'affreux blagueur plutôt que de terrible menteur.

Trêve de dépliants touristiques, d'images léchées et de textes racoleurs, nous partons les jours suivants faire nos propres constats. Ils seront moins parfaits mais plus authentiques.

L'autobus est un moyen économique et commode pour se sortir des grandes agglomérations ou se déplacer à six. Mais dès que cela s'avère possible, nous préférons toujours les hasards de l'auto-stop comme prise de contact avec une société, quitte à ce que la famille se scinde en deux pour reprendre du service.

La pratique du pouce en l'air paraît peu connue ici, mais elle fonctionne à merveille, signe d'une certaine santé sociale. Et ce jusqu'aux plus hauts échelons puisqu'un ministre du gouvernement me fait prendre place dans sa grosse BMW noire et s'engage dans une discussion sérieuse avec moi. À inclure dans mes records Guinness.

Au-delà du simple plaisir des rencontres, les conversations avec ces bons samaritains deviennent d'éloquents raccourcis dans notre hâte de découvrir la réalité. Un peu comme l'individu qui, n'ayant pas le temps de lire les articles de fond d'un journal, se fait une idée d'ensemble à partir des grands titres seulement.

En manchette principale, j'apprends que le destin de Maurice passe aux mains de la majorité indienne, peu soucieuse de sauver le patrimoine français. Cet héritage de près d'un siècle de colonialisme, entre 1715 et 1810, se rétrécit comme une peau de chagrin. Le phénomène était-il prévisible? Lorsque l'Angleterre chasse les Français et encourage l'immigration massive de travailleurs indiens pour l'exploitation de la canne à sucre, elle jette en quelque sorte les dés. Cent cinquante ans plus tard, les descendants de ces ouvriers imposent leur vision moderne du pays.

Quelques grandes familles françaises continuent d'exercer leur contrôle sur l'industrie du sucre, mais elles semblent avoir perdu le goût du pouvoir. Bon nombre d'entre elles se sont déjà exilées vers l'Afrique du Sud. Les autres se cantonnent dans leur fief de Curepipe, ou dans leurs villas splendides en bordure de mer, et revivent les années nostalgiques d'avant 1960, époque où l'exportation du sucre arrivait au premier rang.

En cette fin de siècle, une nouvelle ère touristique agressive prend le pas sur le raffinement d'un cadre de vie français. La prolifération d'hôtels disgracieux le long des plages a déjà défiguré une grande partie de la côte.

Justement, nous sommes venus mouiller dans cette zone, devant le Grand Baie Yacht Club, au nord de l'île, et la laideur des constructions nous stupéfie.

On sent les alizés ici, ce qui nous assure des nuits plus fraîches et sans moustiques. Mais malgré la gentillesse et la courtoisie des membres du club qui nous accueillent, nous nous demandons au bout de quelques jours ce que nous sommes venus foutre ici, parmi une élite française intolérante...

Ce soir-là, au bar du Yacht Club, j'ai honte d'être blanc. Je comprends subitement que mon ami Atma n'est pas le bienvenu dans ces lieux. Ce professeur indien que j'ai connu en stop ne vient pourtant pas faire la bringue avec moi, il passe seulement nous chercher pour manger chez lui à Goodlands.

Et dire que l'Afrique du Sud et son régime d'apartheid va se trouver bientôt sur notre route ! La scène du bar nous choque au point où l'on s'interroge sur cette éventuelle escale.

La fin de nos quinze jours approche et nous nous présentons au bureau de l'immigration de Port-Louis. L'inspecteur Fidèle, s'il n'est pas raciste, distribue néanmoins ses faveurs inégalement. Il nous accorde quinze jours supplémentaires sans un brin d'hésitation. Alfred, notre copain suisse qui fait en même temps que nous sa demande d'extension, doit se contenter d'une semaine. À n'y rien comprendre.

Que deviendra Maurice ? Cette société pluraliste tiendra-t-elle compte des minorités ? Le gouvernement cherchera-t-il plutôt à étendre son hégémonie ?

Trois semaines, c'est bien peu pour présumer de l'avenir d'un pays. Mais en portant un dernier regard sur cette terre, je m'inquiète de façon particulière pour la petite communauté créole. Cette race à laquelle nous nous sommes attachés à Rodrigues, nous semble ici beaucoup plus fragile, démunie, et menacée à long terme.

Même si la réalité paraît parfois complexe et difficile à cerner pour des utopistes comme nous, chaque escale nous apporte son lot d'enseignement. Leçon du jour en repartant : restons humbles devant l'histoire qui se fait.

Avoir quinze ans (C.)

Si l'on ne moisit pas trop dans cette traversée de 140 milles, nous fêterons les quinze ans d'Évangéline à la Réunion.

Il n'est pas toujours facile de prendre du recul par rapport à nos enfants. Surtout que nous vivons étroitement le quotidien avec eux depuis bientôt quatre ans.

Ces moments de grande intensité sur la mer m'apparaissent à la fois merveilleux et extrêmement fragiles. Ils font ressembler tout bateau à un baril de poudre où la moindre étincelle provoquée par un individu peut tout faire exploser. Les exemples à ce sujet ne manquent pas. Il y a cent fois plus de chances que les discordes fassent échouer un voyage au long cours avant même qu'on envisage le risque d'un naufrage.

Notre tranche de vie en symbiose démontre en tout cas que l'équipage familial offre de bonnes garanties. Encore faut-il surveiller le besoin d'autonomie des enfants. Sachant maintenant que nous mettrons au moins cinq ans pour ce voyage, je me rends compte qu'octobre 1986 représentait une date de départ limite pour Évangéline, alors âgée de 11 ans. Serions-nous partis deux ou trois ans plus tard, que notre vie de clan aurait connu davantage de soubresauts.

S'il est difficile de percevoir dans son enfant l'être qui s'affirme, parfois j'y arrive, comme en ce moment où je regarde Évangéline concentrée à la barre, et je me dis que j'ai là une sacrée gonzesse. Elle me pardonnera cette expression un peu familière, employée comme un paravent de machisme afin de me faire croire que je n'ai pas trop l'air ridicule avec mon bouquet de fleurs.

Nous venons de quitter l'île Maurice et je sais combien cette escale a compté pour elle. Son carnet d'adresses déborde. Les quinze jours passés au yacht club et au voisinage de Grande Baie, station touristique par excellence, l'ont fait tourner dans un manège incessant de rencontres. Ce n'est pas nouveau chez elle. Nous savons qu'elle est tombée dès la naissance dans la potion magique des relations humaines. Sauf que plus elle s'investit auprès des autres, plus les séparations deviennent douloureuses.

La mer est particulièrement cruelle dans ces occasions. Elle fait passer de la fébrilité de la vie à terre à un espèce d'état comateux, entretenu, comme aujourd'hui, par une houle paresseuse et des souffles nonchalants. On ne le souhaite jamais vraiment, mais rien comme un bon coup de vent pour partir d'un endroit. Tant que le corps requiert toute l'énergie, les pensées ont moins de prise sur le moral.

Cela dit, je le vois bien, Évangéline est d'une force peu commune lorsqu'elle est décidée. Elle ne perd jamais de vue notre objectif premier, celui d'avancer. Comme nous, elle a touché à cette drogue infernale du bond en avant et rien ne peut l'arrêter. Encore moins les garçons de son âge qu'elle trouve un peu jeunes, elle à qui l'on donne souvent 18 ans en regard de sa belle allure d'adolescente, mais aussi de sa grande maturité de femme.

Heureusement, la Réunion ne sera pas en reste pour elle, côté social. Nous attendons cette escale en terre française depuis la Nouvelle-Calédonie, soit près de deux ans.

Partis de Port-Louis un vendredi, nous abordons la Réunion par le sud le dimanche après-midi. Les seuls vents profitables, nous les avons sous forme de grains en approchant l'île. Enfin, nous avançons pour la peine pendant que l'île joue à cache-cache derrière les rideaux de pluie.

Une vingtaine de minutes plus tard, quand la visibilité revient, une masse grandiose aux flancs vertigineux apparaît. Nos regards escaladent ces pentes d'un beau vert sombre qui s'engouffrent là-haut sous des lambeaux de nuages. Nous glissons sans bruit à quelques milles de la côte, sans cesse envoûtés par cette façon unique que possède la mer de nous présenter le monde.

Après Saint-Philippe, le vent ne nous parvient plus et il faut terminer au moteur les cinq ou six derniers milles qui nous conduisent au petit port de Saint-Pierre. Nous serrons la digue, tel que recommandé, et venons nous attacher à un corps-mort.

Coup de téléphone d'abord chez les Boulay, des amis que nous avons connus à Rodrigues, pour leur signaler notre arrivée. Il paraît que nous avons plein de courrier : nos parents et amis du Québec attendaient une adresse sûre depuis le Sri Lanka, il y a cinq mois.

Rendez-vous est donc pris pour le vendredi suivant. Thierry, dès la fin de son boulot, passera chercher la famille au grand complet. Chouette ! Ils nous invitent chez eux pour le « week-end ».

Sophie et Thierry ne se limitent pas à nous accueillir, ils nous prennent littéralement en charge. Plus nous les connaissons, plus

172

nous découvrons un couple attachant, formé de deux caractères dépareillés entre lesquels s'agite le petit Tristan ; elle, rêveuse et fébrile, comédienne à ses heures, attirée par la création artistique, lui, pragmatique et rigolo, arborant le profil stable du technicien de carrière.

Venus à la Réunion pour se changer de la vie en France, ils pensent déjà à d'autres projets, d'ici un an ou deux. Pourquoi pas le Québec ? Sophie y a déjà fait une courte visite et Thierry, très attiré par la voile, ne serait pas contre l'idée de naviguer vers l'Amérique du Nord. Au moment de se quitter après cette super fin de semaine, Sophie nous remet les clefs de sa Peugeot familiale.

Nous nous retrouvons une semaine plus tard. Cette fois, le programme nous entraînera loin de la vie de salon et des petits plats mitonnés. Connaissant nos goûts pour la marche, Thierry nous propose une randonnée de trois jours dans les montagnes. Ce sera, sans conteste, le moment fort de notre passage à la Réunion.

Nous commençons notre marche derrière Saint-Denis. Quelques minutes après l'agitation qui règne en bordure de mer, nous accédons à un territoire insoupçonné, démesuré, tel un obstacle gigantesque à la survie de l'homme. Pas étonnant que cette partie de l'île ait été, dans les débuts de la colonie, le principal lieu de refuge des esclaves qui fuyaient la cruauté des maîtres. S'il n'y avait tout cet ingénieux réseau de sentiers que nous empruntons, nous serions bien en peine de trouver une issue dans ce décor inextricable où tout s'élance vers des lointains sommets, ou part vers des abîmes toujours trop proches.

Il fait merveilleusement beau, nous gagnons en altitude et l'air devient plus frais. Nous dormirons dans les refuges, ce qui nous évite de transporter des tentes. La charge de chacun en nourriture, matériel de cuisine, duvets, vêtements, etc., n'en est pas moins imposante et les enfants se font un honneur de transporter leur part de matériel... sauf le vin. Heureusement que Thierry a pu dénicher quelques énormes sacs à dos pour les adultes, ce qui nous donne l'apparence de professionnels de la montagne tout en camouflant parfaitement notre vice.

Telle une colonne de fourmis perdues dans ce gigantisme qui nous entraîne irrémédiablement vers le haut, nous progressons d'une dizaine de kilomètres par jour. Cet accident géographique dans lequel nous évoluons, le souffle un peu court il faut bien l'admettre, et qui donne de si fantastiques coups d'œil, porte le nom de « cirque » : une vaste et très profonde dépression circulaire entourée de parois raides. Il y en a trois à la Réunion, mais nous en découvrirons un seul, celui de Mafate, qu'on dit le plus spectaculaire.

Parfois, un craquement de branches au-dessus de nous, un bruit de pas sur les cailloux. Nous relevons la tête et apercevons une forme humaine qui se glisse à l'abri des regards. Parfois aussi, sans chercher à se dissimuler, des gens nous regardent passer. Mais ils ne répondent pas à nos saluts, ils nous fixent étrangement, attendant que l'on s'éloigne. Nous croirions vivre certaines scènes du film *Delivrance* de John Boorman. Avec cette différence que les *p'tits Blancs des hauts*, comme on se plaît à les appeler ici, prennent le rôle des *hillbillies* des Appalaches américaines. Ils ne sont pas dangereux, seulement hostiles au monde des « Blancs d'en bas ». Dommage que je ne connaisse pas tous les détails de ce phénomène vivant. Je sais seulement que leur histoire remonte au début de la colonie, à cette époque où la Réunion s'appelait l'île Bourbon. Il s'agirait des descendants directs d'individus de tout acabit qui, pour diverses raisons, se seraient évadés dans ces lieux quasi imprenables. Isolées pendant très longtemps, les familles se reproduisaient entre elles, d'où une certaine dégénérescence de la race.

Les jumelles ont 9 ans le jour où nous franchissons le col du Taibit à plus de 2 000 mètres, et elles reçoivent un bouquet de fleurs sauvages.

Après quarante kilomètres, nous entamons la descente vers Cilaos où nous retrouvons les habitations et les routes pavées, achevant une randonnée hors de l'ordinaire.

Nous décidons de passer les deux dernières semaines près de Saint-Denis, au Port des Galets. Ce gros terminus portuaire n'a pas le charme et la tranquillité du petit havre de Saint-Pierre, mais il a l'avantage de nous rapprocher de nos amis qui habitent le nord de l'île. Nous y serons à portée de la grande ville pour nos préparatifs de départ.

Nous ne pouvons rester trop longtemps à la Réunion. Il faut respecter un échéancier, pas rigoureux au point de compter les jours, mais qui exige un minimum de planification. Le délicat passage du cap de Bonne-Espérance, sous la corne du continent africain, doit se faire en plein été austral. L'endroit peut s'avérer redoutable et il vaut mieux mettre toutes les chances de notre côté. D'ici janvier, donc, nous répartirons le temps qui reste entre les différentes escales envisagées. Cela nous laisse octobre, novembre et décembre pour visiter Madagascar et la côte est de l'Afrique du Sud.

Tout à l'heure, en venant de Saint-Pierre, j'ai remarqué que la température du moteur indiquait 10 degrés de plus que la normale. Sitôt à quai, je fais démonter la pompe de refroidissement. Je ne m'étais pas trompé : les pales du rotor sont complètement déchiquetées.

À travers nos obligations les plus pressantes, telles que demande de visa pour Madagascar et approvisionnement, nous renouons à deux reprises avec la montagne. La première occasion nous est offerte par nos amis du bateau *Toï*, rencontrés au Sri Lanka. Dominique et Érica travaillent maintenant ici, et nous passons un dimanche en leur compagnie à marcher sur les hauteurs.

Notre dernière récidive, enfin, nous conduit à l'un des volcans en activité. On peut d'ailleurs voir jusque sur la plage les traces d'une dernière éruption, assez récente, je crois. Cette journée passée dans un paysage lunaire, à courir sur la lave durcie mais encore chaude qui cimente les pourtours du cratère, reste une expérience inoubliable. Nous la devons à Évelyne Bruand, de Saline-les-Bains, l'amie d'une amie de Tahiti dont nous avions l'adresse. Elle a eu le geste noble en nous prêtant sa voiture, ce qui nous a permis d'emporter les tentes et sacs de couchage et de dormir là-haut.

Puis le jour du départ, nous remarquons, accosté tout près, un voilier qui bat pavillon canadien et se nomme *Vayu*. Surprise, c'est un solitaire québécois. Un vrai, pas bavard. En lui posant quelques questions sur son bateau, je réussis à lui tirer les vers du nez : Franck, débardeur de Trois-Rivières, arrive de Darwin, Australie, après quarante jours de mer. Il doit repartir assez rapidement pour l'Afrique du Sud où il espère travailler car il a besoin d'argent. Il a entendu parler de nous à quelques reprises sur sa route, la dernière fois en Nouvelle-Calédonie.

Il y a quelques jours, un autre bateau faisait son entrée au port sous gréement de fortune. Un voilier rouge, en acier, type Joshua de Moitessier, avec à son bord un couple assez âgé. Ils ont démâté peu après leur départ d'Afrique du Sud et ont mis quatre-vingt-dix jours pour finalement arriver ici. Ils ont le moral ; l'homme, en blaguant, me dit qu'ils ont mangé beaucoup de riz.

La suite de leur histoire paraîtra dans un numéro de *Voiles et Voiliers,* quelques années après notre retour au Québec. J'apprendrai alors qu'ils ont repris la mer avec un nouveau mât, puis qu'ils se sont échoués plus tard aux Chagos, lui malade et épuisé. Le bateau, qu'une photo nous montrait couché sur le sable, sans grand dommage apparent, n'a pu être sauvé. Mais un voilier de passage a jugé bon de repartir avec le mât tout neuf et de le rapporter à la Réunion.

Ce mât allait devenir célèbre. En 1994, lorsque Isabelle Autissier, engagée dans la BOC Challenge, démâtera à son tour et relâchera pour réparer aux Kerguelen, c'est ce même mât qu'on lui enverra pour la dépanner temporairement jusqu'en Australie... Elle n'y arrivera jamais, obligée d'abandonner son voilier dans les latitudes rugissantes de l'océan Indien. Et le mât qui ne voulait pas mourir disparaîtra à tout jamais.

Aujourd'hui, de retour chez nous et au moment où je rédige ce chapitre sur notre passage à la Réunion, une nouvelle horrible vient nous consterner : « Thierry est décédé », m'annonce au téléphone l'un de ses amis de passage à Montréal. Je pense tout de suite à un accident de la route, l'explication la plus plausible d'une mort si prématurée : « Non, c'est un accident de planche à voile. » précise-t-il. Je me rappelle alors toutes ces histoires de véliplanchistes, déportés loin au large, évanouis dans le vent céleste. Une fin qui laisse l'imagination accompagner un ami dans ses derniers moments.

Mais comme lui, je n'ai pas vu venir l'aileron qui fendait l'eau...

"RODRIGUES"

Noémie

II

MADAGASCAR – LE CAP, AFRIQUE DU SUD
octobre 1990 à octobre 1991

Il n'est qu'un luxe véritable,
et c'est celui des relations humaines.

Antoine de Saint-Exupéry, *Terre des hommes*

Bonjour *Vasa**, donne-moi des sous ! (D.)

La côte malgache apparaît sous les nuages après quatre jours de roulis et de faibles brises.

Sandrine va mieux. Elle n'a plus le mal de mer, mais son moral reste fragile. Les scénarios de départ se ressemblent un peu trop depuis Rodrigues, avec leurs mers houleuses qui chavirent son estomac déjà serré par l'appréhension du large et la tristesse de quitter les copains. L'ambiance du Port des Galets lui plaisait bien. Il y avait là, comme dans beaucoup d'îles françaises, des moussaillons de tous âges vivant sur leur bateau.

---

* *Vasa* : mot malgache qui signifie « Blanc », en parlant d'un étranger.

Est-ce à cause de cette atmosphère laissée dans le sillage que nos enfants boudent leur nouvelle destination avant même d'y avoir mis les pieds ? Ou plutôt parce que Madagascar est l'un des pays les plus pauvres du monde, comme le laisse entendre Sandrine, qui anticipe des rues sales et des maisons délabrées.

– Attention, les enfants ! leur dis-je alors qu'ils sont tous les quatre assis autour de moi, sur les bancs du cockpit. Pauvreté ne veut pas dire misère. Et même si les Malgaches ne possédaient d'autre richesse que leur sourire, ce serait déjà fantastique pour nous. Un peu d'enthousiasme, voyons ! Nous approchons une île immense, que les livres décrivent comme la plus mystérieuse de tout l'océan Indien, et vous êtes là, par ce beau dimanche après-midi, comme une bande d'enfants blasés. Je vous imagine entassés à l'arrière d'une auto, en train de rouspéter parce qu'on vous emmène visiter tante Albertine. Et dire que des milliers de jeunes rêveraient de voyager à votre place !

Évangéline me regarde, l'air narquois.

– Te rends-tu compte, maman, que tu ressembles à tous les parents débiles qui veulent convaincre leur enfant de terminer son assiette sous prétexte que les petits Biafrais meurent de faim ?

– Alors, vous êtes tannés de naviguer ?

– Non... mais c'est vrai que des fois je suis fatiguée de partir, de laisser mes nouveaux amis, même si je me dis que dans la prochaine île, je m'en ferai d'autres. Et puis on n'est pas comme vous : on n'aime pas les pays avant même d'être arrivés. On attend pour voir.

Sage attitude. Au fond, un regard plus honnête sur mon propre état d'esprit m'oblige à admettre une ou deux petites choses. En ce début octobre, à deux mois du début officiel de la saison cyclonique, Madagascar me paraît un gros morceau pour une famille pressée et qui, en plus, commence à donner des signes de fatigue. J'avoue me sentir moins gaillarde que j'en ai l'air.

Selon les instructions nautiques, Tamatave, où nous ferons notre première escale, est le plus gros port commercial de Madagascar. Trois grands môles divisent son bassin, fréquentés par des cargos venant d'Europe, d'Afrique, de Maurice et de la Réunion. Un dernier quai, tout au bout, serait réservé aux caboteurs malgaches. Les rares voiliers, quant à eux, mouillent devant le yacht club, une fois les formalités terminées.

180

Bientôt nous contournons la digue et je diminue le régime du moteur, laissant la *V'limeuse* glisser vers la darse.

– Wouash ! Vous avez vu la couleur de l'eau en avant ? crie Damien.

Incroyable, nous voilà en pleine marée noire ! Je cherche un passage pour éviter cette huile épaisse, mais impossible, il y en a jusqu'au fond du port. À l'instant où la *V'limeuse* traverse les premières flaques, je ne peux retenir une grimace en me remémorant les quelques fois où j'ai dû nettoyer la ligne de flottaison gommée par ce genre de salissure.

– Dégueulasse ! s'exclame Évangéline. Ça vient d'où ? On n'a pourtant pas vu de pétrolier échoué tout près d'ici.

– Ça, ma fille, répond Carl en préparant les défenses pour l'accostage, ça ne m'étonnerait pas du tout que ce soit un bateau local qui vient de faire sa vidange d'huile-moteur.

– Mais c'est défendu ! reprend Damien que la colère gagne.

– Chez nous, oui, les responsables devraient payer une forte amende, dis-je. Mais ici, ça m'a tout l'air qu'ils se servent encore de la mer comme d'un dépotoir.

Encore sous le choc, nous repérons une place à quai derrière un cargo grec où il n'y a pas trop de ce mélange visqueux collé au mur de ciment. Un groupe de jeunes s'amènent aussitôt pour attraper nos amarres. Ils nous questionnent en français, mais blaguent entre eux en malgache. Rapidement de nouveaux flâneurs apparaissent, venus des môles adjacents. Il me semble que la fébrilité s'intensifie à mesure que la rangée de curieux s'allonge. À peine disparaissons-nous à l'intérieur pour nous changer et nous préparer à la visite des douaniers, qu'un bruit sourd et des pas sur le pont nous alertent. Carl bondit en haut de l'échelle et demande fermement au jeune qui fait le pitre devant ses copains de retourner sur le quai.

Toute cette belle jeunesse un peu louche s'éclipse à l'arrivée du maître du port. Un jerrycan a disparu dans le brouhaha et cet homme nous avertit de ne rien laisser traîner sur le pont si nous voulons dormir tranquille. D'ailleurs nous n'avons pas d'autre choix, nous apprend-il, puisque les bureaux d'immigration et de douane ouvriront seulement demain matin.

La nuit malgache tombe enfin sur le port de Tamatave. Depuis quatre jours, nous rêvions de ce premier repos coulé dans le ciment. C'était oublier la faune nocturne qui veille à la lueur des lampadaires. En moins d'une heure, les quais grouillent de dizaines de rats et de milliers de cafards sortis des fissures et des entrepôts. Comme la chèvre de monsieur Séguin, nous défendrons l'accès à nos amarres jusqu'à l'aube.

Au matin, nous ne sommes pas d'humeur très conciliante. Les autorités tardent. Vers midi, Carl, irrité, décide d'aller mouiller devant le yacht club, quitte à revenir à la douane à pied. Même si ce geste nous valait quelques remontrances, ce serait toujours mieux qu'une autre journée à quai.

Il fait beau, un léger vent d'ouest a repoussé la nappe de goudron durant la nuit et la zone de mouillage semble potable. Il aurait mieux valu ne jamais voir le fond, car nous y découvrons d'énormes têtes de requins, tranchées et posées sur le sable noir comme des sourires macabres.

L'envie de fuir ce triste port me prend soudain. Mais Tamatave est le seul endroit où nous pourrons laisser le bateau quelques jours, sauter dans un train et rallier Antananarivo, la capitale, juchée sur les hauts plateaux. Cette ville construite en grande partie sous la colonisation française est, paraît-il, très belle, de même que la région que nous traverserons pour nous y rendre. Une fois la semaine, il s'y tient un gigantesque marché à ciel ouvert, le *zuma* – vendredi en malgache – avec plus de trois kilomètres de marchandises ! Un événement à ne pas manquer.

Après l'environnement glauque du port, nous apprécions particulièrement celui du yacht club, très agréable avec sa grande terrasse ombragée et un tennis où se retrouvent souvent les enfants des membres, nous dit-on. Une nouvelle qui réjouit enfin les nôtres.

Du club, les rues vers le centre-ville traversent un quartier tranquille, encore imbibé d'une vieille atmosphère coloniale. Seuls les édifices délabrés nous rappellent que la France n'est plus là pour veiller à leur entretien.

Nous marchons à côté des pousse-pousse, entourés d'enfants qui nous interpellent entre deux fous rires : « Bonjour *Vasa* ! Donne-moi des sous ! Donne-moi tee-shirt ! Donne-moi sac à dos ! » Leur bonne humeur est contagieuse. Bientôt, ce qui ressemblait à une ennuyeuse sollicitation devient une façon maladroite et espiègle de nous approcher.

En débouchant sur la rue principale, large, bordée de cafés et de commerces, nous sommes surpris par la relative tranquillité de cette ville de 60 000 habitants. Le pouls s'accélère un peu à mesure que nous approchons du marché, un lieu où nous aimons flâner, curieux d'examiner les étalages et d'établir nos premiers contacts avec la population.

Au milieu de ce va-et-vient où il est difficile de rester groupés, je me rappelle un mauvais souvenir. « Te souviens-tu, Noémie, quand nous t'avions perdue dans un marché, en Espagne, et qu'une bonne *mama* t'avait prise sous sa protection. Heureusement, vous nous attendiez à la sortie. » Elle s'en souvient, oui, même si elle n'avait que trois ans à l'époque. Sacrée Noémie, toujours prête à nous faire des frousses, comme cette autre fois à Madère où elle a frôlé la mort en trébuchant sur le bord d'un canal d'irrigation à flanc de montagne, ou encore à Sydney, durant le carénage de la *V'limeuse*, où elle a failli culbuter en bas des filières alors que le pont se trouvait à cinq mètres du sol.

Les sacs à dos remplis de légumes, nous retrouvons Évangéline à qui nous avions donné rendez-vous devant le cinéma. On y présente un film américain, *Mosquito Coast,* avec un prix d'entrée si ridicule, 35 sous par personne, que j'ai envie de payer la traite à tout l'équipage. Dès le début, nous devinons que la copie a dû faire le tour du monde avant d'échouer ici. Le son est à peine audible et la copie tellement rayée que l'on dirait une averse de neige en plein cœur de l'Afrique. Mais nous découvrons une amusante similitude de tempérament entre Carl et le personnage principal, joué par Harrison Ford, un incorrigible critiqueur qui entraîne femme et enfants en pleine jungle pour les soustraire à la société. Pauvre Carl ! ce film va lui coller à la peau pour les années à venir. Chaque fois qu'il deviendra un peu trop râleur, nous le surnommerons Harrison.

Les jours suivants déboulent en petites emplettes et en préparatifs. Renseignements pris, il nous coûterait trop cher de voyager par train jusqu'à la capitale. Le gouvernement malgache, plus malin que celui du Sri Lanka, a instauré un système de tarifs spéciaux pour les étrangers. La différence va du simple au double. Tant pis, nous irons en taxi-brousse, mode de transport plus risqué, mais sûrement plus folklorique, comme le note Évangéline dans son journal :

✍ Jeudi dernier, nous sommes partis pour la capitale. Nous avions laissé un gardien sur le bateau, moyennant 3 000 francs malgaches par jour (moins de 3 dollars).

Tana* se trouve à 370 kilomètres et nous savions que ça nous prendrait au moins six heures et demie en taxi-brousse. Dans ces Peugeot familiales des années 70, il peut entrer neuf personnes sans le chauffeur. Deux devant, quatre au milieu et trois derrière. Trois Malgaches se sont mis à l'arrière. Carl et Dominique à l'avant et nous au milieu. De temps en temps, nous nous couchions les uns sur les autres pour essayer de dormir un peu. Par exemple, Damien sur un de mes genoux, Noémie sur l'autre, Sandrine la tête sur le dos de Noémie, et moi la tête sur Sandrine. Cela faisait un échafaudage où il était strictement interdit de bouger.

*Tana est l'abréviation de Tananarive, nom français pour Antananarivo.

Les paysages des hauts plateaux sont superbes. Les champs ondulent, brûlés par le soleil. Chaque fois que notre conducteur s'arrête pour les pauses-pipi, j'ai le goût de poursuivre le voyage à pied parmi les paysans qui déambulent avec des airs sortis du Moyen-Âge. À mi-chemin entre Tamatave et Tana, les taxis-brousse se rencontrent devant des bouis-bouis, version malgache de nos *truck-stop*, où pour quelques sous l'on avale une platée de riz et des beignets chauds.

Après sept heures de route, nous traversons enfin les bas quartiers d'Antananarivo. Ici, l'affolante frénésie autour du terminus est infernale. Ankylosés, un peu sonnés par la chaleur et le bruit, nous quittons le relatif confort du taxi. Là au moins nous n'avions pas à décider quelle direction prendre. Tout en déplissant leur linge et en ajustant leur sac à dos, les enfants jettent des regards atterrés autour d'eux.

– On va où, maintenant ? demande Évangéline, sur le point d'exploser.

Nous n'en savons fichtre rien ! Mais vaut mieux jouer les parents responsables.

– On va d'abord téléphoner, répond Carl, tirant de sa poche un bout de papier où sont écrits le nom et la boîte postale d'un professeur français qu'ont connu René et Catherine, des amis du Québec, lors d'un voyage il y a bientôt cinq ans.

Impatiente de fuir le tumulte, notre troupe se met en branle vers un quartier plus calme. Apercevant le collège Saint-Antoine, quelques rues plus loin, Carl croit que le lieu convient pour débuter nos recherches. Nous sommes reçus par deux aimables religieuses disposées à nous aider.

On nous installe dans une salle adjacente au secrétariat. Puis les téléphones commencent. Aucun collège des environs ne connaît notre professeur, mais les sœurs refusent maintenant de nous laisser repartir sans nous avoir déniché un endroit pour passer la nuit. Après d'autres appels infructueux, elles nous proposent d'attendre la mère supérieure, qui sera de retour dans une heure. Si celle-ci est d'accord, nous pourrions loger dans les petites chambres d'invités, aux étages du couvent, très modestes bien sûr, « mais si vous n'êtes pas difficiles... »

Le complexe administré par les sœurs franciscaines comprend l'école, le lycée et la clinique, en plus du couvent et de la chapelle, le tout situé sur un immense terrain en pente. Nous sommes entrés par la rue d'en bas, mais nos nouveaux quartiers donnent sur l'arrière, dans les hauteurs. Une fois les bagages posés sur nos lits de couventines, nous repartons d'un pas plus léger, soulagés par la tournure inattendue des événements.

Ankatifutsy est sûrement l'un des plus jolis coins de la ville. Ce dédale de ruelles en pavés, bordées d'échoppes et reliées par des escaliers étroits, nous plaît infiniment. Pour ce soir, nous n'irons pas très loin. Les bonnes odeurs nous ramènent à proximité de la clinique Saint-François d'Assise, devant un comptoir où l'on sert de la soupe et des brochettes. Nos victuailles en main, nous repérons les deux grandes marches d'une maison voisine.

Et chacun s'assoit, heureux comme à chaque fois où la vie nous paraît simple.

« Grosse journée demain, les copains », annonce Carl en donnant le signal du retour. Damien acquiesce avec un soupir, ravi d'aller enfin se coucher. Je compte sur une bonne nuit de sommeil pour le remettre sur pied, car je doute qu'il puisse courir le *zuma* demain si la grippe qu'il traîne depuis Tamatave ne s'est pas améliorée.

185

Évangéline a calculé que chacune de nos quatre chambres mesurait trois mètres par trois mètres et demi, juste la place pour mettre un lit, un lavabo, une table, une chaise et une petite armoire. Mais, peu importe les dimensions exactes, cette portion d'étage mise à notre disposition nous paraît la plus providentielle des retraites en plein cœur de la ville. Sandrine et Noémie dormiront ensemble et Carl s'étendra sur un cinquième matelas, posé par terre dans une pièce adjacente. Seul petit hic, ce lit n'est pas protégé par l'indispensable moustiquaire et comme la malaria sévit partout à Madagascar, les sœurs lui ont remis quelques spirales vertes à faire brûler durant la nuit.

Ma lampe éteinte, j'écoute les lointaines rumeurs de la ville. On parle beaucoup du climat d'agression qui règne dans la capitale. Les enfants de la rue formeraient des bandes organisées, habiles à détrousser les visiteurs. Enfin, nous verrons tout cela demain. Pour l'instant, je vais m'endormir avec des impressions favorables, sous un rideau de tulle où rien de mauvais ne peut m'atteindre, pas même un moustique.

L'emplacement du marché se trouve à deux pas du collège. Sur le chemin, une visite à l'ambassade de France nous apprend que le fameux ami de René et Catherine, impossible à retracer hier, a quitté Madagascar il y a quelques mois. « Mais vous avez un représentant consulaire ici... », ajoute l'aimable dame en cherchant la liste des officiels sur son bureau. « Voilà, il s'agit d'un monsieur Serge Lachapelle. Vous pouvez utiliser ce téléphone... »

Lorsque Carl repose le combiné, quelques minutes plus tard, c'est en nous annonçant une invitation à dîner pour après-demain dimanche.

La foule devient plus dense à mesure que nous approchons du *zuma*. Bien que ce gigantesque marché n'ait lieu qu'un seul jour par semaine, la section regroupant les artisans locaux demeure ouverte en permanence. Aujourd'hui, nous circulerons donc les mains vides, pour le seul plaisir des yeux.

Les étalages de solitaires nous fascinent. Cette version malgache du jeu traditionnel est formée d'un plateau rond en bois sur lequel sont posées trente-sept boules de pierres semi-précieuses différentes, dont une grande variété de quartzs et d'agates. Il existe cinq ou six grandeurs de jeu, les prix doublant d'une taille à l'autre. La qualité varie beaucoup selon les kiosques et peu à peu, nous devenons spécialistes dans l'art de reconnaître de belles pierres. Notre choix s'arrête enfin sur un boulier de taille moyenne que nous négocierons le lendemain pour 30 000 francs malgaches, un chandail polo et une cassette de Dire Strait. Les vendeurs acceptent aussi de nous envelopper séparément chacune des boules dans un papier où sera inscrit le nom du gemme. Manière agréable d'allier le jeu à l'apprentissage de la géologie.

En dehors de l'artisanat, il n'y a plus grand chose d'intéressant pour nous. Les derniers kilomètres réunissent les marchands de casseroles, vêtements, literies et autres objets ménagers. Après quelques heures harassantes à nous frayer un chemin à travers ces dédales de comptoirs, nous en avons marre. Quelques garnements ont bien essayé de nous suivre, mais le clan serré que nous formons à six, chacun surveillant le sac à dos de l'autre, a fini par les décourager.

Le temps est superbe, nous marchons jusqu'en haut de la colline qui surplombe la ville, curieux de visiter ce qui reste des palais où vivaient les rois et les reines malgaches. Ces souverains du royaume Imérina, de descendance indonésienne, ont gouverné l'ensemble du pays pendant près d'un siècle. Puis en 1897, la France a mis fin au règne de la dernière reine, Ranavalona III, déportée en Algérie.

Il fait nuit. Nous sommes perdus dans la foule. Les rues d'Antananarivo se ressemblent toutes. Un homme à qui nous demandons la direction insiste pour nous raccompagner. Comme il parle très peu français, nous le suivons en silence, mal assurés. L'éclairage trop sombre lui confère un air suspect. Nous ne reconnaissons aucune des petites rues qu'il emprunte. Et s'il nous conduisait ailleurs ? Est-ce bien prudent d'accorder notre confiance à un inconnu, le soir, dans une ville réputée pour ses coupe-gorges ? Nous marchons depuis plus d'une demi-heure, et ce type n'arrête pas de dire que c'est juste là, un peu plus loin. Les enfants multiplient les regards de reproche, comme si nous les menions à l'abattoir. Puis soudain, la grille du collège apparaît dans le détour... Et nous voilà tout bêtes d'avoir douté d'une âme charitable.

Dimanche. En quarante-huit heures, notre état de santé s'est détérioré. L'air sec des hauts plateaux, chargé de poussière rouge, a asséché nos muqueuses trop habituées à l'humidité marine. Résultat, nous avons tous attrapé la grippe de Damien. Depuis ce matin Évangéline est fiévreuse, avec les symptômes d'une gastro-entérite. Rien de grave, probablement une simple *turista* causée par la nourriture locale. Mais elle a besoin de repos.

L'invitation de Serge Lachapelle tombe plutôt bien. Le moral des enfants grimpe d'un cran en apercevant la voiture noire, stationnée devant le collège : une magnifique Renault 25 de l'année, véritable carrosse pour des petits Cendrillon habitués au taxi-brousse.

Les hasards du voyage ne cessent de nous surprendre. Hélène et Serge, ce couple extrêmement sympathique qui nous reçoit dans sa villa, à l'autre bout du monde, viennent tous deux de Tracy. Nous étions presque voisins il y a dix ans, au moment de la construction de la *V'limeuse* !

Serge coordonne un projet de la compagnie Québec-Fer-et-Titane de Sorel, qui étudie en ce moment la richesse des gisements à Fort-Dauphin, dans le sud de l'île. Ses fonctions de représentant consulaire lui permettent aussi d'être en contact avec les rares Québécois établis à Madagascar.

Comme il se trouve, parmi eux, un couple d'enseignants et leurs quatre enfants, âgés de trois à huit ans, qui souhaitent naviguer un jour, Serge les a invités à venir nous rencontrer cette après-midi.

Les jeunes font connaissance devant la télévision. Et plus tard, lorsque vient le temps de prendre congé, Alain et Marie-France nous offrent l'hospitalité pour la nuit.

Nous passerons plusieurs jours chez les Parenteau. Malades à tour de rôle, les enfants sont incapables de reprendre la route vers Tamatave. Nos hôtes font l'impossible pour nous mettre à l'aise. La maison est grande, une cuisinière s'occupe des repas, Alain nous offre même camionnette et chauffeur dans la journée pour visiter un peu l'arrière-pays.

Mais on ne débarque pas à six dans une famille sans créer des remous. Marie-Anne, Étienne, Frédéric et la petite Élie ne trouvent pas très drôle l'obligation de se coucher tôt le soir ou de partir chaque matin à l'école américaine tandis que leurs copains restent allongés devant la télévision. Aussi sommes-nous soulagés lorsque arrive le moment des adieux.

De nouveau entassés dans un taxi-brousse, cette fois nous n'avons qu'une hâte : retrouver la *V'limeuse*.

Notre maison flottante est toujours à la même place, mais de loin quelque chose cloche dans la mâture. Un hauban arrière pend, sectionné à mi-hauteur !

Une courte note du gardien, posée sur la table, nous explique en trois phrases l'incident survenu le matin précédent, durant les manœuvres d'un cargo local. Le vent avait fait pivoter la *V'limeuse* trop près du quai et le pauvre bougre, incapable de déplacer le bateau, n'a pu qu'assister à l'accrochage.

L'échappée belle (C.)

J'imagine la scène : le petit cargo manœuvre si proche de la *V'limeuse* que son ancre, fixée à l'étrave, accroche l'un de nos deux pataras. Il s'en rend compte mais ne fait rien pour tenter de se dégager ; tant pis, nous sommes dans ses jambes. Il continue de traîner le bateau jusqu'à ce que notre mouillage se tende. Bien enfouie dans ce fond de sable, l'ancre résiste à l'énorme traction. Elle tient bon. Toute la pression va se porter maintenant sur ce câble toronné de dix millimètres, si costaud qu'un mât cède généralement avant lui.

Poursuivant toujours son mouvement, le *Vatsy 2* tire comme un archer sur notre mâture. Celle-ci se bande à tout rompre et... ping ! c'est la corde de l'arc qui se casse la première. Suite à cette rupture, le relâchement a dû être terrible, transmettant au gréement une onde de choc encore bien plus dévastatrice.

Comment se fait-il que tout soit encore debout ?

Miracle ? Pas tout à fait. Michel Joubert, l'architecte du Damien 2, a prévu les coups les plus durs. Sans compter qu'au moment de la construction, nous avons souvent augmenté la marge de sécurité en grossissant les échantillonnages, obsédés que nous étions à l'époque à faire fort sans considération de poids.

J'ai souvent regretté d'avoir grossi le calibre des mâts. Ce poids excessif dans les hauts accentue le roulis du bateau et le claquement des voiles certains jours de grosse houle et de vents faibles.

189

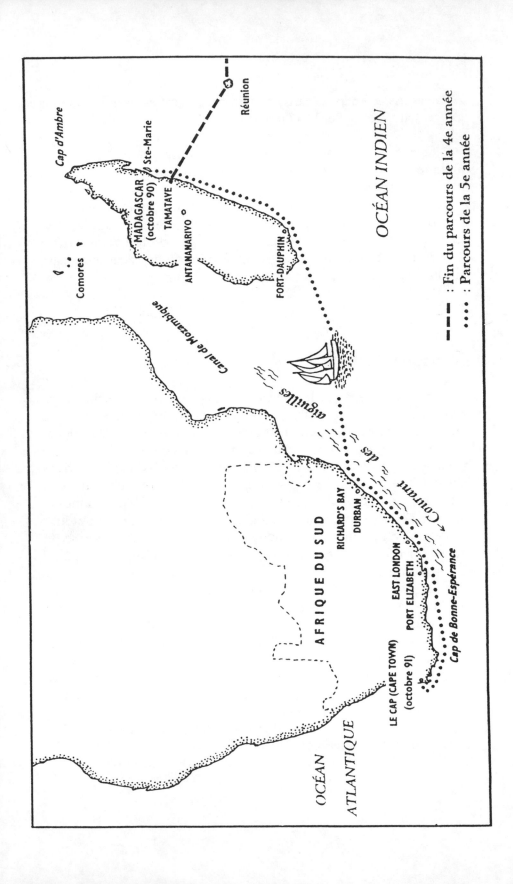

Cap d'Ambre

OCÉAN INDIEN

Réunion

Ste-Marie

MADAGASCAR
(octobre 90)

TAMATAVE

ANTANANARIVO °

Comores

FORT-DAUPHIN

Canal de Mozambique

aiguilles

Courant des

RICHARD'S BAY

DURBAN

EAST LONDON

AFRIQUE DU SUD

PORT ELIZABETH

LE CAP (CAPE TOWN)
(octobre 91)

Cap de Bonne-Espérance

OCÉAN
ATLANTIQUE

▬ ▬ ▬ : Fin du parcours de la 4e année

. . . . : Parcours de la 5e année

Maintenant je me félicite. Mes « poteaux de téléphone », en dépit des désagréments qu'ils me causent, viennent probablement de sauver le reste du voyage.

Vraiment, il s'en est fallu de très peu pour que nous retrouvions notre petit bosquet complètement rasé, au retour de la capitale. Et plus je réfléchis aux conséquences d'une pareille avarie, ici à Madagascar, plus j'imagine la tonne d'emmerdements qui nous seraient tombés dessus du même coup. J'en frémis à y penser.

Au moyen de serre-câbles et d'un bout de hauban de huit millimètres qui traînait dans mon établi, je raboute le pataras sectionné et me livre ensuite à un examen général de chaque mât, du pied à la tête. Tout est passé en revue : le haubanage au complet, les cadènes qui ancrent solidement le réseau des haubans à la structure du bateau, les barres de flèche et les vingt-deux ridoirs qui raidissent l'ensemble.

Je ne décèle aucun dommage, en apparence du moins. Mais alors que je redescends du grand mât, je note une tache noire sur un des haubans. Je m'approche et, aie ! un des torons est sectionné. Un sur dix-neuf ! Faudra y voir. Puis, soudainement, la nature de la blessure me cause des sueurs froides. En l'examinant de près, pas de doute, il s'agit bel et bien d'un phénomène d'oxydation, pas récent de surcroît à juger par la couleur de l'acier « inoxydable ».

Cette découverte n'a rien à voir avec l'accrochage du petit cargo et elle m'inquiète davantage. C'est comme si un médecin à l'urgence, en prenant des radios de mon ligament étiré, trouvait par hasard une tumeur maligne. À première vue, ce toron sectionné m'apparaît un cas isolé. Mais ce serait très grave si d'autres parties étaient rongées de l'intérieur sans qu'on puisse vraiment les remarquer.

Le 13 octobre 1990, nous quittons Tamatave, direction nord. Notre programme est le suivant : aller virer le cap d'Ambre, l'extrémité de l'île, à environ 350 milles d'ici, pour ensuite emprunter le canal de Mozambique et redescendre par la côte ouest de Madagascar avant de rejoindre l'Afrique du Sud. Nous pensons mettre à peu près un mois et demi pour effectuer ce trajet côtier, ponctué de quelques arrêts incontournables.

Le premier se situe à environ 80 milles de Tamatave. On nous a beaucoup parlé de l'île Sainte-Marie, allongée sur une quarantaine de kilomètres, à proximité de la côte.

Notre coque doit être très sale car nous avançons à peine dans ces vents légers. Le dernier nettoyage remonte aux Chagos, il y a cinq mois, et il serait temps d'aller jeter un œil là-dessous. La tâche nous répugne tant qu'elle doit devenir une urgence pour qu'enfin on s'y résigne.

Nous commençons à scruter les endroits propices à cette besogne. Quelques milles avant Sainte-Marie, en rasant l'île aux Nattes, un beau fond de sable blanc nous paraît tout indiqué pour la baignade forcée.

À peine sommes-nous mouillés qu'une pirogue s'approche. Le pêcheur nous salue, puis nous montre quelques beaux coquillages à vendre. Devant son insistance à vouloir gagner des sous, je lui parle de notre coque... L'idée semble le réjouir et il repart vers la terre chercher deux de ses amis.

En échange des travaux de récurage de la coque, mes trois bonshommes demandent de quoi s'acheter une bouteille de rhum, soit 3 000 francs malgaches. Il se trouve que j'en ai à bord, et sûrement de meilleure qualité que ce qu'ils comptaient boire. Marché conclu.

Deux heures plus tard, le ventre de notre grosse baleine est propre. Les gars n'ont pas rechigné à la besogne mais, à la veille de partir, au milieu d'hésitations, ils finissent par avouer qu'ils ont mal évalué le travail. Alors, ils veulent plus que la bouteille promise, un peu d'argent peut-être. Je veux bien les dédommager davantage, mais je préfère leur offrir quelques tee-shirts, ainsi que cette paire de sandales en plastique qu'ils acceptent volontiers. Enfin, toujours conciliant, je leur remets l'un de nos masques avec lesquels ils ont plongé sous le bateau. Contents ?

Il faut croire que ce n'était pas assez puisqu'ils filent sans même un petit bonjour. Ce genre de situation me pose chaque fois un cas de conscience. M'en suis-je trop tenu à cette foutue d'entente, me suis-je bêtement pris au jeu de l'homme d'affaires pour qui les règles, non les sentiments, définissent l'attitude à prendre ?

Je ne cherche même plus à savoir s'ils auraient par hasard cherché à exagérer, non, je prends déjà la faute. J'avais l'occasion inespérée d'apporter un peu de bon temps à ces individus ; j'aurais ouvert une autre bouteille, nous nous serions soûlés ensemble dans le cockpit et, au moment de se quitter, je leur aurais glissé à tous les trois un petit billet vert dans le creux de la main. Pour moi, c'était deux fois rien.

Encore du chemin à faire, mon vieux Carl !

192

La bascule (C.)

Nous avons souligné les récents anniversaires de Dominique et de Damien à Sainte-Marie, les 18 et 27 octobre, mais sans les lancer en l'air comme c'est parfois la coutume. La bascule dont je veux parler est d'un autre ordre : nos plans immédiats et à plus long terme ont changé. D'abord nous faisons volte-face en abandonnant l'idée initiale d'aller rejoindre la côte ouest. Pour un. Et de deux, nous venons de prendre la décision de rentrer chez nous plus tôt que prévu, soit dès l'été 1991.

Après l'Afrique du sud, nous projetions de passer un peu de temps en Argentine et dans les canaux de Patagonie. Mais la Terre de Feu devra attendre que bateau et équipage soient mieux préparés pour affronter cette région où les conditions peuvent être très dures. La conduite de mon bateau m'inquiète par très forts vents arrière et je n'irai pas hasarder nos vies dans ces parages tant que je n'aurai pas fait les modifications qui s'imposent. Le système de gouverne, plus précisément le dessin du safran, ne m'a jamais donné satisfaction et il faudra le revoir entièrement. Il a le défaut majeur de ne pas être compensé, ce qui rend le bateau très dur à tenir dans des conditions extrêmes.

L'autre point faible réside au niveau du plan de voilure qui est mal équilibré. Il faut augmenter la surface de voile à l'avant, en ajoutant un bout-dehors d'environ un mètre ou carrément transformer le gréement de goélette en celui de ketch, ce que Joubert lui-même proposera quelques années plus tard avec un mât rallongé à 16,60 mètres à l'avant et un mât d'artimon de 14,40 mètres, probablement suite aux remarques transmises par les propriétaires au fil de leurs expériences.

Quant à nos plans immédiats pour un tour presque complet de Madagascar, nous avons apporté là aussi un ajustement.

Il y a bien quelques défaites à invoquer, comme ces vents installés au nord depuis trois semaines et dont nous attendions plus ou moins la renverse avant de mettre à voile vers Diégo-Suarez. Sans parler aussi du moteur dont le problème n'est toujours pas résolu : il continue de chauffer. En empruntant le canal de Mozambique, à ce temps de l'année où les vents sont faibles ou nuls, nous risquerions de trop le solliciter.

193

Je pourrais continuer mes lamentations, montrer le génois déchiré, irréparable, cuit jusqu'à l'os, vestige à la carrière bien remplie après dix ans de fidèles et bons services, rapiécé, cousu, collé, élevé au rang de catalogne, objet d'affection que je ne me résigne pas à balancer sur un quai. Il nous manque terriblement dans des vents inférieurs à 15 nœuds, spécialement au près serré où il ne nous reste que le foc numéro 1 à hisser, vingt-sept mètres carrés de surface au lieu de cinquante-trois.

Nous sommes fatigués, voilà la vraie raison. Une fatigue qui s'accumule depuis quatre ans, une vieille fatigue qu'aucune escale si longue et reposante soit-elle n'arrive à éliminer. Elle se dépose au fond du vase, imperceptiblement. Dès qu'on remue le flacon, le liquide se brouille à nouveau, nous voyons moins clair.

Et quoi de plus normal. Il y a bien des façons de voyager et nous n'avons pas choisi la plus reposante. Non, nous ne vivons pas des vacances à répétition. Je croirais même que certaines personnes mesurent notre bonheur avec leur dernier voyage à Cuba. Ils prennent quinze jours de farniente sur une plage à Varadero, les multiplient par quatre ans et bingo ! Nous devenons une image de carte postale, un voilier en silhouette sur des cieux enflammés de pourpre.

De toute façon, je n'ai personne à convaincre en faisant la comptabilité de nos dépenses d'énergie : tant de calories brûlées en manœuvres, en préoccupations pour la sécurité de nos quatre *flos*, etc. La meilleure démonstration que je puisse faire serait d'avouer que nous connaissons des plaisirs que peu de gens s'offrent. Je ne les blâme pas : la quête de ces moments privilégiés requiert énormément de peine.

Bref, nous devinons aujourd'hui que le vrai repos est parmi notre monde, dans une espèce d'univers clos dont nous avons besoin après un certain temps. Il faut pouvoir sortir des entrailles de notre bateau, le tirer au sec, l'oublier, ou presque, en retrouvant la vie entre quatre murs, l'enfance de l'âge, le fondement de notre existence, le moule traditionnel.

Pourtant, il n'y a pas lieu de se plaindre présentement ; nous continuons d'écouler des jours bienheureux à l'île Sainte-Marie, loin de l'agitation, du mazout et de la poussière du port de Tamatave. Il aurait été mille fois préférable de toucher terre ici, en premier, dans ce petit havre de paix qu'est Port Sainte-Marie ou Ambodifototra en malgache (prononcez Ambodifoutre).

La *V'limeuse* broute seule dans sa clairière, étroite enclave constituée, d'un côté, de quelques remises sur un quai prolongé par une courte digue, et de l'autre, d'une haute voûte ombragée formée d'arbres majestueux, sous laquelle on entend, étouffés par le feuillage et la distance, des voix d'enfants, des aboiements, des jacassements de poules. Aucun bruit de moteur. Et vers 5 heures du soir, quand la lumière vient dorer le flanc de la petite église qui se détache à l'orée du rideau d'arbres, on voudrait s'agenouiller et croire à quelque chose.

Le village n'est pas très loin, à moins d'un kilomètre, et nous pouvons le humer en approchant : c'est la saison du girofle et l'air en est imprégné. L'odeur sucrée s'élève de ces larges tapis étalés au soleil. Ils forment d'intéressantes mosaïques autour des maisons, chaque stade de séchage ayant une couleur différente. Le petit magasin du coin vend cette merveilleuse épice à cinquante sous le kilo. C'est donné, vu l'excellente qualité.

Damien a flairé l'aubaine et nous l'encourageons à se lancer en affaires. À ce prix, les quinze kilos qu'il achète sur-le-champ ne représenteront pas une grosse perte si, en mettant les choses au pire, il restait pris avec son sac.

La perspective de réaliser un bon profit en Afrique du Sud, ou quand nous repasserons par les Antilles, lui remonte le moral. Il était temps. C'est lui qui a le plus mal réagi à notre décision de rebrousser chemin. Il s'est fait copain ici avec un pêcheur qui n'a pas arrêté de lui vanter la grosseur des prises dans le canal de Mozambique. Il salivait à l'écouter et puis... c'est la douche froide. Le poisson et lui, ça devient de jour en jour une poignante histoire d'amour. Et les gros méchants parents que nous sommes viennent de lui faire rater un rendez-vous galant.

À la terrasse d'un casse-croûte, nous rencontrons deux Québécois qui voyagent en monomoteur. Jacques et Agnès se relaient aux commandes de leur Piper depuis le Québec qu'ils ont quitté en mars dernier. Ils ont aussi un passager occasionnel, leur fils Julien, qui choisit parfois les longs courriers pour les rattraper en route.

Je les écoute avec un brin d'envie, imaginant la rapidité avec laquelle ils avalent les distances, assis confortablement dans leur habitacle, à voler dans la plume. J'ai toujours eu un faible pour les nuages qui passent et je serais bien prêt à échanger mes problèmes pour les leurs, question de déplacer le mal. Comme on dit souvent : le pré du voisin paraît toujours plus vert. Jacques rêve lui aussi en regardant la *V'limeuse*. « L'avion, c'est bien beau, dit-il, mais ce n'est qu'un moyen de transport. Tu n'es jamais chez toi comme sur un bateau ; c'est la vie d'hôtels et de restaurants. »

En nous quittant, ils laissent une adresse à Tamatave où nous pourrions nous revoir.

Les vents sont contrariants. Maintenant que nous sommes prêts à faire demi-tour, ils ont viré aussi. Nous patientons quelques jours en préparant des conserves de poulpes et de viande de zébu que Benoît, le patron de l'entrepôt frigorifique du quai, nous offre ou nous vend pour presque rien. Puis lassés d'attendre des conditions plus favorables, nous partons en tirant des bords. Pour comble, cette jolie brise du sud est insuffisante pour que nous progressions à voile seulement, surtout sans génois. Nous enclenchons alors nos 140 chevaux à très bas régime, température oblige, afin d'appuyer notre allure et réaliser un meilleur près.

Quatorze heures plus tard, assommés par le bruit du moteur qui a tourné tout ce temps, nous nous mettons à l'abri du récif de Foulpointe pour la nuit. Nous avons grignoté quarante-trois minables milles tout en nous estimant chanceux, puisque le vent est passé un chouïa à l'est durant la journée, ce qui a réduit de moitié les virements de bord.

Il est plus de minuit. Les enfants sont couchés. Dominique éteint le radar qu'elle guettait comme une proie durant les dernières heures, contrôlant parfaitement le faible écart qui nous séparait de la côte. Ce fut même, au moment de déborder une pointe de récifs, une navigation assez rase-cailloux, merci ! Tout ce stress en prime pour se sauver de deux virements de bord qui nous auraient écartés de la côte.

Va toujours pour quelques occasionnelles montées d'adrénaline, mais il ne faudrait pas que la paresse empiète sur la sagesse. C'est la remontrance que je me fais intérieurement en me préparant un punch coco. Je suis brûlé de fatigue, affamé aussi, mais je ne peux ni dormir, ni manger tout de suite. Trop de pression encore sur mes tempes. Dominique trouve la force de préparer le maquereau que Damien a attrapé à la traîne aujourd'hui.

Dehors, c'est la pleine lune et la nuit tiède flotte comme un grand châle blanchâtre. Elle vient se poser sur mon front, telle une main caressante. Le calme m'envahit, me libère du poids de la journée, me vide enfin du lointain bourdonnement du moteur.

Des images de ma vie apparaissent dans ces moments. Elles me ramènent à cet inestimable trésor qu'est l'enfance. Est-il perdu ? Ce voyage est-il une tentative pour retrouver un pareil bonheur ? Je n'obtiendrai jamais les réponses.

Plus je contemple la lune, cette boule parfaite qui tourne autour de la terre, plus je pense que notre esprit est, lui aussi, prisonnier d'une orbite, avec des pensées qui reviennent sans cesse.

L'aumônier (C.)

Il avait été décidé qu'en arrivant à Tamatave, je retournerais seul à Antananarivo, en stricte visite d'affaires cette fois, pour en rapporter une dizaine de solitaires. Ces jeux sont des pièces d'artisanat originales et, au prix où nous les obtenons, nous devrions pouvoir les revendre sur la route en réalisant un bon profit. Et comme nous disposons de peu de liquidités, l'avantage ici est de pouvoir troquer. Nous l'avons bel et bien expérimenté à notre première visite au *zuma*.

En prévision de mon départ, nous inventorions le superflu à bord, tout ce qui est commercialement échangeable. La liste est longue. Elle nous rendrait instantanément riches si seulement nous arrivions à nous départir de tous ces objets accumulés par précaution. Par exemple, dans les seuls tiroirs de mon établi à l'avant, je dois avoir au moins dix tournevis en trop, des pinces-étaux (*Vise-grip*), coupantes ou ordinaires, des limes, des clefs hexagonales ou à mollettes de toutes tailles, quantité de vis et de boulons en inox, et j'en oublie.

197

Le lendemain matin, je saute avec ma grosse valise dans le premier pousse-pousse qui passe, direction la gare des taxis-brousse pour Tana.

Je suis content de refaire le voyage, de regarder défiler pendant sept heures des images d'un pays fascinant, le plus sauvage et mystérieux qu'il nous ait été donné d'aborder, et bien sûr nous n'avons pratiquement rien vu. Nous n'en verrons pas davantage non plus au cours de ce présent voyage. Même si nous avions six mois devant nous, je ne suis pas certain que le bateau serait le bon moyen pour profiter pleinement du pays. Il faudrait pouvoir répéter ce que nous avons fait en Australie, ancrer la *V'limeuse* et parcourir l'intérieur des terres. Mais cela demande une organisation autrement plus compliquée ici. Déjà, le seul fait de laisser son bateau quelque part pose de sérieux problèmes de sécurité. Je l'ai bien vu à Tamatave.

J'apprendrai quelques années plus tard, à notre retour au Québec, que notre copain Alfred, le Suisse, s'est fait vider son bateau à Diégo-Suarez, au nord de l'île, là où nous devions passer. Une petite erreur qui lui a coûté cher, bien qu'il n'était pas complètement responsable. Il s'agissait d'un malentendu avec sa nouvelle équipière embarquée à la Réunion, qui s'est absentée quelques heures un soir. Les malfaiteurs en ont profité pour tout voler, avec le résultat que le pauvre n'a pu reprendre la mer. Il a tout juste réussi à emprunter un sextant pour rejoindre les îles Comores, quelques centaines de milles plus à l'ouest, et de là rentrer chez lui pour travailler et se payer de nouveaux instruments.

Rendu à Antananarivo, j'hésite un moment sur l'endroit où je compte me loger. Je serais accueilli sans problème chez les amis Parenteau, mais leur maison se trouve en banlieue. Évidemment, le plus pratique pour moi serait d'aller frapper une autre fois à la porte du collège Saint-Antoine, merveilleusement bien situé, mais j'ai peur de mettre les religieuses dans l'embarras. Il peut y avoir toute une différence pour elles entre héberger une famille, comme elles l'ont fait si charitablement, et... un homme seul.

Je me créais de fausses pudeurs. Ou peut-être ai-je l'air plus respectable que je ne le suis vraiment. Toujours est-il que cette brave mère supérieure est prête à accueillir une âme solitaire, qu'elle soit accompagnée ou non. En plus du gîte, je pourrai même partager sa... table.

– Oh ! Bienveillante Mère, pardonnez ces trois points de suspension qui traduisent les noirs desseins que le diable a insérés dans mes pures intentions ! Cette allusion insidieuse ne saurait être une entorse à la confiance que vous me portez.

Blague à part, voilà une chose de réglée. Maintenant, je me donne deux jours, maximum trois, pour repartir d'ici avec mes solitaires. Sinon, je risque de perdre patience.

Dès le premier avant-midi dans cet immense bazar, j'en arrive à cette constatation : je ne peux examiner ainsi chacune des pierres de chaque jeu, ni amorcer un marchandage avec la centaine d'individus qui présentent leurs marchandises. Non, plutôt que de m'éparpiller pour des brindilles, je dois concentrer toute mon énergie sur le vendeur dont l'étalage me paraîtra le plus décent. Une fois que j'aurai fait mon choix et obtenu son dernier prix, alors, à ce moment-là seulement, je lui mettrai mes cartes sur table.

Au début du deuxième jour, après un vol de reconnaissance la veille, j'ai choisi ma cible et j'entame mon piqué. Je crois avoir visé juste car mon marchand prend mon argent au cours parallèle, soit à un taux de 25 % supérieur à celui de la banque. De plus, sur simple énumération du contenu de ma valise, il évalue la valeur du troc à près de la moitié du montant total.

Les affaires marchent rondement. Les jeux sont emballés et nous nous dirigeons vers le couvent où se trouve l'objet de leur convoitise : le gros sac de sport bleu marin. C'est le dernier obstacle en vue et, je le sens, tout va se jouer autour de lui.

Deux heures plus tard, au parloir du couvent, c'est l'impasse. L'homme et ses deux acolytes ont épluché et chiffré chaque pièce de vêtements, ainsi que les cassettes, les cartouches de cigarettes et la trousse de médicaments, et, comme je le craignais, ils tentent de renégocier le tout.

Ils menacent de repartir avec leurs marchandises. Pourtant, je sais qu'ils ne le feront pas. Il s'est passé quelque chose quand ils ont mis les pieds ici. Ils auraient volontiers le goût de m'escroquer un tantinet, mais les lieux les intimident. Comme s'ils voyaient l'œil réprobateur de Dieu quand ils examinent les images pieuses qui ornent les murs.

Leur façon de me regarder en dit long. Depuis que la Supérieure nous a conduits dans cette salle, je devine qu'une question les tenaille constamment : qui suis-je au juste et, surtout, que fais-je dans cette bergerie de nonnes ?

Notre discussion ardue se poursuit encore quelques minutes, puis finalement ils lâchent prise, résignés, imaginant peut-être céder à mes bonnes œuvres une partie des bénéfices supplémentaires qu'ils comptaient me soutirer, à moi, missionnaire ou confesseur, simple curé ou prélat domestique, archevêque ou nonce pontifical, défroqué ou pape navigateur !

Le lendemain, en sortant de la cour du couvent, j'ai d'ailleurs confirmation que ma présence chez les religieuses suscite une certaine curiosité quand un jeune garçon s'approche et me demande si je suis le nouvel aumônier. Presque flatté, je ne vois que ma barbe grisonnante et mes lunettes pour me donner un air édifiant, car j'ai plutôt l'accoutrement de quelqu'un qui part pour la plage.

En réalité, j'ai besoin d'un bain de foule. On dirait que je réagis à mon comportement des derniers jours. J'ai gardé mes distances en jouant le commerçant, maintenant j'ai un goût irrésistible de me laisser aller. Dans ces occasions, la photographie est le meilleur outil de rapprochement que je connaisse. Même si elle a été longtemps et reste un gagne-pain occasionnel, j'y retrouve toujours la même ferveur car, pour moi, elle est synonyme de découverte.

Et là, on peut dire que je me délecte. Tout à l'heure, sans prendre aucune direction précise en quittant le quartier d'Ankatifutsy, j'ai suivi des rues, des ruelles, et me voilà après plusieurs heures dans des recoins de la ville avec l'impression d'avoir soudainement changé de planète.

Je ne sais vraiment plus où je suis, et peu importe puisqu'on dirait que ce sentiment de désorientation accentue ma vision. Je regarde de tous côtés, cherche le bon angle, la belle lumière avant de figer des attitudes, des gestes qui révèlent différentes facettes d'une vie peu commune avec la nôtre.

Tout a commencé quand un garçon est venu me prendre par le bras en m'invitant à le suivre. Un peu plus loin, nous sommes entrés dans une maison, il m'a tiré dans une pièce et là j'ai compris : cette femme qui donnait le sein voulait que je prenne une photo d'elle et de son bébé. Ils m'avaient vu par la fenêtre. La jeune mère était très belle et l'atmosphère dans cette maison, extraordinaire. Il y avait plein de monde et je ne savais pas s'il s'agissait de parents, d'amis, de clients, et à qui appartenaient tous ces enfants. Aucune importance, j'en rassemblais quelques-uns, choisissais un décor et clic !

Puis la nouvelle s'est répandue comme un traînée de poudre dans le petit quartier et j'ai dû répondre à beaucoup d'invitations. Ce fût fantastique. Sur le lot de photos prises, j'ai la conviction d'avoir décroché quelques images exceptionnelles. J'aurais pu passer des heures à fouiller de mon objectif ces visages magnifiques, sauf qu'il me fallait ménager la pellicule. Je me promettais en revenant au couvent d'immortaliser mes petites franciscaines.

Elles sont une douzaine à table quand nous nous retrouvons à l'heure des repas. Dominique se paierait sûrement ma tête si elle me voyait chanter et réciter le bénédicité. Ensuite, elles ne manquent jamais de s'informer de notre voyage. Je les fais parler sur leurs rôles ici et je sens bien qu'une époque s'achève. Celle où la foi religieuse comblait chez ces personnes le goût de l'aventure humaine.

Je rentre à Tamatave demain matin et la sœur supérieure voit à ce que mes colis soient bien ficelés. Je lui remets une veste de laine que la famille lui offre ainsi que des médicaments pour les malades dont elle s'occupe à la clinique Saint-François d'Assise. Elle est très touchée. Je passe ensuite une bonne demi-heure à photographier mes religieuses dans les endroits les plus jolis de ce vieux couvent. Elles collaborent en s'amusant comme une bande de gamines. Là aussi, je me sens inspiré : la récolte de souvenirs devrait être bonne. Bien entendu, je promets de leur faire parvenir les photos les plus réussies.

Quelques minutes plus tard, alors que je prends un café dans le quartier, je reconnais un homme qui m'avait parlé de pierres semi-précieuses lors de notre premier séjour. Il sort quelques petites boîtes de dessous son gilet et me fait voir de belles et grosses citrines. Je le préviens tout de suite : je n'ai plus un sous.

Il m'entraîne tout de même chez lui où il me montre des preuves de ses transactions avec un client italien, etc. En tout cas, s'il en est un, cet escroc crée d'habiles mises en scène. Cependant, notre homme ne se doute pas qu'il vient de rencontrer pire que lui : je lui prends sa citrine de 32,5 carats et propose de lui envoyer un chèque, une fois la pierre évaluée par un spécialiste. Incroyable proposition qu'il accepte sans sourciller. Deux jours plus tard, à Tamatave, un bijoutier me confirmera la qualité et la valeur du gemme et nous lui ferons parvenir l'argent.

En rentrant dormir au couvent, ce fameux soir, je repense à cette confiance qu'un parfait inconnu m'a accordée. Tant que subsistera ce côté merveilleux et ahurissant des humains, cela vaudra la peine de remuer mers et monde.

Back in Tamatave. La famille se porte bien. Un coup de vent les a tenu occupés, ainsi que les nombreux va-et-vient des caboteurs *Vatsy 1, 2, 3* et *4* qu'ils craignaient comme la peste.

Jacques et Agnès, nos pilotes québécois, ainsi que leur fils Julien, viennent nous rendre visite au bateau. Ils interrompent momentanément leur tour du monde à vol d'oiseau pour des questions professionnelles. Jacques, facteur de piano, examine les possibilités de démarrer ici une nouvelle entreprise. Le pays est riche en essences de bois et la main-d'œuvre peu coûteuse.

Ils nous invitent ensuite à manger au restaurant. C'est délicieux et on se goinfre à pleine capacité. Dans son journal de bord, Évangéline toutefois se défend d'avoir trop mangé par une pirouette de son cru : si elle a « un bide énorme », c'est à cause « du resto qui était super accueillant ». Sacrée grande *duduche*, va ! comme dirait Dominique.

Le lendemain, ils nous envoient longuement la main depuis la digue du port. Ils ont insisté au moment du départ pour que nous prenions leur porte-bonheur : un modèle-jouet en bois de ces anciens biplans avec deux petits bonshommes, l'un assis derrière l'autre.

On m'avait dit que les rouleaux de film 35 mm étaient une denrée fort rare à Madagascar. Cela se traduisait par de nombreux vols dans les chambres d'hôtel, etc. J'étais loin de me douter toutefois que la pellicule exposée provoquerait la même avidité.

Le commis de la poste à qui j'ai remis l'enveloppe Kodak à mon retour de Tana n'y a vu que du feu, croyant mettre la main sur des bobines vierges pour les revendre à prix fort.

Demandez à n'importe quel photographe, il vous jurera que les photos qu'on lui a volées, perdues ou abîmées en laboratoire représentaient ses plus réussies. Il ne faut pas en douter. Car elles continuent de remuer dans les souvenirs, échappant à la fixité.

Évangéline ✍

14 novembre

J'ai des larmes dans les yeux, encore une fois. C'est dur de partir quand on se fait des amis. C'est bizarre, même si je me dis « il ne faut pas qu'on reste ici » parce que je m'ennuierais à la longue, ça me fait quelque chose de m'en aller.

Cap au sud-ouest (D.)

À l'aide d'une brise légère, la *V'limeuse* s'échappe enfin de Tamatave.

Je ne suis pas triste comme Évangéline. Au contraire, je me sens soulagée. Les odeurs de mazout m'étaient devenues insupportables, de même que la chaleur, les invasions de moustiques la nuit, et ce sentiment d'être enlisés sur place tandis que novembre nous file entre les doigts.

La magie de notre départ à voile s'évanouit lorsque nous quittons les eaux mortes du port. La houle nous cueille au large, une houle voyageuse venue des quarantièmes rugissants comme un souvenir de mauvais temps.

Nous prions pour que le vent du sud vire à l'est, comme il le fait habituellement vers midi, mais aujourd'hui il se contente de faiblir et nous oblige à tirer de grands bords à la manière des crabes, avec l'impression de ne pas avancer.

À la fin de l'après-midi, la *V'limeuse* a péniblement zigzagué sur trente milles et n'a parcouru qu'un maigre dix milles dans la bonne direction. Les humeurs s'assombrissent à l'intérieur du bateau. Sandrine, la plus sensible au roulis, s'est déjà allongée dans la cabine à côté de son bol, calculant qu'à cette vitesse nous atteindrons Fort-Dauphin dans plus d'un mois.

Depuis notre arrivée à Madagascar, nous avons la désagréable sensation d'être piégés le long de la côte. Lorsque nous remontions celle-ci en octobre, les vents soufflaient du nord et furent en partie responsables de notre changement de cap. Et maintenant que nous avons renoncé à contourner le pays par en haut, voilà qu'Éole nous refuse à nouveau sa coopération.

L'océan Indien nous aura appris que l'absence de vent ou la progression au ralenti peut mettre les nerfs d'un équipage à plus rude épreuve que le mauvais temps.

La vue de l'îlot Nosy Fah, à moins d'un kilomètre à bâbord, nous donne l'envie de dormir à l'ancre. Un bon repas remettrait nos estomacs d'aplomb et Damien a pêché un beau maquereau qu'il promet de cuisiner.

Nous dénichons un mouillage acceptable par huit mètres sur fond de sable et corail, à l'abri du récif où un voilier de la Réunion s'est échoué il y a trois semaines. Il y est toujours et l'opération sauvetage bat son plein. Ce soir, l'équipe de renflouage travaille à incliner la coque du First 13,50 à l'aide de palans, pour dégager le flanc abîmé. Comme le rapportaient les journaux, cet échouage fut plutôt humiliant pour les malfaiteurs qui venaient de le voler.

Des vents de terre, tièdes et parfumés, nous laissent espérer toute la nuit qu'ils souffleront encore au matin. Mais une fois l'ancre levée, la brise s'installe résolument au sud.

Carl propose alors de faire demi-tour et Évangéline l'approuve. Ils pensent que nous allons nous traîner des jours et des jours ainsi. Si nous avions davantage de fuel et les plans détaillés des abris situés le long de la côte, disent-ils, notre situation serait moins précaire. Je les regarde tous les deux : ma fille, qui aimerait bien revoir ses amis, et Carl, qui débute une grippe, affligé de maux de tête, déprimé... J'arrive à peine à parler. Les larmes me viennent aux yeux, bêtement, à la simple idée de retourner à Tamatave. Une sorte de nausée. « Et si on se donnait une toute petite chance, vingt-quatre heures supplémentaires, d'accord ? » Devant mes larmes, on m'accorde un sursis. Et comme par enchantement, le vent vire au sud-est dans l'après-midi.

Durant soixante-douze heures, la *V'limeuse* gruge les milles : 105, 135, 132. Soumise aux caprices du vent, la navigation est plus reposante entre l'aube et le crépuscule, moment où l'alizé gonfle les voiles par le travers. Elle devient difficile la nuit venue, car le souffle faiblit en passant sur l'arrière et notre vitesse ne combat plus la houle.

Commence alors le cauchemar des voiles qui claquent, infligeant des gifles monumentales à l'ensemble du gréement.

Au matin du quatrième jour, Fort-Dauphin n'est plus qu'à soixante milles. La famille a retrouvé sa forme. Damien attrape une superbe daurade coryphène. Nous hissons le spi, la côte est magnifique, montagneuse, et chacun surveille attentivement la mer car notre route suit la migration des baleines à bosses.

Nous apercevons leurs jets de pluie fine à travers les moutons, suivis parfois d'un bout de tête ou d'un dos noir. Vers la fin de l'après-midi, je remarque une curieuse forme au loin qui ressemble d'abord à une voile sans bateau... puis à un immense papillon blanc posé sur la mer. Bientôt nous devons admettre l'évidence : il s'agit d'une queue de baleine dressée vers le ciel ! Cinq, dix minutes s'écoulent, le mammifère est-il mort ? Non, car il plonge à notre approche. Puis la queue réapparaît plus loin, à nouveau verticale. Un souffle rapproché nous apprend que la baleine n'est pas seule.

Damien suggère qu'elle fait l'amour. Noémie pense qu'elle nourrit son petit. Mystère.

Entre-temps, le vent s'est mis à accélérer aux abords de la pointe Itaperina, péninsule qui marque l'extrémité nord-est de la grande baie de Fort-Dauphin. Longue de cinq milles et exposée aux vents dominants, cette baie apparaît tout à coup plus sauvage, inhospitalière, avec la tombée du jour. Le village et le port se trouvent au sud. Comme il est impossible d'y arriver avant la noirceur, je me fie aux instructions nautiques, lesquelles suggèrent, par forts vents du nord, de mouiller dans l'anse Itapère, à l'abri de la péninsule.

L'entrée plutôt étroite, frangée de récifs, ne nous dit rien qui vaille. Elle mène à un mouillage minuscule dans un décor de cailloux. Une houle longue et puissante y entre et se brise sur les rochers, et avec la pénombre naissante et le vent qui souffle maintenant à plus de 25 nœuds, l'endroit devient angoissant.

J'ai des papillons dans le ventre et je commence à trembler, accrochée à la barre à roue. Où aller ? Il y a bien, tout au fond, une petite plage de sable avec une case et quelques personnes qui nous observent, mais l'aire de manœuvre paraît si étroite près du bord qu'il vaudrait mieux mouiller au centre de l'anse. De peine et de misère, j'immobilise la *V'limeuse* dans l'axe du vent pendant que Carl laisse filer l'ancre et cinquante mètres de chaîne. Mais les rafales déboulant des montagnes sont trop violentes. L'ancre dérape sur le fond de roche. Il faut déguerpir.

Évangéline apprend ce jour-là ce qu'est une poussée d'adrénaline. Jamais Carl ne l'a vue remonter la chaîne à ses côtés avec autant d'ardeur ! Un peu plus tard, elle écrira dans son journal :

> Ouf ! Un vrai trou à rats ce bout de pointe, cet endroit ou « normalement » les bateaux vont s'ancrer ! Après quelques hésitations, nous avons dirigé l'étrave vers Fort-Dauphin. Mon Dieu ! Le vent ! C'est fou, on dirait qu'il accélère sur l'eau !! J'ai la trouille. On navigue au radar. Dominique n'a pas de plan du port. Il y a un cargo mouillé au fond de la baie. On arrive en vue du quai, enfin, nous croyons que c'est le quai avec les hangars au bout. Oui, on vient de voir sortir un bateau-pilote. Punaise ! Il faut passer entre le bout du quai et une falaise. J'ai les boules. En plus, il y a un de ces courants. Aie ! Aie ! Aie ! Qu'est-ce que c'est petit ! C'est la pagaille, il y a plein de gens sur le quai en train de bouger des barges. On ne peut pas s'attacher là. Alors on s'ancre entre le quai et la falaise. Le capitaine du bateau-pilote nous crie qu'on est dans les jambes. Tant pis, il n'y a pas d'autre place. Il vente encore très très fort, les vagues qui traversent la baie foncent sur nous...

Acculés au fond d'un port (D.)

J'ai fini par m'endormir avec le baladeur sur les oreilles, vers trois heures du matin. Il me semblait que la rage du vent s'atténuait. L'ancre tenait bon ; un fond de sable ou de vase, sans doute. J'ai dû sombrer en quelques secondes, emportant des images de bateau fou qui dansait au bout de sa chaîne avec les flancs couverts d'écume.

Aujourd'hui, il vente toujours à décorner les bœufs. Mais la lumière est féerique. Devant la chaîne de montagnes arides et pelées, des dunes basses, recouvertes de végétation, bordent une baie devenue émeraude et blanche sous l'assaut des vagues. L'air est doré, chargé de sable et d'eau. Dans les rues du village, les chapeaux roulent. Et les gens marchent légèrement penchés, inclinés comme les arbres.

Fort-Dauphin a ce côté sauvage et lumineux des endroits balayés par les vents. J'aimerais l'apprécier à sa juste beauté au lieu d'y voir un symbole d'insomnie et d'angoisse au mouillage. L'abri nous paraît si précaire pour un voilier de passage !

Par chance, le petit pétrolier a repris la mer, et son départ signifie la fin des activités dans le port. Nous avons donc la permission, vers la fin de l'après-midi, de nous amarrer à couple d'un bateau-pilote en attendant la venue du prochain cargo. Le vent souffle en bourrasques, perpendiculairement au quai. La manœuvre qui s'annonçait malaisée se déroule sans trop d'anicroches grâce à quelques paires de bras aimables et costauds.

Il était temps. Au loin, les nimbus ont pris du ventre et une mauvaise couleur d'encre. Coiffant la chaîne de montagnes, ils s'organisent avec la nuit en une longue procession d'orages électriques qui se déchaînent au-dessus de la baie. Mais cette fois nous dormons en paix, dissimulés par les hangars.

Le lendemain, le ciel est magnifique. Petits cumulus d'alizé et grand soleil. Les vacanciers réunionnais, qui, dit-on, prisent cette station touristique pour ses plages et ses dunes à perte de vue, vont pouvoir à nouveau s'allonger sur le sable sans en avaler des tasses. Les enfants aimeraient bien se baigner et nous leur promettons une journée de plage d'ici notre départ.

Nous ne voulons pas rester plus d'une semaine ici, le temps d'un avitaillement en denrées fraîches, d'une ou deux balades et de quelques visites à nos compatriotes travaillant pour la Québec-Fer-et-Titane-Madagascar.

Serge Lachapelle, le coordinateur du projet que nous avons connu à Antananarivo, nous a parlé d'Alain Bouffard, contremaître à Fort-Dauphin : « Surtout, allez lui dire bonjour, c'est un gars de Matane, très sympathique »

Ce grand « Survenant » au visage franc, dans la tradition des hommes de chantiers québécois, nous plaît aussitôt. Il supervise l'ensemble des opérations d'études sur la qualité des gisements et la possibilité de faire un port en eaux profondes dans la baie. Sa copine malgache a une fille de l'âge des jumelles, pour la grande joie de

Sandrine et Noémie, très souvent invitées à jouer ou à regarder la télévision.

Lors d'une visite au marché, nous rencontrons une autre Québécoise absolument charmante, Gisèle Hatch. Son mari est le patron de la QIT-MAD et tous deux sont de Sorel, comme les Lachapelle. Quelques jours plus tard, durant une agréable soirée en leur compagnie, je découvrirai à travers John Hatch le profil d'un véritable gentleman anglophone québécois, un homme ayant choisi de s'exprimer en français par amour pour sa compagne.

Notre position à couple du bateau-pilote nous permet de recevoir plus facilement des visiteurs, du moins ceux et celles qui n'ont pas peur de sauter d'abord sur une barge à laquelle le vent imprime des mouvements rapides et désordonnés de va-et-vient contre le quai, puis d'enjamber le bastingage du petit remorqueur.

Ainsi, de jour en jour, le cercle de nos connaissances s'élargit. Gisèle nous présente à des coopérants français, Christiane et son mari, le docteur Le Janic, un Breton passionné de bateaux et de voyages. Les invitations à souper se multiplient. Évangéline, la meilleure fourchette de la famille, s'extasie sur le talent des cuisinières malgaches. Elle est suivie de près par son père, dont le fantasme serait d'engager une jeune beauté locale en mal de voyage pour s'occuper de nos repas.

Le douanier nous informe que le grand bazar annuel du village voisin d'Akaramena se termine aujourd'hui. Un *must*, paraît-il... Peu friands de balades et de magasinage, Damien et les jumelles nous laissent partir seuls avec Évangéline. Au terminus des taxis-brousse, le chauffeur d'une vieille Peugeot 504, si déglinguée qu'il doit personnellement ouvrir chaque portière, nous installe sur le banc arrière avant d'entasser sept autres passagers dans sa boîte à sardines. « Avec lui, on est onze !! Un record ! » me chuchote Évangéline en affichant un sourire si contagieux que bientôt tout le monde se parle.

Cahin-caha, nous arrivons au bazar en fin d'avant-midi... juste à temps pour la fermeture. Ce changement au programme tombe plutôt bien, en fait, car il fait beau et nous aurons tout l'après-midi pour marcher tranquillement jusqu'à Fort-Dauphin. Seule Évangéline rechigne un peu et le soir elle écrira dans son journal :

Nous sommes donc partis d'un bon pas, avec une foule d'enfants autour de nous. Tout le monde retournait chez eux après le marché. Peu à peu, les gens nous quittaient en nous disant au revoir et que Fort-Dauphin n'était plus très loin, juste là, avec un mouvement de la main vers le bout de la route... Après trois heures de marche, il ne restait plus personne sur le chemin à part nous, j'étais fatiguée et je me disais : on arrive bientôt. Nous nous sommes arrêtés près d'une maison pour demander à boire car nous mourions de soif. Et là, la femme nous a dit qu'il restait environ treize kilomètres pour Fort-Dauphin ! Oulala ! j'avais du mal à la croire, mais elle avait l'air de savoir ce qu'elle disait. Je me suis dit, merde, on a fait seulement sept kilomètres en trois heures, pourtant on marche assez vite... De toute façon, il faut continuer. Une heure plus tard, on pose à nouveau la question à un gars sur le bord de la route. Il répond : « douze kilomètres ». J'ai failli faire une crise cardiaque ! J'en croyais à peine mes oreilles. Bon, mais on a continué quand même. Là, je commençais à avoir drôlement mal aux jambes. Bref nous avons marché encore une bonne grosse heure avant qu'une camionnette s'arrête pour nous prendre. Le conducteur musulman nous a annoncé qu'il y avait au moins trente à trente-deux kilomètres entre Fort-Dauphin et Akamarena ! « Vous savez, quand un Malgache vous dit, c'est juste là, il faut compter au moins dix kilomètres »

J'avais une faim d'enfer quand nous sommes arrivés. Ça tombait bien car ce soir nous étions invités à manger chez des Québécois, et nous avons passé une très très belle soirée. Le repas était délicieux : croquettes de poisson pour entrée, porc avec une belle sauce et plein de frites, crème glacée à la nougatine...

Depuis bientôt douze jours que nous sommes ici, les gens dans les rues commencent à nous reconnaître. Les vendeurs de pierres brutes, qui pullulent à Fort-Dauphin, savent que nous voyageons sur le voilier jaune. Et s'ils ont renoncé à nous soutirer quelque argent, ils n'abandonnent pas l'idée de nous échanger leurs sachets de petits cailloux contre des vêtements.

Encore quelques semaines à Madagascar et nous quitterons le pays nus comme des vers dans un bateau rempli d'épices et de pierres précieuses. Le troc aura atteint ici des seuils insoupçonnés. Même le gardien du port, qui surveille la *V'limeuse* lors de nos absences, accepte volontiers d'être payé en sacs de riz et en linge pour ses enfants. Il prend sa tâche très au sérieux, connaissant le degré de pauvreté de ses semblables et l'attrait que peut représenter un bateau comme le nôtre, véritable coffre au trésor pour des gens démunis.

Un soir où nous hésitons à laisser la *V'limeuse* seule au mouillage, le temps d'un souper chez Alain, notre gardien nous prie de lui faire confiance et de partir l'esprit en paix. Au retour, il pleut à boire debout, mais l'homme a tenu parole. Sur la plage, près de notre dinghy, se dressent trois formes humaines, trois ombres revêtues de pardessus noirs et armées de lances. Dans cette nuit d'encre, on croirait voir les fantômes des redoutables ancêtres guerriers de cette tribu des Antanousy, ceux-là même qui massacrèrent les premiers missionnaires et soldats de la garnison française au tout début du dix-septième siècle. Jamais, en six ans de voyage, la *V'limeuse* n'aura été sous aussi bonne garde.

L'arrivée du *Bourbonnais* met fin à nos vacances à quai. Ce cargo réunionnais vient prendre sa cargaison de sisal, une fibre végétale proche du chanvre et qui sert à la fabrication des cordages. Les allées et venues des barges recommencent. Cette fois, nous avons prévu le coup. Avec l'aide de Damien, j'ai porté un bout de chaîne sur un énorme bloc de ciment posé dans deux mètres d'eau, non loin de la falaise. Cet ancien corps-mort sert de temps à autre aux bateaux qui, comme nous, ne peuvent s'amarrer au quai.

Malgré la chaîne, je ne dors plus la nuit. Le vent du nord hurle à nouveau sous les grains violents. Les yeux ouverts durant des heures, je rêve de m'endormir et de me réveiller huit cents milles plus loin, en Afrique. Je me sens acculée au fond de ce port comme au bord d'une falaise, et je n'arrive pas à raisonner ma peur. J'essaie en vain d'amadouer mon angoisse, avec de belles phrases comme « l'appréhension du saut est toujours mille fois pire que le saut lui-même... » Mais le nœud dans l'estomac ne se desserre pas d'un poil. Et mon courage s'étiole d'une nuit d'insomnie à l'autre.

Est-ce possible que la traversée du détroit de Mozambique m'effraie à ce point? Il est vrai qu'elle pourrait nous réserver de mauvaises surprises. Plusieurs bateaux y ont affronté la tempête de leur vie, en raison des vents parfois contraires aux forts courants. Toutefois, je pense que derrière la crainte du mauvais temps se camoufle une anxiété plus insidieuse, mal avouée. Car depuis quelques semaines, j'ai l'impression non plus de poursuivre le voyage, mais de rentrer au Québec.

Ce retour me hante encore plus que l'inconnu du large. Que ferons-nous là-bas, une fois les retrouvailles consommées ? Pourrais-je accepter les obligations, les contraintes, la routine attachée à une vie terre-à-terre ? Aurai-je perdu l'habitude d'agir selon les règles des autres ?

J'ai peur que le mouvement cesse et que l'immobilité me terrasse. Peur d'être confrontée chaque jour à la détresse des gens, à leur mal de vivre. Peur de me sentir étrangère. Peur de n'être ni libre, ni vraiment prisonnière, de n'être rien du tout, de me dissoudre au milieu des foules.

Peur de perdre un jour la mer qui a su mieux que la société me révéler à moi-même et m'offrir mon identité.

Évangéline ✑

30 novembre
Ce matin, Gisèle et Christiane nous ont emmenés visiter une léproserie. Ce sont les sœurs de la congrégation « Les filles de la Charité » qui ont fondé ce village où les lépreux sont soignés et traités de cinq mois à deux ans selon la gravité de la maladie. Si la lèpre est dépistée à temps, on peut la guérir avec des antibiotiques qui n'ont été découverts que depuis cinq ou six ans. Avant, les gens se laissaient mourir tranquillement en perdant leurs pieds, leurs jambes, leurs mains, leurs bras, etc. Les lépreux qui sont très atteints ont le visage tout déformé, le nez et les joues pleins de bosses, de boutons purulents, c'est assez effrayant à voir. Nous avons vu un petit garçon qui devait avoir 11 ans ; il était un des plus malades, le corps entièrement couvert de pustules, de croûtes, brûlures. La sœur nous a dit qu'il faisait souvent 40 ° de fièvre. Il avait les bras et les oreilles qui se mettaient à enfler, etc.
Les vieux malades, ceux qui vivent dans le village depuis longtemps, sont les seuls à être mutilés des pieds ou des mains. Les

autres ont seulement des taches noires, des doigts en griffes, mais rien de très grave car ils ont reçu des médicaments. Dans le village, il y a cent trente lépreux. Ils habitent dans des petites maisons de ciment. Le terrain est très agréable avec des grands arbres à lichties qui font de l'ombre. C'est vraiment merveilleux de voir ces sœurs qui font ce travail ; elles n'arrêtent pas, se lèvent à 5 heures du matin et s'occupent de leurs malades toute la journée. Je trouve ça formidable, je les admire énormément. Il y a une des sœurs françaises qui travaille là depuis vingt-deux ans ! Elle va en France tous les cinq ans !

La contamination de la lèpre se fait à l'intérieur des familles, surtout quand il y a un manque d'hygiène ou un problème de malnutrition et que tout le monde couche par terre dans des petites maisons, etc. Les sœurs pensent, mais elles ne sont pas sûres, qu'une mère lépreuse pourrait contaminer son enfant si elle l'allaite.

Ces sœurs font vraiment un travail digne de beaucoup d'éloges. Tous ces gens dans le monde qui aident les pauvres, les malades, ils sont si généreux, si formidables, et c'est surtout en voyage qu'on peut mieux les remarquer et s'en rendre compte. Mon Dieu, ce qu'on va en avoir des choses à raconter en revenant chez nous !

J'ai été très contente de visiter cette léproserie. Ce que j'ai aimé le plus, c'est de dire bonjour et au revoir à ces Malgaches lépreux parce que lorsqu'ils t'entendent leur dire quelque chose dans leur langue, leurs visages s'illuminent d'un grand sourire et là ils sont heureux et te disent *veloum* avec plaisir. Même le petit garçon gravement atteint a souri quand je lui ai dit *veloum*. Tout de suite, il s'est retourné vers ses amis pour leur répéter ce que j'avais dit, en rigolant.

Je n'oublierai jamais cette visite et pour être vraiment certaine de tout me rappeler, je l'ai écrit dans mon journal. C'est sûr que je n'ai pas pu mettre toutes mes émotions et mes sentiments, mais j'ai dit le principal.

Il est tard maintenant, il vente très fort et nous sommes au mouillage. J'entends le vent siffler dans les haubans. J'espère que je vais arriver à dormir. Nous sommes censés partir demain. Je suis fatiguée. Bonne nuit, mes sœurs ! Bonne nuit, vos malades lépreux ! Bonne nuit, tout le monde entier !

Carl ✍

6 décembre

J'écris une petite demi-heure avant de prendre mon quart, de 13 à 15 heures.

Il reste 438 milles à courir avant Richard's Bay, en Afrique du Sud. Il fait beau. Hier soir, en regardant le ciel, nous avons cru un moment que cette belle journée allait mal se terminer.

Il y avait plus de peur que de mal : la masse nuageuse menaçante s'est dissipée et le dernier quartier de lune est apparu vers 23 heures.

Mais la hantise du coup de sud-ouest persiste. Nous sommes toujours dans l'attente de la raclée du siècle. Je crois que l'appréhension est pire que le danger lui-même.

Le départ de Fort-Dauphin s'est effectué le 2 décembre au matin, vers 5 heures 30. Nous avons d'abord relevé l'ancre arrière et ensuite nous nous sommes détachés du corps-mort, mais en y laissant nos trois mètres de chaîne et une belle grosse manille en inox. Personne n'avait le goût de plonger pour récupérer le tout. Il fallait à tout prix se sortir de là, et vite, le vent revenait en force dans le port.

Comme on le devinait, ce vent dingue le long de la côte est redevenu normal à quinze milles au large. Un phénomène d'accélération créé sans doute par le relief montagneux et l'extrémité de l'île.

Nous avons eu une belle journée et demie, le temps de faire du sud, puis nous avons crocheté les vents réguliers du sud-est, passablement *crinqués*, 35 à 40 nœuds. Voilure réduite : trois ris dans la grand-voile et foc numéro 2 à l'avant.

Nous préparons des crêpes françaises le matin et prenons un gros repas au milieu de l'après-midi. Aujourd'hui, nous célébrons la mi-parcours en ouvrant un pot de zébu et un Saint-Julien, Château Lalande-Borie, 1983.

Il semble que nous n'ayons pas attrapé la malaria, à moins que l'un de nous soit en pleine période d'incubation.

Mais tout ce qui pourrait nous arriver, maladie, gros méchant temps, etc., nous paraît moins grave, maintenant que nous avons fui Fort-Dauphin. Comme si nous nous sentions prêts, bien qu'affaiblis, à considérer tout combat, tout échange de coups, alors que dans ce port sinistre nous en étions rendus à nous rentrer la tête dans les épaules pour subir la bastonnade.

Évangéline ✍

Je ne sais pas quel jour on est, ni la date. Tout ce que je sais, c'est que nous sommes en mer depuis six jours, et que ce matin à 9 heures, il restait 243 milles avant Richard's Bay. Nous n'avons eu que du beau temps ou presque, juste quelques petits nuages noirs pendant deux nuits, mais pas de pluie. Ce matin, nous avons hissé le spi, la barre est assez dure car le bateau part dans tous les sens. Hier en fin d'après-midi, ça été génial, il y avait un grand banc de dauphins qui jouaient autour du bateau. Il y en a deux qui ont fait des bonds extraordinaires.
C'est drôle car j'ai arrêté la préparation de mon gâteau pour venir les voir. Alors j'ai pris mon journal de bord pour dire que ce sont des bêtes merveilleuses. Elles peuvent même te faire changer d'humeur. Si tu es en colère et que les dauphins te font devenir joyeux, alors c'est fantastique. Ils sont drôles, ils n'arrêtent pas de se mettre sur le dos pour que l'on admire leur ventre. On dirait qu'ils aiment venir nous voir en fin d'après-midi. Peut-être parce que c'est leur temps libre, sinon ils pêchent.

À Fort Dauphin, j'ai appris que Florence Arthaud avait gagné la Route du Rhum. Je suis super contente pour elle. Je me souviens encore du jour où j'étais allée sur son grand catamaran à Sao Miguel, aux Açores, pour lui offrir un bracelet porte-chance que j'avais fait. J'étais toute gênée, j'avais 11 ans. Depuis ce temps-là, j'ai toujours lu les articles sur les courses auxquelles elle participe.
J'ai d'autres favoris aussi, dont Titouan Lamazou que j'admire beaucoup, Philippe Poupon et Philippe Jeantôt, mais mes deux grandes idoles de la mer sont Éric Tabarly et Bernard Moitessier. Tous les deux font des choses que je trouve extraordinaires. Quand je lis leurs livres, je comprends bien ce qu'ils disent car quand on est marins on a forcément plein de choses en commun, on ressent souvent les mêmes émotions, en voyant par

exemple des dauphins jouer autour du bateau ou en barrant la nuit avec un beau ciel étoilé ou avec la lune, ça fait partie des instants magiques que vivent les navigateurs.

C'est drôle d'avoir les mêmes impressions que des gens qu'on ne connaît pas mais qui appartiennent à la même race que nous, celle des Océaniens. J'aime tout ce qui se rapporte à la vie en mer : les voyages, les dauphins, les baleines, le bleu profond de l'océan, l'eau claire des lagons, les étoiles lointaines et mystérieuses, la lune, le bruit de l'eau contre la coque, la traînée de lumière phosphorescente que laissent derrière eux les dauphins qui viennent nous voir la nuit. Écouter de la musique douce comme celle du Grand Bleu en faisant mon quart sous les étoiles, c'est merveilleux, tout comme arriver dans un nouveau pays, lire un bon livre sur la voile, etc.

D'ailleurs j'ai découvert dans une librairie un roman écrit par Titouan Lamazou en 1985. Il faudra que je le lise un jour. J'adore la page couverture qui présente un homme avec un turban sur la tête. C'est une de ses peintures, car en plus d'être coureur océanique et écrivain, il est aussi peintre et ce qu'il fait est très beau.

Septième jour en mer

J'en ai marre, je suis sale, j'ai la tête qui me pique, c'est affreux. Ça fait plus de deux semaines que je n'ai pas pris ma douche, lavage de cheveux compris. Je ne me sens pas très bien.

Il est 10 heures et il reste 135 milles. Mon quart est dans une heure. C'est vraiment les pires heures où je barre, les plus chaudes, quand le soleil tape sur les épaules et les cuisses. Sans casquette ou lunettes de soleil, tu meurs !

J'ai très hâte d'arriver, ça va être un nouveau pays, des nouveaux habitants. Et en même temps, ça nous rapproche de chez nous, même si c'est encore assez loin.

Je sens que j'ai une carie en bas tout au fond sur une grosse dent.

Huitième jour en mer

Wahouou ! ! ! Nous sommes presque arrivés. Il est 2 heures de l'après-midi et nous sommes à dix milles. J'ai pris une douche ainsi que Dominique, car nous n'avons plus besoin de ménager l'eau. C'est fou comme ça peut faire du bien.

Hier soir, nous avons eu un temps de cochon. Le vent s'est levé assez fort contre le courant du Mozambique. Je ne vous parle pas de l'état de la mer, un chaudron de sorcière. Nous avons passé la nuit avec la grand-voile à trois ris et le foc numéro 2 à l'avant. Nous avancions à peine, c'était ça ou casser du matériel tellement les chocs du bateau tombant au creux des vagues étaient forts.

Ce matin, ça s'est calmé et nous avons levé toute la toile. On filait bien. On a vu la terre assez vite. Devinez qui l'a aperçue en premier ? Dominique, bien sûr. On voit des grandes dunes à perte de vue. Il y a plusieurs cargos ancrés à l'entrée de Richard's Bay. J'ai hâte de voir comment c'est à l'intérieur.

Carl ✍

13 décembre

Au ponton du Zululand Yacht Club depuis deux jours. Avec un frigo plein de bouffe, de bière fraîche. Ouf ! C'est l'apaisement total après l'angoisse de la navigation.

Les derniers repas en mer étaient assez maigres : des pâtes sans rien à mettre dessus, du riz ou du blé concassé, *bulgur*, aux oignons.

Le vent est tombé à 150 milles d'ici et nous avons fait une douzaine d'heures de moteur. Le ciel était chargé. On le savait, c'était le calme avant le fatidique coup de sud-ouest qui souffle à rebrousse-poil contre le non moins infâme courant du Mozambique, appelé aussi courant des Aiguilles.

Vers le milieu de l'après-midi, le vent s'est effectivement levé dans le nez et s'est mis aussitôt à forcir, aux environs de 30 nœuds. Je me préparais à prendre la cape quand j'ai senti qu'il passait lentement au sud, puis au sud-est. La mer est tout de même restée mouvementée, puisque le vent prenait toujours le courant à contre, mais au moins nous pouvions faire notre cap. Au lieu de l'enfer, ce fut une nuit de purgatoire.

Au matin, il nous restait 50 milles et la journée d'arrivée fut fort belle.

Le bateau-pilote est venu nous chercher à l'entrée du chenal et nous l'avons suivi jusqu'au quai de la douane. Les formalités n'ont pas traîné, ensuite une bouchée et hop ! au lit. Il fallait voir la nuit que nous nous sommes payée. J'allais dire complètement partis dans les hautes couches du bonheur, mais je crois que ce fut l'inverse. Attachés à un quai de béton, on coule dans un sommeil lourd et on se retrouve plutôt... dans les profondeurs du bonheur. Le lendemain, nous sommes allés prendre notre place au yacht club, à un kilomètre plus loin dans la baie.

Mamaru est ici, sorti de l'eau. Patrick et Nicole refont leur *antifouling*. Il faudrait suivre leur exemple, je le sais bien, mais la marina dispose seulement d'un slip, sorte de chariot qui vient se glisser sous le bateau et le monte sur la terre ferme. Ce n'est pas bon pour nous. Avec sa quille pivotante, la *V'limeuse* reposerait sur le dessous de sa coque, partie qu'on ne peut pas nettoyer et peindre convenablement, incluant la quille. Le chariot cavalier, mieux connu sous le nom anglais de *travel-lift*, est la machine idéale. À l'aide de ses puissantes courroies passées sous la coque, elle soulève les bateaux hors de l'eau, les transporte et les dépose sur des blocages à la hauteur désirée, ce qui dans notre cas élimine le problème de l'accessibilité aux fonds. Je vais donc attendre et voir quelles sortes d'installations on peut trouver d'ici Cape Town.

Le centre commercial est situé à huit kilomètres du yacht club, ce qui n'est pas très pratique avec plusieurs petits ventres à remplir. Première constatation après une visite au supermarché : le coût de la nourriture est très abordable, compte tenu du taux de change favorable. On peut dire que « notre affaire est ketchup ».
Sur ma liste des choses à faire dans les prochains jours : téléphoner au Québec pour un virement bancaire et commencer à organiser notre safari-photo au Kruger National Park, ce qui suppose obligatoirement la location d'une camionnette ou d'une auto, tout dépendra des prix.

14 décembre
J'ai 53 ans aujourd'hui. Si j'inverse ces chiffres, j'obtiens 35, l'âge où j'ai connu Dominique. Dix-huit ans ensemble : incroyable !

Ce matin, on m'apporte le petit déjeuner au lit : œufs, bacon, tranches de tomate sur une feuille de laitue et pain grillé. Les cartes d'anniversaire sont arrivées ensuite. De jolis dessins de Noémie, Sandrine et Damien. Évangéline m'a offert des petits chocolats.

Hier soir, nous avons été reçus chez Charles et Betty Poulton, des gens de Saint-Lambert, rive sud de Montréal, et très bons amis de Serge Lachapelle rencontré à Madagascar. Nos deux bonshommes sont de vieux confrères de travail à la Québec Fer et Titane de Sorel. En ce moment, Charles, ingénieur de profession, est prêté à la compagnie mère, la multinationale anglaise Rio Tinto Zinc, qui exploite ici, à Richard's Bay, un gisement d'ilménite, minerai utilisé pour la pigmentation des peintures. Les Poulton en sont à leur deuxième séjour d'importance en Afrique du Sud : le précédent a duré huit ans, de 1975 à 1983, et ils sont ensuite revenus en 1989, cette fois pour une période de trois ans. On ne pouvait mieux tomber pour obtenir nos premières informations sur le pays. De la bouche de Charles, elles avaient toujours une note humoristique.
C'était aussi notre premier *braii* ou barbecue sud-africain, très courant dans le pays, paraît-il. Nous avons connu, au cours de cette soirée, les Préfontaine, jeune couple de Tracy installé ici dans le cadre du même projet.

Aujourd'hui, je sens qu'on va bien s'occuper de moi. Je n'aurai pas à lever le petit doigt, juste le coude...

15 décembre

Lendemain de la veille ! Ouch, mes cheveux !

Hier, en attendant mon repas d'anniversaire, j'ai dû boire une bonne douzaine de canettes de bière tout au long de l'après-midi. Il faisait déjà chaud, dehors, sous le taud du cockpit ; il fallait qu'on m'aime beaucoup, en bas, dans la cuisine et au-dessus du four, pour me préparer pizzas et tartes aux pommes, deux plats devenus traditionnels pour ma fête. Ce dessert est le plus beau cadeau que l'on puisse m'offrir en souvenir des tendres années passées dans les jupes de ma mère.

Vers 5 heures du soir, j'avais trop faim, je n'en pouvais plus. Je me suis mis à manger des pointes de pizzas. Puis j'ai ouvert une première bouteille de vin.

Nos amis de *Mamaru* sont arrivés vers 18 heures 30 avec d'autres pizzas et une bouteille de rhum de Madagascar. Je me suis donc relancé dans la pizza et pour finir, dans la tarte aux pommes. Le ventre me faisait mal.

J'ai débouché une deuxième bouteille de vin sud-africain en écoutant Patrick et Nicole raconter les aventures de leur co-pain Roger, pêcheur breton, qui vit d'expédients et de trucs, parfois à la limite de la légalité, sur son vieux thonier en bois, le *Gilbert Guy*. Il est à Durban en ce moment, son bateau immobilisé à quai par les autorités, aux prises avec une poursuite de 20 000 rands, soit environ 10 000 $. Une affaire montée avec un associé qui n'a pas marché.

On serait tenté de lui donner la stature du dernier des forbans à écumer l'océan Indien. En tout cas, le personnage semble intéressant. S'il est encore à Durban quand nous passerons, nous irons certainement le saluer, lui et sa famille.

19 décembre

D'abord, je viens d'emboutir l'avant de la bagnole du copain Marc-Antoine, notre voisin de ponton, qui me l'avait prêtée pour aller au centre d'achats. Bêtement, en me stationnant entre deux autos.

Tellement honteux comme accrochage que j'ai de la misère à croire que ça m'est arrivé à moi, l'ex-conducteur de bolide. Je sens que Dominique va me remettre ça sur le nez à chaque fois que j'oserai dire un mot de travers sur les femmes conductrices.

Comme il n'y avait personne dans l'autre véhicule, j'ai laissé une note sous l'essuie-glace. Je craignais davantage d'affronter Marc-Antoine, d'autant plus que ce n'était pas sa voiture, mais celle d'une copine sud-africaine.

Je le sous-estimais, il a été tout simplement exemplaire. Pas le moindre signe d'affolement. Je dois préciser que ce Français qui navigue en solitaire est aussi plongeur professionnel sur les plates-formes de forage et que ces gars-là ont une parfaite maîtrise de leurs réactions.

J'apprécie sa compagnie. On se visite, on se donne un coup de main à l'occasion, on s'échange de la lecture, de la musique et tous les soirs on fait notre course à pied ensemble. Car à part ce voisinage de bon aloi, nos retrouvailles avec *Mamaru* et quelques connaissances nouvelles parmi les équipages, on ne trouve pas grand-chose à apprécier de l'endroit.

On nous avait parlé de Richard's Bay comme du port qui nous rapprochait le plus des grandes réserves d'animaux, mais les occasions valables pour louer une auto se trouvent à Durban, deux cents kilomètres plus au sud. Pour le moment, nous ne pouvons rien faire. C'est la périodes des Fêtes et il n'y a plus rien de disponible d'ici le 11 janvier.

24 décembre

Vent du sud-ouest plus frais, vent du nord-est très chaud et humide. L'alternance est systématique à tous les trois ou quatre jours, du moins en cette période de l'année. Vaut mieux tenir compte de cette régularité de la nature avant d'aller quelque part si on veut profiter du vent ou éviter de le prendre *sur la tronche*, comme disent les copains français.

Par la route, on n'a plus cette contrainte. On tend le pouce aux automobilistes en se fiant au hasard. Il nous a bien servis puisque nous revenons tout juste de Durban, Dominique et moi, où nous sommes allés passer quelques jours. Tout le monde, parents comme enfants, était dû pour des petites vacances.

À l'aller, une grosse Mercédès, blanche tout comme son conducteur, nous a permis de réaliser un premier contact avec l'apartheid.

Nous avons été déjoués par le visage du racisme. Celui-là était propre, bien rasé, affable, détendu et bien disposé puisque notre homme venait de poser un geste courtois en s'arrêtant pour nous. Un gentleman, quoi !

En route, il a fait un arrêt à son usine d'ameublement scolaire où il emploie 175 ouvriers noirs. Puis, il nous a invités à son club social pour prendre le lunch.

Tout ce temps, nous l'avons écouté sans protester, poussés par la curiosité. Selon lui, le problème des Noirs allait se régler par lui-même. Le sida les ferait tous mourir. « Des villages entiers au cœur de la brousse d'Afrique équatoriale, nous disait-il pour appuyer sa thèse, ont été rayés de la carte par cette maladie. Et cela, personne n'en parle. »

Arrivés à Durban, nous avons filé tout droit au Point Yacht Club, situé au centre-ville, sans trop savoir où nous passerions la nuit. En arpentant les pontons, un coup de chance inimaginable nous a fait tomber nez à nez avec André Engbloom, rencontré au Sri Lanka puis revu aux Maldives alors qu'il était second à bord de *Leonore*, un Swann de vingt-quatre mètres appartenant à des millionnaires texans. Son frère Brad possède un voilier quelques pontons plus loin et nous étions les bienvenus pour dormir à bord.

Belle ambiance à ce yacht club, érigé en institution plus qu'en parc nautique comme celui de Richard's Bay. Nous y prenions notre douche, nos repas, marchions quelques coins de rue seulement pour nous retrouver dans les grands magasins.

Chaque année, c'est la même tentation ; on a beau tenter de s'immuniser contre la folie des cadeaux de Noël, en répétant aux enfants que beaucoup comme eux se contenteraient de ce voyage, rien à faire, on succombe.

Il est midi. Dans quelques heures ce sera Noël. J'attends Dominique qui est allée faire quelques courses avec les trois plus jeunes. J'ai branché le frigo. La Veuve Clicquot Ponsardin sera fraîche pour le réveillon. Dès qu'ils seront de retour, j'irai acheter la dinde avec Évangéline.

2 janvier 1991
Cela devait se passer le 28 ou 29 décembre. Le vent du nordest était installé et nous étions prêts, en compagnie de *Gamin 3*, à filer vers Durban.

Et nous sommes toujours ici. En voulant sortir du port ce jourlà, contre un très bon vent et une grosse houle qu'il fallait grimper, nous avons dû pousser le moteur à haut régime, autour de deux mille tours/minute et aussitôt le voyant rouge de température s'est allumé. L'aiguille dépassait les 100 degrés. Nous avons salué de la main *Gamin 3*, qui peinait lui aussi, et nous avons fait demi-tour. Il fallait régler une fois pour toutes ce satané problème de surchauffe.

Le lendemain matin, Patrick de *Mamaru* était penché sur le moteur avec moi. Non, ce n'était pas le thermostat que nous avons d'abord démonté et qui était en parfaite condition. Après avoir examiné, un à un, tous les conduits pour détecter une possible fuite, il restait à vérifier l'échangeur de chaleur. Ce grand cylindre, bourré de tubes qui ressemblent à des macaronis, remplit la même fonction qu'un radiateur d'automobile. L'eau de mer qui y circule vient refroidir le mélange de liquide antigel.

Nous l'avons ouvert à une extrémité : nickel ! Par acquis de conscience et pas convaincu du tout, Patrick m'a fait ouvrir l'autre bout. Horreur ! Il était complètement bouché par des dépôts calcaires. Le refroidisseur d'huile était dans le même état.

Heureusement que j'ai eu Patrick pour diriger les recherches car je n'aurais jamais pensé à cette éventualité. Au fond, le problème était beaucoup plus simple que je ne l'imaginais, mais encore fallait-il avoir l'esprit « mécanique ».

Quand donc cesserai-je de considérer mon moteur comme le mystère de la Sainte-Trinité ?

Ceci dit, Noël s'est bien passé. Le 24 au soir, les enfants se sont levés à minuit pour découvrir un tas d'emballages colorés sous notre sapin découpé dans du papier : jeux électroniques miniatures, vêtements, raquettes de tennis, etc.

La veille du Jour de l'An, je suis allé prendre un verre avec Marc-Antoine à la terrasse du yacht club. J'en ai profité pour dire ma façon de penser à une bande de jeunes racistes qui se payaient la tête d'employés noirs... en montrant leur derrière. N'avoir pas été un peu ivre, je leur donnais une bonne correction.

J'ai fait tremper les « macaronis » dans du vinaigre pour décoller le tartre et, ce matin, je m'apprête à remonter le système de refroidissement.

Évangéline ✍

18 décembre

J'ai passé la soirée sur un catamaran avec Jessica, Sam, Cameroun, Sean et Terrence. Bref, tous des jeunes de mon âge. Ils n'ont pas arrêté de faire des blagues. J'ai un autre petit nom car ils n'arrivent pas à dire Évangéline, sauf ceux qui me connaissent bien comme Jessica. *So, my new name is Gigi. How beautiful, isn't it? Cameron is always calling me « french frog ». So I went back to my boat around 11 oclock, it was raining very hard. I hope that we will be here for Christmas.* Je suis fatiguée alors je vais me coucher.

25 décembre

Ça y est, c'est Noël !
Je m'étais couchée à 10 heures 30. À minuit j'étais encore endormie, mais la vue des cadeaux m'a réveillée. C'est super ! J'ai eu deux palettes de chocolat Kit Kat de Damien, un soutien-gorge de Noémie, une brosse à cheveux de Sandrine, un superbe maillot de bain de Dom et Carlo, deux magnifiques chemises dont une en batik de Bali, avec des motifs bleus, superbe ! un beau short de sport et surtout, surtout, une magnifique, super belle raquette de tennis ! ! J'étais au ciel.

Lettre à un ami ✉

Note : Travail scolaire réalisé par Damien, Noémie et Sandrine au retour de leur visite au Kruger Park. Carl imposait deux phrases, la première et la dernière de chaque paragraphe, comme des balises à l'intérieur desquelles ils devaient développer leurs idées. Pour les besoins du livre, leurs trois travaux ont été condensés en une seule lettre qui rassemble les meilleurs extraits.

Cher ami, il y a longtemps que nous voulions t'écrire, mais avec la chaleur nous sommes toujours un peu flemmards. Nous avons envie de ne rien faire, surtout pas d'écrire. Nous aimons mieux aller au yacht club. Là nous sommes à Richard's Bay, à 150 kilomètres de Durban. Richard's Bay est une bien plus petite ville que Durban mais elle a une assez grosse marina. Ici on s'amuse bien. Le temps passe très très vite. *Ça fait déjà un mois et demi que nous sommes là.*

Nous sommes amarrés à un ponton de marina et c'est formidable. Nous ne sommes pas obligés de ramer quand nous avons envie d'aller à terre. Nous avons juste à sauter sur le quai. Ici nous nous sommes fait beaucoup d'amis. Au yacht club il y a une télévision. Chaque soir nous allons la regarder et des fois nous rentrons très tard. *C'est à peine si nous venons dormir au bateau.*

Nous arrivons d'une visite dans un parc-safari. Carl est allé à Durban pour louer une voiture : une petite Mazda. Ce n'était pas aussi confortable que la camionnette en Australie mais faut pas être difficile ! Nous avions très hâte de partir. Ça allait nous changer du yacht club. Après avoir chargé les tentes, tous les trucs, et les oreillers en avant, nous nous sommes mis en route pour parcourir les 800 km vers le Kruger Park. *Nous étions un peu serrés mais ça allait.*

Pour une fois c'était vrai. Ça n'était pas comme dans les livres ou dans les vidéos. Nous voyions les animaux

Scènes de la vie
quotidienne à
Madagascar.

(page de gauche)
1. Bonne-Espérance au moteur et en chapeaux de poil.
2. Devant la ville du Cap, quelques heures plus tard.
3. Extrémité de l'Afrique du Sud par grand vent.

(page de droite)
Ascensions à pied et excursions à vélo dans la région du Cap.

Quand le sud-est souffle frais, la montagne de la Table revêt sa nappe de nuages.
À couple de *Polarka*, notre voisin tchèque, durant les mois d'hiver à Cape Town.

de nos propres yeux. Ils traversaient la route devant notre voiture. Ceux qui avaient de bons yeux pouvaient les voir dans la savane. Nous avons vu un léopard, plusieurs lions, quelques éléphants, des hippopotames, des rhinocéros et des tonnes de singes, de girafes, de zèbres et de gazelles. Nous avons fait 600 kilomètres sur de belles routes pavées ou en terre. Souvent nous arrêtions pour photographier les animaux mais *nous ne pouvions sortir de l'auto.*

Une fois, on te raconte pas, on a découvert un lion à deux mètres de la voiture. C'était une journée assez nuageuse, une bonne journée pour voir les animaux. On se dirigeait vers un point d'eau quand Damien a regardé dans les buissons et a cru voir une tête de lion. Le lion était vraiment bien caché. En fait ils étaient deux. Noémie a découvert le deuxième tout près de l'auto : on ne lui voyait que les yeux. Heureusement que Carl n'est pas descendu pour faire pipi comme ça lui arrive des fois. C'étaient les deux plus gros lions que nous avions jamais vus. Ils étaient impressionnants avec leurs grosses crinières de poils. Nous les avons observés durant plusieurs minutes, mais ensuite ils se sont éloignés. Damien et Noémie ont été chanceux car pour les voir *il fallait vraiment avoir un œil de lynx.*

Nous avions organisé un petit concours auquel nous participions durant la journée quand nous roulions. Nous trouvions ce jeu très bien car il mettait de l'enthousiasme dans la voiture. Celui qui apercevait un animal criait son nom et cochait dans son cahier. C'était bien amusant. La plupart du temps tout le monde criait en même temps « une girafe » ou « un zèbre » puis s'engueulait pour savoir qui l'avait dit en premier. Plus l'animal était rare, plus ça valait de point. Une journée, Damien a fait un superbe score en voyant un léopard. À la fin, Damien et Dominique étaient presque égaux mais *c'est finalement Damien qui a gagné.*

Nous nous levions le matin vers 4 heures. Des fois c'était très dur mais nous étions obligés de faire ça parce que les heures du matin sont les plus belles de la journée pour observer les animaux et pour faire des photos. Les animaux se reposent quand il fait chaud et ils restent cachés en dessous des arbres. Alors nous essayions de partir quand la barrière ouvrait à 5 heures, en espérant en voir plus. Mais curieusement presque tous les lions que nous avons vus marchaient sur le béton brûlant. Nous roulions toute la journée sous la chaleur. Nous avions hâte d'arriver dans un camp et de nous reposer. Nous levions nos tentes en fin d'après-midi et repartions pour une petite heure. Nous trouvions dommage de rentrer si tôt car le soir tous les animaux viennent boire au point d'eau, mais *à 6 heures et demie la barrière fermait.*

Il faut t'expliquer que chaque camp était dans la brousse, juste avec des petites clôtures, pas même barbelées, hautes de trois mètres seulement. La nuit il y a un gardien avec un fusil près de la barrière. Dans les camps, on trouve des abris avec des réchauds et des lavabos et aussi des géniales de toilettes avec des bains et des douches. Il y a aussi de belles huttes pour ceux qui n'ont pas de tentes. Et chaque camp a un magasin et une station d'essence. Comme tu vois, c'était bien organisé. Comme nos tentes étaient parfois collées sur la clôture, nous nous faisions des peurs en disant qu'un lion allait sauter par-dessus. *Nous nous endormions en les entendant rugir.*

Écoute, nous pourrions t'en raconter comme cela des pages et des pages, car nous en avons vu des choses. Après le Kruger Park nous sommes revenus à Richard's Bay, puis nous avons fait une escale à Durban, ensuite à Port Elizabeth et en ce moment nous sommes au mouillage dans une baie. Le vent souffle à peu près à 50 nœuds (75 kilomètres à l'heure). Nous espérons qu'il va se calmer ce soir car *nous nous préparons à partir demain passer le cap des Aiguilles.*

Nous espérons que cette lettre te fera plaisir et qu'elle te donnera une meilleure idée de notre visite au Kruger Parc. Nous espérons aussi que toute la famille va bien. Nous ça va, sauf en mer des fois quand il fait mauvais, nous avons un peu mal au cœur, surtout Sandrine. C'est elle qui est le plus souvent malade. Tu serais bien gentil si tu nous écrivais à cette adresse : Royal Cape Yacht Club, P.O. Box 772, Cape Town 8000, R.S.A.. Nous serons là-bas pour un mois minimum, le temps de sortir le bateau de l'eau, repeindre la coque et faire quelques balades. Nous te souhaitons une Bonne Année en retard. *Embrasse tout le monde pour nous.*

Le pendule barométrique (D.)

Le sud-ouest hurle par-dessus la baie. En rangs serrés, les moutons d'écume se forment à une encablure de la plage puis foncent vers nous avec leur laine effilochée par les bourrasques. Debout sur la table du carré, le nez dans la bulle, j'étudie le comportement de la *V'limeuse* qui, telle une louve prise au piège au milieu du troupeau, tente en vain de se libérer de ses soixante mètres de chaîne. Les coups de rappel deviennent plus violents d'heure en heure et nous

227

font regretter d'avoir mouillé si loin du bord. La distance paraissait moindre dans la pénombre de l'aube. Nous sommes venus derrière *Iwa* sans trop réfléchir, guidés par son feu d'ancrage, et trop heureux de mettre fin à une course contre la montre qui avait duré toute la nuit.

Il était temps, d'ailleurs. Nous luttions contre le sud-ouest naissant depuis la veille au soir, grugeant les milles au moteur, espérant gagner l'abri de Struis Bay au nord du cap des Aiguilles avant que le vent n'ait atteint la pleine mesure de sa furie. Encore une fois nous l'avons échappé belle, mais cette navigation entre deux coups de vent m'épuise.

Depuis Richard's Bay, je vis en symbiose avec mon baromètre. Je le tapote nerveusement du matin au soir, suivant les humeurs lentes de son aiguille comme si nos vies en dépendaient. Même le positionneur par satellite n'a jamais atteint une telle importance à bord. Dans ces parages, on a beau savoir exactement où l'on se trouve, si l'horizon ressemble au chaos, avec des vagues hautes comme des édifices, on n'est guère plus avancé.

L'essentiel le long de cette côte est de suivre les déplacements des fronts chauds et froids qui alternent avec une régularité de métronome. Ils déterminent la frontière entre le paradis et l'enfer. Le marin qui fait route vers le sud doit retenir une chose importante : la vie est belle tant et aussi longtemps que le baro chute. Le vent tiède souffle alors du nord-est et le courant ajoute deux ou trois nœuds à la vitesse du bateau. Mais lorsque la pression atmosphérique se stabilise, il vaut mieux que l'abri soit en vue. Les retardataires paient parfois très cher leurs erreurs de calculs. À l'instant précis où le baro reprend son ascension, le vent frais du sud-ouest se lève, à contre-courant. Selon sa force, il soulève alors une mer confuse, désordonnée, voire extrêmement dangereuse. Celui qui n'a pas encore atteint le port devra s'éloigner à une cinquantaine de milles de la côte pour éviter le plus fort du courant ou alors raser celle-ci, une option éprouvante et qui ne pardonne aucune erreur de navigation.

Quatre ans après notre passage, le voilier québécois *Belle-Lurette*, qui tentait de rejoindre East London dans un pareil coup de vent, s'échouera sur la côte et prendra feu en pleine nuit. Heureusement, Marie-France Perreault, Yves Laliberté et leur fille Carinne s'en tireront sains et saufs.

La planification rigoureuse de nos échappées à voile entre deux ports exige un effort auquel nos esprits bohèmes et impulsifs ne sont pas habitués. Et voilà que, déjà contrariés dans notre liberté, nous devons subir un autre rituel encore plus astreignant : celui du papier de sortie, mieux connu sous le nom de *clearance*.

En Afrique du Sud, un bateau étranger qui se rend au port suivant doit remplir les mêmes papiers de douane et d'immigration que s'il quittait le pays. Or, le fameux document obtenu n'est valide que pour trente-six heures. Un mauvais calcul, une dégringolade de baromètre plus rapide que prévu ou tout autre contre-temps amène donc le skipper à recommencer de A à Z la pénible ronde administrative.

J'en ai fait l'expérience à Richard's Bay, quand la température trop élevée du moteur nous a forcés à rebrousser chemin alors que nous partions pour Durban. Je venais de perdre une matinée à courir les tampons d'un bout à l'autre du port.

Notre séjour dans le nord du Kwazulu aura finalement duré un mois et demi. Nous étions contents de partir car rien dans l'atmosphère du club ne nous plaisait sinon d'y voir nos enfants heureux. Ce stationnement à bateaux, situé à l'écart de la ville, semblait carrément en dehors du pays. Difficile d'y tâter autre chose que le pouls des équipages. En ce sens, les marinas ressemblent aux hôtels.

Les seules femmes noires rencontrées nettoyaient les toilettes, et à en juger par leur surprise, elles n'avaient pas l'habitude de converser avec les Blancs.

Aussi, le 28 janvier, lorsque nous avons mis pour la seconde fois le cap sur Durban, ai-je retrouvé le désordre anarchique de la houle avec plaisir. Là au moins, il n'y avait aucun doute : nous étions en mer.

Il me restait tout de même un souvenir agréable de cette escale, celui de notre visite au parc Kruger, une immense réserve naturelle à la frontière du Mozambique. Je repartais la tête emplie des lumières de savane et des concerts nocturnes, encore émerveillée de m'être endormie sous la tente non loin des fauves en chasse. Leurs rugissements avaient éveillé en moi un bonheur sourd. Ils consacraient mon passage en sol africain. Je me trouvais sur le continent des grands animaux sauvages, au cœur de cette Afrique imaginée maintes fois durant mon enfance. Celle que j'avais cherchée en vain pendant des semaines le long des pontons d'une marina moderne, au milieu de plaisanciers majoritairement canadiens et américains.

Quatre-vingt-dix milles nautiques séparent Durban de Richard's Bay, une distance qu'il vaut mieux franchir en tenant compte de la météo, comme le mentionne le journal du bord :

Heureusement que nous ne sommes pas partis hier, à 4 heures du matin, comme prévu. Nous aurions manqué l'avis de *gale warning* (du sud-ouest de 40 nœuds et plus) émis durant la matinée. Nous avons tout de même quitté la marina pour nous amarrer au *small craft harbour*, prêts à décoller aujourd'hui, à la fin du coup de vent. D'après les prévisions, le nordet se lèvera durant la nuit. Nous prenons de l'avance. Carl espère que cinq ou six heures de moteur aideront nos batteries, anormalement faibles ces derniers temps, comme si elles ne gardaient plus leur charge. Il est 17 heures 30 lorsque nous larguons les amarres, le baro indique 1017 et le sud-ouest souffle encore, très légèrement, sous les derniers nuages de pluie.
Minuit : la mer est encore agitée, il n'y a plus de vent, baro stable. 2 heures du matin : le baro commence à chuter, le vent se lève, 15 à 20 nœuds, pile sur l'arrière. On avance bien, sous grand-voile et foc tangonné. Au petit jour, des immeubles d'un blanc étincelant nous font croire que Durban est déjà atteint. En fait il s'agit d'un développement d'hôtels. La ville est encore à une dizaine de milles plus au sud. Le baro dégringole : 1012. À la VHF, on annonce le coup de sud-ouest pour cet après-midi. Nous allons faire en vitesse nos formalités au vieux quai du *small craft harbour*. Le jeune Morgane attrape nos amarres. Il a 12 ans. C'est l'aîné des moussaillons à bord du *Gilbert-Guy*, fameux thonier français dont Patrick et Nicole sur *Mamaru* nous ont si souvent parlé. On promet de se revoir. Puis nous filons vers le Point Yacht Club qui offre un mois gratuit au ponton international, en plein centre-ville.

La ville de Durban n'a pas de charme particulier, mais pour une dizaine de jours elle va nous permettre de jouer aux citadins. Nous commandons d'innombrables pizzas de chez Oro, traînons du côté du cinéma, de la bibliothèque et des musées. Et certains après-midi de grandes chaleurs, j'accompagne les enfants à la piscine municipale.

Je ne suis pas très friande de ces carrés d'eau tiède, généralement bruyants et surpeuplés, mais la situation est différente ici. La vue des jeunes sud-africains qui se baignent ensemble, couleurs de peau confondues, me donne l'impression d'assister à la naissance d'un nouveau pays. En effet, le gouvernement a récemment aboli plusieurs lois de l'apartheid et la population noire a maintenant accès aux mêmes services publics que les Blancs.

Il va sans dire que le passage d'un régime à l'autre n'est pas aisé. Le mépris racial chez certains Afrikaans fanatiques remonte à si loin que l'obéissance civile ne se fait pas sans heurt. Des municipalités récalcitrantes ont préféré remplir leurs piscines de ciment, plutôt que de permettre aux Noirs de se baigner parmi les Blancs. Lorsque j'ai lu l'article aux enfants, ils n'en croyaient pas leurs oreilles !

À première vue, Durban ne connaît pas ce type de problèmes et le climat paraît beaucoup moins violent qu'à Johannesburg, la capitale. Un jour, pourtant, Évangéline et Noémie reviennent en jurant qu'elles ont vu deux chiens à l'arrière d'une camionnette stationnée qui aboyaient systématiquement quand un Noir passait sur le trottoir !

Parachutée depuis la mer dans les rues du centre-ville, Évangéline a découvert autre chose : « Tu ne peux pas savoir comme j'étais gênée hier », me raconte-t-elle le lendemain de notre arrivée, en enfilant une jolie chemise et un pantalon léger. « Jamais de toute ma vie je n'avais eu honte de porter des shorts. Mais là, TOUT le monde était bien habillé. Et puis les gens sont tellement pressés, c'est incroyable, je crois qu'ils devaient me trouver anormale, juste parce que je me promenais tranquillement. »

Nous vivons ainsi à mi-chemin entre l'eau et le béton. Et la semaine file, ponctuée de coups de vent rapides, comme si les tourments des cieux s'harmonisaient au rythme de la ville. Même nos quartiers flottants s'agitent. Un arrivage de voiliers de Richard's Bay repart presque aussitôt. Les équipages se hâtent, surveillent le ciel, et leur nervosité déferle d'un bateau à l'autre jusqu'à devenir une folie contagieuse.

Au bout du onzième jour, nous quittons Durban avec trois autres voiliers. Cette fois encore, nous prenons la soirée et la nuit d'avance sur l'arrivée du nord-est. Ces départs anticipés, au moteur, avec la fin des vents contraires et le calme qui suit, nous obligent à serrer les dents au début. La houle est mauvaise, il pleut, les bouffées de gaz d'échappement empestent le barreur, mais lorsque le ciel se dégage au matin nous avons parcouru une distance appréciable.

Le baro indique une pression record. Deux jours exceptionnels de beau temps nous permettent de passer outre East London et de filer vers Port Elizabeth. Le spi est envoyé. À cette allure, la *V'limeuse* gronde. Ses vingt tonnes lancées dans de fabuleux surfs à plus de dix nœuds ont vite fait de rattraper *Iwa*, dont la carène d'aluminium est beaucoup plus légère mais dont la nonchalance du skipper nous avantage. Puis juste au moment où Carl s'apprête à crier victoire, la poulie en tête de mât dégringole et nous récupérons le spi de justesse avant qu'il ne passe sous la coque.

Marc-Antoine rigole sûrement. En gentleman, il nous appelle sur la VHF pour vérifier si tout va bien, tandis que l'écart entre nos bateaux se creuse à nouveau.

Le vent a forci, plus question de relancer la voile-ballon. D'ailleurs la nuit arrive. Elle s'annonce difficile, car au-dessus de 25 nœuds de vent arrière, la *V'limeuse* devient très dure à barrer, surtout depuis que nous avons enlevé nos deux safrans auxiliaires. Les voiles porteront mieux si nous prenons le vent légèrement sur la hanche en piquant vers le large.

Au matin, le ciel d'un bleu très pur n'annonce rien de mauvais pour cette dernière journée de voile. Damien est heureux, il remonte une superbe daurade de dix kilos. Puis le baro nous rappelle à l'ordre. Sa chute rapide et l'augmentation graduelle du vent qui vire à l'est donne le signal du compte à rebours. Nous cravachons vers le fond de la baie d'Algoa sur une mer de plus en plus creuse. Les fonds remontent, la vague perd le rythme allongé du large, et bientôt seuls Carl et moi pouvons tenir les rênes d'un bateau à la fois trop puissant et instable.

Il fait nuit et nous avons réduit la voilure pour rentrer à Port Elizabeth. Mais tout va encore trop vite. Je distingue mal les feux du havre parmi la débauche de points lumineux. Sur la VHF, les conversations vont bon train entre *Kelebec*, *Iwa*, la *V'limeuse* et la tour de contrôle. Marc-Antoine, loin devant, trouve enfin la passe et guide ensuite les autres jusqu'à la digue.

Il est plus de 11 heures lorsque nous entrons dans un port faiblement éclairé qui nous paraît bien lugubre. Fatigués, mais contents d'être en eaux calmes, nous repérons une place libre entre deux bateaux de pêche. Dieu que les draps sont doux et le sommeil tranquille pour qui vient de la mer !

Le vieux Port Elizabeth est agréable, propre, avec de belles bâtisses de style victorien, et se trouve à dix minutes de marche de l'Algoa Bay Yacht Club où nous amarrons la *V'limeuse* le lendemain de notre arrivée. Il nous en coûte dix rands par jour au ponton, soit environ quatre dollars. Nous attendons la prochaine percée de temps favorable en compagnie de Marc-Antoine et de son père, Alain, venu de France pour passer le cap de Bonne Espérance avec lui.

Alain s'y connaît en fromages et en bons vins, mais aussi en électricité. Grâce à sa patience, nous trouvons entre deux dégustations la source de nos ennuis de batteries : un court-circuit au niveau de l'alternateur leur bouffait près d'un ampère à l'heure. L'une des quatre 6 volts est bonne pour la poubelle, avec une cellule morte, et nous la remplaçons illico. Maintenant, le moteur démarre au quart de tour. Depuis Richard's Bay, nous devions d'abord partir la génératrice sur le pont, puis brancher le chargeur 110 volts et mettre ainsi en tension tout le système pour réussir à faire tourner les 140 chevaux.

Baro 1018. Branle-bas sur les pontons où six bateaux s'apprêtent à foncer dans la nuit. Après quatre jours de temps exécrable, on nous annonce une météo potable pour les prochaines quarante-huit heures. Avec un peu de chance, qui sait, nous pourrions passer le cap des Aiguilles, tout au sud de l'Afrique, quittant ainsi le courant du même nom. Les redoutables vents du sud-ouest deviendront alors plus négociables.

Au large, la nuit nous isole sur une mer maussade. Le vent ne se lève qu'au petit jour, avec l'arrivée d'un front froid surprise qui nous apporte du sud-est de 30 à 40 nœuds par le travers, de la pluie, une visibilité pourrie, et des vagues si désordonnées que j'abandonne mon poste de barreuse en catastrophe et me retrouve la tête entre les filières. Damien, venu à mon secours, ne sait plus s'il doit rire ou me consoler :
– Ça va, maman ?
– Très bien... Maudit temps de...
– Tu te rends compte, c'est la première fois que tu es malade depuis le Québec !

233

– C'est vrai... il était temps, j'avais presque oublié à quel point on se sent bien... après !

– Va t'allonger, je vais te remplacer un peu.

Après quelques heures de sommeil, j'écris dans le journal du bord :

> Le vent s'est calmé en fin d'après-midi. Moteur toute la soirée avant qu'une brise d'est se lève. Beaucoup de cargos.
> Avec le jour, le ciel se dégage, le vent forcit et le baro chute. Marc-Antoine nous appelle sur la VHF. Il a reçu la dernière carte-météo par fax. Un vilain front froid sera bientôt sur nous. Nous essaierons à tout prix d'atteindre le mouillage de Struis Bay, au nord du cap des Aiguilles, avant que le sud-ouest y arrive.

L'océan Indien a sale caractère. D'accord. Mais je le soupçonne de bien connaître la nature conciliante des marins. Ne sommes-nous pas prêts à pardonner des jours et des jours de mauvais temps pour quelques instants de féerie pure ?

Alors que nous cavalons depuis des heures vers l'extrémité du continent, surfant sur des millions de bulles grondantes nées des vagues éclatées, la mer s'aplatit soudainement à l'horizon. Plus exactement, elle entre en ébullition. Une ébullition de dos ronds, de nageoires et de queues. Des centaines de dauphins surfent autour de nous. Le ciel s'est couvert d'oiseaux marins, mouettes blanches, fous de Bassan et majestueux albatros qui plongent et s'agitent au-dessus de l'océan.

Les enfants ont rejoint leur poste préféré d'observation, près du balcon avant. Ils sourient aux dauphins, s'émerveillent de l'hallucinante transformation de la mer, se demandent quelle sorte de migration invisible peut appeler un aussi fantastique rassemblement de prédateurs en délire.

De mon poste de barreuse, submergée par une émotion très douce, je les embrasse du regard. La magnificence de notre liberté me prend à la gorge. Oh, privilégiée famille sur son bateau fou, remercie l'océan Indien de nous offrir un si mémorable cadeau d'adieu !

La côte se rapproche. Des éclats lumineux dans la nuit naissante indiquent la proximité du cap Infanta. Le baro est très bas, 1006.

Pourtant le vent d'est souffle encore, légèrement. Nous prions pour qu'il tombe, sinon la houle nous empêchera de mouiller à Struis Bay.

Prière exaucée. Ainsi nous voilà ancrés à trois quarts de mille de la côte, tout près d'*Iwa*, et nous attendons maintenant le retour de pendule barométrique tandis que le vent hurle au-dessus de la baie.

Le baro indique déjà 1016. Tous les vingt minutes, quelqu'un grimpe sur la table, vérifie par la bulle si tout va bien et si par hasard le vent ne faiblirait pas un petit peu. Dans ce cas, nous irions mouiller à quatre milles d'ici, près du village.

Tant pis, nous bougerons quand même avant la nuit. Évangéline et Carl relèvent la chaîne en peinant comme des malheureux. J'aide au moteur. Les hurlements du vent couvrent nos voix et seuls les gestes de Damien m'indiquent la direction à suivre. L'opération demeure extrêmement dangereuse. Les rafales sont si violentes que bien souvent le bateau se met travers au vent. Ainsi, dans un coup de rappel plus brutal que les autres, le guindeau se brise et plus de la moitié de la chaîne retourne à l'eau. Il faudra encore vingt minutes d'efforts manuels avant que l'ancre ne repose enfin sur le pont.

Tandis que nous ancrons à l'abri de la vague et du vent, Marc-Antoine n'a pas cette chance. Il doit plonger en bouteille, n'arrive pas à dégager son ancre, manque bientôt d'air et finit par abandonner son mouillage en y laissant une bouée. Il nous demande, à la VHF, s'il peut venir s'attacher derrière nous.

Peu de temps après, j'attrape l'amarre lancée par Alain, la tourne soigneusement sur un taquet pendant que Carl laisse filer quelques longueurs de chaîne pour compenser le poids de notre invité. Ce serait bête de dériver ensemble durant la nuit. Mais bientôt le vent diminue, puis expire avec la brunante, laissant nos deux bateaux immobiles au centre du silence.

Le lendemain, les équipages se lèvent tôt. Marc-Antoine veut récupérer son mouillage tandis qu'il fait calme. Nous lui prêtons une bouteille d'air et Carl propose son aide visuelle pour repérer la bouée blanche au milieu de la baie.

Cette fois notre ami réussit à remonter son ancre après de nombreux efforts. Les dunes nous laissaient croire à un fond de sable, mais nos CQR s'étaient bel et bien coincées dans les failles d'un fond rocheux.

Une brise légère du sud reprend dans la matinée. Ce n'est pas l'idéal, mais ne soyons pas difficiles ! Il vaut mieux un souffle dans le nez qu'une tempête. Il est midi, le 18 février 1991, lorsque nous contournons l'extrémité sud de l'Afrique, à la voile et au moteur.

Je comprends enfin pourquoi on appelle ce lieu « cap des Aiguilles ». En ce point de rencontre de deux courants, les vagues se hérissent en tous sens. Même par temps calme, la mer est mauvaise. La *V'limeuse* rebondit si lourdement que j'ose à peine imaginer le décor par nuit de tourmente.

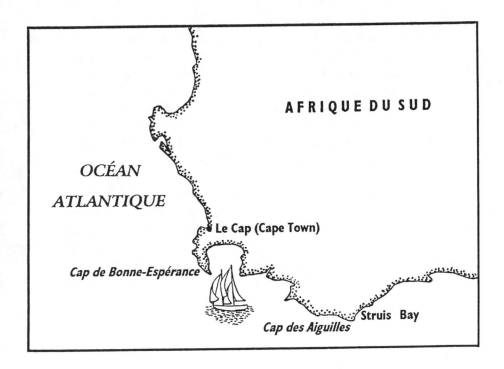

Marc-Antoine et Alain se sont promis de passer le cap à la voile. Ils tirent un premier grand bord qui les éloigne de la pointe, et ils éviteront ainsi, sans le savoir, le plus gros de la marmite infernale. *Iwa* se débrouille d'ailleurs très bien dans les vents faibles, contrairement à notre char d'assaut. Pauvre *V'limeuse*, combien de fois n'ai-je perçu dans les propos de Carl et de Damien une trahison à son endroit... Une incontournable envie d'un bateau plus léger.

La nouvelle carte météo reçue par Marc-Antoine indique l'arrivée d'un double front froid. Aurons-nous le temps de passer le cap de Bonne-Espérance ? Toute la nuit, nous naviguons au moteur parmi les cargos et les bateaux de pêche. Nos feux de navigation ne fonctionnent pas et nous sommes obligés de signaler notre présence à la dernière minute, en allumant nos projecteurs de pont. Ce n'est pas du goût d'un remorqueur local qui, pour manifester sa désapprobation, décide de nous faire une frousse et fonce à toute allure sur la *V'limeuse*. Carl n'a d'autre choix que de dévier sa route.

Lorsque le jour se lève, le cap de Bonne Espérance émerge à travers la brume, sur tribord.

Aussi tristement légendaire que le cap Horn dans l'histoire de la navigation à voile, ce promontoire rocheux surnommé « Cap des Tempêtes » marque notre retour dans l'Atlantique. L'immobilité presque magique des lieux nous signale qu'une fois de plus nous avons droit à la bienveillance des éléments.

Tout frigorifié, mais les yeux brillants de bonheur, Damien me laisse la barre en m'indiquant la surface de la mer endormie. Ici et là, des otaries font l'amour dans les vapeurs de l'aurore, comme si elles célébraient ce repos soudain de l'océan.

La côte, déjà splendide dans ce petit matin froid et brumeux, devient spectaculaire, frangée de montagnes aux flancs escarpés, à l'approche de Hout Bay. Puis nous longeons l'impressionnante chaîne des Douze Apôtres, et la vue des maisons construites sur la pente plus douce qui mène au rivage me laisse un arrière goût d'envie. Jamais décor ne m'a paru aussi sublime, aussi proche de l'équilibre parfait entre la montagne et la mer. Pour la première fois, la beauté de l'Afrique du Sud m'envoûte.

Je suis loin d'imaginer que dans l'une de ces maisons, là-haut, habite une famille dont la destinée va bientôt croiser la nôtre.

237

Le retour dans l'Atlantique (C.)

Il n'y a pas de ligne de démarcation entre deux océans, mais dans notre esprit nous avons psychologiquement rejoint l'Atlantique en arrivant à Cape Town. Ce n'est pas encore chez nous mais ça y mène directement. Comme si un habitant de Vancouver pouvait, en regardant la route transcanadienne défiler sous sa fenêtre, la suivre par la pensée jusqu'au tunnel Hippolyte-Lafontaine.

On se voit même en train de remonter le Saint-Laurent, de passer sous le pont de Québec, celui de Trois-Rivières, d'obliquer vers Sorel à la sortie du lac Saint-Pierre... et là on préfère mettre fin à ce défilé d'images qui empoignent déjà le cœur. Après une si longue absence, on ne revient chez soi qu'avec des émotions grandies, proches des larmes.

Et dans la mesure où l'idée du retour s'impose maintenant avec plus de force que celle de la découverte, on peut presque dire qu'un aspect de notre voyage se termine ici. Ceci dit sans amertume. Nous sommes tout simplement rassasiés ; après bientôt quatre ans et demi, ce n'est pas tant le nombre de pays visités, de découvertes et de gens rencontrés qui fait le compte, que la durée qui a atteint sa limite, et même l'a dépassée. Nous ne regrettons rien, mais si cette circumnavigation était à recommencer nous la planifierions sur quatre ans, pas plus.

Voilà la conclusion à laquelle nous sommes arrivés en considérant l'énergie vouée au voyage, au bateau, à la famille et surtout, après un certain temps, en réalisant notre profonde dépendance à l'égard de notre coin de pays.

Il m'arrive d'expliquer ce sentiment aux enfants par une image, nous comparant à un gros cétacé qui doit remonter des profondeurs jusqu'à la surface pour respirer. Notre navigation est semblable, une fantastique plongée dans l'apesanteur du monde, souffle coupé. Mais, biologiquement parlant, notre poumon a besoin de prendre son air au Québec.

Nous approchons la fin février et nos prévisions d'arrivée dans le golfe Saint-Laurent nous situent aux abords des îles de la Madeleine vers le début juillet. D'ici là, le programme est fort simple : nous prendrons du bon temps dans cette magnifique région du Cap, tout en préparant le bateau, et dès les premiers jours de mai nous commencerons cette longue remontée de plus de 7 000 milles nautiques vers le nord, un parcours en ligne droite que nous comptons diviser par deux courtes escales seulement, la première à Sainte-Hélène, la seconde aux Bermudes, réalisant entre les deux une jolie traite de 4 500 milles.

Et gare aux retards car cette date fixée pour le départ ne laisse pas beaucoup de jeu. Ici, sous l'équateur, ce sera déjà l'automne en mai tandis que là-haut, dans l'hémisphère nord, à la latitude des Antilles, la saison des cyclones, débute officiellement en juin et commande qu'on ne traîne pas trop dans ces parages malsains.

Notre séjour ici s'annonce prometteur. Il faut peu de temps parfois pour ressentir les bonnes vibrations. En approchant du large, nous étions déjà subjugués par le coup d'œil qu'offre la ville du Cap, étalée comme un parterre de fleurs au pied du gigantesque monument qu'est la montagne de la Table.

Peu de temps après ce spectacle grandiose, unique au monde, la *V'limeuse* se présentait au Royal Cape Yacht Club. Là encore et contre toute logique, nous nous sommes sentis immédiatement à l'aise. Avouons tout de même qu'ils ont une excellente façon de souhaiter la bienvenue aux yachts étrangers, en leur offrant les cinq premiers jours gratuits.

Ce haut lieu du nautisme n'a pourtant pas à faire de concession monétaire pour se gagner l'estime des visiteurs. Nous le verrons après plusieurs mois, ce geste est purement cordial. Il ne vient rien acheter, il scelle les rapports fraternels entre gens de mer.

Je ne peux m'empêcher de penser à la rudesse légendaire de certains de nos préposés de marinas ou clubs nautiques au Québec qui, à votre approche, accourent sur les pontons, non pas pour attraper vos amarres mais pour vous facturer le montant de la première nuit, payable même avant de la prendre.

Et en d'autres endroits prétendument plus honorables, ce n'est pas tant votre argent qu'on recherche comme votre tête qu'on évalue. Dans certains ghettos de régatiers, la peau des marins ne vaut pas cher.

Après la beauté des lieux et nos rapports jusque-là engageants avec la population, il est difficile enfin de ne pas être sensible au climat merveilleusement tempéré et stable dont jouit cette région. Il doit très certainement façonner l'humeur des habitants à en juger par les sourires, la gentillesse et la courtoisie qu'on nous manifeste.

Les premiers jours, nous avons mis cette température parfaite au compte d'une période de stabilité exceptionnelle, sans plus ; mais le beau temps, nous a-t-on vite confirmé, est coutumier.

Bientôt nous découvrons que ce climat agréable, ni trop sec ni trop humide, concourt à la production d'excellents vins.

Nous serions bêtes de ne pas partir avec une cargaison de bonnes bouteilles, vu leur qualité, leur prix et l'espace dont nous disposons pour les ranger, avantage appréciable de tout grand bateau.

Nos aurons peut-être un petit problème à la frontière canadienne puisque la réglementation en matière d'alcool est toujours aussi débile que déplorable : deux litres par personne, que vous ayez été absents du pays vingt-quatre heures ou cinq ans.

Enfin, il y a beaucoup d'eau à courir d'ici le Canada et nous verrons à adopter, au moment opportun, une stratégie de notre propre... cru !

Notre premier souhait est donc d'aller reconnaître cette région des vignobles. Une grande part de la réputation des vins d'Afrique du Sud origine d'un minuscule territoire, dont le cœur, Stellenbosh, se situe à 40 kilomètres à peine de Cape Town.

En examinant la carte routière et les courtes distances impliquées, l'idée nous vient de parcourir cette région en vélo. Nous en louerons trois, Évangéline s'offrant à rester auprès des jumelles pour la durée de notre visite.

Cette décision est à peine prise qu'en sortant du bateau, je remarque deux vélos, couchés au bout de notre ponton. Le lendemain matin, les deux « dix vitesses » sont toujours là et je fais tout à coup le rapprochement avec ce voilier qui se préparait à partir pour les Antilles il y a quelques jours. Ça y est, me dis-je, faute de place pour les emporter, ces gens n'ont même pas cherché à refiler leurs vieilles bécanes, laissant cela au soin du premier arrivé, premier servi.

Un peu de WD-40, de graisse, quelques tours de clef à mollette et ça roule. Il n'en reste plus qu'un autre à dégoter dans une boutique de location et nous pourrons nous dégourdir les jambes en avalant les millésimes.

Nous ferons le nécessaire à la première heure lundi. Pour le moment, c'est un dimanche idéal pour aller musarder dans les environs.

Il n'est pas toujours évident de faire bouger quatre enfants dans la même direction quand les intérêts varient avec l'âge, mais il faut être rassembleur. La corde de l'estomac resserre habituellement les liens familiaux.

– Que diriez-vous, les amis, si on poussait une pointe de l'autre côté de Cape Town, vers Hout Bay ? C'est pas trop loin, une quinzaine de kilomètres.

J'en ai dit suffisamment pour que mon attelage se mette à ruer dans les brancards et je dois intervenir aussitôt :

– Wo ! wo ! doucement la rébellion ! Qui a dit qu'on marcherait tout ça ? Non ! mais on se calme le poil des jambes ! Vous connaissez nos habitudes, on va faire du pouce ou prendre l'autobus, je ne sais pas moi, mais on va se débrouiller... En tout cas, j'ai une affreuse envie de *fish and chips*, pas vous ?

Je visais surtout Évangéline, chef de meute qu'il faut d'abord neutraliser en provoquant ses montées de salive. Je peux continuer calmement :

– Et on m'a dit que Hout Bay est un joli petit port de pêche. Une fois rendus, on repère les odeurs de friture, on suit la moins dégueulasse jusqu'au premier comptoir, on attrape plein de sachets de mayonnaise pour les beignets de poisson, de ketchup pour les frites, du sel, des pailles pour nos gros verres de Coke puis on va tranquillement s'asseoir sur le bout du quai et on regarde les bateaux entrer et sortir de la baie avec leur nuage de goélands qui piaillent en les suivant.

Ensuite, je déconne toujours un peu pour créer à l'avance un semblant d'ambiance :

– Bref, on va tellement faire comme tout le monde, examiner les voiliers de la marina comme si on n'avait jamais navigué, observer les pêcheurs, hasarder quelques questions insignifiantes, se prendre les pieds dans un filet, trouver que ça sent le vieux poisson pourri, etc., tellement l'air de s'emmerder royalement, ma grande foi du bon Dieu, qu'il ne viendrait à l'idée de personne que nous sommes plus souvent qu'autrement de l'autre côté de la clôture, vivant la mer à temps plein depuis une bonne dizaine d'années... Allez, en route ! Nous reviendrons bientôt parmi les hommes et il faut commencer dès aujourd'hui l'apprentissage de cette autre sorte de bonheur.

Pendant que nous nous préparons à partir, une autre famille non loin de là termine le dîner et s'apprête à faire une sortie. Ils montent dans leur minibus Volkswagen et partent pour une balade improvisée. Arrivés à la limite du port où un choix de direction s'offre au conducteur, ce dernier, attiré par les bateaux à voiles, bifurque vers la droite et file vers le yacht club.

La chance nous guette, notre troisième bicyclette s'en vient sur quatre roues. Plus qu'une question de minutes maintenant.

Qui des parents à l'avant ou des trois enfants sur les banquettes arrière remarquent, en nous croisant, cette bande de zigotos qui marchent le long des grues et des piles de bois ? L'histoire ne le dit pas. Mais l'image que nous leur projetons doit mériter qu'on s'y attarde car la camionnette ralentit, fait demi-tour et revient vers nous.

C'est ainsi, par un beau dimanche après-midi et au moment où la fenêtre d'une portière s'abaisse, que le destin viendra bien près de nous jouer un très vilain tour...

La tournée (C.)

Le vilain tour du destin mettra en fait plusieurs mois à se réaliser. Pour l'instant, nous embarquons dans la camionnette et la conversation qui s'engage avec ce couple ressemble à des centaines d'autres tenues dans pareilles circonstances au fil des escales : c'est l'habituel échange de civilités jusqu'au moment où l'image du voilier vient remplir l'écran. En entendant ce mot, les gens ont une seconde réaction, comme s'ils étaient sous l'effet d'une apparition. Ils nous regardent à nouveau, plus minutieusement cette fois, essayant d'apercevoir au fond de nous-mêmes ce détail important qui leur aurait échappé quelques minutes plus tôt.

Point tournant majeur : nous venons à ce moment précis de changer d'identité. Nous passons de simples touristes à une autre espèce de vivants que la mer vient auréoler de ses propres mystères.

La camionnette file lentement et pour cause, ce qui se dit à l'intérieur monopolise toute l'attention du conducteur. On dirait même que la direction prise par la Volkswagen n'a pas vraiment d'importance. Et puis, n'ayant rien de bien précis au programme, ces aimables personnes s'offrent de nous conduire à Hout Bay, délai supplémentaire qui leur permettra d'étancher un peu plus leur curiosité.

En cours de route, l'occasion de parler vélo se présente et, ne croyant pas aussi bien faire, je me confie à tout hasard :

– Nous projetons de faire une tournée des vignobles à bicyclette, connaîtriez-vous un endroit où l'on pourrait en louer une pour quelques jours ?

Nous les voyons sourire à l'avant en se consultant du coin de l'œil :

– Je peux vous arranger ça, répond l'homme en se tournant vers nous, je possède un commerce de VTT au centre-ville.

Encore sous le coup de cette chance inouïe, nous nous présentons sur Bree Street, le lundi matin, à la première heure. Le *mountainbike* nous attend, un vingt et une vitesses équipé d'un porte-bagages et de sacoches à l'arrière. Mike Hopkins ne veut rien entendre, il nous le prête pour un mois et s'assure même, vu l'état de celui sur lequel Dominique est venue, que nous n'en voulons pas un deuxième.

Non, merci. Ce serait abuser.

Nos premiers coups de pédale vers le yacht club sont euphoriques. En retrouvant ce plaisir simple de rouler côte à côte, dans ce couloir d'air vivifiant que crée la vitesse, nous goûtons déjà la pleine promesse de notre prochaine randonnée. Nous nous félicitons de cette excellente idée. Les commentaires vont bon train aussi sur la tournure qu'a prise jusqu'ici notre inoffensive sortie en famille d'hier après-midi. Et sur les surprises que réserve parfois la vie. Dominique croit qu'il y aura une suite au prêt du vélo. Moi aussi d'ailleurs, hormis le fait que nous les remercierons en les invitant au bateau.

Quelque chose de particulier s'est passé dans la camionnette. Il y avait un surprenant calme chez ce couple, comme un puits profond sur lequel nous pouvions nous pencher et apercevoir nos reflets qui tremblaient, tout en bas, dans l'ombre encore fraîche de leurs rêves. Se pourrait-il que nos paroles, comme des gouttes que l'on verrait tomber et rebondir sur la surface tranquille de leur existence, aient déclenché la danse des cercles concentriques, des anneaux qui emprisonnent... ?

Place aux préparatifs. Nous emportons tente, sacs de couchage, linge de rechange, appareil photo, kit de crevaisons... oublions-nous quelque chose ? Ah ! oui, s'il pleut ? « Inutile de vous encombrer, nous répète-t-on, il fera beau. » Non mais, c'est une idée fixe chez eux ! Un peu plus et je vais me mettre à haïr ces gens, pour peu que s'éveille en moi l'inénarrable psychose de nos étés québécois.

Et nous voilà partis pour la plus mémorable dégustation de vins de notre douloureuse existence.

Un peu d'histoire (C.)

Pendant que nous pédalons ferme, situons brièvement la culture de la vigne dans son contexte historique. Elle remonterait à la fondation de Cape Town, en 1652, par le Hollandais Jan van Riebeeck pour le compte de la Dutch East India Company. Cette compagnie désire alors y établir un poste de ravitaillement pour ses navires qui transitent entre l'Europe et Batavia, aujourd'hui Djakarta en Indonésie.

À cette époque où ni l'un ni l'autre du canal de Panama ou de Suez n'existe encore, le cap Bonne-Espérance est avec le cap Horn un des passages obligés pour contourner les continents. Il en résulte de longs mois en mer où l'apport de denrées fraîches fait le plus cruellement défaut aux équipages. Le site du Cap ne peut être mieux choisi. Non seulement les baies sont nombreuses pour s'abriter ou relâcher, mais le climat et la fertilité du sol vont contribuer au développement de ce relais maritime. Il prospère si rapidement qu'on le surnomme peu après *The Tavern of the Seas*. La bourgade qu'est alors Cape Town remplit déjà pleinement son rôle d'Auberge des Mers.

Si Van Riebeeck a planté les premiers pieds de vignes au Cap, c'est l'arrivée des colons français vers 1685 qui a marqué les débuts de la viticulture et continue d'ennoblir aujourd'hui la réputation des vins d'Afrique du Sud. Beaucoup de ces Français protestants, surnommés huguenots, étaient des vignerons du sud de la France. Ils s'appelaient De Villiers, La Motte, Hugo, Jourdan, De Lanoy, Joubert, Le Long, Lefébure, Gardiol, Labat, Rousseau, etc.

Comment se sont-ils retrouvés ici plus qu'en Amérique où la France avait déjà ses entrées ? Par une vilaine guerre de religion qui opposait ces centaines de milliers de dissidents à la majorité catholique. Elle fut déclenchée par le roi Louis XIV en 1685, qui révoqua l'édit de Nantes. Leur statut confessionnel n'étant plus protégé, ils durent fuir rapidement vers les plus proches frontières. Un grand nombre de ces victimes se réfugièrent alors en Hollande, d'où certains s'embarquèrent peu après pour leur nouvelle terre d'exil.

Aujourd'hui, après plus de trois siècles, cet héritage est toujours vivant. Son fleuron principal se trouve à Franschœk, « coin des Français » en langue afrikaans.

Pour y accéder depuis Stellenbosch où nous passons une première nuit, les anciens pionniers ont dû franchir à dos de cheval ou en charrettes le Helshoogte Pass, un col de montagne à plus de 366 mètres, avant d'apercevoir leur verdoyante vallée qui s'est avérée parfaite pour l'élaboration des plus variés et fins cépages.

À notre tour maintenant d'enfourcher nos montures. L'ascension est lente, elle s'étire en longs lacets sur une vingtaine de kilomètres. Deux bonnes heures au moins, arc-boutés sur nos bicyclettes, avant les premiers cris d'abandons : Dominique et Damien, sur leurs vieux douze vitesses, doivent poursuivre la montée à pied pendant que, devant, l'orgueil m'ordonne de continuer jusqu'au sommet avant de pouvoir m'écraser au premier point d'observation. J'y parviens enfin, courbaturé et pissant l'eau comme un radiateur percé de toutes parts. Les minutes qui suivent m'apportent des moments de profond bien-être alors que mon corps, vidé de sa tension nerveuse, permet un regard plus contemplatif.

Le dépliant que je consulte m'apprend que « cette vallée s'appelait Oliphantshœk avant l'arrivée des familles françaises en 1688, parce que les éléphants y émigraient annuellement. C'est d'ailleurs leurs sentiers à travers les montagnes que les pionniers empruntaient avant la construction des premières routes en 1819. Puis l'exploitation des terres les refoula peu à peu vers le nord. Le dernier éléphant et son petit auraient été vus quittant la vallée en 1840. »

Le texte décrit ensuite la vallée magnifique que j'ai sous les yeux, comme « une oasis de verdure ceinturée de hautes montagnes » et qui jouit d'un microclimat idéal pour la culture de la vigne. Il y tombe jusqu'à deux mètres de pluie en hiver et la température en été est régularisée par l'enceinte naturelle des montagnes qui bloquent les nuages et les grands vents, favorisant ainsi un ensoleillement maximum.

« Autre facteur important », précise le même feuillet touristique en termes plus spécifiquement viticoles, cette fois, « la composition du sol ainsi que les conditions climatiques varient considérablement sur de très courtes distances, selon que les vignobles sont situés au fond de la vallée ou sur les pentes des montagnes, ces derniers bénéficiant plus tôt des rayons solaires s'ils sont orientés à l'est et plus tard en journée s'ils sont tournés vers l'ouest. Cette variété de conditions concourt à produire dans une petite région une grande diversité de bons vins. C'est probablement cet aspect qui a séduit le plus les premiers vignerons français qui se sont établis dans la vallée. Ils avaient été habitués en France à cultiver la vigne sur des petites superficies où, dès lors, il était primordial de développer la spécificité des vins plutôt que leur quantité. »

Dominique et Damien viennent d'arriver.
– Heureusement que cette montée ouvrait la journée, fait-elle remarquer en s'aspergeant avec la bouteille d'eau. Après deux ou trois dégustations comme celles d'hier, je serais bien partie de reculons.

Et elle se laisse tomber par terre. Pendant qu'ils se reposent tous deux en admirant le panorama, j'en profite pour leur vulgariser ce que je viens de lire.

Nous consultons aussi régulièrement le *South African Wine Guide* de John Platters, édition 1991. Il décrit et classe chacune des 4 000 étiquettes de la production actuelle en leur attribuant des étoiles. À partir de quatre, elles font passer le texte d'appréciation en rouge, une façon non équivoque de bien souligner l'excellence de certaines cuvées. Il n'est pas rare de retrouver ce sceau de qualité en feuilletant le livre. Chez certains viticulteurs, il rougit même des pages entières. En suivant cette indication, nous avons braqué nos roues, hier, vers un vignoble de grande réputation, tant pour ses vins que pour le romantisme de son décor.

Le domaine Rustenberg n'est pas inscrit sur le circuit des vins. Sauf pour une enseigne qui en marque l'entrée, rien n'est visible de la route, sinon un long chemin de terre qu'on voit disparaître au milieu des champs et des bosquets. Un kilomètre plus loin, en longeant des pâturages où broutent bovins, moutons et quelques chevaux, une atmosphère de ferme commence à se préciser. Et là, après un dernier crochet du chemin, dans l'ombre feutré des chênes centenaires, une époque sommeille paisiblement sous les toits de chaume et derrière les murs blanchis à la chaux. On pénètre dans la cour de ces vieux bâtiments qui ont défini une architecture particulière, le Cape Dutch homesteads, comme si on venait boire à la santé de trois siècles d'histoire.

Même si les sommeliers ne font aucun cas de notre moyen de transport, venir déguster des vins en bicyclette ne doit pas se voir tous les jours. Si nous trouvons que l'expérience du coup de pédale suivi du coup de rouge, de blanc ou de mousseux, et vivement jusqu'à la cave suivante, est fantastique, qu'en pensent-ils, eux ? En nous voyant repartir les mains vides, ils peuvent douter de notre sérieux. Serions-nous de joyeux numéros qui veulent s'enivrer à peu de frais ?

Par chance, nous avons Damien pour attester du contraire. Aussi, en posant le coude sur le comptoir, nous mettons les cartes sur table. Afin d'écarter tout doute pour le cas où nous tanguerions un peu en quittant la place, nous nous présentons comme des gens de mer à la recherche de vins qui feront parfaitement le voyage jusqu'au Canada. Nous leur expliquons que nous ne pouvons rien prendre avec nous cette fois. La loi de la gravité oblige une personne qui circule sur deux roues à être deux fois moins soûle qu'un automobiliste. Mais nous repasserons bientôt, promesse d'ivrogne... avec le camion-remorque. Généralement, ce genre d'humour nord-américain nous vaut une autre tournée, hic !

Blague à part, nous goûtons les vins le plus consciencieusement possible et au meilleur de notre palais, qui s'est affiné à l'usage. Quant à nos connaissances œnologiques, elles se sont enrichies beaucoup plus en Australie et ici, en Afrique du Sud, que lorsque nous ouvrions une bouteille de vin français sans connaître les « ingrédients » ou la nature du contenu. C'était un excellent Saint-Esthèphe, Pauillac, Margaux, Haut-Médoc ou Sancerre, mais de quel cépage s'agissait-il au juste ?

J'aurais aimé savoir, alors, que je buvais un cabernet sauvignon ou un cabernet franc, un merlot, médoc, cinsaut, syrah, etc., pour ce qui est des vins rouges ; un chardonnay, riesling, gewürzstraminer,

247

pinot gris, pinot noir, etc., pour les blancs ou les champagnes. J'ai commencé seulement à découvrir ce vocabulaire en Australie parce qu'il apparaissait sur la plupart des étiquettes. Et dans bien des cas, lorsqu'il s'agissait d'un vin issu d'un mélange de deux ou trois cépages, le producteur l'indiquait avec leurs pourcentages respectifs sur une seconde étiquette à l'endos de la bouteille. Cette pratique est parfaitement courante ici aussi et elle mérite d'être soulignée. J'ai ainsi découvert, sans être un expert, que le merlot est un cépage plus fruité, souple et léger, que l'on retrouve souvent à la base de mélanges avec des cépages plus fermes et riches en tannin comme le cabernet sauvignon.

Bref, il n'est pas facile de s'arracher au charme de cet endroit. C'est sans doute pour ne pas le rompre trop brutalement que nous demandons la permission de piquer notre tente pour la nuit dans un pré avoisinant.

Le lendemain matin, nous reprenons nos visites et chacune d'elles, parmi la quinzaine que nous avons planifiées, aura son originalité propre.

Une semaine plus tard, cette fois en automobile, nous passons prendre les caisses de rouge, de blanc et de champagne. La Ford Escort que nous ont prêtée les Hopkins a l'arrière-train assez bas.

Nous pensons en avoir terminé avec nos dégustations, mais les plus mémorables restent à venir. Ce jour-là, un maître de chais d'origine belge nous entend parler français. Il n'en faut pas davantage pour que Jean-Luc Sweerts nous invite à plusieurs reprises chez lui, à Somerset West, heureux de nous présenter à sa famille et de tirer hors de sa cave quelques excellentes bouteilles pour arroser cette nouvelle amitié.

Les préparatifs (D.)

Entre deux bonnes bouteilles, il faut tout de même songer au départ.

Les prochaines cinq ou six semaines s'annonçaient déjà exténuantes et voilà qu'une panne imprévue s'ajoute à la liste des travaux : le moteur refuse de démarrer.

Nous devinons un problème électrique et le meilleur moyen de s'en assurer est d'aller prendre une bière au yacht club. Chaque vendredi soir, toute la faune des marins alcoolos se retrouve dans un petit salon pour l'*happy hour* : une brochette de vieux loups de mer et de jeunes régatiers, accoudés au bar, les regards noyés dans une brume aux odeurs de tabac, à qui raconterait la plus incroyable tempête en draguant les sirènes locales. Heureusement Évangéline n'a pas encore l'âge d'y mettre les pieds.

Ce haut lieu d'avaleurs d'écoute s'avère l'endroit idéal pour discuter d'ennuis mécaniques et rencontrer quelqu'un qui s'y connaisse vraiment. Et comme de fait, on nous présente un mécano qui accepte de venir ausculter notre engin dès le lendemain.

Son verdict nous surprend à peine : les 140 chevaux se portent à merveille, ils manqueraient simplement de puissance au démarrage.

Aux grands maux les grands moyens ! Nous contactons directement la compagnie Sabat, fabricant de la dernière batterie que nous avons achetée à Port Elizabeth. Nous pensons que celle-ci est défectueuse. Le jour suivant, deux patrons s'amènent en complet et cravate avec tout ce qu'il faut pour faire un test sérieux de nos circuits.

L'après-midi même, ils reviennent avec quatre batteries neuves que je me fais un plaisir de brancher sous leurs yeux. Un peu surpris, les patrons, de voir une femme brandissant la clé à molette pour autre chose qu'une pose calendrier ! Blague à part, j'apparais un peu moins déficiente en matière d'électricité qu'ils ne le craignaient.

Je le sens, ces deux pères de famille apprécient l'atmosphère de notre carré arrière, avec les photos de voyage, les souvenirs, les dessins d'enfants... et lorsqu'ils nous remettent la facture, ils en ont soustrait le pouvoir du rêve.

Maintenant que le moteur tourne, il est temps de sortir les pinceaux. En quatre ans et demi, nous avons négligé l'entretien du bateau, prétextant une léthargie due à la chaleur. Les derniers travaux de peinture remontent à Sydney. Depuis ce temps, la rouille a gagné du terrain. Dans ce climat plus propice au travail manuel, nous n'avons plus d'excuses. S'il n'est pas question de refaire une toilette complète de la *V'limeuse*, du moins voulons-nous freiner la corrosion du métal. Il y a de ces jours où nous regrettons vraiment d'avoir construit un bateau en acier !

L'opération « sortie de l'eau », toujours un peu compliquée à cause de la quille pivotante, demande à elle seule plusieurs jours de recherches et de téléphones afin de trouver le meilleur endroit et le plus abordable. Le Royal Cape Yacht Club possède bien son propre chantier avec un slip, mais pas de chariot cavalier, et il est difficile de rester plus de quelques jours hors de l'eau dans cette période achalandée de l'année. Nous optons finalement pour le yacht club de Mikonos, au nord de Cape Town. Mais à la toute dernière minute, le responsable avoue que le poids de la *V'limeuse* lui paraît limite pour les courroies de sa machine.

Tant pis, nous sortirons ici même. Un membre du club a justement annulé sa réservation et nous bénéficierons d'une semaine au moins. Quant à notre problème de quille, l'opérateur du slip promet de nous organiser un système pour nous bloquer de manière à pouvoir la descendre au trois quarts.

Les algues et les coquillages s'en sont donné à cœur joie sous la flottaison, durant notre mois et demi d'immobilité au ponton. Aussi, lorsque Carl prend la barre pour manœuvrer jusqu'au slip, la *V'limeuse* se retrouve-t-elle à la dérive parmi les corps-morts, une corde enroulée autour de l'hélice.

Personne n'a envie de plonger dans l'eau brunâtre et glacée du port. Pas même Évangéline, qui gagne pourtant ainsi quelques sous à l'occasion, avec un ami, en nettoyant la coque des bateaux de course. Lorsque Carl s'y résigne enfin, il découvre une corde si bien entortillée qu'au bout d'une demi-heure d'efforts, couteau en main, avec un masque qui prend l'eau à cause de la cagoule, et un tuba qui s'accroche partout sous le balcon arrière, il n'a réussi qu'à perdre patience.

Une heure plus tard, remorquée vers le carénage puis hissée hors de l'eau, notre duchesse attend nos bons soins. C'est le pacte tacite entre le voilier et les nomades esclaves de leur liberté. Durant les prochains dix jours, nous allons vivre isolés dans les quelques mètres carrés du chantier comme dans un univers parallèle. Avec acharnement et patience, respirant des nuages de poussière et de vapeurs toxiques, luttant mètre par mètre contre la rouille sans penser à autre chose qu'au travail, nous payons notre dû sans nous plaindre.

Seule Évangéline et les jumelles s'en sauvent. Notre aînée prétexte une allergie à la peinture qui lui gonfle les yeux et préfère se charger des courses en ville, des casses-croûtes et de la vaisselle. Marché conclu. Au fond, elle n'a pas trop le moral. Depuis que nous avons rencontré la famille de Jean-Luc, le maître de chais, elle soupire et se perd en rêveries pour l'aîné des garçons, l'un des deux fils que Liz a eu d'un premier mariage.
Avant de nous le présenter, Jean-Luc avait décoché un petit clin d'œil vers Évangéline :
– Lorsque tu vas voir Guido, ma belle, tu comprendras qu'Alain Delon peut aller se rhabiller.
Il n'exagérait pas. À dix-huit ans, Guido fait partie de ces êtres au magnétisme ravageur, qui séduisent sans le vouloir, et dont on tombe amoureux instantanément, impulsivement, comme en hommage à leur ensorcelante beauté. Prise au charme du jeune homme dont elle apprécie, de plus, la gentillesse, la politesse et l'extrême douceur, Évangéline n'a plus du tout envie de quitter l'Afrique du Sud.

Il n'y a pas que Guido, en fait, qui lui plaise dans cette famille de musiciens. Elle aime aussi beaucoup son frère cadet, Rudy, qui a le don de la faire mourir de rire. Guido et Rudy s'entendent à merveille, l'un joue du violon, l'autre du violoncelle, et tous deux ont leurs quartiers dans un petit pavillon à part, luxe inouï aux yeux d'Évangéline, qui souffre de plus en plus de l'exiguïté du bateau. Enfin, elle admire chez Liz ses nombreux talents d'artiste et de mère qui, entre les cours de poterie, de violon, et un deuxième tome de l'histoire de l'Afrique du Sud en bandes dessinées, a su créer à travers la musique un monde de complicité avec ses enfants.
Nos amis vivent dans une maison très agréable, construite par Jean-Luc, maison couverte de lierre et entourée d'oliviers, avec des planchers de pierre, un grand foyer, et des guitares accrochées au mur du salon, sans parler des chiens... Et tout cela ressemble aux images paisibles que nous appelons en mer, quand le mauvais temps

nous rend las et cafardeux. Quand nous doutons des vertus de l'instabilité.

Je comprends pourquoi Évangéline, bien que très philosophe, se sent parfois déchirée par des sentiments contraires. Entre son désir de revenir au Québec, seul endroit sur cette terre où elle pourra enfin vivre des relations stables, et son attachement au voyage et aux amis qu'elle y rencontre en chemin, le cœur hésite, se balance... Ma fille apprend la vie. Et nous devinons, à voir son impatience atteindre des sommets inexplorés, que le voyage initiatique n'est pas de tout repos.

Aussi, lorsqu'elle enfourche une bicyclette et prend le large vers la ville, je me revois à son âge. Je sais qu'elle ne va pas seulement faire les courses. Elle respire, loin de nous, un air moins étouffant. Elle reprend le fil de ses rêveries, réfléchit, s'interroge, développe ainsi la plus profonde et durable des amitiés. Cette amitié avec soi-même grâce à laquelle on apprivoise l'incontournable solitude.

Pendant que ma fille amoureuse mesure le temps qui nous sépare du départ, j'applique les couches successives de peinture. Moi aussi, je pense au retour. Ma sœur Emmanuelle m'a écrit pour m'annoncer son mariage en septembre, moment où la famille au complet sera enfin réunie. La mère de Carl nous attend aussi. Et nous, dans nos têtes, nous sommes déjà à moitié rendus. Est-ce donc ainsi que se termine un long voyage ? Perdons-nous la capacité de vivre au présent lorsque l'avenir nous obsède ?

Après dix jours, la *V'limeuse* retourne à l'eau. La fatigue commence à rentrer, ce qui n'est pas très bon avant une traversée. Mais les semaines filent, nous n'avons guère le temps de prendre du repos. Il nous reste encore à éliminer la rouille sur le pont. Damien pique, Carl meule et moi, je peins. Étonnant Damien ! Il nous seconde dans tous les travaux, très déterminé et minutieux.

Puis c'est le tour des voiles. Sous l'abri du yacht club, nous les étendons l'une après l'autre pour une révision complète. Notre vieux génois brûlé par le soleil passe à deux doigts de la poubelle, mais bénéficie in extremis d'un dernier sursis. Avec de nouveaux renforts collés ici et là, il devrait nous dépanner dans les petites brises aux abords de l'équateur.

Les voiliers de passage au Cap quittent les uns après les autres. Jean-Claude, Marie et leur fils Philippe, 29 ans, nous invitent à boire un dernier verre en leur compagnie, à bord de leur catamaran *Chasse-Galerie*. Ces Québécois ont contourné l'Afrique par la Méditerranée, la mer Rouge, et l'océan Indien, et ils remontent maintenant vers la Namibie.

C'est ensuite le tour de Marc-Antoine, sur *Iwa*, qui rentre en France. Puis Amyr Klink, un merveilleux fou braque qui a déjà traversé l'Atlantique à la rame, de la Namibie au Brésil, et qui arrive d'un hivernage en Antarctique sur son voilier d'alu, *Paritii 2*, tellement heureux de revoir de l'herbe qu'il a embrassé le parterre du yacht club sous les yeux ahuris de quelques membres et employés... Amyr, dis-je, retourne dans son pays natal pour préparer sa prochaine expédition. J'aime bien ce grand bonhomme au regard direct, clair, tendre, si peu imbu de sa personne alors que d'autres joueraient les vedettes.

Avant de partir, il nous donne deux grands sacs remplis de nourriture déshydratée, préparée spécialement pour son hivernage : « Prenez-les, insiste-t-il, moi, après six mois de ce régime exclusif, je n'arrive plus à les voir, encore moins à les avaler ». Nous terminerons le dernier sachet d'œufs en poudre quatre ans plus tard !

En larguant les amarres des copains, nous répétons, inlassablement, la scène de notre propre départ. Le temps magnifique depuis quinze jours nous encourage à nous hâter. Nos cales regorgent de provisions, nous dormons sur les caisses de vin. Depuis la livraison de quatre grosses caisses de pommes, cadeau d'un ami pomiculteur, des odeurs embaument tout le bateau. Enfin, nous sommes prêts, il ne me reste plus qu'à remplir une dernière fois les papiers de sortie.

L'heure des adieux a sonné. Évangéline vient de passer près de dix jours à Somerset West et elle a le cœur un peu gros lorsque Jean-Luc, Liz et les enfants nous rendent leur dernière visite. Puis c'est le tour des Hopkins. Mike affiche une tristesse un peu déconcertante. Je crois que nous avons remué quelque chose dans sa vie, prouvé que ses attentes n'avaient rien de farfelu ou d'inaccessible, comme le prétendaient tous ceux qui fuient les grands rêves et que l'inconnu paralyse. Et maintenant, c'est à lui de jouer, aidé par Delyse qui semble bien prête à tenter l'aventure.

La nuit du 10 mai tombe sur la *V'limeuse*, et comme toutes celles qui précèdent les longues traversées elle me plonge au cœur d'une vague angoisse. Le vent hurle en dévalant la montagne et en secouant tous les gréements des yachts dans un infernal vacarme de drisses. Il rejoint mon imagination en pleine mer, infiniment vulnérable. Pourquoi ce sud-est souffle-t-il depuis hier, justement, après des semaines de calme ? Qui peut répondre à cela... Me voilà engluée dans la nuit blanche, incapable de fuir certaines appréhensions. Je nous vois barrer la *V'limeuse*, Carl et moi, par un vent de 40 nœuds semblable à celui qui nous poussait vers Port Elizabeth, mais cette fois durant des jours et des jours... et le courage me manque. Tout comme à Madagascar, je tremble en haut de la falaise.

À côté de moi, Carl se tourne, se retourne, lui aussi.

Quatre heures du matin. J'ai mis ma main sur son front :

– Dors-tu ?

– Non...

– Comment tu te sens ?

– Pas très bien...

– Moi non plus... Tu penses à quoi ?

L'acharnement du vent semble répondre à sa place.

Puis viennent deux ou trois secondes d'accalmie, une éternité de silence à laquelle nos esprits tendus s'abandonnent...

– Je ne sais plus si la *V'limeuse* est prête pour un aussi long voyage. J'aurais aimé lui réinstaller deux petits safrans latéraux, et, idéalement, lui poser un régulateur d'allure... Ça peut toujours aller, mais à condition qu'on ne croise pas de très grosses mers...

Une nouvelle rafale s'annonce déjà, plaintive et lointaine sur les hauteurs de la Table, puis elle se rue vers la mer, parée des mille sifflements nés le long des arbres, des toits et des mâtures.

– Et tu veux absolument partir quand même ?

Après un long moment sans répondre, Carl finit par dire :

– Non, rien ne nous oblige à partir, au fond... Qu'est-ce que t'en penses ?

– Parfaitement d'accord, rien ne nous oblige à partir...

Évangéline ✍

11 mai

Oh, mon Dieu ! Il se passe quelque chose d'assez important dans le bateau en ce moment. Une grande décision est à prendre. Soit nous partons demain, ou alors nous restons à Cape Town encore six mois ! ! Moi, je n'ai pas vraiment de préférence. J'aimerais rester ici, mais d'un autre côté je me suis fait à l'idée de partir, alors je ne sais plus. De toute façon, c'est Carl et Dominique qui vont prendre la décision. Ils se sont donnés jusqu'à demain matin pour y réfléchir. En ce moment ils sont partis faire une grande marche dans le port, avec une feuille et un crayon pour écrire la liste du pour et du contre. Ce matin, ils nous ont demandé notre avis. Damien et les jumelles ont dit qu'ils préféraient rester. Moi, je n'ai rien répondu, je leur ai juste dit de se *brancher* vite. Je déteste ces moments d'incertitude.

12 mai

Ce matin, nous avons eu la réponse. NOUS RESTONS ! C'est une assez grosse surprise. Vers 10 heures 30 j'ai téléphoné à Somerset West et j'ai parlé à Liz. Elle était étonnée de savoir que nous étions encore au yacht club. Elle a dit : « Ah ! C'est une bonne nouvelle pour nous. » Plus tard, j'ai téléphoné à Delyse et ils sont venus toute la famille passer l'après-midi avec nous. Nous sommes même allés faire un tour de bateau. Il y avait juste un petit vent. Dominique et Carl regardaient la mer et ils avaient l'air de regretter un peu leur décision, même s'ils disaient que non.

13 mai

Maintenant, il faut s'organiser pour les prochains six mois. Déjà, ce matin, nous avons changé la *V'limeuse* de place. Pour ne pas payer les frais de ponton, nous sommes de l'autre côté du bassin, le long du Globe Wall, un quai très haut où on peut s'amarrer gratuitement. Il y a quand même un vieux ponton flottant attaché au quai, qui monte et baisse avec la marée. Comme en ce moment il est déjà occupé par un bateau tchécoslovaque, *Polarka*, qui passe l'hiver là, nous leur avons demandé si ça les dérangeait qu'on se mette à couple d'eux. Pas du tout, ils ont répondu. Enfin, c'est le skipper qui nous a répondu parce que les deux autres ne parlent pas un mot d'anglais.

17 mai

Samedi matin. En ce moment, je suis seule au bateau et j'écoute la cassette d'Elton John que j'avais enregistrée un soir chez les Hopkins. Dominique et Carl font des courses en ville et les trois monstres s'amusent dans la barque à rame. Moi, je suis assise sur mon lit et je déprime. Non, je ne déprime pas vraiment, mais je m'ennuie, je n'ai rien d'intéressant à faire. Dominique me dirait « mais fais donc l'école ! » Mais je n'ai pas envie de faire l'école, j'en ai marre. Je ne suis pas vraiment de bonne humeur. J'aimerais avoir des amis, ce n'est pas difficile à comprendre, hein ? Je ne demande pas la lune quand même ! ! ! Cette fois-ci, c'est vrai, je suis vraiment de mauvaise humeur. J'ai envie d'être au Québec, tout d'un coup, et de me faire des amis que je ne quitterai pas tout le temps.

Soigne tes cales, Carl ! (C.)

Il faut une satanée bonne raison pour annuler un départ à la dernière minute, surtout lorsqu'on a une envie folle de rentrer au pays. Il n'y en avait aucune en ce matin du 11 mai 1991. Du moins, pas en apparence.

L'état du bateau n'était pas à 100 %, mais tout fonctionnait et pouvait faire le voyage. Puis, au moment de partir, le vent catabatique du Cap est venu peser de tout son poids dans la balance. Ces hurlements dans la nuit m'ont rappelé brutalement à la réalité du trajet de retour : pratiquement trois mois de mer sans grande interruption. Un bien gros morceau pour un estomac dont l'appétit avait beaucoup diminué au cours des six derniers mois.

Je ne pouvais prévoir ce que ces 8 000 milles nous réservaient, mais l'inquiétude me tordait l'estomac. Tant qu'on avale les milles dans la partie tendre de la chair, la mer possède un goût exquis, appétissante comme un gigot d'agneau. En revanche, on sait qu'il peut y avoir un os ou deux sur lesquels on viendra gruger des jours plus coriaces. On se fait même à l'idée qu'on va finir, une bonne fois dans sa vie de navigateur, par se prendre un gros tibia en pleine poire, à s'en faire voler les dents de la bouche. De la véritable ossature de tigre qu'il serait suicidaire d'affronter avec un moral de gazelle. J'imaginais les pires éventualités où je me voyais à bout de force, offrant ma famille en pâture aux éléments déchaînés.

Cette nuit-là, durant les quelques heures où je me débattais seul avec mes pensées, je me reportais cinq ans auparavant, en octobre et novembre 1986, quand nous avons entrepris ce voyage. Et plus je pensais à cette mémorable navigation d'automne effectuée dans le golfe Saint-Laurent et dans l'Atlantique Nord, plus j'idéalisais ces moments : des chevauchées sauvages que l'on vit quelques rares fois, lorsqu'on se sent en pleine possession de ses moyens. La façon dont nous attaquions la mer m'apportait la preuve, dure comme fer, qu'avec l'énergie dont nous débordions, la peur n'existe pas. Ou si elle ne disparaît pas totalement, une partie du moins se transforme en rage.

Autre lieu, autre temps. Nous laissons passer ici un coup de vent alors qu'à Rivière-au-Renard, au moment de quitter la péninsule gaspésienne vers la Nouvelle-Écosse, nous partions au-devant des 40 nœuds annoncés pour la nuit. Plutôt que de darder la monture et de déclencher la galopade comme en 1986, cette fois-ci la guêpe a piqué le cavalier et l'a paralysé sur place.

Même si je sais que j'avais raison de ne pas partir, comme l'écrit Saint-Éxupéry dans *Terre des Hommes*, ce départ raté est quand même une déception et il continuera longtemps de me hanter.

Maintenant, j'ai six mois pour évacuer ce sentiment de défaite et me présenter à nouveau sur la ligne de départ avec des pièces justificatives, des preuves qui viendront m'excuser. Je me mets aussitôt à cogiter sur un régulateur d'allure mieux adapté que le précédent. Cet appareil quasiment mythique à mes yeux commence à tenir du rêve, mais il demeure un faux-fuyant nécessaire à ma thérapie.

Je passe donc les premières semaines à mentir, d'abord à moi-même, ensuite à Dominique que j'arrive habilement à convaincre. J'épluche des livres techniques sur le sujet, examine quantité de modèles, fais venir documentation et listes de prix qui m'annoncent ce que je savais parfaitement : trop cher et nous n'avons pas l'argent.

Tant pis, pour me garder bonne conscience, j'annonce que j'en fabriquerai un : simple, peu coûteux, copié sur un modèle existant dont je remplacerai l'acier inoxydable par de la bonne vieille ferraille que je vais peindre et enduire de graisse aux endroits de friction, de façon à retarder la rouille. Il doit pouvoir tenir le coup pour un aller simple au Québec, ensuite je le balance au recyclage. Paul, un copain sud-africain qui construit son bateau à deux pas d'ici, pourrait démarrer le travail dans son garage. Il suffit que je lui fasse signe... c'est-à-dire dès que j'aurai cessé de ruser avec moi-même.

Sur ce point, malheureusement, je ne prévois pas d'amélioration prochaine. Ni même de solution. Je sais pertinemment que le type de régulateur que je voudrais installer ne fera pas de miracles à lui seul. Son pendulum agit sur la barre et si cette dernière est dure à actionner, ce qui est le cas avec la nôtre, le système sera inefficace et rien ne sera réglé.

Idéalement, il faudrait dessiner un nouveau safran, compensé celui-là pour rendre la barre très douce, et je ne suis pas prêt de me lancer dans de tels travaux. Donc, pas d'issue possible.

En tout cas, le temps file et avec un peu de chance, c'est lui qui va me soulager de tout ce que je désire entreprendre : il m'aura échappé pendant que je brasse du vide.

Dimanche 23 juin. Début de soirée où je me retrouve seul au bateau. Dehors, la météo se gâte, scandée par le mugissement lointain de la corne de brume du port, signe que le temps se bouche et devient exécrable en mer. Rien que d'y penser, le moral remonte. Après tout, l'hiver est commencé officiellement depuis deux jours. Jusqu'à maintenant, les vents du nord-ouest, caractéristiques de la saison, n'ont pas été trop violents ni trop longs. Il fait encore et régulièrement de superbes journées et la température à l'intérieur varie entre 10 et 15 degrés Celsius. On dit que juillet et août sont généralement un peu plus froids et pluvieux.

Quand le vent souffle de cette direction, nous sommes en partie protégés par les hangars du quai, mais aucunement contre le clapot qui arrive de l'autre extrémité de la rade. Cette fois, ça doit être la fête au large car la *V'limeuse* valse en grande au bras du voisin tchécoslovaque. Il faut surveiller les amarres et les défenses.

Je suis justement là pour ça. Le reste de la famille est parti pour Somerset West. Ils vont coucher là-bas. Lyz donnait un petit concert avec ses deux fils afin d'amasser des fonds pour une quelconque œuvre de bienfaisance. Dominique et Damien reviendront probablement demain. Les jumelles et Évangéline sont invitées à rester quelques semaines avec leurs enfants, présentement en vacances scolaires.

Je profite de ce moment de solitude pour m'interroger sur ma forme. Laquelle ? Commençons par la « physique » si l'on peut dire, puisque je me demande depuis quelque temps si je ne souffre pas de rhumatisme. J'ai mal au dos, aux mains. Est-ce l'humidité du bateau qui s'avère si malsaine ? À moins que la source de nos maux soit ailleurs... dans les cales où nous piquons la rouille depuis un mois et demi, Dominique et moi, à genoux, derrière en l'air, lampe de poche dans une main, marteau de soudeur ou brosse métallique dans l'autre. Un travail pénible, éreintant, mais devenu urgent. Il a fallu également jouer de la scie sauteuse afin d'agrandir les ouvertures du plancher. On ne pense jamais assez à l'accessibilité quand on construit un bateau, surtout s'il est en acier.

À certains endroits, de véritables galettes se détachent sous les coups. Si l'on ne savait pas que leur épaisseur représente sept ou huit fois celle du métal réellement prélevé, il y aurait lieu de s'inquiéter. D'accord, les tôles du fond sont d'un bon échantillonnage, entre cinq et six millimètres, n'empêche que cette corrosion n'est pas normale. Le revêtement de brai-époxy résiste pourtant très bien ailleurs. Il faut croire qu'une seule couche n'était pas suffisante pour protéger un sous-sol baigné en permanence par une trentaine de litres d'eau de mer, dans les meilleurs jours.

Piquage, peinture des cales ainsi que tous les menus travaux, et ça ne manque pas, « entretiennent » le moral mais ne le sollicitent pas. Le moteur tourne, mais la boîte de vitesse demeure au point mort. Il lui faut des idées pour enclencher de l'avant.

J'en ai amené une il y a quelques jours.

Je venais de recevoir une lettre affligeante de ma mère. À 84 ans, on peut être dure. En tout cas, elle ne ménageait pas son fils qu'elle est lasse d'attendre, et je la comprends. Sauf qu'étant tout d'un bloc, comme on a l'habitude de dire d'une personne forte, elle blesse en voulant parfois serrer ses enfants dans ses bras.

Quand j'ai téléphoné pour lui annoncer que nous reportions notre départ, je m'attendais à une volée de bois vert. Il n'en fut rien. Au contraire, j'ai été surpris de sa compréhension. Maintenant, je recevais sa vraie réaction. Là-dessus, elle est comme moi : la carapace ne laisse rien passer sur le coup. Il faut attendre que les sentiments forment une charge émotive avant d'exploser.

— C'est triste et malencontreux, ai-je dit à Dominique, car je pensais lui emprunter 5 000 $ pour acheter des voiles.

— Elle est très amère, mais elle ne refusera sûrement pas de t'aider...

— Pas si sûr. Elle me raconte justement l'histoire de son toit qui coule et, pure coïncidence, le faire recouvrir va lui coûter 5 000 dollars !

— Tu la connais. Elle n'arrête pas de le répéter : elle doit payer pour tout. C'est sa façon de te dire qu'elle ne peut plus compter sur ton frère et toi.

— Oui, mais Jean a deux bonnes raisons : il habite en Beauce et il travaille. Moi, je ne fais rien à ses yeux, alors je devrais être en train de tondre son gazon, tailler ses arbustes... Non, je préférerais ne rien lui demander. Je viens de penser à une autre solution. Écoute, on pose nos marteaux pour aujourd'hui, moi j'ai le dos en compote et les oreilles qui me bourdonnent. On va prendre une bonne douche au yacht club et ensuite on examine mon idée en allant marcher sur les quais.

— Oh ! avant que j'oublie, les enfants m'ont demandé s'ils pouvaient regarder la télévision au yacht club ce soir.

— Pas de problème, mais toujours aux mêmes conditions : il faut que ce soit un bon film et qu'il m'en fasse un résumé d'une page demain matin. Sais-tu ce qui est à l'horaire ?

— Billy The Kid.

— De Gore Vidal ? Très bon ! On ira tout le monde.

Au moment où nous grimpons l'échelle du quai ce jour-là, le skipper du voilier tchèque arrive en sens inverse et nous annonce qu'il rentre chez lui pour deux mois. Ses deux copains vont rester à bord de leur sloop d'acier *Polarka*. Avec eux, le voisinage est très simple puisqu'ils ne parlent pas un traître mot d'anglais. Quant à Ruda toutefois, bavard comme trois, il ne faut pas trop s'informer du temps qu'il va faire car sa vie y passe. Elle nous semble très intéressante, mais avec son anglais, mauvais et difficile à comprendre, elle nous paraît interminable. On croirait même qu'il se complaît dans certaines maladresses et tournures de phrases pour le simple son qu'elles font à ses oreilles.

Il y en a deux qu'il cultive amoureusement : *I go come back* pour dire qu'il va revenir et *No chance with me, maybe chance for you*, expression abusive et multidisciplinaire qu'il utilise copieusement et à toutes les sauces. Une pièce de collection intronisée au temple de la renommée de nos blagues au long cours. Bref, nous l'adorons.

Il a montré dernièrement quelques accords à Dominique et offre de lui prêter sa guitare pendant son absence. Quand il s'en va la chercher, nous nous pinçons pour ne pas rire : « Je pars revenir » annonce-t-il le plus sérieusement du monde.

Plus tard, sur les quais, nous nous promenons en laissant nos esprits vagabonder d'un navire à l'autre. Nos regards mesurent ces murailles d'acier, notent les noms à la proue, les ports d'attache à la poupe, rassemblent de quoi les imaginer dans l'immensité des océans pour mieux s'échapper avec eux.

J'ai confié mon idée à Dominique tout à l'heure et nous continuons de l'examiner. Pourquoi n'essaierions-nous pas de recruter des Québécois qui viendraient faire le reste de la route avec nous ? Nous pourrions embarquer deux personnes pour le voyage complet ou, selon les bourses et les disponibilités, pour l'une des trois ou quatre étapes envisagées : Le Cap-Brésil, Brésil-Martinique, Martinique-Bermudes et Bermudes-Gaspé. Nous annoncerions sous la rubrique « Voyage » du quotidien La Presse et quelqu'un sur place servirait d'intermédiaire entre nous et les intéressés. J'ai pensé à notre ami Robert Gagnon comme personne ressource. S'il est disponible et d'accord pour tenter le coup avec nous, son expérience des bateaux et de la navigation en groupe lui permettra de mieux informer les candidats sur ce qui les attend. Quant au reste, je m'en remets à son bon jugement, comme je fais confiance d'ailleurs à mes compatriotes québécois pour leur excellente nature et leur degré de souplesse.

Nous avons besoin d'argent, mais il y a plus que cela en visant la clientèle québécoise. La preuve, il suffirait d'annoncer ici à Cape Town et nos chances seraient probablement meilleures. Le bateau est visible, les gens peuvent nous rencontrer et leurs frais commencent le jour où ils montent à bord. Alors qu'autrement, nous demandons aux équipiers de payer plus cher d'avion pour venir nous rejoindre qu'ils en débourseront pour jouir d'une traversée à la voile.

De plus, ils vont devoir se fier aux événements puisque nous n'avons rien de tangible à leur offrir, autre que trois lignes dans un journal et quelques conversations avec Robert, et avec moi en dernier lieu.

Alors, pourquoi lancer nos invitations si loin ? La raison est simple : le Québec nous manque et la présence de Québécois parmi nous serait un bel avant-goût.

Il reste quelques points à éclaircir, mais on s'entend pour démarrer la publicité et voir d'abord si elle déclenchera un intérêt suffisant.

Sandrine ✍

15 juillet 1991

Je recommence à écrire mon journal après plusieurs mois.
J'ai des amies qui habitent à Somerset West, à 50 kilomètres d'ici. Alors pour les vacances de trois semaines, nous sommes allées, Noémie et moi, chez elles. Chloée a 7 ans, et Léda, 8. Elles ont deux grands frères, Guido et Rudy, mais ils ne sont pas souvent là. Leur père, Jean-Luc, fait toujours des blagues, et leur mère, Liz, est très gentille. Elle nous a cousu des pyjamas. À la fin des vacances, nous n'avions plus envie de rentrer au bateau. C'était très bien, même si nous nous chicanions de temps en temps.

16 juillet

Aujourd'hui, je me suis levée à 7 heures du matin. Évangéline disait qu'elle avait mal à la tête et qu'elle ne voulait pas venir jouer au tennis. Pour la faire lever, nous lui avons offert son cadeau d'anniversaire à l'avance : une nouvelle raquette de tennis pour adulte. Alors elle était si contente qu'elle a sauté en bas de son lit. Donc, maintenant qu'elle a deux raquettes, elle en a donné une à Noémie.
Nous sommes partis jouer là-bas. Mon rôle était de courir après les balles et de les attraper avec ma casquette. En faisant son service, Dominique s'est fait un tour de rein.
Cet après-midi, j'ai commencé à inventer une chanson à la flûte avec des paroles et c'est assez dur.

17 juillet

Ce matin, Dominique va mieux à cause de mon massage qui lui a fait beaucoup de bien.

Bon, alors je ne vous avais pas dit que Carl était notre nouveau professeur de français ! ! ! Mais une chance, il est parti remettre la petite Renault 5 aux amis de Somerset. Il est revenu en vélo. Alors mon Dieu le cinéma qu'il a fait en rentrant. Car il paraît qu'il a parcouru les 50 kilomètres en une heure et quarante minutes, sans forcer. Mon pet, car quand il est arrivé, il était rouge comme une tomate.

Pendant qu'il était parti, j'ai fait deux pages de maths. Plus tard, Damien, Noémie et moi sommes allés jouer sur les pontons du yacht club. Ensuite nous sommes revenus pour commencer à préparer le souper : un riz aux légumes avec des foies de poulet.

18 juillet

Comme il faisait encore beau aujourd'hui et que Dominique n'avait plus mal au dos, nous sommes retournés jouer au tennis. Carl et Damien sont partis en vélo et nous les filles à pied. Nous avons fait du pouce et quelqu'un nous a conduites à l'entrée de la ville. Ensuite nous avons traversé le grand parc comme d'habitude et nous sommes arrivées au club. Il n'y a jamais personne la semaine alors on peut jouer aussi longtemps qu'on veut.

Alors là c'était terrible parce que Dominique s'est fait un autre tour de rein. C'est toujours quand elle lève le bras bien haut et qu'elle fait son service.

Nous sommes retournées à pas d'escargot à cause de Dominique qui avait mal. Bon, nous sommes quand même arrivées au bout de trois heures !

Ce soir pour souper, j'ai préparé des lentilles roses au curry et à la noix de coco, Noémie du poisson et Carl le riz.

Noémie   ✍

29 juillet

Tout le monde est dans la voiture, il est 9 heures du matin. Aujourd'hui nous allons voir la neige qui tombe une fois par année dans la région. Nous nous dirigeons vers les montagnes. Quand le soleil est un peu plus haut, nous voyons certains de leurs sommets enneigés, c'est très beau. Nous montons ensuite un col en voiture et le redescendons à pied. Je trouve ça bien, avec le ruisseau qui gazouille et l'odeur des fleurs sauvages. Carl et Dominique conduisent la voiture chacun leur tour, un petit peu, pendant que l'autre marche avec nous. Plus tard, en passant devant un verger, nous découvrons de la neige partout autour des pommiers ! Fous, nous débarquons à toute vitesse et courons dans la neige. Nous commençons des batailles de boules de neige, mais c'est froid pour les mains. En touchant la neige, Sandrine dit que ça lui rappelle des souvenirs du Québec. Nous sommes tellement heureux que nous en mangeons. Au bout d'une heure, nous repartons vers Cape Town.

Ce soir, ce sera un petit souper presto : trois boîtes de conserves et des choux de Bruxelles.

26 août

Nous avons trouvé dans les poubelles, sur les quais, des gros morceaux de *styrofoam* et nous avons taillé des coques de trimarans et de catamarans dedans. Ensuite il fallait trouver des petits bouts de bois. Par chance, il y en avait aussi dans les poubelles, des fins et légers. Le soir, Damien a fabriqué le sien avec des haubans et tout, génial ! Moi j'ai essayé de l'imiter mais mon bout de bois n'était pas assez aiguisé alors le mât a percé un gros trou dans la coque. De toute façon je n'ai jamais réussi à faire un beau bateau.

27 août

Ces temps-ci, il y a toujours de la soupe gratuite au yacht club : c'est la marque Lipton comme la coupe qui se dispute pendant six jours de suite. Il s'agit de la course la plus importante d'Afrique du Sud. Tous les bateaux sont pareils, des Lavranos 26, et chacun représente un yacht club différent. À la toute fin, celui qui a le plus de points garde la coupe dans son club pour un an et après le truc recommence.

Pour en revenir à la soupe Lipton gratuite, quand tu as faim, tu en prends un verre sur une table, dehors. Avant-hier nous avons bu trois verres chacun pour notre souper.

Sandrine ✍

28 août

Ce matin il fait un temps de chien. Mais les bateaux pour la course sont quand même sortis en mer. Moi je parie pour celui de notre yacht club. Le premier jour il est arrivé premier sur vingt-deux. Le deuxième jour : seizième. Quelle débarque !
Enfin, ce matin j'ai fini mon trimaran : le mât, les haubans, les dérives, tout quoi ! Je l'ai baptisé comme le bateau pour lequel je parie dans la Lipton Cup. Damien et moi sommes allés les essayer en les suivant dans notre annexe à rame. Pour les quinze premières minutes, ça allait bien. Mais quand mon bateau a commencé à faire du travers au vent, Damien s'est énervé. À chaque fois, il fallait qu'il ramasse le sien qui filait vent arrière et parte à la recherche du mien qui s'en allait dans une autre direction.
Ce soir, nous avons enlevé nos spis parce qu'ils se gonflaient mal. Nous les remplaçons par de vraies voiles : une grand-voile et un génois. J'ai hâte de les essayer demain.

Évangéline ✍

30 août

On peut dire que je me suis bien amusée durant la semaine de la Lipton Cup. Jamais je n'étais allée à autant de fêtes en si peu de temps. J'ai beaucoup parlé avec Gary. À chaque fois qu'il me voit, si je fais la gueule ou regarde dans le vague, il me dit : *cheer up* ! Je fais la même chose pour lui. C'est drôle parce que parfois on n'arrête pas de se répéter ça toute la soirée.
Gary, il est assez grand, bien bâti, des taches de rousseur dans la figure mais très pâles et unies, les yeux verts et les cheveux noirs, bouclés, et assez longs. Il est très gentil, calme, pas bagarreur. C'est un cancer, son anniversaire est le même jour que celui de Guido, drôle de coïncidence. Il a vingt-deux ans et va à l'université du Cap. Il finira dans un an et demi son cours d'ingénieur, mais ça l'emmerde. Il adore la course en mer. Il va probablement faire la Withbread anglaise. Il veut voyager plus tard. Quand je le vois, on parle de tout. Je n'avais jamais pu parler de cette façon à un garçon. C'est un bon ami,

enfin, c'est ce que l'on se dit car il a une *girlfriend* depuis trois ans.

1er septembre
Ce matin, Gary était sur son bateau *Lady Lorna*. Il emmène quelques jeunes en mer, cet après-midi, pour les initier à la voile. Il m'a demandé si je voulais venir lui tenir compagnie. Je ne sais pas si c'est une bonne idée, mais j'y suis allée. On s'est super bien amusés, il y avait une petite brise de 10-15 nœuds, on virait souvent de bord, pour pratiquer, etc. On est revenus vers 5 heures et je suis restée pour parler avec lui. Il s'est chicané hier avec sa *girlfriend* et il est encore un peu *upset*.

2 septembre
J'ai rendu visite aujourd'hui à Marie-Claude, une Française qui vient d'arriver au Cap avec sa petite fille. Je l'avais rencontrée au yacht club et je l'aide de temps en temps quand elle a besoin d'une interprète parce qu'elle ne parle pas très bien anglais. Elle est coiffeuse et a déjà travaillé dans un très grand salon, le « Magnatis », à Paris. Maintenant, elle cherche du boulot ici. Nous avons mangé un morceau ensemble au restaurant. En sortant, elle s'est arrêtée chez un coiffeur pour voir s'il n'avait pas besoin de quelqu'un. Coup de pot, le gars venait juste d'ouvrir son salon. Il a déjà quatre stylistes, mais il serait intéressé à prendre Marie-Claude. Il y a bien quelques petits problèmes de langue, mais ce n'est pas trop grave. Comme il veut la voir couper les cheveux de quelqu'un, elle doit se trouver un modèle. Elle a essayé de téléphoner à deux amies, mais il n'y avait pas de réponses. Alors je lui ai proposé de lui servir de cobaye, de *guinea-pig*, comme ils disent ici. C'est réglé pour demain matin, à 9 heures et demie. Je suis un peu nerveuse.

3 septembre
Ce matin, à 9 heures pile, j'étais chez Marie-Claude. J'avais le trac. Elle avait décidé de me faire une coupe carrée assez courte, au-dessous des oreilles, avec des petites mèches sur le front. Enfin, le résultat a été super, j'adore ! Au yacht club, ils ont trouvé ça bien, la famille aussi. Je vais retourner demain car elle va me faire un « balayage », comme elle dit : c'est mettre de la lumière dans les cheveux, du doré, de la couleur, quoi !

266

Noémie ✍

5 septembre

Hier soir, j'ai lu jusqu'à minuit. C'est un livre écrit par Roald Dahl que j'ai reçu pour mon anniversaire. Ce matin, je l'ai fini. Je lis de plus en plus vite, même l'anglais. Dire que je n'arrivais pas à lire une phrase en Australie et que maintenant je peux lire un livre au complet !

Évangéline est revenue avec ses cheveux courts et ses mèches blondes qui brillent. De dos, on ne la reconnaît plus. De face, elle a l'air plus gentille, juste l'air ! Bon, ça la change mais je vais m'y faire et dans quelques jours ça ira.

Des fois je pense à tous ceux qui sont au Québec et j'essaie d'imaginer ce qu'ils font ou bien quand nous allons les revoir pour la première fois, comment ça va être. C'est comme s'il y avait une partie de moi qui disait : Noémie, j'ai envie de partir retrouver la vie en mer et tout ça, et une autre qui dit : je veux rester ici.

12 septembre

Aujourd'hui il fait un temps splendide même qu'il fait chaud. C'est très bien pour demain car nous partons avec les Hopkins pour la fin de semaine. Nous allons voir les fleurs du printemps et nous coucherons dans des chalets. Hip, hip, hip, hourra ! ! ! J'imagine ça génial, près de la forêt, tranquille, etc., mais l'imagination n'est jamais pareille à la réalité. C'est comme pour l'Afrique, je voyais la savane, les lions partout, des petites huttes en paille comme maisons, mais pas des villes, des centres d'achats et les rues pleines de Mercédès et de BMW. Alors je fais attention avec mon imagination, je n'aimerais pas me décevoir.

Évangéline ✍

15 septembre

La famille est partie pendant trois jours avec les Hopkins. Moi, je n'avais pas trop envie d'y aller car j'aurais été toute seule dans mon coin, avec les adultes d'un bord et les enfants de l'autre. En plus ça me fait un petit repos de la famille.

Vers 1 heure, Gary est venu visiter le bateau. Je lui ai montré toutes les photos du voyage, etc. Il est reparti vers 4 heures. Maintenant le moral va définitivement mieux qu'il y a deux semaines, durant la Lipton Cup. Je ne sais pas pourquoi. Gary dit que c'est dans la tête. Il croit qu'à force de déprimer, il se passe quelque chose, une porte doit se fermer en disant : ça y est, assez de déprime, un peu de bonne humeur maintenant ! Mais d'après moi il y a une petite fente sous la porte, parce que des fois la mélancolie revient, par vagues. Si je les repousse à temps, elles partent, mais si je les laisse, je n'arrive plus à les contrôler. Et ça devient de la tristesse.

L'envol de l'outarde (D.)

Assise sur un banc du cockpit, je regarde Évangéline qui s'apprête à enjamber la filière et descendre dans la barque. À l'arrière-plan, plus loin que les rangées de mâts, la montagne de la Table prend des tons mordorés. Je m'étonne encore de la voir dressée là, si proche. Elle ressemble à une gigantesque souche millénaire et oblongue dont les racines couleraient vers la ville. De notre poste au quai du Globe, le coup d'œil est splendide.

Évangéline me souhaite une bonne soirée, avant de détacher l'annexe. Le soleil pose une lumière chaude sur sa peau, adoucit son impatience. Elle est belle, ma fille, lorsqu'elle s'échappe du bateau, lorsqu'elle court au devant d'amis et d'inconnus qui la trouveront charmante.

Ma grande outarde, comme je l'appelle depuis qu'elle est toute petite, vient d'avoir 16 ans. À cet âge, je m'en souviens, je rêvais de voler haut, loin, et libre. Et j'en voulais parfois à la vie d'être aussi complexe, de ne pas ouvrir devant moi des avenues lumineuses, de grandes voies claires, précises, où je me serais élancée sans l'ombre d'un doute.

Mes 16 ans se heurtaient trop souvent aux bancs de brume, au manque de vent. J'acceptais mal l'idée que les obstacles, les contrariétés et les contradictions propres au cheminement des humains fassent partie de l'apprentissage. Comme Évangéline, je traversais des phases de mélancolie, de tristesses insondables et passagères.

268

Je me sentais à la fois forte et fragile, puissante et vulnérable, choyée par la vie et pourtant mal préparée à la vivre selon mes espérances.

En observant ma fille qui s'éloigne à la rame vers les pontons du yacht club, j'essaie de me glisser encore une fois dans sa peau. L'escale au Cap se déroule plutôt bien pour elle, même si nous ne bénéficions pas toujours, à l'intérieur du bateau, du meilleur de sa personnalité.

Évangéline a besoin d'espace pour dompter son impétuosité naturelle. Liz l'a invitée à quelques reprises à Somerset West, et à chaque fois elle en est revenue plus détendue. Depuis la fin juin, toutefois, ses visites à la campagne se sont espacées. J'ai cru comprendre que les garçons courtisaient deux sœurs musiciennes et que l'atmosphère dans la maison avait un peu changé. Rudy rigolait moins qu'avant. Et bien qu'Évangéline ne soit pas très bavarde à propos de Guido, j'imagine combien les échanges de tendresse entre les nouveaux amoureux devaient accentuer sa propre solitude.

Évangéline a pourtant pris les événements avec sagesse. Entre-temps, la vie sociale au yacht club devenait très intéressante. La Lipton Cup se préparait, de beaux garçons allaient bientôt envahir les pontons. Grâce à son amie Michelle, la réceptionniste du club mais aussi amateur de voile sportive, Évangéline s'est retrouvée rapidement dans le feu de l'action. Nimbée de son auréole, « la fille qui fait le tour du monde à la voile » ne pouvait mieux tomber au milieu de cette bande de jeunes loups de mer.

Six jours de course, six soirs de fête... Avant la fin de la semaine, des signes avant-coureurs annonçaient une histoire de cœur compliquée. Comme les humeurs d'Évangéline déteignent sur l'atmosphère générale à bord, nous avons flairé le coup de vent. Toute allusion à un certain brun bouclé nous valait des soupirs assassins. Finalement, pour se débarrasser de notre trop plein d'attention à son égard, elle a fini par lâcher : « Calmez-vous ! Il ne se passe rien du tout, Gary est seulement un ami, d'ailleurs il a déjà une *girlfriend*... »

La situation a du évoluer, côté *girlfriend*, car depuis quelques jours Évangéline paraît plus joyeuse et ne grimpe plus dans les mâts quand ses sœurs la taquinent.

En sortant sur le pont, tout à l'heure, elle m'a dit qu'elle passait la soirée avec Michelle, Paul... et Gary, d'un ton si nonchalant que j'ai souri malgré moi. Maintenant, ses coups de rame me semblent d'une vigueur inhabituelle, réservée d'ordinaire au soir de sud-est quand le vent déboule de la montagne en fortes rafales.

La voilà qui saute sur le ponton, attache l'annexe en vitesse et disparaît entre les bateaux.

Après cinq mois, nous bénéficions toujours d'un accueil gratuit au yacht club, avec l'accès aux douches et aux différents salons. Il m'arrive d'être gênée par toute cette sympathie. Nous avons eu l'air, bien malgré nous, de mener une offensive de séduction à grande échelle. Tandis qu'Évangéline se liait d'amitié avec Vanessa, la *security guard*, puis avec Michelle, à la réception, Damien, Sandrine et Noémie gagnaient l'affection des employés du chantier et de la salle à manger. Les cuisinières africaines, bien en chair, devaient les trouver un peu maigres ou l'air affamé, car plus d'une fois nous les avons récupérés à l'office, attablés comme trois petits princes devant les restes d'un buffet.

Aujourd'hui, le Royal Cape Yacht Club n'est ni plus ni moins qu'une seconde famille pour nos enfants.

La popularité d'Évangéline auprès des membres lui vaut même des invitations pour les régates du mercredi soir. On lui propose de barrer ou de border les écoutes, persuadé qu'elle adore ça. Je suis ravie de ces occasions. Ce n'est pas à bord de la *V'limeuse* qu'elle développera l'art des fins réglages, domaine qu'elle laisse à son père. De plus, comme elle ne pratique aucun sport, toute expérience dans ce sens ne peut que lui faire du bien.

Évangéline consacre ainsi le plus grand nombre de ses soirées et de ses fins de semaine à sa vie sociale et amoureuse. Nous assistons à son envol comme à un phénomène inéluctable. Heureux pour elle, mais en même temps un peu inquiets par la tournure que prennent ses relations avec nous, surtout avec Damien, Sandrine et Noémie, envers lesquels elle manifeste une intolérance accrue.

Le jour de ses 16 ans, chacun d'entre nous lui a écrit un petit mot. L'occasion était belle de lui dire des choses différentes, de celles qu'on garde au fond de soi, par pudeur, par gêne ou simplement par oubli.

Les larmes aux yeux, Évangéline a embrassé tout le monde. Je ne crois pas qu'elle changera d'attitude du jour au lendemain, mais du moins s'envolera-t-elle avec la certitude que nous l'aimons contre vents et marées.

Bonne Fête, Évangéline !

Évangéline,
Je suis gêné de t'écrire et je trouve ça difficile. Je voulais te demander d'arrêter de toujours me repousser quand je me rapproche de toi. Des fois j'aimerais qu'on puisse faire des choses ensemble sans que tu fasses une crise avant, car alors on s'entend bien et j'ai l'impression d'avoir une vraie grande sœur.
X X Damien.

Chère Évangéline,
C'est bien d'avoir 16 ans. C'est le signe irréductible de la vie qui s'ajoute, qui donne du poids à chaque pas que l'on fait.
Maintenant, il faut les porter tes 16 ans comme un chapeau que l'on reçoit. Il n'est pas seulement un couvre-chef, il donne un air, il doit laisser apparaître la personne située dessous.
Aussi, il faut les garder tes 16 ans. Les garder toute sa vie comme une folie de vivre, comme un don que nous t'avons transmis, que tu utiliseras à ta guise, mais que tu dois absolument investir dans le prix à payer pour arriver là où tu veux, que tu dois faire grandir afin qu'il nous rejoigne et nous dépasse.
Avoir 16 ans, c'est être encore parmi ta famille, une réalité vieille comme le monde mais qui est source de vie. C'est aussi tenter de la rejeter, par pur instinct d'autonomie et de liberté. En fait, j'ai mal choisi le mot, il faut plutôt se *détacher* peu à peu de sa famille et c'est pour cette raison que nous sommes tous là ce matin pour te rappeler que nous serons toujours

derrière toi. Ce sera plus facile ainsi qu'à chercher seule
à parvenir à l'âge adulte.

P.S. : Je t'offre ce cahier vierge pour ton anniversaire.
Il deviendra un lien entre nous. Tu me connais, je ne
parle pas beaucoup. Quand tu voudras me rejoindre,
tu me le tendras.
Les paroles, pour moi, font partie des nécessités de la
vie. Mais seule l'écriture approfondit ma pensée.
Avec les paroles, je nage...
Avec les mots, je plonge ; ce sont les plombs de ma
mémoire.

Ton papa, Carl.

Ma grande outarde,
À 16 ans, je regardais l'enfance comme une île qui
s'éloigne... je dérivais sur une mer calme, si calme que
j'espérais la tempête, et j'attendais le vent, sans même
savoir comment hisser une voile.
Et le voyage a commencé, plus fabuleux encore que
prévu...
et bientôt, du fond de la nuit, comme une étoile, tu
m'arrivais, pleine de mystère, enrobée d'une tendresse
immense, partante pour toutes les aventures.
Aujourd'hui je t'observe, et comme une lionne en cage
tu flaires autre chose que ce bateau devenu une île,
que cette famille comme une chemise aux manches
trop courtes.
La boucle est bouclée et c'est toi ma grande qui a 16
ans.
Alors merci pour tout, toutes ces heures de tendresse
où tu m'as appris à quel point « être une mère » peut
être merveilleux, et où, en échange, je t'ai donné mon
amour, pour toujours...
Bonne fête !

Fièvre du printemps (D.)

Carl allume la petite lampe au-dessus de ma tête puis dépose le plateau près de mon oreiller. Il est 4 heures du matin.

Je gémis un peu, aveuglée par la lumière... et en proie à de vagues soupçons. La tendre sollicitude d'un homme qui m'apporte chaque matin mon déjeuner au lit camouflerait-elle autre chose, comme un léger sadisme ? Bien au chaud sous la douillette, je grogne un remerciement qui manque d'enthousiasme tandis qu'il retourne s'asseoir dans le carré.

La pluie tambourine sur le panneau de la cabine en une langoureuse invitation au sommeil. J'aimerais retrouver le fil évanoui de mon dernier rêve, un rêve extraordinaire où je réussissais enfin à m'arracher à la gravité terrestre, à m'envoler depuis le sol alors que d'habitude je m'élance de très haut. Je planais ensuite de longues minutes au-dessus d'un champ, euphorique et légère... jusqu'au moment où le cadran a sonné.

Incapable de me rendormir, je m'étire une dernière fois. La *V'limeuse* tangue et roule comme si nous étions en mer. C'est ainsi lorsque les vents soufflent du nord-ouest le long du port, et que rien n'empêche les vagues de courir jusqu'à nous.

Je n'ai pas faim, mais l'odeur du café m'aide à faire un effort. Après la première tasse, ça ira mieux. J'arriverai peut-être à pondre deux ou trois paragraphes, tel que convenu dans notre charte des bonnes résolutions.

Nous voulons profiter de cette longue escale pour retrouver « un esprit sain dans un corps sain » grâce à une discipline quotidienne. Course à pied, tennis et vélo pour la forme physique, et quelques heures d'écriture avant le lever des enfants pour se désengluer d'une paresse intellectuelle.

Carl avait raison. Nos cerveaux ressemblent à des garde-robes où règne un indescriptible fouillis, accumulé tout au long des cinq années de voyage. Peut-être qu'au moment où cette tranche de ma vie s'achève, j'éprouve un sentiment d'urgence. Il est grand temps pour moi d'ouvrir la porte, quitte à tout recevoir sur la tête, grand temps de débroussailler par l'écriture ce vaste réseau de souvenirs enchevêtrés.

Mis à part le journal du bateau, je n'ai pas souvent écrit durant nos navigations : quelques lettres à mes parents, de rares pages dans mon cahier personnel. Moi qui noircissais des journaux entiers entre 15 et 25 ans, j'ai posé la plume en franchissant la ligne du grand départ, à la mise à l'eau de la *V'limeuse*. Curieux... Trop occupée à vivre, sans doute !

Aujourd'hui, à bientôt 35 ans je me sens redevable envers cette adolescente devenue jeune mère, qui couchait sur papier, soir après soir, ses rêves de parcourir les océans. Je voudrais filtrer le temps et en retenir l'essentiel, par amitié pour elle. Ma compagne de toujours, insatiable amoureuse, profondément solitaire, lancée dans la vie comme dans un roman d'aventure.

Seulement voilà, je paie cher mes années de léthargie. Je dois réapprendre à écrire. Et ça ressemble à mes tout récents débuts à la guitare. En effet, le hasard m'a permis d'entreprendre un vieux rêve, celui de m'initier au plus simple des instruments à corde. Notre voisin Ruda m'a prêté sa guitare acoustique le temps de son voyage en Tchécoslovaquie et je me suis jurée d'en tirer quelques accords avant son retour. Mais l'apprentissage est douloureux. J'ai encore le bout des doigts trop sensible pour produire un son convenable. Parfois je me décourage. De même, les premières pages d'écriture trahissent de longs tâtonnements à la recherche du plaisir.

Chaque matin, donc, une fois mon petit déjeuner avalé, j'attrape un grand cahier bleu au fond de l'équipet, je m'enfonce dans mes oreillers et, durant deux heures, je tente de dérouiller autre chose que les cales du bateau.

Carl a reçu quelques réponses d'éditeurs québécois auxquels il proposait un récit du voyage. Cette récente décision de publier notre aventure met fin à des années d'hésitations. Nous avions épluché tellement de récits de mer avant notre départ du Québec que d'ajouter le nôtre à cette liste nous a longtemps paru superflu. Que pouvions-nous offrir d'original à des lecteurs avertis, sinon, justement, une histoire sans aucun événement spectaculaire.

Sans doute avions-nous tort d'envisager l'écriture sous un angle comparatif. Aujourd'hui, elle nous apparaît davantage comme un geste de création, beau et terriblement exigeant, un contrepoids nécessaire au chaos des idées.

Les enfants, grands consommateurs des histoires du capitaine, ont souvent encouragé leur père à immortaliser ses souvenirs d'enfance et de voyages. Je trouvais normal, moi aussi, qu'un diplômé en Lettres, doté d'une impressionnante mémoire des détails, se lance tôt ou tard dans la rédaction d'un manuscrit d'envergure. Aussi l'avons-nous tous félicité pour son initiative auprès des éditeurs.

Les réponses sont encourageantes. Jean-Paul Sémeillon de HMH Hurtubise se montre intéressé par le sujet et Carl espère lui envoyer, en guise d'aperçu, une cinquantaine de pages d'ici notre départ d'Afrique du Sud.

Une seconde option, inattendue celle-là, m'oblige à réviser mes positions. Le directeur littéraire de la maison Leméac nous parle de sa nouvelle collection Jeunesse « La vie en récit » où pourrait très bien s'insérer une aventure comme la nôtre. Cette collection offre des témoignages qui présentent certaines valeurs fondamentales : courage, détermination, cheminement, métier-passion, bref, autant d'éléments dont les jeunes s'inspirent dans leur quête d'information sur la vie. Je n'avais jamais pensé écrire un livre, mais Carl m'incite fortement à tenter l'expérience.

Parfois je lui en veux presque de m'avoir mis cette idée dans la tête. Je piétine, j'enrage. J'entends son crayon courir sur la page, alors que le mien demeure suspendu, signe que je dérive loin au large de l'inspiration. Mes pensées s'acharnent à fuir le sujet. Elles me ramènent inlassablement au présent ou à des scènes beaucoup plus récentes de notre vie.

Depuis quelque temps, les liens se resserrent avec les Hopkins, que les enfants ont surnommé la « gentille famille ». Les jumelles s'entendent bien avec Tammy, qui est un peu plus vieille, et Damien a trouvé en Mark un copain de son âge.

Vers la mi-juillet, Mike a organisé une randonnée en vélo tout-terrain pour une quarantaine de ses clients et nous a invités. Ce fut notre initiation, à Carl et à moi, sur des terrains en pente, pleins de bosses et de gros cailloux. À la première descente, Carl s'est envolé par-dessus les guidons alors qu'il dévalait la côte à grande vitesse. Nous l'avons retrouvé à quatre pattes ; il cherchait ses lunettes en bordure du sentier, en même temps qu'une explication à cette chute dans son orgueil. Ses bras étaient trop raides sur les guidons, a-t-il expliqué, et les chocs de la roue avant lui ont fait perdre le contrôle.

En tout cas, il est admirablement bien tombé, chanceux de s'en être tiré avec une hanche et un coude éraflés.

Malgré cela, l'expérience nous a plu. Nous avons pédalé une vingtaine de kilomètres en deux heures et demie, dans un décor superbe, découvrant la résistance de ces *mountain bikes* capables de nous emmener très loin hors-piste.

Damien n'en était pas à ses premiers essais. Il venait tout juste de passer quinze jours chez les Hopkins, pendant les vacances scolaires de Mark, et il en parle brièvement dans son journal :

> Hier, Mark, son père et moi sommes allés faire du vélo dans la montagne, derrière la maison. Des fois c'était un peu dur, mais la plupart du temps, je trouvais ça amusant. Juste à un endroit, il y avait tellement de roches que les chocs me donnaient mal au cœur.

En fait, ce fut un coup de foudre inespéré pour notre fils en manque de passion terrestre. Impressionné par la dextérité de son copain Mark, Damien s'est mis à rêver. Il lui manquait seulement un vélo pour s'entraîner, lui aussi. Il possédait même les qualités nécessaires à la compétition : une bonne endurance, un grand sens de l'équilibre et un tempérament un peu casse-cou.

En tant qu'importateur de marques américaines, Mike pouvait commander et nous vendre un vélo hors taxes et sans frais de douane, puisque nous étions des voyageurs en transit. De plus, il refusait de prendre le moindre profit. Quelques semaines plus tard, Damien déballait amoureusement son Diamond Back, modèle Ascent.

> ✍ Hier, enfin, Mike est venu me dire que mon vélo est arrivé à son magasin. Alors il m'a demandé si je voulais venir assembler mon vélo chéri et je lui ai dit bien sûr, certainement... C'EST GÉNIAL ! Quand Mike est parti, il m'a dit : à demain matin. Vous comprenez, je suis très excité, et je pense seulement à tout à l'heure...
> (...) Ça y est, j'ai assemblé mon vélo ! Il est tellement beau ! Blanc taché noir. Mike m'a installé des étriers et une pompe. Pour le rendre encore plus beau, Troy, son assistant, lui a mis quelques collants. Ensuite je l'ai essayé dans la rue : c'était trop merveilleux ! Mike m'a offert de le laisser au magasin parce

que j'ai trop peur de l'abîmer en le descendant en bas du quai. Maintenant j'y pense sans arrêt...

Damien ne savait plus comment remercier Mike. Finalement nous l'avons aidé à trouver la bonne formule. Il ira passer une partie de la journée au magasin pour donner un coup de main à l'équipe d'entretien et de réparations en échange des rudiments du métier. Jamais les travaux scolaires n'ont été exécutés à une heure si matinale et avec autant de zèle, pour ensuite lui permettre de s'échapper vers le centre-ville et de consacrer ses moindres temps libres au magasin. L'ambiance de la boutique, où les employés l'ont affectueusement surnommé *Mister Frog,* lui rappelle peut-être celle des bateaux de pêche. Il aime faire partie d'un groupe d'hommes et se sentir apprécié pour le sérieux qu'il met à l'ouvrage, malgré son jeune âge.

Après notre baptême en montagne, d'autres balades avec les Hopkins ont suivi. Le plus souvent, nous les accompagnons lors des compétitions. Mike est un ancien champion de moto-cross dont la carrière sportive a dû avorter à la suite d'un accident. Le vélo tout-terrain lui offre aujourd'hui des défis moins violents, moins bruyants surtout, mais toujours à la hauteur de ses habilités. Alors que Carl, Damien, Mark et Mike s'inscrivent dans les catégories intermédiaires, je préfère dévaler les pentes abruptes au pas de course, avec Tammy et les jumelles, ou encore prendre mon temps et m'immobiliser sur le sommet des collines devant des paysages toujours magnifiques, un luxe inaccessible aux coureurs préoccupés par le seul relief de la route.

Parfois Delyse marche avec moi et nous parlons de nos vies. Elle promène son regard d'artiste-peintre sur les formes et les couleurs, me raconte son attachement à la nature, à la terre ferme, à ses trois sœurs qu'elle adore, à tout ce qu'elle craint encore de perdre en larguant les amarres, même si l'aventure l'attire.

Alors je lui décris la luminosité des lagons, le vert des îles lointaines après des semaines de mer, les tons pastels et tendres des brunantes, et ce plaisir qu'elle aurait à peindre des lumières aussi exclusives. Et puis je la rassure, on ne voyage qu'un temps... juste ce qu'il faut pour découvrir le monde avec nos enfants, avant qu'ils ne nous échappent et nous laissent vieillir seuls.

J'aime beaucoup cette famille. Lorsque nous la retrouvons, il s'opère une agréable symbiose de caractères. Le rythme calme des parents et des enfants ressemble au nôtre. Nous pouvons parler des heures avec eux sans éprouver la moindre fatigue, alors que certains couples ont l'insupportable habitude de se couper sans cesse la parole. En fait, comme rarement au cours du voyage, nous approfondissons une relation. Et je me laisse aller, imprévoyante, menée par l'habitude des rencontres sans conséquences.

Souvent nous avons eu cette impression d'entrer dans la vie des gens comme un courant venu du large, de jeter nos invisibles pelletées d'air marin au milieu du salon, puis de nous dissoudre en ne laissant rien d'autre de nous-mêmes que de l'intangible, du rêve, une lisière d'écume sur le sable.

Cette fois le phénomène diffère. L'escale prolongée nous empêche de disparaître assez rapidement pour ne pas nous attacher. Les balades à vélo, les *braii* sur le balcon, face à la mer, sur les hauteurs de Camp's Bay, les poudings aux pommes autour du cockpit de la *V'limeuse*, nous multiplions les occasions, comme si l'amitié ne recelait aucun autre danger qu'un léger pincement au cœur à l'heure des adieux.

Et puis, il y a dans le regard de nos amis ce genre d'appel muet, beaucoup plus fort que l'habituelle curiosité. Ils nous répètent souvent qu'ils en sont à un tournant majeur de leur existence. De toute évidence, nous jouons un rôle important dans ce virage. Mike a déjà commandé la coque de son futur catamaran de neuf mètres qu'il aménagera et terminera sur son terrain. Le processus est enclenché.

Durant plusieurs années après notre départ d'Afrique du Sud, je me demanderai si nous sommes seuls responsables des bouleversements que nous amorçons dans la vie d'autrui... Ou si nous allons plutôt les uns vers les autres, menés non pas par le hasard, mais par un impérieux besoin d'en apprendre davantage sur nous-même.

En ce crépuscule de printemps, calée sur mes oreillers, le crayon en l'air devant ma feuille blanche... je ne me pose pas encore toutes ces questions. En fait, je repense à une scène qui a eu lieu l'autre jour, quand Mike est venu nous saluer au bateau. Je nettoyais et graissais les winchs sur le pont et il a dû se frayer un chemin pour

278

me faire la bise, une habitude apprise à notre contact, puisque, contrairement aux Québécois ou au Français, les Sud-Africains d'origine anglaise ne sont pas familiers avec ce genre de civilités.

Après le départ de Mike, les enfants m'ont taquinée : « He ! maman, il a presque mis les pieds sur les pièces pour venir t'embrasser... », « Tu rougis, tu rougis... » et « Wouou, Carl, fait attention à Dominique ! » Bref, le cinéma habituel, normalement réservé à Évangéline. Mais cette fois, j'ai soupçonné mes petits espions de faire du zèle, comme si leur sixième sens avait réellement flairé autre chose et qu'il leur appartenait de veiller sur l'harmonie du clan.

Quelles sortes d'ondes imprécises et furtives ont-ils captées ce jour-là pour lancer leur signal ?

Je ne saurais dire. Je me souviens seulement d'avoir rougi comme une adolescente prise en flagrant délit d'école buissonnière...

III

LE CAP – MONTRÉAL
octobre 1991 à octobre 1992

> *– Comment se fait-il, fit observer Jonathan, rêveur,*
> *que la chose la plus difficile au monde soit de*
> *convaincre un oiseau de ce qu'il est libre...*

Richard Bach, *Jonathan Livingston, le goéland.*

L'oiseau dans la manche   (C.)

Le vent a tourné pour moi dès les premiers jours de septembre. En fait, je me suis senti bien dès que j'ai commencé à écrire sur notre voyage. Après toutes ces années où mon cerveau n'avait fait qu'errer comme un oiseau du large, j'appréhendais la domestication. Ce ne serait pas facile. J'allais lui demander de replier ses ailes, de lisser ses plumes pour s'amener jusqu'à mon avant-bras et de s'étirer le bec jusqu'à mes doigts.

J'ai eu la bonne idée de l'attraper très tôt le matin alors que le bateau ressemble à un gros nid tout chaud, fait de souffles d'enfants et du bruit léger de corps qui se retournent. Depuis deux mois maintenant, je me lève à 4 heures, en sourdine dans le noir, trouve mes pas jusqu'à la cuisine et la table du carré où je m'injecte une bonne

281

dose de café fort pour déverrouiller la cage, et hop ! *Fantastic* ! clamerait Ruda, notre sympathique voisin de *Polarka*, en me voyant décoller de la sorte.

Décidément, voyager me donne des ailes. Trop peut-être. J'ai demandé récemment l'avis de Dominique sur ces passages où je laisse libre cours à ma vision des choses. Elle l'a fait en quelques mots qu'elle a laissé filer comme un cerf-volant : « Bien !... mais il y a des passages assez *flyés*. »

Je m'en doutais un peu : si je continue ainsi à prendre de la hauteur par rapport à mon sujet, sans un fil qui le relie à la terre, je risque de me couper d'une majorité de lecteurs. On écrit d'abord pour se faire plaisir, mais si du même coup j'arrive à intéresser les autres, ma satisfaction sera double.

Par exemple, en écrivant les premières pages sur notre départ de Longueuil en octobre 1986, j'ai revécu plus intensément l'atmosphère qui régnait à ce moment, grâce sans doute au processus de réflexion et d'approfondissement que procure l'écriture. J'ai pris conscience que nous avons, cet automne-là, réussi un coup de maître.

Je me rappelais avec force ce sentiment d'urgence qui planait sur nos têtes, ce besoin impérieux de partir, devenu obsessionnel : si nous ne réussissions pas à nous échapper maintenant, la vie nous engloutirait davantage, nous rendrait un peu plus prisonniers du quotidien. Notre avenir allait se jouer en quelques semaines. Il ne fallait pas rater le bateau.

Pour décrire cet état d'esprit par une image, j'ai alors choisi de nous faire endosser l'habit de forçat et de raconter toute cette partie sur le thème de l'évasion de prison. L'idée derrière cette version éclatée ou fantaisiste n'était pas de distordre la réalité, mais de l'accentuer en l'élevant au niveau du symbole.

Comment ne pas trouver amusante maintenant, avec cinq ans de recul, cette histoire dans laquelle nos geôliers sont persuadés que les enfants pèsent comme des boulets à nos pieds et que nous n'irons jamais très loin de la sorte.

Il y a aussi ce personnage-vedette, Charles, le vieux bagnard qui a comploté avec nous et s'est joint à notre fuite. Il voulait mourir dans une île du Pacifique mais... s'est contenté du Cap-Breton. À 72 ans, il avait été tellement soumis à la sécurité de ses quatre murs que la délivrance lui a donné le vertige. Comme s'il s'était retrouvé sur la corniche d'une haute montagne avec, devant lui, la vie à perte de vue.

J'aurai bientôt noirci une cinquantaine de pages où je multiplie les scènes du genre. J'imagine d'ici la tête de l'éditeur à qui j'enverrai mes textes. Au lieu d'assister, sans trop se creuser les méninges, au déroulement pépère d'un petit tour en bateau vers le Bas du fleuve et l'Atlantique Nord, il apercevra une bande de mutins qui écartent les barreaux de la société, pourtant si bonne pour eux, et s'évadent.

Devant Montréal, j'ai transformé le fort courant du fleuve en chemin de fer, avec le résultat que l'on voit nos bienheureux fugitifs sauter dans le premier train qui passe. Ils se retrouvent plus tard au large de la Nouvelle-Écosse où ils doivent creuser un tunnel jusqu'aux Açores pour échapper au mauvais temps. Après quoi, ils débouchent devant l'île de Flores qui se métamorphose soudainement en un château inondé de lumière.

Il pourra me reprocher de dérailler à l'occasion, s'il veut faire allusion à mon express du Saint-Laurent, mais il lui sera difficile de dire que je manque d'inspiration.

C'est un premier jet libérateur. Je suis au pied d'un barrage qui a retenu beaucoup d'eau et ça bouillonne drôlement à la sortie des vannes. Il y a ce qui coule, ou le récit proprement dit de notre aventure, et ce qui s'élève au bas de la chute en une colonne de gouttelettes, que j'associerais aux réflexions qui découlent du voyage. La réfraction du soleil dans les vapeurs d'eau fait apparaître de magnifiques arcs-en-ciel, d'où le plaisir et la difficulté à la fois de rendre à la perfection cette palette de couleurs.

Mais je ne m'en fais pas trop à ce stade-ci. L'important est d'attraper tout ce qui passe, de me divertir et me surprendre par la tournure de mon écriture, au risque de faire une transposition un peu échevelée. Plus loin, plus tard, souhaitons-le, au fil des remaniements, la crue s'apaisera en une coulante rivière.

Après être parti de Montréal, ma foi assez rapidement, voilà que je suis englué depuis quelques jours dans un calme désespérant au large des Açores. J'en suis à la quatrième ou cinquième reprise de notre arrivée à Flores et je biffe, rature, démolis à mesure que je construis car je ne réussis pas à rendre par les mots ce que nous ressentions ce jour-là. Je m'en souviens comme si c'était hier, nous entrions dans un royaume et tout ce que j'arrive à décrire ressemble à un décor de carton-pâte.

Patience, le vent va revenir, dois-je me répéter en guise d'encouragement. Voilà justement l'une des grandes leçons que j'aurai retenues de ces années en mer. Il y a des cycles en nous comme dans la nature et il faut savoir les reconnaître. Tout comme les hautes et basses pressions du système atmosphérique, j'ai l'impression parfois que notre petit climat intérieur a besoin lui aussi de perturbations afin de créer des déplacements d'air.

Une fois qu'on sait cela, le reste est une question d'entraînement, exactement comme la forme physique. Après des mois, des années d'inactivité, les muscles ne sont plus aussi souples et il faut les soumettre à des exercices réguliers. Le pire est celui des dialogues. Ils paraissent tellement coulants sous la main des grands romanciers que nous les remarquons à peine. Jusqu'au moment où l'on essaie de les imiter et l'on se retrouve à des lieues de l'enfance de l'art, la langue tortillée en réparties lourdes et boiteuses.

Tout se gagne, certes, mais on peut dire qu'en général mes Muses font un excellent travail dans le peu de temps que je leur consacre : environ trois heures par jour. Soit entre le moment où le coq se lève et celui où mes petits poulets se mettent à caqueter dans le bateau, autour de 8 heures.

À 9 heures au plus tard, mes élucubrations sont terminées et j'ai l'impression d'avoir accompli quelque chose de personnel, d'avoir mis de côté une certaine somme d'argent, sauvée du reste de la journée qui va se passer en dépenses de toutes sortes. À vivre, comme on dit, le menu quotidien.

Ce matin, je change momentanément de contexte pour dévier le cours de mon petit torrent vers le lac tranquille de ma blonde... dont c'est l'anniversaire. L'un des trop rares prétextes que l'on saisit pour avouer des secrets trop bien gardés.

J'attacherai cette carte de souhaits à la grande boîte de carton que nous lui cachons depuis deux jours et qui fera son apparition dans la cabine, portée par les enfants.

Le jour se lève, elle dort toujours.

Vite ! je dois mettre au propre ces quelques lignes qui parlent du destin. De cette force dont on résume l'emprise sur nos vies en disant que, quelque part, c'était écrit.

Chère Dominique,
J'en suis à peu près sûr aujourd'hui.
Ce 18 octobre 1956, j'ai dû capter un second souffle,
le tien, celui qui venait de te rattacher à la vie.

J'étais alors étudiant en Belles-Lettres
au collège Sainte-Marie de Montréal.
Je venais de me découvrir une forme de sensibilité
et c'est dans l'écriture, dans mes premiers poèmes,
que je fis passer toute la mélancolie
de quelqu'un qui entend, mais ne comprend pas,
qui perçoit, mais ne voit pas.

La suite fut ni plus ni moins
qu'un vaste gaspillage,
un bateau qui tape sur le quai, mal amarré, trop attaché,
à moitié échoué, du sable plein les cales,
le cœur rouillé,
l'écriture couchée sur le pont comme des voiles inutilisées.

Seize ans à attendre,
à t'attendre.

Quand j'écris aujourd'hui,
j'ai l'impression de parfaire l'étanchéité de cette coque
que tu as remise à flot,
de la nettoyer complètement,
de la renforcer pour une autre étape de 19 ans.

Mon stylo a repris l'allure d'un mât.

Voici cette guitare afin que tu chantes
ce que je m'abstiens toujours de te dire,
de peur d'en révéler l'emplacement.

Ton pirate favori.

Derniers milles en terre africaine (D.)

Le *Black South East*, ce vent qui charrie par-dessus la montagne son cortège d'orages, souffle avec force aujourd'hui. Dans un tintamarre de drisses, la centaine de voiliers du yacht club s'agitent le long des pontons, comme un troupeau effrayé par les grondements du tonnerre.

Cette perturbation affecte aussi l'atmosphère à bord. Distraits par tout ce bruit, Damien, Noémie et Sandrine n'arrivent pas à se concentrer sur la rédaction de leur journal. Ils surveillent plutôt Évangéline et la préparation de son sandwich.

De mon côté, à la table à cartes, j'essaie tant bien que mal d'écrire une lettre. Mais tous les cinq minutes, l'un des enfants pose une question ou passe un commentaire...

– Je serais étonnée de savoir combien il y a de nœuds de vent, reprends Évangéline, avant de s'asseoir à côté des autres autour de la table du carré.

– Au moins vingt-cinq, répond Noémie. Hum ! Ça a l'air bon... Tu m'en donnes une bouchée ?

J'échappe un soupir sonore, mais déjà Damien profite du bris de silence pour enchaîner :

– Maman, est-ce que Carl est censé revenir avec les photos ?

– Je crois qu'elles seront prêtes, oui. Maintenant, on se tait et on travaille. J'aimerais bien terminer ma lettre, voyez-vous !

Dans cette lettre qui s'envolera sous peu vers le Québec, je décris à ma mère notre tour en vélo dans les montagnes Cedarberg, au nord de Cape Town. Une randonnée de trois jours durant laquelle nous avons pris ces photos que Damien attend avec impatience.

Les Hopkins connaissent bien la région puisque Mike y venait chaque année pour ses compétitions de moto-cross. Depuis deux ans, il souhaitait refaire le même parcours en vélo tout-terrain, soit environ 120 kilomètres sur des chemins de terre, dont le premier tiers à travers une réserve naturelle.

Nous avions découvert ce coin du pays à l'époque des fleurs printanières, à la mi-septembre. Le chalet loué avec les Hopkins pour une fin de semaine se trouvait justement à l'entrée de la réserve.

Je me souviens de ma première balade, seule alors dans la montagne, un peu avant la brunante. Le décor parsemé de blocs rocheux, parfois énormes, en équilibre les uns sur les autres ou sculptés en figures bizarres, m'avait d'abord surprise et dépaysée. Plus j'avançais, plus j'aimais ces espaces dégagés, avec une flore semi-désertique, formée d'arbustes, de plantes et de fleurs, sorte de végétation basse qui me rappelait notre taïga québécoise.

L'air était frais. Deux antilopes ont bondi d'un rocher à l'autre avec une grâce magique, abolissant mille ans d'histoire... Je m'attendais à voir surgir un petit homme portant l'arc et le carquois, un Bochiman comme il en existe encore dans le désert du Kalahari et que j'imaginais jadis libre dans ces territoires, à une époque où certains peuples nomades et pacifiques accompagnaient les migrations d'animaux sauvages sur d'immenses surfaces de continent. C'est ainsi que j'aurais aimé connaître l'Afrique, je crois, en marchant, comme une Bochiman.

La perspective de revenir dans ces montagnes avec les tentes sur nos vélos nous séduisait beaucoup. Ce serait l'occasion de vérifier si notre entraînement physique durant l'hiver avait porté fruit.

Delyse avait suggéré de s'installer à Algeria, non loin de là, dans un magnifique camping à l'ombre des eucalyptus et tout près d'une rivière, où elle s'occuperait des enfants trop jeunes pour faire une semblable excursion, soit Tammy, Michael, Sandrine et Noémie. La belle Évangéline, comme à son habitude, préférait demeurer seule à Cape Town.

Mike fournissait les vélos et les porte-bagages. Nous emportions, en plus de deux tentes et de cinq sacs de couchage, un réchaud au naphta, des vêtements de rechange, trois caméras et quelques provisions : riz, thon en conserve, chocolat, fruits secs, fromage, céréales et crackers. Carl et Mike se divisaient les poids les plus lourds tandis que Mark, Damien et moi nous retrouvions avec une charge tout à fait raisonnable.

Après de longs préparatifs, *the Cedarberg's team*, comme nous baptiserons notre équipe par la suite, franchit enfin la ligne de départ.

Ce vendredi matin là, je me rappelle, nous attaquons les quarante premiers kilomètres au programme avec une énergie du diable. Le sentier qui traverse la réserve naturelle ne présente pas de grandes difficultés. Les points de vue admirables se succèdent d'un sommet à l'autre, et lorsque la sueur nous dégouline dans le dos il y a toujours un ruisseau ou une chute pour nous rafraîchir.

Nous levons les tentes à la sortie du parc, dans la vallée. Seule ombre à cette journée radieuse, au moment de récupérer la bouteille de blanc qu'il a trimbalée toute la journée et mise à refroidir dans la rivière, Mike s'aperçoit qu'elle a disparu ! Visible du chemin, elle a sans doute attiré l'attention de l'un des rares passants. Vaut mieux en rire qu'en pleurer et nous imaginons la tête du paysan qui a cru à une récompense du Bon Dieu pour sa journée de labeur.

Le lendemain, après avoir démonté notre campement sous les pins et pédalé deux bonnes heures le long du versant, nous arrivons au village de Wuppertal : joli hameau avec une longue rue bordée de maisons blanches au toit de chaume, de jardins fleuris et de grands potagers. Il s'agit de l'une des missions fondées par les Allemands dans cette région. La population parle afrikaans, seconde langue officielle du pays avec l'anglais, et elle est curieusement métissée. Preuve qu'il y a bel et bien eu des histoires d'amour entre les Blancs et les Noirs en Afrique du Sud.

Plus tard, je lirai que l'origine de ces métis remonte au tout début de la colonisation par les Hollandais, soit vers 1652. Les anciens soldats de la garnison établie au Cap, devenus fermiers, ont marié des femmes hottentotes ou bochimans qui habitaient la région. D'autres métissages se sont produits par la suite entre les huguenots et les esclaves importés de Malaisie, de Madagascar et des pays voisins. Aujourd'hui, la population de *Coloured* atteint trois millions, répartis surtout dans la province du Cap, ce qui expliquerait le climat particulièrement détendu de cette partie de l'Afrique du Sud.

En sortant du magasin général, nous cherchons un endroit à l'ombre pour casser la croûte et la conversation dévie sur l'apartheid. Les métis souffrent-ils de la même ségrégation raciale que les Noirs ? Mike nous apprend que la discrimination commence à la naissance lorsque chaque individu est classé selon sa race : blanche, colorée, ou noire. On oblige encore les *Coloured*, tout comme les Noirs, à vivre dans des *townships*, à l'écart des Blancs.

Quarante ans d'apartheid ont fait des dégâts considérables, et même si les lois sont abolies les unes après les autres, comme nous en avons été témoins encore récemment, il faudra tout de même une ou deux générations, selon Mike, pour que les Blancs d'Afrique

288

du Sud apprennent à vivre avec les Noirs. Cet apprentissage sera plus facile si les jeunes se retrouvent ensemble sur les bancs d'école.

– Oui, mais d'ici là, fait Carl, vous devrez lâcher le plus gros morceau et permettre aux Noirs de voter : ça me paraît incroyable qu'en 1991, seuls les Blancs, soit moins de 20 % d'un peuple, aient le droit exclusif de participer aux élections !

– Pourquoi les Noirs ne peuvent-ils pas voter ? demande Damien en français, en se tournant vers moi.

– Parce qu'ils sont vingt millions, quatre fois plus que les Blancs. Alors tu comprends, Damien, que s'ils pouvaient voter, ils prendraient le pouvoir facilement.

– Et les Blancs ont la trouille ?

– J'imagine qu'ils ont peur de perdre ce qu'ils possèdent.

– Tu crois que Mike a peur aussi ? reprend Damien.

– Eh bien, demande-lui.

– Non, vas-y, toi...

La question est traduite en anglais et Mike sourit puis réfléchit un moment avant d'y répondre :

– Vous savez, ce serait catastrophique si l'économie de ce pays dégringolait complètement. Mais la violence m'effraie bien plus que le risque de perdre un jour ma maison ou que je doive fermer boutique. Cape Town est encore une ville paisible, nous ne connaissons pas le climat d'affrontements de Johannesburg, et bien des gens ont la hantise d'une guerre civile ou d'une vague de violence qui déferlerait jusqu'ici.

Mike nous explique alors que les Afrikaners, ou Boers, forment la majorité de la population blanche, soit près de 65 %, et contrôlent aussi le gouvernement. Or ces descendants des premiers colons hollandais, dont un grand nombre sont devenus de riches fermiers et propriétaires de domaines gigantesques, ont la réputation d'être farouchement attachés à la terre et prêts à prendre les armes pour la conserver. On nous a dit aussi que, par leur religion, ils étaient les plus fanatiques partisans de la suprématie blanche, et donc à l'origine de l'apartheid. Ils souhaiteraient la formation de leur État indépendant à l'intérieur de l'Afrique du Sud.

Nous savions qu'il existait au sein de la communauté blanche un clivage entre les Sud-Africains d'origine britannique, dont Mike fait partie, et les Afrikaners, et que cette séparation marquée ne datait pas d'hier. Quelques pages sanglantes de l'histoire de l'Afrique du Sud les ont opposés dans la conquête du pays. Les Britanniques se battaient pour l'or et les diamants, les Boers pour la terre. Pas étonnant qu'aujourd'hui les premiers contrôlent le monde des affaires et les seconds défendent leurs possessions territoriales.

Au moment où nous enfourchons nos vélos pour grimper les deux kilomètres de côte qui nous sortiront de la vallée, je regarde Mike et son fils, puis les montagnes autour, et je me dis que l'avenir de l'Afrique du Sud sera pour nous dorénavant lié à celui de nos amis. En voyageant, nous posons certains visages ou souvenirs en transparence sur la carte géographique et humaine de la planète. Ainsi, au fil des ans, des parcelles de ce monde ont perdu leur voile d'anonymat et nous sont devenues plus précieuses.

Nous entamons sous un soleil de plomb la montée la plus longue et la plus pénible du jour. Dans une pente aussi à pic, la plus grande difficulté consiste à repartir après avoir malencontreusement posé un pied sur le sol, ou après un arrêt pour reprendre son souffle. Mes quatre compagnons se débrouillent très bien dans ce chemin crevassé et cailouteux, et je me sens surveillée de près. Moins habile, je ne peux qu'opposer mon endurance et mon orgueil, ce qui, ma foi, suffit à me grimper jusqu'en haut.

Plus tard, en pleine montagne, nous croisons deux jeunes bergers qui gardent leurs troupeaux d'ânes et de moutons à bicyclette. Plus agiles et rapides que des coureurs professionnels, ils dévalent les côtes au milieu de rires et d'éclats de voix, et disparaissent après nous avoir jeté un dernier regard.

Avec nos vélos chargés comme des mules et nos accoutrements de randonneurs, incluant casques de protection et verres fumés, nous avons sûrement l'air bizarre. Cette impression se renforce lorsque nous arrêtons près d'une petite cabane sur le bord du chemin où habite une famille de douze personnes. Le grand-père examine nos montures avec des petits hochements de tête amusés puis nous montre sa vieille bécane, sans vitesse ni pédales – a-t-elle même des freins ? –, avec laquelle il fait des dizaines de kilomètres par jour.

Est-ce le secret de son étonnante vitalité ? Mark aimerait bien le savoir car il commence à donner des signes de fatigue.

Le troisième et dernier jour, Damien écrit dans son journal :

Aujourd'hui, c'est ma fête, j'ai 13 ans. Heureusement il ne reste pas beaucoup de kilomètres, une trentaine. Mark est crevé, il a toujours faim et il n'y a presque plus rien à manger. Nous sommes partis avant que les mouches se lèvent. Nous avons dû traverser une rivière et on s'est tous mouillé les chaussures. Juste après nous sommes allés voir des peintures de Bochimans dans des grottes. Vers 1 heure, nous sommes arrivés en haut d'Algeria, très contents, parce qu'il nous restait seulement une grande descente de 9 kilomètres. Mark et moi, nous avons fait une course terrible, j'ai failli tomber quelques fois mais j'ai quand même battu Mark de quelques secondes.

J'ai regardé partir les deux garçons en espérant qu'ils arrivent sains et saufs en bas. Ils s'entendaient bien, pas bavards ni l'un ni l'autre. Comme nous tous d'ailleurs. Nous venions de vivre trois jours ensemble et le plus souvent nous avions gardé le silence. Même le soir, près du feu, chacun s'enroulait dans ses pensées en jonglant avec les flammes. La gravité des visages trahissait la fatigue de la journée, le bien-être qui s'en suivait, et cette longue habitude que nous avions de plonger de manière solitaire en nous-mêmes.

Quelques minutes plus tard, Carl s'est lancé à la suite des garçons. Il ne restait plus que Mike et moi sur les hauteurs.
Une émotion latente couvait bel et bien entre nous, comme les enfants l'avaient senti. Elle affleurait l'amitié dans certains regards, ne ressemblait pas aux élans du désir mais révélait plutôt d'inquiétants frémissements du cœur.
Ce sentiment nouveau m'oppressait.
Je m'étais promis d'en parler à Mike avant de quitter l'Afrique du Sud. J'espérais des mots une forme de libération. Mais maintenant que nous étions seuls, il n'y avait rien de plus ardu au monde que d'avouer à cet homme qu'il était devenu quelqu'un d'important pour moi.
Chaque seconde d'hésitation rendait le silence moins insouciant, plus difficile à rompre. Je cherchais des paroles justes, légères, inoffensives. Des phrases qui ne modifieraient en rien le cours de mon existence ou l'amitié entre nos deux familles. Mais de telles phrases sans conséquences existent-elles ? Une fois lâchées du haut du versant, elles risquaient de m'échapper et de poursuivre leur propre destin en dessinant d'incontrôlables arabesques.

291

Après qu'il soit parti, j'ai redressé mon vélo et je suis restée un moment devant la vallée. Une émotion soudaine, presque douloureuse, m'enserrait la gorge. Je n'arrivais pas à décider si elle était due à la seule beauté des montagnes qui s'enchaînaient les unes aux autres jusqu'à perte de vue, ou au fait que derrière cet horizon, il y avait la mer, et que bientôt je partirais.

Évangéline ✑

7 décembre 1991, Cape Town

Ce matin, j'ai regardé aussitôt par le panneau pour voir quel temps il faisait. Quelle chance, le ciel est nuageux, tout gris et il pleuviote. En plus, Carl a un mal de tête affreux parce qu'ils ont fait la fête hier soir avec tous les amis. Donc on ne part pas aujourd'hui ! Ça veut dire que je reverrai peut-être Gary.

Je l'ai finalement rejoint vers 6 heures 30 de l'après-midi, il était épuisé après sa semaine de soûlerie et de fête. Il va venir me voir à 9 heures.

Ce soir le reste de la famille est chez les Hopkins. Gary est arrivé en retard, il avait bu quatre bières avec des amis. Nous nous sommes assis dans le carré, c'était horrible. Nous avons un peu parlé, il m'a écrit un petit mot dans mon journal de bord. Je n'ai pas le droit de le lire avant qu'il soit parti.

À minuit je suis allée le reconduire dans sa voiture. Ça été le même cinéma de larmes. Je crois que c'est seulement à ce moment-là que j'ai réalisé que je ne le verrais plus. J'ai beaucoup pleuré et lui me serrait très fort.

8 décembre

On part définitivement aujourd'hui. Comme il y a une course, tout le monde est au yacht club et j'ai pu dire adieu à tous. Ça me fait trop d'émotions en deux jours.

Nous sommes partis vers 1 heure. Je me suis couchée et deux heures après c'était mon quart. Dominique et Carl regardaient la montagne de la Table disparaître. C'était dur, je crois que Dominique avait les larmes aux yeux. Moi je pleurais en silence. C'était comme si un fil se cassait, comme si une page se tournait. Nous continuons notre voyage, même si c'est dur quelque fois. C'est mieux que nous partions maintenant. Je sais que ça fait juste trois mois que je connais Gary et déjà je me suis beaucoup attachée à lui. Si nous étions restés quelques mois de plus, ça serait devenu plus sérieux et ça aurait vraiment été horrible de partir. Ça me soulage un peu de penser à ça.

Un départ déchirant (D.)

Dimanche 6 décembre 1991.
La *V'limeuse* recule le long du ponton.
Évangéline récupère nos amarres. Puis elle love avec une lenteur presque tendre ces vieux cordages usés par des années de voyage, ces liens que nous nouons et dénouons avec la terre.
Quelqu'un sonne pour nous la cloche de bronze, accrochée à l'extérieur du yacht club. Jusque là je maîtrisais mon émotion, mais elle déborde lorsque les premières vibrations métalliques m'atteignent en plein ventre.
Du revers de la main, je m'essuie rapidement les yeux et fais pivoter l'étrave vers la sortie du bassin. Personne ne parle, chacun embrasse du regard ce décor qui a été le nôtre durant neuf longs mois et qui bientôt relèvera du souvenir.
Carl est déjà paré à hisser la grand-voile.
En remontant au vent dans la partie plus large du port commercial, la *V'limeuse* pointe son étrave vers l'*Atlas Pride*, un cargo qui ne reprendra pas la mer de sitôt. Une tempête hivernale l'a surpris au large du cap Bonne-Espérance et il en est sorti avec la moitié de sa proue en moins. C'est le deuxième du genre à avoir subi de pareils dommages cette année. Depuis des mois, des équipes s'affairent à réparer le trou béant, dû, selon l'avis des spécialistes, à une faiblesse de structure dans cette partie inaccessible aux équipes d'entretien. Quoi qu'il en soit, la vue d'une morsure aussi sauvage a quelque chose d'inquiétant. Il est plus facile de concevoir un naufrage que d'imaginer une vague à ce point monstrueuse qu'elle puisse avaler des tonnes d'acier.

Les quais défilent à bâbord. Chaque jour ou presque, nous les avons longés pour sortir du port et filer vers le centre-ville. Sans compter les marches nocturnes prises après des repas trop copieux. Certains soirs, les enfants jouaient aux détectives autour des hangars faiblement éclairés. Ils épiaient des embarquements qu'ils s'amusaient à déclarer suspects, surtout depuis qu'ils avaient appris comment l'Afrique du Sud déjoue l'embargo international. Il suffit que les produits transitent par les quelques rares pays comme l'Angleterre qui ne boycottent pas leurs exportations.

Parfois nous prenions pour cible les bateaux de pêche asiatiques, toujours nombreux. Les rafiots des Coréens nous paraissaient lugubres, pas très nets, et nous imaginions, à voir leurs cordes à linge où séchaient des queues et des ailerons de requins, les massacres et bains de sang au ras du pont.

Mais malgré leur allure de pirates des mers, ce n'étaient pas eux qui récoltaient nos critiques les plus virulentes. Nous réservions celles-là pour la flottille japonaise. Elle prenait à elle seule une dangereuse longueur de quai. Du bateau-usine aux nombreux chalutiers, tout dénotait un niveau de pêche hautement sophistiqué, professionnel et efficace, de quoi nourrir les cent-vingt-et-un millions d'amateurs de sushi au prix de la ressource planétaire en thon.

Enfin, je me souviens de ce fameux dimanche de mai où, assis sur un énorme taquet d'amarrage, nous avons pris, Carl et moi, la décision de prolonger notre escale. Nous en avions le cœur brisé. Le ciel était magnifique, quelques voiliers sortaient pour tirer des bords dans la baie, et le vent qui avait soufflé à quarante nœuds durant la semaine s'était calmé en une brise idéale.

Ce jour-là, j'en ai le sentiment très net aujourd'hui, nous n'avons non pas retardé, mais plutôt infléchi le cours du destin.

Un bref regard derrière mon épaule, vers la montagne, m'indique qu'il n'y a toujours pas de nappe au-dessus de la Table, et que même si le vent rafale par petits coups de sud-est, il devrait faire beau au large.

La *V'limeuse* s'ébroue en contournant la digue, comme une jument qui transhumerait vers la mer.

Elle a fière allure, notre grande dame des océans. Nous avons travaillé fort pour lui redonner ses airs de jeunesse et aujourd'hui, débarrassée de sa rouille et des moindres salissures qui pourraient la ralentir, elle glisse dans les vagues avec sa grâce puissante.

Pour son dixième anniversaire, nous lui avons offert deux voiles neuves et un enrouleur. Non pas que nous ayons gagné la loto, mais disons que les choses se sont arrangées entre Carl et sa mère.

De plus, la vente d'un article publié dans *South African Yachting* nous a rapporté quelques sous, ainsi que la collision avec *Alabama*, un gros bar-restaurant flottant qui a tordu notre balcon arrière dans une mauvaise manœuvre. Les gars n'étaient pas pressés de nous dédommager jusqu'au jour où ils ont embouti sept ou huit bateaux du yacht club et que l'inspecteur chargé d'émettre ou non leur licence s'est mis à enquêter sur l'affaire.

Assise sur le pont, Évangéline cherche à reconnaître aux jumelles *Lady Lorna*, le bateau de Gary. Les voiliers régatent au loin, comme des mouchoirs penchés par le vent et qui s'agiteraient pour elle.

Carl et Damien se préparent à dérouler le génois, avec l'aide de notre nouvelle équipière québécoise.

Josée est arrivée à la mi-novembre. Elle n'est pas grande, trente ans, calme, déterminée et très énergique : en trois semaines, elle a dû pédaler environ 1 000 kilomètres autour de Cape Town.

Sur les neuf candidats qui ont finalement répondu à nos petites annonces placées au Québec, Josée était la seule à pouvoir nous rejoindre ici. Deux autres personnes embarqueront peut-être, l'une au Brésil et l'autre aux Antilles.

Nous voilà donc sept à bord. Et quant à savoir si l'huître familiale rejettera ou non le grain de sable, le véritable test aura lieu en mer.

J'ai hâte qu'elle me reprenne, la mer.

L'entre-deux de la terre et du large me déchire. Je m'éloigne avec la tête tournée vers l'arrière. Je n'en finis plus de m'accrocher aux montagnes, d'en enregistrer les moindres détails. Et lorsque j'aperçois, sur les hauteurs de Camp's Bay, un éclat qui scintille depuis la maison des Hopkins, je ne sais plus si je rêve ou si la beauté d'un adieu peut atteindre une perfection aussi douloureuse.

Nos amis, nous l'apprendrons plus tard dans une lettre, ont sorti sur leur galerie tous les miroirs amovibles de la maison et nous envoient ainsi un dernier signe de la main.

Que voient-ils de nous, de ce bateau qui s'estompe dans une lumière imprécise, voilée par l'humidité du large ?

Il n'y a plus grand monde sur le pont. Les enfants sont couchés. Ils savent que le sommeil aide à faire le bond, même si au réveil on se sent nauséeux, perdu, et qu'il faudra deux ou trois jours avant de regrouper les morceaux éparpillés de soi-même, égarés parmi les souvenirs.

J'ai hâte de dormir, moi aussi. Nous avons tous besoin de nous remettre de la fatigue des deux dernières soirées qui ont précédé le départ.

Vendredi, nous avons organisé une fête au yacht club, dehors sous l'abri du *regatta center*. Nous voulions payer la traite aux amis, à quelques employés du club, à des copains de bateaux, aux gars de North Sail qui nous ont taillé nos voiles, à Paul, Alex, Troy, avec lesquels Damien travaillaient au magasin de Mike, à Jenny, la copine de Troy, qui a apporté aux enfants une grosse boîte enveloppée de papier de Noël à ouvrir dans la nuit du 25, à David, le gérant du Cash and Carry où nous achetions la nourriture en gros, un Anglais passionné par l'archéologie qui venait souvent nous parler de ses rêves et qui, ce soir-là, semblait très ému.

Le lendemain vers minuit, au retour de chez Mike et Delyse, nous avons traversé un centre-ville fraîchement décoré de lumières de Noël. Les enfants s'étaient endormis à l'arrière de la camionnette et j'ai dû les secouer tout doucement pour qu'ils s'éveillent. Mais je crois qu'en regardant tout cela, ils se sont rappelé que Noël s'annonçait plutôt triste cette année, loin de tous leurs amis, et peut-être même en mer.

Il nous faudra garder une moyenne de cent-dix milles par jour, pendant seize jours, si nous voulons réveillonner à l'île Sainte-Hélène.

En ce moment, la mer est confuse. Le vent, qui soufflait du sud-est dans le port, nous arrive finalement du sud-ouest, par le travers, et nous permet de hisser davantage de voiles. À cette allure, nous échapperons plus vite à l'emprise de la terre.

Soixante-douze heures plus tard, le journal du bord indique :

Durant deux jours, le vent a viré du sud-est au sud-ouest et les manœuvres de tangon avec le nouveau génois ont été difficiles. Le courant de Benguela, qui remonte vers le nord, nous apportait un ciel couvert, des journées grises avec une mer qui peu à peu s'est calmée et est devenue plus régulière.

À l'aube du 11 décembre, le vent avait suffisamment molli pour hisser le spi.

Nos moyennes depuis le départ : 140, 124, 132 milles.

Aujourd'hui mercredi, le ciel s'est dégagé, la mer est absolument fantastique et la *V'limeuse* fonce comme un train en surfant sur les petites vagues moutonnantes.

Carl est content. Il le répète deux, trois, dix fois par jour. Il vient d'écrire dans son journal que la mer nous met dans une machine à laver, nous brasse un jour ou deux, nous sèche puis nous repasse. Il ne restera plus qu'à ranger Cape Town dans les équipets de la mémoire.

Dois-je envier sa joie, son absence de tristesse ?

Je m'installe souvent avec ma guitare sur le pont. J'accompagne les vieilles ballades que nous avons l'habitude de chanter durant mes quarts. Ou je m'assois, seule, adossée contre un sac de voile, et je joue en regardant la mer.

Où suis-je ? Où vais-je ?

À 16 ans, j'avais déjà l'impression de dériver au milieu des autres étudiants qui fonçaient droit devant. Est-ce pour cela que j'ai choisi la mer, pour retrouver une dérive à grande échelle ?

Si au moins je terminais ce voyage avec une connaissance parfaite de moi, je pourrais brandir toutes ces années comme la plus belle manière d'y parvenir. Mais non, je n'ai jamais autant douté de mes présumées certitudes. Je ne suis même plus certaine d'être entièrement ici, sur ce bateau, avec les miens. Une partie de moi navigue en dehors de la réalité tangible du monde, dans une zone inaccessible à la raison.

Et dans cet espace qui n'est ni tout à fait le rêve, ni tout à fait imaginaire, j'avance à tâtons avec mes émotions pour seuls amers.

Vendredi 13. À minuit, juste après le coucher de la lune, le ciel s'est couvert, le vent est tombé et une humidité épaisse et collante nous a enveloppés. Le sud-est s'est relevé au matin, le temps d'envoyer le spi de 7 à 10 heures, puis plus rien. Moteur.

Le vent a repris en début de soirée, par le travers, tout doucement. Un début de nuit à couper le souffle, avec la lune qui
descendait à travers les nuages. Tellement beau que je suis
restée à la barre de 9 heures à 1 heure du matin...

Les premières notes de *The river of believes*, d'Enigma, s'envolent
à l'instant précis où la lune se glisse derrière les nuages. La musique
a ce don fabuleux de lier les mouvements de l'âme à ceux de l'univers.

Cette nuit, j'ai compris. Je ne dérive pas. Je vais simplement là où
la plupart des autres ne vont pas. Parce que la route pour s'y rendre
est invisible. Elle apparaît deux ou trois fois tout au plus dans une
vie, et encore faut-il être sur la mer pour suivre le large filet d'argent
déroulée par la lune.

Et ne pas avoir peur d'aimer.

Damien ✍

13 décembre 1991, en mer

À 5 heures ce matin, quand je suis sorti pour faire mon quart,
j'ai trouvé qu'il faisait plus noir que d'habitude. Toute la matinée, Sandrine et moi avons fabriqué des épuisettes. Moi j'ai
pris un filet à oranges et un bout de fer que j'ai tordu en forme
de cercle et j'ai attaché le tout. Quand j'ai eu fini, j'ai joué au
chalutier pour attraper des petits crabes, des physalies, etc. Cette
après-midi, nous avons fait une petite cabane en avant où nous
avons joué aux cartes. Nous étions très bien. Nous avons passé
la journée au moteur. La mer est plate. Toujours pas de poissons. J'espère que nous approchons des alizés.

Sandrine ✍

14 décembre

Aujourd'hui, c'est l'anniversaire de mon papa.
Personne ne barre, il n'y a pas de vent et nous sommes à la
cape. Je suis allée lui souhaiter un joyeux anniversaire dans
son lit. Comme déjeuner nous avons fait du pain doré. Il a

déballé ses cadeaux pendant qu'il mangeait. Delyse lui a offert un tee-shirt Fox avec un livre sur les *mountain bikes*, Jenny, une petite bouteille de vin et Dominique, un tee-shirt avec un dessin du Québec dessus.

Damien ✍

14 décembre
Fête de Carl. Toujours pas de vent, pas de poissons. Ce matin, j'ai vu un calmar géant, j'ai essayé de le harponner, mais il est parti.
Vers 2 heures, nous essayons de partir le moteur : rien. Nous ouvrons le coffre : plein d'eau dans les cales, dans le moteur et aussi dans l'huile. Pauvre Carl. Sur sa carte de fête, Delyse lui a souhaité un *very special day*! Après avoir vidé l'eau partout et changer l'huile, pendant quatre heures, enfin, le moteur part. Pour le souper d'anniversaire, nous avons mangé un macaroni gratiné, et comme dessert, un renversé aux pêches d'Évangéline.

15 décembre
Pas de vent, pas de poissons. Nous avons vu une douzaine de globicéphales avec des bébés.

16 décembre
Ce matin, vers 7 heures et quart, Dominique et Noémie ont déroulé le génois et hissé la grand-voile car il y a une petite brise. Après mon déjeuner, j'ai monté la ligne de Carl avec un gros rapala bleu, et j'ai mis mon moulinet sur ma nouvelle canne à pêche, celle que j'ai achetée à Durban pour 103 rands. Comme ça, maintenant, nous allons pêcher à deux. Quand les lignes ont été à l'eau, j'ai pris la dent que j'avais perdue hier et je suis allé en avant pour parler avec Neptune, pour lui demander si je pouvais l'échanger contre un poisson. Je faisais ça quand j'étais plus petit et ça marchait. Je pense qu'il m'a dit oui mais je ne suis pas sûr. Éole et Neptune sont de très bons copains en mer. Des fois, je leur parle quand je veux leur demander quelque chose.

Vers 4 heures, nous étions en train de jouer aux cartes quand Noémie est allée dehors et tout à coup elle a crié : des bonites ! Dès que je les ai vues de mes propres yeux, j'ai dit aux autres : ne bougez pas ! Et je suis allé chercher mon fusil-harpon. Carl aussi. Il a tiré le premier mais il les a ratées et au bout de quinze minutes il s'est découragé. Alors c'était à mon tour de jouer et, en même temps, je me doutais qu'elles étaient là pour moi. Une sorte d'épreuve que Neptune voulait me faire passer parce que j'avais grandi. J'ai attendu au moins trois quarts d'heure, penché au-dessus de l'eau, jusqu'au moment où j'ai porté mon coup fatal. Quand j'ai crié « je l'ai, je l'ai », tout le monde était vraiment fier de moi. Je n'arrivais pas à m'imaginer que j'avais réussi à tirer si bien, au milieu du corps.

C'était une bonite commune, d'environ quatre kilos. Nous l'avons mangée avec du riz et du citron, c'était très bon.

En ce moment, le vent est au près serré, environ 10 nœuds.

Sandrine ✍

20 décembre

Cette après-midi, Damien m'a donné un petit poulpe en plastique et j'ai monté ma ligne moi-même. Une demi-heure plus tard, il l'a touchée et il a dit : « une daurade, une daurade ! » Je croyais qu'il déconnait alors j'ai répondu : « très drôle ! »

Mais c'était vrai, alors vite, vite, vite, je l'ai remontée. La daurade était toute petite : 35 centimètres. Je l'ai vidée et je l'ai fait cuire. Elle était très bonne, meilleure que la bonite de Damien. J'étais très fière car c'est le premier poisson que nous pêchons à la ligne depuis Cape Town.

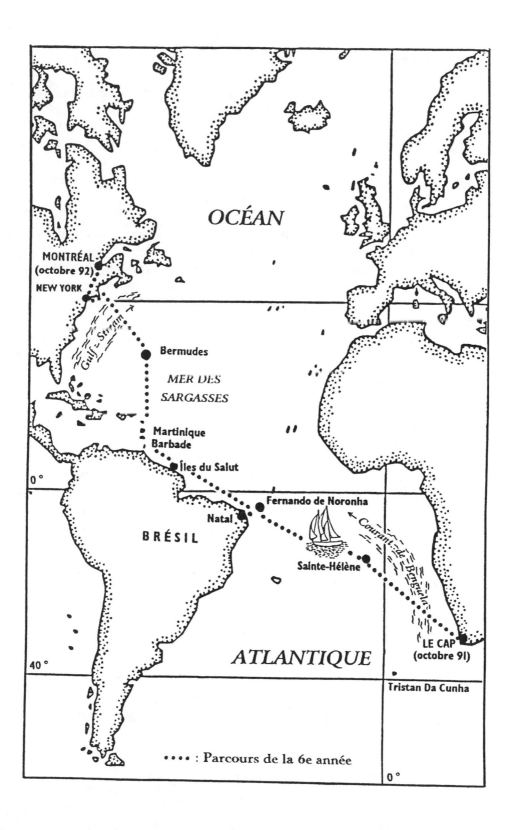

OCÉAN

MONTRÉAL
(octobre 92)
NEW YORK

Gulf - Stream

Bermudes

MER DES
SARGASSES

Martinique
Barbade

Îles du Salut

0°

Fernando de Noronha

Natal

BRÉSIL

Sainte-Hélène

Courant de Benguela

LE CAP
(octobre 91)

40°

Tristan Da Cunha

ATLANTIQUE

•••• : Parcours de la 6e année

0°

Terre d'exil (C.)

Ce sera un peu serré pour se mettre dans l'esprit des Fêtes, mais au moins nous arriverons à Sainte-Hélène pour Noël. Nous avons porté le spi toute la nuit et au matin du 25, alors que je récupère dans la cabine, j'entends Sandrine dire qu'il reste 38 milles. J'en déduis que l'île est bien visible car Damien insiste auprès de ses sœurs pour que ce soit lui qui l'ait aperçue le premier. Les « shuutt ! votre père dort » de Dominique viennent clore l'escalade.

Si le vent tient bon, nous mouillerons devant Jamestown, la capitale, en début d'après-midi.

La nuit dernière a été spéciale. Il ne manquait que la paille par terre, le bœuf et l'âne autour du coffre-moteur pour souligner le strict dénuement qui allait marquer notre réveillon de minuit. J'ai fini mon quart à 1 heure du matin et me suis joint aux modestes célébrations en m'ouvrant une non moins humble cannette de bière.

Nous avions connu plus grande débauche les années passées, à Tahiti, à Sydney et en Afrique du Sud, où champagne, petits plats et nombreux cadeaux marquèrent la Noël. Cette fois, nous étions de garde sur la mer, à surveiller au-dessus de quel toit allait s'arrêter notre étoile.

Les enfants se tenaient debout dans le carré, faiblement éclairé par la lampe à l'huile, et ouvraient les rares présents offerts par les amis de Cape Town. Ils se passaient la boîte de Pringles, nullement impressionnés par l'avènement de l'Enfant-Dieu.

La traversée jusqu'ici aura été plus lente que prévue. Nous avons couvert les 1 700 milles en dix-sept jours, alors que nous pensions réaliser une moyenne journalière supérieure à cent milles. Selon les conditions annoncées par d'autres navigateurs, douze à treize jours représentaient un temps de traversée raisonnable. Peu après le départ du Cap qui s'accompagne généralement de bons vents, nous devions rencontrer des vents variables pendant trois jours, après quoi nous allions toucher les alizés du sud-est.

Bref... ce sera pour une autre fois. Ces brises timides et irrégulières m'auront permis toutefois d'apprécier mon nouvel enrouleur de génois et la chaussette de spi qui facilitent grandement la

302

manœuvre. Plus de voile à descendre à l'avant si le vent augmente. On roule ou l'on étouffe le tissu. Aussi simple que cela.

De toute façon, il n'y a pas lieu de se presser et nous n'insistons jamais assez sur ce point quand quelqu'un monte à bord, surtout s'il paie son voyage à la journée. Là-dessus Josée est comme tous ceux qui voudraient que le moteur démarre dans la seconde où le vent tombe.

Ce réflexe est à mon avis le symptôme d'un malaise aussi tenace et répandu que le mal de mer. Même si nous faisons de notre mieux pour soulager ceux que l'impatience ronge, nous ne pouvons pas passer le test de la mer pour eux. Si cette réaction normale n'a pas disparu au bout d'un certain temps, il vaut mieux qu'ils repensent le concept de leurs vacances.

Cela dit, Josée s'avère une bonne équipière, très à l'aise sur un pont de bateau et capable sans doute d'en découdre avec le côté dur de la navigation. Elle nous le prouvera d'ailleurs quelques semaines plus tard au cours d'un début d'incendie dans le bateau. Désireuse de se rendre utile et toujours prête à la manœuvre, elle paraît plus soucieuse d'être agréable qu'avant notre départ de Cape Town. Nous présumons que ses histoires de cœur là-bas prenaient beaucoup de place.

Vers midi, il ne reste plus que quelques milles. L'île ressemble à une forteresse. Tant je la regarde, tout en murailles et en tours de roc, tant je ne peux dissocier son image d'avec celle de Napoléon. Je revois l'empereur, debout sur le haut d'une falaise, scrutant l'horizon, la main droite repliée dans l'ouverture de sa redingote, dans cette pose qui l'a rendu légendaire.

J'ai grandi avec cette reproduction encadrée qui ornait un mur de notre salon. Une image sombre, remplie de vent et de solitude. Le regard de ce prisonnier, qui s'envolait au-dessus des flots, est resté gravé dans ma mémoire.

Et là, engoncée dans une étroite faille qui s'ouvre sur une plage de gravier, la petite crèche de Jamestown. Parmi une vingtaine d'embarcations ancrées devant, nous ne repérons qu'un voilier français. Tout ce qui arrive à Sainte-Hélène doit passer par ici. Restée à l'ère des bateaux, l'île est un des rares endroits dans le monde qui n'est pas encore relié par les vols aériens.

Un peu à l'écart dans la baie, nous remarquons ce chalutier défraîchi, sans nous douter que son équipage célèbre Noël derrière les barreaux. Au cours de notre séjour, nous aurons amplement le temps d'apprendre tous les détails de cette saisie de drogue : une mission condamnée d'avance pour ces quatre ou cinq Européens, repérés depuis leur départ du sud-est asiatique. Interpol attendait une occasion pour les écrouer et les autorités locales de Sainte-Hélène, ayant eu vent que le navire approchait, se croisaient les doigts pour qu'il cherche à se ravitailler ici. Et pour cause, la magistrature et le personnel de la prison rêvaient de travailler.

Si la population totale de l'île est d'environ cinq mille habitants, son chef-lieu ne doit pas en compter beaucoup plus que la moitié. Quelques heures après avoir jeté l'ancre, nous passons sous l'arche de ses fortifications et découvrons aussitôt sa place centrale, cœur des activités avec édifices municipaux et magasins principaux. Nous avons à peine le temps de nous dégourdir les jambes, qu'une auto s'arrête :

— Connaissez-vous quelqu'un ici ? demande le conducteur.

— Non.

— Non ? répète-t-il d'un air étonné, vous ne connaissez vraiment personne à Sainte-Hélène ?

— Non, pas encore, répond Dominique, nous venons tout juste d'arriver, mais vous pouvez être certains qu'on va essayer très fort.

Ils sont cinq ou six à l'intérieur de la voiture à vouloir comprendre ce qui peut bien nous arriver. Notre homme revient à la charge :

— Vous êtes à Sainte-Hélène, le jour de Noël, et... vous n'avez nulle part où aller, pas de famille ou de gens pour vous recevoir... Avez-vous mangé ? Vous devez avoir faim ?

— Nous avons ce qu'il faut au bateau, ne vous inquiétez pas.

— Non, non, on ne peut pas vous laisser faire ça, déclare-t-il en soulevant l'approbation de son entourage. Restez-là cinq minutes et je passe vous reprendre. Vous allez venir chez nous.

Nous lui expliquons que la moitié de notre famille n'est pas avec nous en ce moment et que le plus simple serait de se retrouver plus tard, dans la mesure où ils veulent bien nous indiquer l'endroit. Il commence par décrire la rue, la maison, mais abandonne assez vite, comme s'il y avait bien d'autres aspects de la modernité, en plus de l'avion, qui ne les avaient pas encore rejoints :

— Vous partez par là et ensuite, passé la boucherie Queen Mary, vous demandez pour Arthur et Shirley. Tout le monde se connaît ici, vous verrez.

Quel geste chaleureux ! Ces beaux élans me font chaud au cœur et l'enserrent en même temps. Comme si je me voyais goûter les derniers sursauts d'une civilisation. Quand l'avion se posera ici, et cela viendra, aussi sûr que le monde est monde, l'accueil ne sera plus le même.

Aujourd'hui, ceux qui visitent la moyenne Côte-Nord, au Québec, ont raison de la trouver pittoresque et d'apprécier sa population toujours accueillante. Elle n'a rien perdu depuis trente ans, du temps où je la découvrais en Zodiac et que la route s'arrêtait à Sept-îles. Mais elle a changé et changera encore. Seuls ceux qui seront passés avant les chambardements noteront la différence.

Voilà pourquoi j'aime les bateaux. Ils voyagent avec des années de retard.

Il finira même par y avoir un yacht club à Jamestown. En attendant, et à défaut du commodore à casquette, qui se plaindrait d'être attendu au débarcadère par une bonne maman galonnée de son tablier de ménagère ? Je caricature à peine puisque, occupée à la cuisine au moment où nous avons ramé vers la terre, elle a dû envoyer son mari pour que nous partagions le gâteau du dîner de Noël.

Cette grande maison à proximité du port, connue sous le nom de Anne's Place, est d'abord ouverte aux équipages, que vous y preniez un repas ou non. Pour en faire foi, elle nous tend son livre d'or où sont compilés depuis une dizaine d'années les dessins, photos et commentaires des marins de passage. Tous sont élogieux sur l'accueil reçu dans ces lieux et dans l'île en général. Nous repérons la signature de Julia Hazel, cette solitaire australienne connue dans le Pacifique et qui a fait escale ici en 1982. Une ombre au tableau : quelques rigolos ont lancé dans ces pages une mode qui semble avoir été suivie par un trop grand nombre de personnes : « Moi, j'ai fait Cape-Town–Sainte-Hélène en douze jours, qui dit mieux ! »

Pour tout dire, cette première visite chez Anne a jeté les bases de notre séjour à Sainte-Hélène. Nos trois plus jeunes s'entendent comme larrons en foire avec les enfants d'Anne, et ils nous indiquent clairement ainsi leurs préférences : ils nous laisseront la découverte de

305

l'île pour peu que nous prenions arrangement avec la maîtresse de maison, déjà gagnée à leur cause. Évangéline et Josée, de leur côté, s'organisent pour explorer l'île ensemble. Une visite à la maison de Napoléon est déjà prévue à leur programme en compagnie de Bernard et Claude, les deux français du voilier *Imagine*.

Nous pourrons donc, Dominique et moi, enfourcher nos *pushbikes* et pédaler tout notre soûl.

Effectivement, on ne va pas très loin ici sans avoir à descendre de selle et à faire du *pousse-vélo*, à moins d'être un très bon grimpeur et de pouvoir compter sur une mécanique moderne équipée d'un minimum de vingt et une vitesses, ou encore mieux 24, comme sur les plus récents modèles tout-terrains.

Ces vélos dernier cri se trouvent plus volontiers sur le marché aujourd'hui qu'à cette époque où le terme *pushbike* devait trouver toute sa signification. Non seulement les adeptes de ce moyen de locomotion étaient-ils obligés de pousser leur monture pour se déhaler de Jamestown et gagner les hauteurs de l'île, mais ils ne pouvaient même pas jouir du retour et se laisser descendre en profitant du fort dénivelé.

Les freins sont plus fiables de nos jours, mais le règlement est toujours en vigueur et... appliqué puisque je recevrai un premier avertissement de la part des policiers de l'auto-patrouille : interdiction formelle, venant de là-haut, d'accéder à la ville à califourchon. On se doute bien que cette mesure a dû faire suite à quelques tristement célèbres et spectaculaires envols par-dessus les guidons.

Il fait beau ce 27 décembre quand nous sortons nos vélos du bateau et entreprenons la montée vers Longwood. Même en forçant la note, nous déclarons forfait à mi-parcours. Nous mettons tout de même une heure et demie avant d'en finir avec cette route en lacets, taillée dans la pierre, et d'accéder à un paysage ondulant, vert, parcouru par ce bon vent d'alizé qui vient à point nommé nous rafraîchir.

Arrivés à la maison de Napoléon, sans doute le plus modeste consulat de France au monde, nous retrouvons Évangéline et les deux copains français en conversation avec quelqu'un que nous prenons d'abord pour un membre du personnel. Erreur sur la personne : c'est le consul lui-même. Nous nous attendions à un personnage austère et plus vieux, celui qui nous invite sur le champ à une visite guidée est en *blue-jean* et affiche le début trentaine.

Napoléon vécut six ans à Sainte-Hélène, de 1815 à 1821, année où il mourut d'un ulcère d'estomac, entouré des maréchaux Bertrand et Montholon. Il avait 51 ans.

Nous passons d'une pièce à l'autre en imaginant ce que dut être le quotidien de ce prisonnier politique hors du commun. Faites sur le ton de la confidence, les explications qu'apporte Monsieur Martineau sur chaque meuble ou objet nous incitent presque au recueillement. Après tant d'années, les lieux nous paraissent encore chargés de la souffrance secrète de l'empereur déchu.

Ensuite, le jeune consul nous invite à découvrir son propre univers : il peint des fleurs, que des fleurs, avec beaucoup de blanc et de bleu. Un travail très chirurgical qui révèle un curieux bonhomme. Il vit reclus sur l'île, retranché du reste de la population. Et lorsqu'il a fini ses compositions cérébrales sur toile, il s'en va mettre la main à la pâte et jardiner à l'extérieur. Il s'est fixé comme tâche de remettre les jardins du domaine à leur état original, tel qu'ils sont décrits ou dessinés dans des documents d'époque.

Son père, avant lui, a consacré vingt-cinq ans de sa vie à restaurer la maison, à rassembler tout ce qui avait pu être éparpillé dans le monde et ayant trait au séjour de Bonaparte à Sainte-Hélène.

Nous demandons au consul la permission de laisser nos vélos dans son garage. Cela nous évitera une autre ascension demain matin. D'ici, nous serons en meilleure position de départ pour pédaler dans l'île.

Un peu de poivre (C.)

Le *Saint-Helena* est arrivé ce matin et j'observe son déchargement. De son ancrage, le matériel est transbordé dans des barges qui viennent accoster le petit quai.

Six fois par an, ce navire ravitailleur part d'Angleterre et fait la tournée des îles britanniques du sud Atlantique en commençant par celle-ci. Il s'y arrête deux jours et refait une partie du chemin inverse jusqu'à l'île Ascension où beaucoup de Saint-Héléniens travaillent. Puis il passe de nouveau à Sainte-Hélène pour une très brève escale, cette fois, et navigue ensuite vers Tristan da Cunha, l'une des plus infimes possessions habitées du Royaume-Uni, perdue aux confins des mers, où s'accrochent quelques centaines de personnes que rien au monde ne peut déloger.

Je fais allusion à la dernière éruption volcanique qui a secoué leur île en 1961, si ma mémoire est bonne, et qui a nécessité leur évacuation. Du coup, l'occasion était inespérée pour la mère patrie de reloger chez elle ces irréductibles qui coûtent une fortune aux contribuables. Ils furent pris en charge, habillés, entourés de petits soins, suivis et conseillés par des spécialistes de la réinsertion sociale. Malgré tous ces efforts et la meilleure volonté du monde, l'expérience fut un échec retentissant.

La vie moderne et trépidante les rendait fous et les autorités ont dû les ramener, deux ans plus tard, dans leur archipel de désolation.

Morale qui n'honore en rien notre belle société rédemptrice : vaut mieux périr brûlé au pied d'un volcan, chez soi, sur son tas de cailloux au milieu de nulle part, que de mourir à petit feu dans le confort, au milieu de personne.

Située près des quarantièmes rugissants et à mi-chemin sur la ligne qui va du cap Horn à celui de Bonne-Espérance, Tristan da Cunha est bien sûr soumise aux forts vents d'ouest qui sévissent en permanence dans cette région du globe. De plus, aucune baie ne vient offrir une quelconque protection.

Aussi, les barges de débarquement ne peuvent-elles atterrir quand la houle s'abat trop fortement sur la plage. Ce sont des embarcations locales, très fines à l'avant pour fendre les rouleaux, qui vont les rejoindre. Elles sont montées par des rameurs expérimentés qui doivent rivaliser de vitesse entre deux lames déferlantes. Même lorsque tout se passe bien, l'exercice demeure toujours périlleux. Je me souviens d'avoir vu à ce sujet des images où les vagues, explosant sur le dos des barques, les dressaient quasi à la verticale.

Une fois ce dernier ravitaillement effectué, le navire fait un crochet par Cape Town et entame son retour vers l'Angleterre, non sans s'arrêter ici pour cette troisième et dernière fois. Nous avons jusqu'à 15 heures pour lui remettre nos dernières lettres. Il ne reviendra que dans deux mois.

Pendant qu'il est là, je ne peux m'empêcher de penser à notre équipière. L'idée lui a-t-elle effleuré l'esprit, ne serait-ce qu'une fraction de seconde, de transférer son sac à bord du *Saint-Helena*, et de nous fausser compagnie ? J'en mettrais ma main au feu.

Il y a quelques jours, nous avons eu besoin de comptant pour régler les frais de port : 16 livres pour le bateau, 5 pour les adultes et 2,50 pour les enfants, pour un total de 41 livres, l'équivalent de 85 dollars. Soit dit en passant, c'est trop, surtout que le mouillage a très mauvaise réputation. Pour ce prix, ils devraient installer des corps-morts.

Josée n'avait pas fini de régler le montant de cette première étape depuis Cape Town et nous l'avons invitée à passer à la banque avec nous. Elle a immédiatement réagi en disant qu'elle voulait « discuter ». Pas de problème. Comme c'était jour de lessive, nous nous sommes donnés rendez-vous à la buanderie. Le lieu était tout indiqué pour qu'elle vide son sac.

« De mon côté, ça va », commença-t-elle par dire. C'était une manœuvre pour nous amadouer car quelques minutes plus tard, voyant que nous ne céderions pas à sa demande, elle avouera ne pas se sentir à l'aise avec nous.

– Quand tu nous annonces que « ça va » Josée, tu veux dire qu'en général tu es satisfaite, que les choses se passent à ton goût et qu'en gros tu n'as pas de reproches précis à nous faire sur notre comportement. C'est bien ça ?

– Oui.

– Alors, on discute de quoi ?

– Du prix... la nourriture ne vaut pas 30 $ par jour.

Dominique me jette un regard découragé. Elle accepte mal que certains équipiers ne voient dans leur contribution qu'une participation aux frais de nourriture. Décidément, nous devrons réviser notre publicité. Indiquer clairement à l'avenir, afin que ce fâcheux malentendu soit écarté, que la somme demandée couvre les frais de déplacement et que les repas, eux, sont offerts gratuitement.

– Josée, excuse l'exemple bête, mais te verrais-tu te plaindre au comptoir d'Air Canada que leurs deux casse-croûte entre Montréal et Paris ne justifient pas le montant du billet. C'est exactement ce que tu es en train de nous dire.

309

– Pour ton information, ajoute Dominique, le coût de la nourriture représente environ le tiers du tarif journalier. Maintenant, si après avoir mangé pour 10 $, tu penses que le fait d'être sur un voilier ne vaut rien, alors...

– Ce n'est pas ce que je veux dire, je suis prête à payer, mais moins : 20 $ au lieu de 30 $.

Elle en était à sa deuxième tentative pour faire baisser le prix. À Cape Town, quatre jours après son arrivée, et bien que nous l'hébergions gratuitement pour le temps passé à quai, elle cherchait déjà à négocier, sous prétexte qu'elle avait été mal renseignée par l'ami Gagnon à Montréal. Elle s'attendait à une cabine pour elle seule et se retrouvait avec la couchette double à l'avant, isolée par un rideau seulement.

Je lui rappelai de nouveau notre entente. Pour de courtes périodes, un mois et moins, nous ne pouvions descendre sous les trente dollars. Ce qui, en nombre de jours en mer, nous conduirait jusqu'au Brésil. Ensuite, si elle décidait de poursuivre, nous allions réajuster à 25 $ pour les deux semaines suivantes et retrancher ainsi 5 $ à tous les quinze jours additionnels, jusqu'à concurrence de 10 $ par jour. C'est notre façon d'encourager les gens à rester plus longtemps à bord, si cela leur plaît bien entendu.

Devant notre refus de négocier, elle finit par me dire qu'elle me trouvait un peu cassant, ne mangeait pas assez... Ce sur quoi j'ai bondi pour lui faire remarquer que c'était bien de sa faute, puisqu'à part le poivre qu'elle met sur ses aliments en quantité industrielle, elle n'aime à peu près rien de ce qu'on lui sert, le poisson, la viande, les fèves en boîte, le pain doré, etc. Si notre menu ne lui convenait pas, elle n'aurait qu'à se préparer ses propres plats. Ne se disait-elle pas cuisinière après tout, ce qui, à l'usage, nous apparaissait de plus en plus comme une invraisemblance.

Enfin, il est toujours bon de se confier.

Le *Saint-Helena* vient de mugir trois fois pour signaler l'imminence de son départ. Les quinze prochaines minutes seront décisives. Si je ne vois pas Josée courir sur le quai avec sa valise, il ne lui restera que deux éventualités : s'exiler ici ou venir avec nous broyer un peu de poivre jusqu'au Brésil.

Là voilà qui arrive...

Noémie ✍

13 janvier 1992, en mer
Mon cher petit journal de bord chéri, je sais, ça fait longtemps que je n'ai pas écrit mais ce n'est pas une raison pour m'engueuler. De toute façon, ce n'est pas ma faute car à Sainte-Hélène nous étions toujours à terre et je n'ai pas eu le temps. Nous nous sommes fait des copains dès le premier jour. Et en plus, c'était les vacances scolaires alors nous étions ensemble du matin au soir. Pendant ces grandes journées-là, jamais nous nous ennuyions. Soit nous allions au parc, soit nous jouions aux cartes, soit nous allions marcher, mais le plus souvent possible, nous allions nous baigner à la piscine municipale. Tu comprends donc que nos journées étaient bien remplies. Un soir nous sommes allés à une disco au milieu de l'île. L'autobus n'avait pas de toit, c'était bien et tous les enfants chantaient.
Une fois nous avons passé la journée à la Black House. C'est une maison dans un village fantôme. Le village a été abandonné en 1872 et il est situé juste en haut du port, à quinze minutes de marche. Nous avons apporté un pique-nique et une radio. Nous nous sommes bien amusés à nous faire des peurs. À chaque fois que nous parlions du *bogeyman**, une souris passait et nous disions que c'était le *bogeyman*, et alors Olivier se mettait à crier le plus aigu qu'il pouvait.
Ensuite nous avons fait la disco et des concours de danse et finalement, comme nous avions apporté un jeu de cartes, nous avons joué. À l'heure du souper, nous sommes retournés à la maison de nos amis et après vite à la piscine. Ça été ma meilleure journée.

Bogeyman : croque-mitaine.

Damien ✍

Le soir du 1er janvier, Richard, le fils d'Anne, m'a dit : « Demain, tu viens à la pêche avec nous. » Alors j'ai dit oui, tout excité et j'ai demandé à quelle heure. Il a réfléchi quelques secondes et m'a répondu : « À 2 heures du matin. » J'ai failli m'évanouir, mais c'est ça la vie de pêcheur.

Finalement tout s'est bien passé. J'ai dormi chez Richard et il m'a réveillé à l'heure. Anne s'est levée pour nous faire des sandwichs.

Nous étions en train d'attendre sur le quai quand le capitaine est arrivé avec son bateau. Il ressemble beaucoup à celui sur lequel je pêchais à Rodrigues.

La pêche que nous allons faire est la pêche au thon et au tazar. Ça se passe ainsi : en premier nous attrapons des maquereaux que nous mettons dans un vivier et ensuite nous filons de l'autre côté de l'île et nous mouillons l'ancre dans cent mètres d'eau. Là nous mettons une ligne à l'avant avec un maquereau vivant et une à l'arrière avec juste un filet de maquereau. Après il faut couper des morceaux de poisson pour les jeter à l'eau et attirer les gros thons jaunes.

Pour attraper le tazar, il faut plutôt attacher un maquereau à un bout de bois pour qu'il flotte.

Un jour, nous venions juste d'attraper un petit thon jaune lorsque Richard a crié : « Un requin-baleine ! » Alors j'ai bondi vers l'arrière pour voir cette bête géante qui arrivait droit sur le bateau. Richard disait qu'elle venait pour se gratter le dos sur la coque. C'était très beau à voir, surtout quand c'est la première fois. Il n'est pas resté très longtemps car il a commencé à s'énerver quand Richard l'a poussé avec le bout d'un bambou.

Un autre jour, nous avons attrapé un petit requin bleu d'un mètre et demi. Ce même jour, nous étions en train de remonter un thon quand Richard a aperçu un marlin qui nageait tout près du bateau. Le thon a disparu et nous avons pensé qu'il s'était barré, comme disent les Français, mais non, il était juste caché sous la coque car il avait peur du gros marlin. Quand nous avons harponné le thon, le marlin est parti. Cette journée-là, on a pêché huit thons de 40 à 45 kilos et 40 thons de 10 kilos.

À part ça à Sainte-Hélène, j'ai connu une fille, Cheryl. Une journée avant qu'on parte elle m'a dit qu'elle m'aimait bien et me trouvait très *cute*.

Un rêve au bout de la ligne (D.)

Notre escale aura duré deux semaines, comme prévu.

Pendant que les enfants s'occupaient de leur côté, Carl et moi en avons profité pour lever la tente sur les hauteurs de l'île, au milieu d'un champ. De là et durant quatre jours, nous avons sillonné à vélo les routes escarpées de Sainte-Hélène.

Pour un photographe, cette montagne isolée dans l'Atlantique Sud est un véritable paradis de couleurs et de lumières. Et pour un marin, l'une des plus surprenantes oasis de verdure, dissimulée dans les replis d'une île ceinturée de roc.

Pour nous deux, ce fut tout cela et davantage. Après des heures d'efforts et d'extases à travers des paysages qui passaient du plus pur dénuement à une incroyable richesse de tons chauds et dorés, nous retrouvions notre petite tente piquée près des vaches et nous allongions côte à côte. Chacun posait alors sa main sur le front de l'autre et parvenait ainsi au sommeil, détendu, engourdi non par les vagues mais par la stridulation des criquets.

Le matin de notre départ vers le Brésil, Carl m'a conduite en dinghy au bord du quai. J'avais envie de marcher une dernière fois sur l'île.

Enveloppée dans un grand châle de pluie fine et de brume, j'ai suivi la route vers la tombe de Napoléon. Les cendres de l'empereur ont été ramenées en France, mais la dalle funéraire, entourée d'une clôture de fer forgé, se trouve à quelques kilomètres du consulat. On descend par un chemin de terre jusque sous de vieux conifères, en imaginant que l'empereur aimait ce minuscule lopin d'où il pouvait voir la vallée.

Je me suis assise dans l'abri du gardien et j'ai écrit quelques cartes postales. Puis j'ai poussé plus loin, pendant des heures, sans aucune destination précise. L'île sentait bon la terre et la végétation humide. Une odeur généreuse qu'on ne retrouve pas ici, sur l'océan.

313

Depuis trois jours, nous flottons à nouveau dans un bleu inodore. Lors de mon dernier quart, je pensais à nos nuits sous la tente et à cette sensation d'être tirée par gravité vers le centre de la terre. Et l'idée m'est venue que nous sommes beaucoup plus proches de l'espace lorsque nous naviguons, un peu comme si nous voyagions en état d'apesanteur et que la mer nous servait de tremplin vers le ciel.

Nous grimpons en latitude et les nuits deviennent encore plus humides, les journées plus chaudes. La mer semble indécise et nonchalante, avec des alizés qui manquent de vigueur et un ciel d'équateur, couvert la plupart du temps. Aucun cargo, pas de dauphins, ni de baleines, ni de poissons.

Le spi ramasse les moindres souffles, parfois nous le gardons la nuit, mais il faut scruter le ciel pour y déceler les nuages un peu trop sombres. Ces nuits-là, Carl n'arrive pas à dormir. Il s'entraîne, dit-il à la blague, pour la prochaine course en solitaire.

À l'aube du sixième jour, trois exocets victimes d'un mauvais vol plané sont cueillis sur le pont et grillés à la poêle. Ils annoncent notre entrée dans une zone plus poissonneuse.

Le lendemain, Damien se fait couper deux lignes avec ses poulpes préférés. Ce soir-là, il titre en pleurant dans son journal de bord : « il y a du gros dans les parages ».

Deux jours plus tard, il ajoute :

Ce matin, à la fin de mon quart, j'ai mis la ligne de Carl à l'eau et aussi une autre, que j'avais préparée le jour d'avant pour du TRÈS GROS POISSON. Ensuite je suis allé me coucher.

J'étais dans un profond sommeil lorsque j'ai entendu Sandrine crier : « un gros poisson ! » Alors j'ai bondi hors de ma couchette en vitesse, je me suis précipité en haut de l'échelle et j'ai couru à l'arrière.

Sandrine a tout de suite mis le moteur au neutre, car ce matin il n'y avait pas de vent. Ensuite elle est allée réveiller Carl pour qu'il remonte sa ligne et qu'elle ne se mêle pas à la mienne.

Je ne savais pas du tout ce qu'il y avait au bout de ma ligne mais ça tirait énormément. Comme le bateau n'avait plus de vitesse, c'était quand même possible de faire approcher le poisson. À un moment j'ai cru que c'était un thon mais d'habitude je n'en attrape jamais en pleine mer.

314

Quand il a été assez proche pour que je le vois, j'ai cru halluciner : c'était le poisson dont je rêvais depuis six ans, le plus beau de tous, c'était un « poisson-voilier ».

Beaucoup plus tard, quand nous avons eu fini de le gaffer, de le hisser avec une drisse, et qu'il était là sur le pont, bien attaché, je n'en croyais pas mes yeux. Il mesurait deux mètres cinquante et il pesait trente-cinq kilos.

Le poisson n'a pas eu l'ombre d'une chance. Il s'est pris l'hameçon en travers du rostre, sans doute un point sensible puisqu'il n'a pas cherché à bondir hors de l'eau en déployant son aile, ni même à se débattre outre mesure. Mais qui sait... peut-être obéissait-il à quelque ordre mystérieux.

Damien rayonne de bonheur. Penché au-dessus du voilier de ses rêves, il en vide l'intérieur avec des gestes tendres, caresse le ventre lisse et doux de la bête comme si seule la mort pouvait lui permettre une aussi parfaite intimité avec une telle créature.

Je me promets de lui faire lire très bientôt *Le vieil homme et la mer*, d'Ernest Hemingway. En attendant, je n'arrive pas à lui en vouloir d'avoir condamné un poisson aussi magnifique. Il y a quelque chose d'initiatique dans sa manière d'aimer ce qu'il tue.

Je l'observe depuis qu'il est tout petit, je l'ai vu prendre de l'assurance, devenir un marin attentif, un pêcheur patient, un chasseur habile et capable de faire face aux requins de lagon. Je l'ai vu grandir dans tous les sens du mot.

Et j'ai toujours cru à cette magie qui existe entre lui et la mer, même si parfois ses relations avec Neptune échappent à toute logique.

En fait, je ne pense pas que ce soit le hasard qui ait mis ce poisson-voilier sur sa route, à quelques mois de la fin du voyage. Pas plus que la bonite qu'il a harponnée entre Le Cap et Sainte-Hélène. Je crois de moins en moins au hasard. Non, il y a autre chose. Des étapes à franchir et pour lesquelles nous avons besoin d'aide. Tout se joue là, dans nos rapports avec les autres, avec la nature et avec le reste de l'univers.

Carl sort les appareils photos et immortalise côte à côte le voilier et le pêcheur de 13 ans qui vient d'attraper son premier grand rêve au bout de la ligne.

Nous ne jetterons rien de la bête. Je remplis et stérilise d'abord quatre pots d'un litre, puis prépare un énorme plat à l'escabèche, avec de l'ail, des tomates et du vinaigre, de quoi manger pour trois jours. La chair rosée blanchit à la cuisson. Un délice !

Comme il en reste encore, Sandrine et Damien découpent les derniers morceaux en fines lamelles, les enfilent et les mettent à sécher entre les haubans.

Plus nous approchons de l'équateur, plus la torpeur s'empare de nous, spécialement durant les heures chaudes de la journée. Chacun semble un peu plus irascible que d'habitude. Les enfants se tiraillent, s'énervent. On n'entend plus les grands éclats de rire débridés de Josée. Elle fait une tête comme si elle commençait à trouver longue la vie en mer... Ou bien la vie avec nous ?

Un étranger qui descendrait à l'intérieur se croirait plus volontiers dans une bibliothèque municipale qu'à bord d'un voilier de haute mer. Chaque manœuvre arrache les enfants à leur passionnante lecture.

Un matin, Carl a hissé le spi sans nous avertir. Quand tout a été fini, il nous a appelés sur le pont en criant : « On lève le spi ! Tout le monde dehors ! » Bien sûr tout le monde a bougonné, s'est engueulé : « Allez, lève-toi ! Non, vas-y d'abord ! Etc. » Pour réaliser que la voile-ballon flottait haut dans les airs. Et que Carl rigolait dans sa barbe de futur navigateur solitaire.

Je ne sais pas ce que nous ferions sans spi. Le vent souffle au maximum entre cinq et dix nœuds et souvent nous le portons jour et nuit. Depuis Sainte-Hélène, j'ai recousu deux fois la bordure où le fil s'use en frottant sur le balcon avant.

Je reprends mes quarts de 11 heures à 1 heure du matin. Je ne suis plus tout à fait seule car nous avons trois passagers clandestins à bord. La nuit où le premier est arrivé, Évangéline barrait avec ses écouteurs sur les oreilles et elle a failli faire une attaque en se retournant et en apercevant l'oiseau noir à moins d'un mètre de sa tête.

Ils ressemblent à des corneilles avec une tache blanche sur la tête et croassent de la même manière. Aussitôt la noirceur tombée, ils sortent de la nuit et se posent sur le balcon arrière, le moulinet, la gaffe en bois ou les sacs de poubelles. Une fois qu'ils sont bien installés, il en faut beaucoup pour les déloger de nos « toilettes à ciel ouvert ». Nous avons donc pris l'habitude de faire pipi en leur caressant le bout des plumes.

La lune grossit et les nuits deviennent laiteuses, très douces. Parfois j'ai les larmes aux yeux. Je ne suis pas triste, seulement émue. J'aurais pu ne jamais venir ici, ne jamais savoir qu'il existe des endroits aussi beaux et qui le sont d'une manière unique à l'océan. Leur beauté vient d'une mouvance perpétuelle. Elle joue avec les phases de la lune, les variations du vent, les humeurs de la mer, l'élan du bateau, chaque mouvement influant sur les autres, et tout cela s'entrelace, se lie et pénètre les états d'âme du barreur solitaire.

Et ce qu'elle touche en moi, cette beauté, c'est la mémoire de chacun des gestes tendres ou amoureux de mon existence. Comme si elle me révélait la ligne directrice de ma vie, celle à travers laquelle je donne le meilleur de moi-même. Il est drôle de penser qu'on puisse naître, non pas pour accomplir de grands desseins, mais uniquement pour être tendre...

Cette nuit, Noémie s'est couchée dehors, à mes côtés. J'étais bien, j'écoutais Elton John en voyageant très loin par l'imagination lorsque Évangéline est sortie pour son quart, à 1 heure. Elle avait sa tête souffrante des débuts de règles. Alors je lui ai proposé de barrer à sa place et de lui masser le bas du dos. Elle a fini par s'assoupir. À son réveil, nous avons parlé tout bas durant près d'une heure puis Noémie a ouvert les yeux et nous nous sommes retrouvées toutes les trois à regarder le clair de lune. Noémie a pris la barre, son premier quart de nuit, pendant que je descendais préparer des chocolats chauds.

Maintenant, nous cassons la croûte sous les étoiles, en chuchotant pour ne pas déranger les autres.

– Tu devrais me réveiller plus souvent, c'est vraiment beau avec la lune, dit Noémie, bien concentrée à suivre les mouvements du spi.

Puis elle ajoute :

– J'ai calculé ce soir, et il restait seulement trois cents milles avant l'île de Fernando. J'ai hâte de me baigner. Pas vous ?

– Moi je rêve de ça tous les jours, répond Évangéline. C'est moi qui ai le pire quart au début de l'après-midi. Même à l'ombre, je meurs de chaleur. Je ne sais pas comment Josée fait pour s'étendre au soleil de midi à 3 heures. Ça n'a pas l'air de la déranger que la couche d'ozone soit trop mince. En tout cas, j'ai encore plus hâte

317

d'être arrivée aux Antilles où les gens vont parler français et où il y aura de la belle eau claire.

— Eh bien moi, les filles, je n'ai hâte à rien du tout. Je savoure chaque instant, chaque journée, chaude ou pas, et surtout chaque nuit. Je me répète que c'est notre dernière longue traversée. Il y a longtemps qu'on n'avait pas connu des conditions aussi fantastiques. Pensez-y un peu ! Deux semaines de beau temps entre l'Afrique du Sud et Sainte-Hélène. Et la même chose entre Sainte-Hélène et le Brésil. Un mois au spi sur une mer calme, avec la lune toutes les nuits...

Et je continue à leur vanter les douceurs de notre vie en mer. Parce qu'il faut leur apprendre, à nos moussaillons qui vivent au jour le jour et qui ont englouti des tonnes de merveilleux avec l'insouciance de leur âge, comme si tout cela n'avait rien d'exceptionnel, il faut leur montrer comment engranger la beauté des instants présents, car elle n'est pas une garantie d'éternité.

Évangéline ✍

25 janvier 1992
Tabarouette ! Vous ne devinerez jamais ce qui est arrivé cette nuit.
Je dormais ainsi que tout le monde, sauf Carl qui faisait son quart, et nous avancions au moteur car il n'y avait pas de vent. Donc, je dormais et tout à coup Damien me réveille en hurlant qu'il faut sortir vite sur le pont, et il n'arrête pas de crier ça. Je vous dis pas comment j'ai eu peur. Mais c'était comme dans un rêve. J'ai ouvert les yeux et le bateau était tout blanc de fumée. J'ai entendu quelqu'un dire que le moteur brûlait, mais c'était comme dans un brouillard, un espèce de cauchemar. Il y avait de la fumée blanche partout. En moins de cinq minutes, j'étais dehors avec les autres, il faisait noir comme dans un four et nous regardions les tonnes de fumée sortir par tous les panneaux, c'était effrayant.
Toutes sortes de conséquences me venaient à l'esprit. Il faudrait peut-être abandonner le bateau, embarquer dans le radeau de

survie et se laisser dériver vers la côte. On était à plus de 80 milles de Fernando de Noronha et à plus de 280 milles du Brésil. La fumée brûlait tellement la gorge que Carl ne pouvait même pas descendre pour prendre l'extincteur. Finalement il a mis une serviette mouillée sur sa bouche, il a pris une grande respiration et une fois en bas il a vu tout de suite que c'était les fils électriques qui brûlaient alors il a débranché les batteries.

Quand la fumée s'est un peu arrêtée, Carl et Dominique sont allés voir les dégâts avec le fanal. Plus rien d'électrique ne marchait dans le bateau, ni les lumières, ni le SatNav, ni le compas, rien. Il y a eu un méchant court-circuit, à cause d'un alternateur qui a trop chauffé. Le feu avait même commencé à prendre derrière des planches de bois et la mousse isolante brûlait et c'est elle qui faisait cette fumée dangereuse à respirer. Il a fallu attendre au lendemain pour réparer tout ça. Dans le bateau, ça puait encore très fort mais on était quand même bien contents d'être à bord.

Le matin, Dominique, Carl et Damien se sont lancés dans les réparations. Plusieurs fils étaient hors d'usage et il a fallu les remplacer et en enrober d'autres avec du *tape* spécial quand c'était seulement la gaine qui avait brûlé.

Vers midi, un vent d'arrière a commencé à souffler.

Si barrer un voilier sans compas, ce n'est pas évident, je ne vous dis pas qu'avec en plus le spi, c'est du sport. D'une main, je barrais, de l'autre je tenais le compas de relèvement. J'avais aussi un œil sur le spi pour surveiller tout *faseyement*, et l'autre sur la mer pour regarder les vagues et être bien sûre de rester vent arrière. Quand, un peu plus tard, le vent s'est levé sous un grain et que Noémie m'a apporté en même temps un bol de soupe brûlant, vous imaginez facilement ma tête !

Vers le milieu de l'après-midi, le miracle s'est produit. Ils ont branché les fils et tout fonctionnait. Youpi !

Nous sommes maintenant à 47 milles de Fernando. Nous « prévoyons » l'arrivée pour demain. Si Éole et Neptune le veulent bien.

Cher Nicolas ✉

Nous sommes à Natal maintenant et nous commençons à nous rapprocher du Québec de plus en plus, à pas de tortue, mais ça arrive.

Après Sainte-Hélène, nous sommes partis vers Fernando de Noronha, une île brésilienne au large de Natal. Nous sommes arrivés là après dix-sept jours de mer et nous avons été assez surpris par la froideur des gens habitués à voir beaucoup de touristes. Le prix du mouillage est incroyable : ils nous demandaient autour de 150 dollars pour cinq jours. Bien sûr nous n'avons pas accepté et ils nous ont donné trois jours gratuits pour réparer une panne imaginaire. Mais la malchance était sur nous car moins de quarante-huit heures après, il a fallu quitter l'île à cause d'une immense houle qui arrivait de nulle part et entrait dans la baie. Les grosses déferlantes mesuraient à peu près dix mètres de haut !

La seule chose que j'ai appréciée à Fernando c'était qu'il y avait plein de frégates. Damien et Sandrine pêchaient des poissons et nous en lancions des morceaux aux oiseaux. Une fois, une femelle est passée si proche de Damien qu'il aurait pu la toucher, mais il a eu peur et a fait un bond en arrière.

L'eau était très chaude aussi et nous nous sommes bien amusés à nager et plonger du bateau.

La traversée de Fernando à Natal, sur la côte du Brésil, nous a pris deux jours. Le temps n'était pas très beau. Que de la pluie et pas beaucoup de vent. La nuit, j'avais un peu peur car il y avait beaucoup de bateaux de pêche et il fallait faire très attention. Une fois, il a fallu allumer tous les projecteurs de pont pour que le bateau qui nous fonçait dessus nous voit enfin !

Natal n'est pas une très belle ville, plutôt sale. De toute façon, il paraît que presque toutes les grosses villes du Brésil sont comme ça. Mais le yacht club est tranquille et toute la journée il y a de la musique.

L'ancrage est bien car c'est dans une rivière et il n'y a jamais de vagues, que du clapotis et du vent. Une fois

À l'aube : Sandrine prend la barre et Damien attend la touche près de son moulinet. La pêche sera bonne. Une fois repus de poisson, nous séchions les derniers filets.

Paysage lunaire à Sainte-Hélène...
Du haut des 375 marches de l'escalier de Jamestown à Sainte-Hélène.

... et quelques kilomètres plus loin, l'étonnant contraste de cet îlot de verdure.
Une houle inexplicable se rapproche : il faut quitter en vitesse Fernando de Noronha.

nous avons mis la voile sur notre barque à rames et nous filions à toute allure et même que des fois il fallait faire du rappel. C'était trippant.

À part ça, il fait tellement chaud ici que nous ne faisons presque rien sauf lire et écrire. Aux alentours de Natal, il paraît qu'il y a de belles plages mais nous n'y sommes pas encore allés. Nous devenons paresseux, à cause de la chaleur sûrement... C'est terrible des fois il fait en haut de 37 degrés. Disons que je n'aimerais pas ça non plus qu'il fasse - 30, mais au moins quand il fait froid tu t'habilles et ça y est. Ici, tu as beau te mettre en short et en tee-shirt léger, tu as encore chaud, même à l'ombre.

J'aimerais bien avoir de tes nouvelles. Nous serons en Martinique du 20 mars au 15 avril alors voici mon adresse.

Gros bisous de Noémie.

Damien ✍

30 janvier 1992, Natal

Natal est le genre de ville que je déteste, sale, polluée, ça pue, plein d'autobus, bon enfin, vous voyez le genre. Mais le petit yacht club est très bien. Évangéline et moi sommes allés deux fois danser avec des amis. La première fois c'était dans un petit bar-restaurant, sur le bord de mer, avec de la musique brésilienne. Nous étions six : quatre garçons et deux filles. L'une était ma sœur et l'autre une jolie petite Brésilienne de 15 ans qui s'appelle Carinha. Un peu plus tard, elle m'a demandé si je voulais danser avec elle, alors j'ai dit oui à condition qu'Évangéline danse aussi avec Jéovani, 19 ans. Je ne vous dis pas comment j'étais gêné car c'était la première fois que je dansais un *slow*. Nous sommes rentrés à 4 heures du matin, très contents de notre première soirée brésilienne.

La deuxième fois c'était dans une discothèque avec de la très bonne musique anglaise. Nous nous sommes vraiment bien amusés. À la fin, Carinha est devenue folle, elle n'arrêtait pas de me donner des bisous dans le cou.

Une autre chose que j'aime bien faire ici, c'est la pêche à l'épervier. Il y a des jours où je n'attrape rien mais des fois quand je tombe sur un banc de sardines, on peut être sûrs de manger des sardines frites pour souper.

Nous sommes allés regarder le carnaval deux fois, mais j'ai trouvé ça très nul, comparé à celui de Rio qui passe à la télévision.

Sandrine ✍

Hier soir, c'était le carnaval dans les rues de Natal. Carl est resté au bateau et nous sommes partis avec Lindomar, un des employés du yacht club devenu notre ami et aussi le *namorado* d'Évangéline. Il est si paresseux qu'il a voulu prendre un taxi pour se rendre là où commençait le défilé. C'était quand même assez loin, mais nous, bien sûr, on aurait marché. Là-bas, nous nous sommes assis sur une terrasse pour avoir une belle vue. Sur les premiers chars du défilé, il y avait des gens qui imitaient des danses indiennes avec leurs arcs. C'était très ennuyant avec toujours le même bruit : « tam, tam, chlack ! » Pendant deux heures, ces espèces de tribus ont défilé. Ensuite c'était le tour des écoles de samba, mais avec tous les travestis avec leurs grandes plumes partout et qui se balançaient le derrière, c'était pas vraiment mieux. Moi j'ai trouvé ça assez nul et très mal organisé. Je pensais que le carnaval c'était une grande fête avec des musiciens dans les rues et que tout le monde suivait en dansant. Mais non.

Chaleur et mauvais temps (D.)

Il a plu à boire debout jusqu'au milieu de la nuit. D'énormes grains tropicaux, des déluges d'eau qui nous ont tirés à tour de rôle hors des couchettes pour fermer les panneaux, puis les rouvrir quelques minutes plus tard sous peine de suffoquer à l'intérieur.

Il fait chaud à Natal, en février. Et il pleut souvent. La lune a provoqué l'ouverture des vannes et depuis une semaine le ciel déverse des cordes et des cordes d'eau tiède. La rivière est si haute et le courant si violent, avec la marée descendante, qu'il devient dangereux de ramer jusqu'au rivage.

L'autre nuit, Évangéline a secouru deux équipiers argentins qui partaient à la dérive. Ils avaient emprunté une petite chaloupe et se débrouillaient avec un seul bout de planche comme rame. Par chance pour eux, Évangéline et Damien avaient fêté à la brésilienne jusqu'aux petites heures et venaient tout juste de rentrer.

Nous sommes au Brésil depuis trois semaines. Nous avions choisi le point le moins gros sur la carte, pensant trouver un village... Surprise ! Il y a 600 000 habitants à Natal ! Une petite ville, comme disent les Brésiliens.

Après plus d'une semaine à quadriller les rues bruyantes, nous avons enfin découvert deux ou trois quartiers sympathiques où il est agréable de s'asseoir à l'ombre et de prendre une bière en parlant avec les gens. Il n'y a pas grand-chose d'autre à faire sous cette chaleur.

C'est ainsi que nous avons connu Joan, un avocat de 58 ans, ancien capitaine de marine qui exerçait aussi le métier de pharmacien-chimiste. Un homme brillant qui a beaucoup voyagé et qui s'exprime en français avec facilité. Il nous a réconciliés avec le Brésil, l'a rendu plus humain, et s'emploie toujours à nous en faire découvrir de nouvelles facettes. De temps à autre il arrive au yacht club en taxi, nous hèle du bord de l'eau et nous entraîne vers un resto ou une fête quelconque.

« Ils sont fous, ces Brésiliens ! » répète Carl à tous les jours. Je le comprends, surtout lui qui n'aime pas danser. Ils sont fous et charmants, désorganisés, fêtards, d'une sensualité si provocante lorsqu'ils se lancent à corps perdu dans une lambada qu'il faut d'abord ingurgiter quelques bières avant d'accepter la première invitation.

Pour se mettre dans l'ambiance, les enfants ont transformé la *V'limeuse* en discothèque et pratiquent les ondulations de hanches et d'épaules en prévision des soirs de fête.

Évangéline, courtisée de toutes parts, a dû apprendre aussi les rudiments du portugais pour résister aux avances des latinos au sang chaud. Et comme s'il n'y avait pas assez des Brésiliens, voilà que l'un des Argentins qu'elle a secourus l'autre nuit s'y met lui aussi. Il l'invite à sortir, lui offre des roses, tout cela à la barbe de Lindomar, qui travaille comme garçon de table et comptable au yacht club et n'aime pas beaucoup voir d'autres hommes tourner autour de notre fille. Car ils sont possessifs, ces jeunes hommes, et jaloux ! Et malchanceux de surcroît, puisque le cœur d'Évangéline n'est pas encore disponible pour les aventures galantes. Une première lettre de Gary vient d'arriver, ranimant une ferveur amoureuse que des milliers de milles marins avait à peine émoussée.

Aujourd'hui 22 février, un voilier battant pavillon belge, *Super Faré*, remonte la rivière et s'apprête à mouiller devant le yacht club. Très peu de bateaux relâchent à Natal à cette époque de l'année. En trois semaines, il y a eu *Iemanja*, le sloop français de Jean-Pierre, un plongeur professionnel, et de sa copine brésilienne, Jacqueline ; ensuite *Faralon 4*, avec l'équipage d'Argentins et d'Uruguayens ; et enfin *Mas Allegre*, deux Américains, Edouard et Julie, qui arrivaient de Cape Town et ont organisé une projection de diapositives au club, avec de belles photos sous-marines.

Cette fois, nous sommes tous dehors à prendre le thé et les paris sont lancés :

– Quelle sorte de bateau ? commence Carl.

Évangéline sourit :

– Ha ! Ha ! Pour une fois, je le sais. C'est un Amel.

– Oui, mais lequel ?

– En tous cas, il mesure au moins quinze mètres, dis-je. Un Maramu ?

– On dirait même le super Maramu. Et il vient d'où, comme ça, les enfants ?

– Du Brésil, répond Damien. Parce qu'il n'a pas mis le drapeau jaune de la douane.

Et nous continuons ainsi à nous amuser, en comptant les personnes sur le pont, et en essayant de deviner le profil de l'équipage. Nous en saurons bientôt davantage car, sitôt leur annexe mise à l'eau, un homme saute à bord puis tend les bras pour recevoir un jeune enfant.

Quelques instant plus tard :

– Salut, les Québécois !

Dès son entrée en matière, René nous annonce fièrement qu'il termine un tour du monde de quatre ans, réalisé avec sa femme

Fabienne et ses trois enfants, Sarah et Gilles, âgés de 18 et 15 ans, et le petit dernier, Anthony, conçu durant le voyage et né en Belgique.

– Et vous, vous arrivez donc du Québec, conclue-t-il en montrant notre drapeau.

– Non, de Cape Town.

– Oh ! Mais alors... vous êtes aussi des VRAIS !

Pour arroser cela, nous sommes invités à bord le soir même. La rencontre se déroule de manière agréable. Nous comparons nos routes, parlons de nos plus belles escales. René nous apprend que dans certaines îles, l'attitude envers les plaisanciers a déjà changé depuis notre passage. Ainsi, aux Galápagos, il en coûte maintenant 200 dollars pour les trois jours autorisés, qui disparaissent dans la poche du capitaine du port, sans reçu.

Comme ils ont aussi embarqué des passagers payants à deux reprises, dans le Pacifique, nous en venons à parler de ce sujet délicat. Il est toujours intéressant de voir comment les autres se débrouillent.

Dans notre cas, il semble que le séjour de Josée parmi nous s'achève. En ce moment, elle visite le pays. Il nous paraissait plus sage de prendre un répit, d'un bord comme de l'autre, et de limiter la cohabitation aux jours en mer. Malgré tout, je le sens, nous approchons du point de non-retour.

Les aventures humaines qui finissent mal me laissent un goût amer. On en vient à se souvenir uniquement du côté désagréable des individus et c'est dommage. Au fond, je préférerais que Josée débarque avant que nos relations ne s'enveniment. Déjà, durant la semaine qui a suivi notre arrivée, les accrochages se multipliaient, pour des riens, trahissant une aigreur à laquelle nous répondions par un léger durcissement.

Si parfois l'amitié résiste mal au ressentiment, que dire des relations où ne se mêle aucune tendresse, sinon qu'elles risquent d'être sacrifiées sans remord.

Aussi, lorsqu'une semaine plus tard Josée nous annonce son intention de prolonger sa visite au Brésil, nous sommes en quelque sorte soulagés. Mis à part le côté financier du voyage, tout se termine pour le mieux. Et les adieux sont amicaux.

Il est temps de partir. Un mois à Natal aura suffi à nous donner les envies successives de fuir, puis de mieux connaître et enfin de revenir un jour au Brésil.

Josée a dû flairer les odeurs de mauvais temps. Chose certaine, elle nous a quittés au bon moment, emportant le meilleur de la mer dans ses bagages. Le passage de l'équateur s'annonce peu commode. À croire que les masses nuageuses et tourmentées qui se forment au-dessus de l'Amazone débordent jusqu'à l'océan pour le malheur des marins.

Les grains nous cueillent dès la sortie de Natal, et le lendemain soir du départ, durant le quart d'Évangéline, la chaîne de la barre à roue cède sous une rafale plus sauvage. Nous installons la barre franche, mais il faut être deux pour la tenir. Assommés par une fatigue mi-physique, mi-psychologique, nous optons finalement pour la dérive.

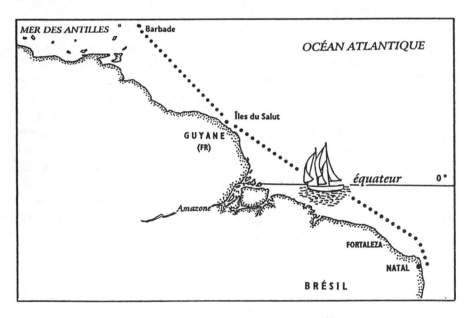

Je regarde sur la carte : Fortaleza est à 115 milles. Nous pourrions toujours y relâcher le temps d'une réparation. Toutefois, il faudrait remettre en route cette nuit et personne n'a le cœur de barrer, ni même de faire une autre escale au Brésil.

Tout juste avons-nous le moral pour nous allonger, après avoir posé les paniers de légumes sur le tapis pour les empêcher de valser hors de leur blocage.

La *V'limeuse* roule comme une bouteille jusqu'au matin, et nous, comme six miniatures d'humains fixées à l'intérieur, nous rêvons éveillés à un bateau où rien, jamais, ne briserait.

Au petit jour, Carl se prépare un café. À 9 heures, tout est branché de nouveau. Il a suffi de remplacer deux maillons de la chaîne, une opération menée rondement avec l'aide de Damien. Une fois de plus, la fatigue avait exagéré l'ampleur du problème.

Et le voyage continue. Six jours plus tard, les enfants remarquent autre chose : un des deux câbles de la barre à roue se cisaille sur la poulie et doit être changé au plus vite, avant la nuit. Carl les avait pourtant remplacés tous les deux à Cape Town.

Évangéline et moi nous retrouvons accrochées à la barre franche, au milieu d'un grain d'une violence inouïe, tandis que Carl et Damien installent le nouveau câble. Mais cette fois nous décidons d'en rire et je m'amuse comme une folle avec ma fille.

J'en viens à aimer ces lumières vert sombre sous des cieux d'encre, et le côté sauvage des rafales de vent qui blanchissent la mer. La V'*limeuse* tranche les rideaux de pluie avec sa coque ensoleillée, et nous, sur le pont, dans nos cirés rouges ou verts, nous avons l'air de lutins égarés au pays des ogres marins.

J'essaie de communiquer mon enthousiasme aux garçons, mais décidément, ils apprécient de moins en moins cette remontée vers l'équateur.

La traversée entre Cape Town et le Brésil nous avait épargnés. Mais maintenant le mauvais temps creuse cette lassitude que la plupart d'entre nous traînent depuis Madagascar.

Damien jure qu'il mettra son sac à terre aussitôt que nous toucherons l'Amérique du Nord. Et Carl affirme que sa carrière de marin s'achève, qu'il ne lui reste que trente ans à vivre, dans le meilleur des cas, et que des longs voyages en mer ne l'intéressent plus. Il parle de maison, de canot, de poules, de chiens...

Je ne sais pas encore si je dois-je rire ou pleurer.

Évangéline ✍

8 mars 1992, en mer
Ce matin, entre 5 et 6 heures, j'ai passé l'équateur toute seule comme une grande fille avec un énorme grain qui nous talonnait. C'est donc la quatrième fois que nous passons la fameuse ligne.

À 6 heures, le gros grain nous a enfin rattrapés et je me suis payé une douche d'enfer. Toute nue sur le pont, avec le vent qui sifflait dans les haubans et les cataractes d'eau qui s'abattaient sur le pont, c'était génial. Moi je hurlais de joie en me savonnant et en me lavant les cheveux. La pluie tombait, ça n'arrêtait pas. Sous la bôme de grand-voile c'était une vraie douche.

Après ce grain du matin on peut dire que la pluie ne nous a pas quittés. Il est midi, il pleut toujours. Nous venons juste d'attraper une petite bonite que nous mangerons en sashimi. Non ! Changement au programme, elle sera sautée à la poêle.

12 mars

Après neuf jours de mer et 1 240 milles depuis Natal, nous voilà aux îles du Salut, au large de la Guyane française. Ces îles sont assez connues parce qu'elles abritaient des bagnards en réclusion. Par exemple, des prisonniers politiques importants comme Dreyfus, ou encore ceux qui s'évadaient des bagnes, sur le continent, comme le célèbre Papillon qui a été emprisonné ici un bon bout de temps.

13 mars

Nous sommes allés visiter les cellules des condamnés à mort et ce n'est vraiment pas rigolo. De toutes petites cellules sombres où le lit devait prendre toute la place. Sur l'île voisine de Saint-Joseph, il paraît que les cachots sont à ciel ouvert, avec seulement des grilles sur le dessus, comme ça les gardiens pouvaient surveiller les prisonniers tout le temps et il faisait même leurs besoins sur eux. Ça devait être l'enfer. D'ailleurs en ce moment je suis en train de lire *Guillotine sèche : les bagnes de Guyane*. C'est très bien, ça raconte même la vie de certains bagnards célèbres.

Demain nous irons peut-être nous ancrer devant Saint-Joseph. En ce moment il y a un groupe de légionnaires français qui habitent sur l'île et le sergent nous a invités à les visiter.

14 mars

Ce soir, j'ai vécu une soirée vraiment marquante dans une vie. Une soirée avec des légionnaires. Le sergent-chef Angelo nous a d'abord offert le café et finalement nous avons soupé avec eux. Il y avait cinq légionnaires : Patrice, Chris, Carpon, Udo et Rudolph. Nous avons passé une soirée fantastique, ils nous ont raconté des histoires incroyables. Plus tard tout le monde est allé regarder un match de boxe sauf moi, Carpon et Chris. Et là, Carpon m'a raconté quelque chose dont il ne parle jamais. Il m'a dit ceci : « Il y a plusieurs années je me suis marié. Ça n'a pas marché et je suis entré dans la légion. En fait, ma femme et mon fils sont morts tous les deux, en 1989, ils sont morts, c'est tout. » Alors Chris a dit : « Mais pourquoi tu dis ça, pourquoi tu ne lui dis pas la vérité pour qu'elle comprenne ? » Carpon a répondu, assez violemment : « Mais tais-toi donc ! Tu sais bien que j'essaie d'oublier tout ça et que je dis à tout le monde qu'ils sont morts. Et je n'ai pas l'impression de mentir car pour moi ils sont morts... » Et puis il m'a regardée et il a continué : « En fait, ma femme m'a quitté après quatre ans de vie commune et trois ans de mariage. Elle s'est tirée avec mon fils, un petit bout de chou de 2 ans et demi... »

Un jour, il est revenu du travail et elle était partie avec son fils, emportant d'ailleurs tous les meubles Louis XIV du salon qu'il lui avait offerts, d'une valeur de 60 000 $. Il a cherché, cherché, et ne les a jamais retrouvés, jamais revu son fils qu'il adorait, ainsi que sa femme qui était « comme la prunelle de ses yeux ». Il aurait tout fait pour elle, se serait fait arracher les yeux pour qu'elle voie, tout, tout... Ça ne cause pas une grande émotion de lire ça sur du papier, mais quand tu as le mec en face de toi, un mec qui a probablement tué des centaines de personnes, un mec qui est un dur à cuire, et qui ne doit pas avoir l'air drôle quand il est en colère, et qui te dit que si jamais il retrouvait le salaud qui est parti avec sa femme (si jamais il y en a un), il te le découperait au couteau, et il a pas l'air de rigoler, et il te raconte que son fils c'est toute sa vie, et ce mec, ce dur, et bien il en a presque les larmes aux yeux, je peux te dire que ça fait quelque chose, tu sens toutes tes entrailles qui remuent, ça te bouleverse complètement. Il te dit qu'à cette époque, s'il avait su que sa femme se trouvait dans une ville, avec tous les trucs de sécurité, la ville, il l'aurait mise à feu et à sang. Mais de toute façon, sa femme, elle est morte, c'est seulement son fils qui compte et il est très très sérieux là-dessus. Mais quand elle est partie, il est devenu dingue et a fait quelques conneries. Il avait tout fondé sur sa famille et tout d'un coup, plus rien, plus de trace, volatilisée, ça donne envie de vomir d'entendre ça. Et tu imagines comment il a dû être bouleversé. Dingue. Il a 34 ans, sa femme en aurait 25 et son fils 5.

Pendant qu'il me parlait, je voyais que ça le secouait complètement. Il m'a dit ensuite que plus jamais, jamais, il ne ferait confiance à une femme, jamais pour le restant de ses jours. Et il ne rigole pas en disant ça, ce ne sont pas des paroles en l'air.

Ce qui est surprenant c'est que ce gars-là il est vachement rigolo, il blague toujours, et pendant tout l'après-midi et la soirée, il nous a fait rire, c'est dingue. Et s'il ne m'avait pas conté cela, je n'aurais jamais pensé qu'il avait vécu un drame. Ce sont des gens comme ça qui tuent d'autres personnes dans un coup de colère ou de déprime complète. Sous une apparence super cool, il est probablement très cruel, froid, et indifférent à tout sentiment humain, à cause de ce qui s'est passé il y a trois ans. Mais c'est un homme super, qui a l'air vraiment bien et l'est sûrement, mais moi c'est un genre qui me fait un peu peur.

Tu sais que tous ces gars qui sont dans la légion, ils en ont vu tellement de toutes les couleurs, ils nous ont raconté des trucs vraiment écœurants. Chris m'a dit, comme tout petit exemple : « Quand tu passes l'inscription qui dure six mois, ils te brisent, te cassent complètement le moral. Ils te montrent un crayon rouge et te demandent quelle est sa couleur. Tu dis " rouge " et bang ! Un coup dans la figure ! " Non, c'est noir ! " Et encore une fois : " C'est quelle couleur, ça ? " " C'est rouge. " Bang ! Une autre énorme baffe... Et rebelote... »

15 mars

Ce midi, nous sommes encore invités chez les légionnaires pour des grillades et ce soir nous goûterons pour la première fois des steaks de tortues de mer.

Aujourd'hui, j'ai beaucoup parlé avec Chris et Patrice, et ils sont vraiment super ! Chris en a vraiment marre de la légion, il dit qu'il est cramé (fou) et que la légion l'a complètement changé, que quand il va sortir, pour un mot de travers ou une insulte, il pourrait tuer quelqu'un froidement. Putain, entendre des trucs comme ça, ça fait peur. Il en a aussi marre du sergent-chef. Il n'y a pas longtemps, sans aucune raison, le caporal était bien bourré et il lui a foutu plusieurs coups d'une énorme lampe de poche d'armée sur la tête, ça lui a ouvert l'arcade sourcilière et il a plein de blessures au visage. C'est bizarre parce que le sergent nous a dit que Chris était tombé à l'eau et qu'il s'était blessé sur le corail.

Ça ne va pas bien du tout avec Chris. Il voudrait s'enfuir en dinghy. Ce soir, après le souper, il a voulu se battre avec Patrice, ou alors lui chercher noise en le poussant, en lui foutant des coups. Je ne voyais pas mais j'entendais. Ça gueulait fort et le sergent-chef a dû s'en mêler.

Moi, c'est con à dire, mais ils me font peur ces gars. Ils sont tellement différents, à cause de toutes les misères qu'ils ont eues avant, que je ne leur ferais pas confiance, j'aurais peur d'eux, dès qu'ils auraient bu et qu'ils se mettraient en colère. Ils sont très fiers et très brusques. Si tu dis quelque chose qui ne leur plaît pas, problème... Je les ai vus s'engueuler pour des conneries, question d'honneur. Juste parce qu'ils sont comme ça, des guerriers, des mecs DURS. Moi, je ne comprends plus rien.

En fin d'après-midi, on se promenait dans les ruines du bagne et Patrice m'a dit qu'il m'aimait ! J'avais l'air con, je ne savais pas quoi répondre. J'ai dit : « Mais non ! Ça se peut pas. » Et il a répondu : « Comment tu peux le savoir, toi ? » Après, j'ai continué à marcher en parlant comme d'habitude et on a fait comme s'il n'avait rien dit. Ouf !

16 mars

Ce matin, très tôt, Damien a vu Chris s'enfuir vers le continent avec le Zodiac dont les légionnaires se servent pour aller chercher de l'eau à l'île Royale. Il paraît que le chef est dans une humeur massacrante. Patrice n'a pas eu le droit de nous dire au revoir, il a dû se faire engueuler parce qu'il me parlait trop. Il a quand même réussi à me refiler un bout de papier avec son adresse. Il veut que je lui écrive.

Nous partons aujourd'hui vers la Barbade, à 665 milles. J'espère que nous aurons beaucoup de courant avec nous.

18 mars

Et bien, non, finalement, nous avons déplacé la *V'limeuse* à l'île Royale pour acheter du pain. Je voulais aussi échanger des livres avec le bateau français mouillé dans la baie. J'en ai

331

échangé onze, c'est super, ça va me faire un peu de lecture jusqu'en Martinique.

Finalement j'ai beaucoup aimé les îles du Salut. Elles sont vraiment très mignonnes, toutes couvertes de végétation exotique. Cocotiers à perte de vue, manguiers, arbres à pain, goyaviers, quatre ou cinq perroquets Ara, plein d'autres oiseaux, bref, super. En tout, nous y sommes restés six jours. En plus, avec la rencontre avec les légionnaires ça été vraiment intéressant. Je n'aurais jamais cru que la légion, c'était comme ça. La plupart d'entre eux se sont engagés parce qu'ils n'avaient pas le choix. C'était la légion ou la prison. Patrice avait 17 ans quand il est entré. Ça fait deux ans qu'il y est. Ça a l'air d'être dur. Je crois que pour tous ces légionnaires, de nous voir vivre la liberté totale, comme ça, sur un voilier, en famille, ça leur faisait quelque chose.

Ce matin, j'ai assisté à un merveilleux lever de soleil. À 6 heures, le ciel à l'est est devenu rose, mauve, et à l'ouest il y avait la lune qui brillait et le ciel était bleu nuit, avec quelques étoiles. Et un peu plus tard, il y a eu de nouvelles couleurs qui se mélangeaient, c'était vraiment superbe. La *V'limeuse* filait bien, vent de travers, pas trop de vagues. Sensas.

Carl ✍

19 mars

Le temps s'améliore. La nuit dernière, nous avons navigué avec la lune, encore très ronde. Ce matin, le ciel est clair. Belle vague. Distance en vingt-quatre heures : 173 milles. Notre meilleure journée depuis l'Afrique du Sud. Le courant nous aide. Nous semblons être sortis de la zone à merde qui longeait le Brésil. Les alizés sont là, les vrais : 10-12 nœuds, soleil, petits nuages sur l'horizon. Une magnifique journée !

Nous avons aussi traversé la zone de pêche où draguaient une bonne cinquantaine de crevettiers. Malgré tout, les eaux sont toujours poissonneuses. Nous mangeons du poisson sans arrêt. Hier, une carangue d'une douzaine de kilos. Ce matin, une daurade d'environ six kilos.

Nous réussissons à bloquer la barre et le bateau se tient tout seul. Oh ! Cela aussi fait du bien.

Sandrine

21 mars : troisième jour en mer

La barre à roue est bloquée depuis hier, c'est super.

Tout à l'heure, Damien a demandé à Dominique s'il pouvait mettre sa ligne à l'eau, mais elle a dit : « non, plus tard », parce que Carl et elle n'avaient pas envie de se lever tout de suite si un poisson mordait. Alors Damien, Noémie et moi avons décidé de la mettre pareil et de leur faire une surprise. Cinq minutes après, la ligne a fait « zzzzzz..... » Youpi, c'était une daurade ! Damien l'a remontée, nous avons essayé de faire le moins de bruit possible. Elle avait l'air d'être grosse. J'ai remonté le reste de la ligne pendant que Damien gaffait la daurade. Ensuite nous l'avons posée sur la grille et vite nous l'avons attachée et elle se débattait et nous avions peur qu'elle réveille quelqu'un.

Nous étions tellement excités que nous avons préparé le déjeuner au lit pour Carl et Dominique, comme ça ils se lèveraient plus vite.

Quand Carl est allé faire pipi, zut, il ne l'a même pas vue. Alors comme nous étions trop impatients, nous avons donné des indices à Dominique et finalement elle a deviné. Ils étaient surpris et fiers de nous.

Damien l'a préparée au four avec de la sauce tomate, un vrai délice ! Cette belle journée s'est terminée avec un bon gâteau d'Évangéline.

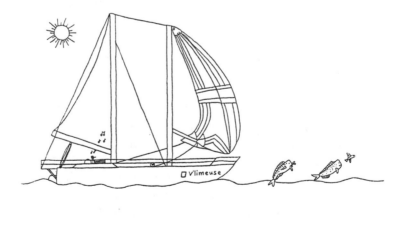

Noémie ✍

Barbade

Au quatrième jour de mer, nous avons aperçu la Barbade. Je ne l'imaginais pas si grande. Il faisait beau, nous naviguions avec le vent de travers et toutes les voiles dessus, et pour fêter notre arrivée aux Antilles, Dominique a préparé un super macaroni au four que nous avons mangé autour du cockpit en regardant l'île grossir. Nous avons mouillé à Carlisle Bay dans sept mètres d'eau bleue et la première chose que nous avons faite était de nous baigner. Le lendemain aussi, nous avons passé la journée sur la plage, en face du bateau.

Deux jours après notre arrivée, Carl a monté la planche à voile. Évangéline, qui en a fait beaucoup aux Maldives, est rendue bonne maintenant. Damien aussi est pas mal pour une première fois, sauf quand il se fâche et pousse des jurons que vous ne pouvez pas imaginer.

Sinon, la ville est super touristique et il n'y a pas grand-chose à faire ici. C'est pourquoi nous avons organisé un petit tour dans l'île. C'était bien. L'intérieur ressemble un peu à celui de Maurice, avec des champs de cannes à sucre. Nous avons marché durant des heures et des heures. À la fin, nous hurlions après Dominique qui ne voulait pas faire du pouce. Finalement nous avons fait la dernière partie en bus.

Nous sommes partis au bout d'une semaine, après avoir gratté la coque de la *V'limeuse* qui était pleine de coquillages.

Évangéline ✍

31 mars

Nous avons eu du beau temps pour notre courte traversée entre la Barbade et la Martinique. Du bon vent, travers et un peu arrière. C'est moi qui étais à la barre, de 1 heure à 3 heures du matin, quand nous avons bouclé la boucle de notre tour du monde, après 5 ans, deux mois et quelques jours...

J'ai beaucoup réfléchi durant mon quart. Je pensais à plein de trucs. C'est seulement vers la fin du voyage qu'on commence à apprécier les traversées, les quarts de nuit avec les étoiles, le baladeur et de la bonne musique. Des moments où on est heureux, où on ne pense pas aux problèmes, on est juste content de vivre. Dans cette petite traversée, j'ai compris à quel point je regretterais toutes ces longues traversées que j'aimais moyennement lorsque j'étais plus petite. Et puis surtout, moi, je l'aime la *V'limeuse*, je l'adore, depuis que je suis née, c'est elle qui a été ma vraie maison, celle que j'aime le plus. Et Carl répète maintenant qu'il veut la vendre. Si cela arrive, je vais pleurer, parce que c'est plus qu'une maison qui va partir, c'est aussi une partie du voyage qui va disparaître, notre petit îlot isolé du monde, notre maison voyageuse. Notre vie ! Enfin, ma vie. Ça va être vraiment horrible.

Ce matin, quand nous avons doublé le rocher du Diamant vers 6 heures et demie, on s'est tous félicités et serré la main. Moi, j'étais très fatiguée.

Un tour du monde pour la *V'limeuse*   (D.)

Dans le mouillage de l'anse à l'Âne, en Martinique, un bouchon de champagne fuse vers les étoiles naissantes. L'air est doux, ce soir. Une à une, je sors les assiettes qui débordent de couscous aux légumes, avec, sur le dessus, un morceau de poisson-voilier apprêté à la mayonnaise. Les enfants ont encore les cheveux humides et les yeux brillants de s'être longtemps baignés dans l'eau salée et chaude.

Nos verres s'entrechoquent. À la santé de la *V'limeuse* et de cette boucle parfaite qu'elle a tracée autour de la planète bleue !

– J'ai fait des petits calculs, tout à l'heure, dis-je. Devinez combien nous avons passé de jours en mer depuis le départ de Montréal.

Les chiffres sortent : cinq cents, trois cents...

– Exactement 410 jours et 295 nuits !

– Et ça donne quoi en pourcentage sur six ans ? demande Carl.

– Ça donne environ 20 %. Soit un jour en mer pour cinq au mouillage. Et une nuit sur six.

Là dessus, je porte un autre toast à tous ces séjours extraordinaires durant lesquels la *V'limeuse* nous a enlevés à l'humanité ! Aux mille infimes bonheurs qu'elle nous a servis avec sa tendresse de mère ! Et que personne, surtout, ne vienne me dire qu'elle est un peu lente. Quelqu'un a-t-il seulement pensé qu'elle préférait la mer et retardait ainsi nos arrivées au port ? Ou qu'elle n'était nullement joyeuse à l'idée de revenir au Québec, redoutant le moment où elle se retrouverait seule, désertée par une famille qui ne verrait plus en elle qu'un ventre d'acier inconfortable en hiver, et qui, pressée de tâter du confort, lui tournerait le dos.

Ce soir, je lève mon verre en souriant, mais la perfection du voyage qui s'achève rend sa fin encore plus triste.

Les enfants paraissent graves, tout à coup. Se rendraient-ils compte, pour la première fois, qu'ils ont vraiment tourné tout autour de la terre ? Et que la connaissance qu'ils ont de ces trente mille milles marins parsemés d'îles et de continents restera intimement liée à leur enfance ? À jamais ?

Sacs de couchage et oreillers remplacent peu à peu nos assiettes. Appuyés les uns sur les autres, nous écoutons les bruits nocturnes de l'île. La tête renversée en arrière, légèrement étourdie par le champagne, je regarde les constellations.

- Te souviens-tu, Sandrine, quand tu me demandais si les étoiles étaient plus grosses que la *V'limeuse* ?

D'autres souvenirs émergent et s'enchaînent. Bulles rondes, parfaites, crevant la ligne imaginaire de notre sillage comme autant de jalons inoubliables.

Le premier face à face d'Évangéline et d'un barracuda, aux Roques. La baignade avec les otaries des Galápagos. La chasse aux chèvres et aux cochons sauvages de Carl, à Fatu-Hiva. Le moment où Fatou, la petite chienne marquisienne a hésité entre ses anciens maîtres et cette bande de *v'limeux*, puis nous a choisis. Le jour terrible de sa mort, à Raïatea. La grande frousse de Damien qui voulait harponner un poisson déjà blessé et s'est trouvé nez à nez avec son premier requin, dans un lagon à Tahiti... On lui avait toujours répété que dans ces moments-là, il faut garder son sang-froid, ne pas quitter le requin des yeux et reculer à grands coups de palmes jusqu'à la plage ou au dinghy. Mais la peur a dominé la raison... et Damien s'est enfui sans regarder, à toute vitesse, avec l'impression que d'une seconde à l'autre, le requin allait le rattraper. Il en frissonne encore.

Les souvenirs s'espacent, les paupières s'alourdissent. Évangéline, Noémie et Damien descendent avec leurs oreillers à l'intérieur.

336

Sandrine s'est endormie sur un coussin près de la bulle et Carl sur un banc du cockpit, en face de moi.

Je me sens bien. Notre voyage a pris des allures de montgolfière qui s'élèverait dans la nuit antillaise. Et moi, je m'en vais m'allonger dans la nacelle...

Antilles (D.)

Le chant des coqs nous réveille bien avant les premiers rayons du soleil.

Je finis de laver la cafetière lorsque Carl me crie depuis la cabine :

– Qui a laissé traîner la guitare sur le lit ? J'ai mis le pied dessus en allant aux toilettes !

Quoi ? Mais elle n'était pas couchée sur le lit, je l'avais coincée debout contre le mur. Elle a dû tomber... À moins que :

– Les enfants, quelqu'un s'est-il servi de ma guitare ?

– Non !

Je rentre dans la cabine, m'approche, c'est bizarre cette façon dont elle est enveloppée dans le drap... Je soulève un coin...

– Poisson d'avril ! lance Carl.

Aujourd'hui, nous traversons à la baie des Flamands, au pied de Fort-de-France. La capitale martiniquaise demeure l'endroit le plus sympathique au monde pour faire les formalités d'arrivée et de départ. Il n'en coûte pas un franc, et mieux que ça, la demi-heure que l'on passe avec les agents de douane et d'immigration vous met de bonne humeur pour la journée. Ces Martiniquais d'origine créole, réunis dans la même roulotte, cultivent l'art de la rigolade et du plaisir de vivre. Un exemple à suivre pour tous les fonctionnaires de la planète.

Nous avons mal choisi la journée pour « débarquer » en ville. Trois énormes paquebots déversent leur flot continu de touristes. Ces derniers arrivent par vague, légèrement chancelants et indécis sur les quais, comme s'ils demeuraient soumis à d'éternels mouvements de groupes. On croirait qu'ils ont sacrifié toute identité ou volonté individuelle en même temps que leur solitude.

On se déplace avec peine sur les trottoirs du centre-ville. Au-dessus de cette mêlée d'acheteurs de souvenirs, l'accent québécois domine à tel point qu'en fermant les yeux, on s'imaginerait facilement sur la rue Sainte-Catherine à Montréal.

Plusieurs lettres nous attendent au bureau de poste. Les Hopkins nous donnent les résultats du référendum qui a plongé l'Afrique du Sud dans l'angoisse, car un résultat négatif aurait sans doute provoqué une guerre civile. À la question « voulez-vous continuer dans le sens des réformes déjà amorcées pour la disparition complète de l'apartheid ? », une forte majorité de Blancs ont heureusement voté *oui*. Nous sommes heureux d'apprendre que le pays est sur la bonne voie.

Du côté du Québec, les nouvelles sont teintées par notre arrivée prochaine. « Mes chers *V'limeux* qui reviennent... », commence la mère de Carl. Entre les lignes écrites par les parents et les amis, nous devinons la hâte, la curiosité et aussi un brin d'inquiétude. Que sommes-nous devenus ? Quelles merveilleuses histoires aurons-nous à raconter ? Quels objets extraordinaires rapportons-nous ? Et surtout, le grand hic, nos enfants vont-ils réintégrer aisément la société ?

Pour l'instant, ils ne s'en font pas trop avec cela, ils sont très occupés. Notre dernière visite en terre française remonte à plus d'un an et demi, à la Réunion, et ils vont enfin pouvoir étancher leur soif de lecture. Fort-de-France regorge de librairies qui étalent dans leurs rayons de superbes collections pour jeunes.

Les jours suivants, ils divisent donc leur emploi du temps entre la tournée du centre-ville, dressant chacun une liste des romans les plus intéressants, et la bibliothèque municipale qu'ils trouvent *géniale*, mais un peu trop bruyante.

La fin de semaine approche et nous traversons à la Grande Anse d'Arlet, un joli mouillage à moins de deux heures de voile. Lors de notre dernier passage en 1987, il y avait une dizaine de bateaux. Maintenant, nous en comptons une bonne cinquantaine. L'endroit demeure agréable malgré tout, avec une eau claire sur fond de sable.

Après les heures de baignade, Damien, Noémie et Sandrine sautent dans l'annexe à rame. Ils ont trouvé une petite crique entre les rochers, juste assez grande pour la barque. De là, ils partent explorer les alentours en jouant les grands découvreurs.

La journée s'achève par de longues heures de lectures à bord. J'ai ouvert une bibliothèque avec trois livres achetés à leur insu à Fort-de-France, et qu'ils peuvent emprunter en signant un chèque de gentillesse.

Une fois l'imagination rassasiée, chacun sort son coussin sur le pont et s'installe pour la nuit. L'alizé qui a soufflé modérément l'après-midi s'apaise en une brise caressante jusqu'à l'aube.

Nous avons aussi assemblé les bicyclettes, que nous laissons attachées durant le jour près d'un petit resto sur la plage. Quel plaisir de pédaler sous ces latitudes ! La vitesse tempère une chaleur autrement insupportable entre 11 heures du matin et 3 heures de l'après-midi.

À vrai dire, nous connaissons très peu la Martinique, même après nos deux précédentes visites. Cette fois, nous n'avons plus d'excuses, les vélos vont nous permettre de sillonner les routes intérieures et d'aller goûter quelques rhums célèbres avant de monter la tente sur le bord de la mer. Comme nous disposons seulement de deux vélos de montagne capables d'affronter le relief martiniquais, nous organiserons des randonnées de quelques jours à tour de rôle.

Les pêcheurs du village commencent à tendre leurs filets au travers du mouillage dès le lundi matin. Plus question de rester ici sans devoir déplacer le bateau à tout bout de champ.

L'anse Mitan, située entre la Grande Anse d'Arlet et Fort-de-France, demeure un bon compromis. La plupart des plaisanciers français et québécois qui travaillent sur l'île s'y installent. On compte facilement cent cinquante voiliers.

Nous retrouvons avec plaisir de vieilles connaissances, Angelo et Danielle Desrosiers, connus à Sept-Îles, en 1982, lors de notre premier et mémorable été d'apprentissage dans le golfe Saint-Laurent. À cette époque, ils construisaient un bateau malgré l'incompréhension suscitée autour d'eux. La vue de nos quatre jeunes enfants les avait réconfortés. Lorsqu'en 1987, ils ont vendu la magnifique maison canadienne en pierres qu'ils avaient aussi mis des années à construire, pour partir sur l'*Enjôleuse* vers les Antilles, parents et amis les ont encore traités de fous.

Ils vivent dans les îles depuis ce temps-là. Angelo est menuisier, les contrats ne manquent pas. Ils viennent d'acheter un bateau plus grand, un Sun Magic 47 de Jeanneau, veulent ramasser encore des sous, leur fille Catherine va à l'école... Danielle pense que c'est important. Angelo, de son côté, espère toujours hisser les voiles vers le Pacifique. Nous l'encourageons à tenter l'aventure en lui répétant qu'il trouvera du travail partout sur la route.

Il se cherche justement des aides pour la pose de bardeau sur des toitures. Cette entrée d'argent tombe plutôt bien car les équipiers québécois dont nous attendions des nouvelles depuis notre départ du Brésil ont tous deux annulé leur projet de navigation aux Antilles.

Pour une fois, le haut niveau de vie d'une société nous convient. Les boutiquiers et commerçants de Fort-de-France achètent nos épices et plusieurs pièces d'artisanat malgache à des prix élevés.

Damien vend son solitaire et les dix kilos de girofle avec d'excellents profits. Notre jeune homme d'affaire sera bientôt plus riche que nous.

Déjà le mois de mai. Les copains de *Super Faré*, connus à Natal, font une courte escale à Fort-de-France dans leur sprint vers le nord. Les enfants les ont rebaptisés *Super Pressés*, tellement cette famille est toujours à la course.

Invités pour l'apéro, nous arrivons vêtus de polos au dos desquels nous venons tout juste de faire broder :

1986 – 1992
V'LIMEUSE autour du monde

Du coup, les Belges se rendent compte qu'ils ont, eux aussi, recoupé leur ligne en Martinique. Comme ils repartent aussitôt, rendez-vous est donné aux Saintes pour les célébrations au champagne.

Le 8 mai, après un mois sous le ciel martiniquais, nous poursuivons notre remontée vers le Québec.

Carl ✍

10 mai 1992, les Saintes

À l'ancre devant le village. Ce matin : crêpes arrosées de sirop, servies au lit. Quel délice ! Vers 11 heures, *Super Faré* vient mouiller tout près de notre bord. Les enfants plongent ensemble. J'ai pris ma douche, revêtu mon polo tour-du-mondiste. Malgré la grande différence qui nous sépare, nous les *V'limeux* et eux, les « Amel », cela se passe agréablement. René va chercher les pizzas pendant que je nettoie les orteils de Fabienne qui est allée se les coincer sous la chaîne graisseuse de la barre à roue. Les enfants mangeront à bord de *Super Faré* et nous ici, sous le taud, en buvant un Bordeaux. Déjà, René annonce qu'ils doivent partir pour Pointe-à-Pitre. En vitesse un café. Ils nous proposent de remonter la Rivière Salée qui mène au nord de la Guadeloupe. L'angle de route est ensuite meilleur pour faire voile vers Saint-Martin. Il paraît que la traversée de ce marais est agréable. Réservée uniquement au bateaux qui tirent moins de 1 mètre 60.

L'après-midi, je pars à pied avec Damien et les jumelles pour la plage de Pompierre. On s'y baigne, on fait le tour du petit lagon, on grimpe les crêtes, on regarde la mer au vent et les bateaux penchés qui tirent des bords dans l'alizé vers Point-à-Pitre. Damien trouve un jeune cactus déraciné et le rapporte au bateau.

Ce soir, je termine *Cadeau du ciel*, de Richard Bach. Des récits de vol des années 1965-70 avant qu'il ne devienne célèbre avec son goéland. Cela me donne envie de voler. Il faudra voir au retour. J'oublie si vite.

11 mai

J'ai pris la décision. Personnellement. Je n'ai plus le goût de faire du près pendant cinq ou six heures pour aller manger un spaghetti avec les Ortmann's. Évangéline regimbe. Mais je finis par convaincre tout le monde. Nous irons tranquillement naviguer sous le vent de la Guadeloupe et passerons plutôt la nuit à l'anse Deshayes.

Après le canal des Saintes, le vent tombe. Quelques minutes de moteur avant qu'il se relève, cette fois du large. Faible au début, il se stabilise et bientôt, devant l'îlet Pigeon, redevient l'alizé qui s'engouffre et accélère dans les contours des montagnes. Ça gîte bien. Puis d'un seul coup il rentre dans le nez. Affalons en vitesse, roulons le génois. Rafales très fortes à 35 nœuds. Nous zigzaguons entre les bouées de pêcheurs jusqu'au mouillage. Au moins vingt-cinq bateaux.

12 mai

Il a plu cette nuit et le ciel est couvert. Lever tôt. Le départ est prévu à 6 heures. Sous les yeux de quelques voisins éberlués, les enfants s'occupent de l'appareillage. Évangéline, Sandrine et Damien remontent l'ancre tandis que Noémie se place aux commandes moteur. Nous leur donnons un petit coup de main vers la fin mais ils sont bien prêts de s'en sortir tout seuls. Les filles s'occupent maintenant à temps plein de la navigation, Damien des manœuvres. Nous rigolons en imaginant la tête des gens s'ils voyaient arriver la *V'limeuse* au mouillage avec les enfants pour seul équipage.

Après quatre heures sous voile, le vent mollit dangereusement et la houle nous ballotte. Les voiles claquent. L'équipage peste. Il fait une chaleur d'enfer. Nous décidons d'aller dormir à Antigua et de terminer la route au moteur.

Je ne me sens pas bien. Le soleil m'est insupportable. Je lis à l'avant, loin du bruit du moteur. Même pas faim.

L'île approche. Plein de bateaux dans la grande baie de Falmouth. J'avais pratiquement oublié cet abri naturel. Moteur coupé. Ouf ! La nuit s'annonce calme. J'ai ouvert et râpé une noix de coco. Le menu est clair : un dahl, que nous préparera Sandrine. Je ferai le riz, légèrement grillé dans l'huile avant de verser l'eau bouillante.

13 mai

Falmouth Harbour. Antigua. Le vent s'est levé dans la nuit. Le ciel, complètement bouché, crache une petite pluie constante. Nous ne bougerons pas. C'est l'école pour les enfants, la lecture pour les parents. Plus je lis, plus je réfléchis à ma vie, à ce que je devrais écrire. Il faudrait que je m'y mette, voilà tout. Et que rien ne m'arrête.

Ici, c'est le royaume des grands yachts. La différence de taille se voit tout de suite. Entre ici et la Guadeloupe, il y a une frontière.

14 mai

Temps gris, le ciel est bas, la mer semble mauvaise, du moins inconfortable dehors. Lorsqu'on n'a pas de rendez-vous précis, vaut mieux attendre.

Les enfants reviennent d'une balade à terre en nous annonçant qu'il y a un autre Damien 2 dans le mouillage et qu'ils ont parlé avec le propriétaire, un Anglais. Un peu plus tard, nous allons lui rendre visite.

C'est *Barnabé*, un des nouveaux Damien de seize mètres. Nous montons à bord. Mark l'a acheté il y a huit mois aux enchères des îles Vierges. Saisi par la douane. Une histoire de formalités non remplies, etc.

Allons marcher à terre. Antigua s'est bien développée depuis sept ans. L'endroit a de l'atmosphère. Jamais eu tant de bateaux ici.

Dominique ✍

20 au 22 mai

Philipsburg, Saint-Martin. Côté hollandais de l'île. Chaud, chaud... Quel trou ! Un rendez-vous des consommateurs et des touristes. Dommage qu'il n'y ait pas de place pour les piétons dans ces petites rues. Elles pourraient être très agréables. Mais non, les voitures sont stationnées sur les trottoirs. On ne voit que des radios, des montres, des baladeurs et au bout de trois jours, l'électronique nous sort par tous les pores de la peau. Il faut être riche pour traîner ici ou bien l'on devient fou. C'est la démence de l'aubaine. Tout à coup, on a la dangereuse impression d'avoir besoin d'une foule de choses qu'il faut absolument acheter maintenant.

Nous sommes venus ici pour Damien qui voulait se payer une chaîne stéréo portative et un baladeur avec les profits de ses ventes en Martinique.

Beaucoup de voiliers au mouillage et aux pontons. Nous avons été accueillis par Scott, de *Storm Bay*. Un Tasmanien très sympathique rencontré à Gove, en Australie, puis retrouvé à Durban et à Cape Town. Il ressemble un peu à Gaston Lagaffe.

Damien a rencontré un jeune Québécois de 17 ans, Sébastien, qui habite sur le voilier en ferro-ciment *Le chant de Gabrielle*

343

et vit ici depuis dix ans. Son père a un bateau de pêche au gros et chaque jour Damien rêve qu'il sera invité pour une sortie en mer.

De son côté, Évangéline a fait la connaissance d'un groupe de jeunes *yachties* dont un Sud-Africain de Durban, Grant, qui a vécu plusieurs années à Cape Town et revient des Bermudes. Il nous donne l'adresse d'un ami là-bas, pour le courrier. Il y a aussi Richard, un Anglais de 25 ans avec lequel elle passe tout son temps libre... ou presque, puisqu'elle a aussi retrouvé sa copine australienne, Andrea de *Mischief.*

Lorsque nous sommes enfin prêts à partir pour les îles Vierges, le temps est moche et les enfants remettent une enveloppe à Carl :

À notre cher petit papa

Ceci est notre pétition.
Nous ne demandons rien d'impossible, seulement une petite faveur qui nous ferait vraiment plaisir. Ce serait de rester jusqu'à demain après-midi. Voici nos raisons :
1. Damien aimerait aller pêcher le marlin demain matin à 5 heures et il serait de retour à midi.
2. Nous aimerions aussi enregistrer quelques cassettes de musique brésilienne et jouer avec nos copains pour la dernière fois.
J'espère que tu considéreras notre proposition. Merci !

23 et 24 mai
Il fait gris, on reste. Damien n'est pas sorti en mer, finalement. Trop mauvais. La houle est si forte ici qu'on déménage du côté français de l'île, à la baie de Marigot. Nous lèverons l'ancre directement de là-bas pour mettre le cap sur les Bermudes. Tant pis pour les îles Vierges, nous avons trop traîné et la mauvaise saison approche.

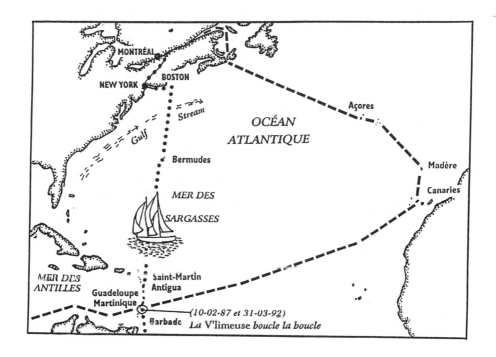

MONTRÉAL

NEW YORK   BOSTON

Açores

Gulf *Stream*

OCÉAN
ATLANTIQUE

Madère

Bermudes

Canaries

MER DES

SARGASSES

MER DES
ANTILLES

Saint-Martin
Antigua

Guadeloupe
Martinique

(10-02-87 et 31-03-92)
Barbade   *La V'limeuse boucle la boucle*

Noémie

30 mai 1992

Nous sommes partis de la baie de Marigot à environ 8 heures
du matin. Tout était rangé à l'intérieur, car pour la première
fois depuis deux mois, nous partions pour une assez longue
traversée jusqu'aux Bermudes : 866 milles. Et en plus, Sandrine
et moi barrons maintenant quatre heures par jour comme tout
le monde dans la famille.

Je suis restée couchée toute la journée comme à chaque début
de traversée. Mon quart de deux heures s'est bien passé, je n'ai
pas eu mal au cœur. Par contre j'ai trouvé ça très long.

31 mai

Quand Carl est venu me réveiller à 5 heures du matin, il faisait
encore noir et ça m'a pris un peu de temps pour reprendre mes
esprits. Ce quart-là a été terrible. On aurait dit que l'aiguille du
cadran n'avançait pas. Vers la fin, j'ai eu mal au cœur et j'ai
vomi un peu. Pourtant le reste de la journée a bien été.

Nous commençons à voir des algues, je pense que nous venons de rentrer dans la mer des sargasses.

Aujourd'hui c'est la fête des mères et comme nous n'avons pas de cadeau, nous, les enfants, avons décidé de lui préparer un bon souper. Évangéline et Sandrine ont fait un spaghetti et Damien et moi un renversé aux ananas. Le repas a été délicieux, surtout le renversé.

2 juin

Aujourd'hui, en fin de matinée, le vent a tourné sur l'arrière, alors nous avons hissé le spi. C'était une très belle journée, nous avancions peinards, avec le spi gonflé par le vent. Quand Dominique a eu fini son quart, elle a commencé à préparer un macaroni gratiné et nous l'avons tous aidée. Nous faisons souvent des plats au four quand nous sommes au spi.

Depuis ce matin, Damien, Sandrine et moi essayons d'attraper des sargasses, ces algues brunes. Nous avons utilisé plein de choses, d'abord l'épuisette de Damien, ensuite un bout de bois, un hameçon et la gaffe. Finalement nous avons rempli une bonne chaudière d'algues. Ensuite, pour rigoler, Sandrine et moi en avons mis plein dans nos cheveux et par-dessus nos culottes.

3 juin

Le spi est levé depuis ce matin, nous avançons bien. Encore une belle journée ! J'espère que le vent ne va pas tomber car si ça continue comme cela nous allons faire la traversée en moins de huit jours. Croisons nos doigts ! Comme il fait beau et que la mer est encore pleine d'algues, nous en avons attrapé pour conserver vivant les crabes et les crevettes qui se cachent dedans. Nous les avons mis dans un seau, ça faisait comme un petit aquarium pour crevettes.

Durant mon quart, le ciel s'est couvert tranquillement et tout d'un coup la pluie est arrivée. Pendant tout mon quart. Un peu plus tard le ciel s'est découvert à nouveau et les étoiles sont apparues. À ce moment là, le moteur tournait car il n'y avait plus un pet de vent.

5 juin

Le ciel est couvert et il pleut beaucoup. Nous sommes rentrés depuis hier soir dans une zone de grains. C'est un peu chiant car il faut mettre au moins deux hauts de cirés et on est quand même trempés. Et le pire c'est qu'on ne peut pas écouter de musique avec nos baladeurs qui ne sont pas étanches.
Le vent force toujours. Nous filons à cinq nœuds et demi. Nous avons mangé des Pringles pour nous remettre un peu en forme.

6 juin

Il pleut toujours à boire debout, sans arrêt. Ça nettoie le pont mais ça nous fout les boules. Cette fois tous les cirés sont sortis et traînent partout dans le bateau. Le vent vient de l'arrière et nous avançons à trois nœuds et demi. Il faut se ralentir car il nous reste 69 milles et nous ne voulons pas arriver à la noirceur.
Plus tard il a fallu se mettre à la cape mais la *V'limeuse* dérivait encore trop vite vers la côte alors nous avons tiré des bords jusqu'au petit jour.

Damien ✍

Nous sommes restés trois semaines aux Bermudes.
Nous étions ancrés devant le petit village de Saint-Georges, très sympathique.
Un jour qu'il faisait mauvais, il ventait environ 35 nœuds, un énorme paquebot a décidé de sortir quand même du port. Mais ça ne s'est pas passé comme d'habitude. Le vent l'a pris de côté et comme il était très haut sur l'eau, il s'est fait déporter sur les voiliers au mouillage. Il a failli couler un petit voilier qui avait pris trop de temps pour comprendre que le paquebot arrivait pile sur lui. Le pire, c'est que nous avons été obligés, nous aussi, de lever l'ancre en catastrophe. Par chance le paquebot s'est échoué juste à la limite du plus gros des voiliers. Le lendemain, nous sommes allés nous mettre à quai puisque chaque jeudi, quand le paquebot quitte Saint-Georges, tous les voiliers se ruent vers le grand quai.
Un jour, je revenais d'une sortie de pêche au gros avec mes copains bermudiens quand Évangéline m'a dit que Carl voulait

que l'un de nous deux plonge, pendant qu'il était parti à Hamilton, pour récupérer notre deuxième ancre tombée à l'eau durant la nuit. Alors, comme Évangéline avait peur d'y aller, j'ai décidé de plonger, même si j'étais mort de trouille car l'eau est très trouble. Après avoir passé une demi-heure accroché après le balcon, à moitié dans l'eau, je suis finalement descendu jusqu'au fond, pour ne rien trouver. C'est seulement au bout de la deuxième fois que j'ai aperçu l'ancre.

Ce jour-là, quand Carl et Dominique sont revenus, ils avaient des petits cadeaux pour nous remercier : j'ai eu un CD de Roxette et un tee-shirt avec des requins.

Bermudes (D.)

Certaines îles semblent être nées du désir des marins. Éloignées des côtes, situées là où les choses se gâtent et où la mer revêt plus souvent qu'ailleurs un visage menaçant, elles apparaissent comme de merveilleux havres où l'on se réfugie à l'abri du mauvais temps, mais surtout de nos angoisses.

Je les appelle les îles-pièges, car on ne les quitte pas sans devoir à nouveau braver sa peur.

Les Bermudes ont accueilli grand nombre de bateaux venus du large comme des oiseaux blessés, d'équipages sortis d'enfers à peine imaginables dans les ventres de voiliers chavirés, métamorphosés d'avoir côtoyé la mort d'aussi près.

Et bien que ces cas soient des exceptions, ils confirment en quelque sorte la règle. S'il est facile d'oublier sur la terre ferme que nous sommes tous des morts en sursis, ceux qui prennent la mer en ont une conscience plus aiguë. En larguant les amarres, ils acceptent d'affronter la tourmente.

En onze ans depuis la mise à l'eau de la *V'limeuse*, nous n'avons jamais tâté de la furie des éléments. De leur mauvaise humeur tout au plus. Et celle-ci impressionne suffisamment pour craindre les déchaînements.

Une seule fois, en juin 1985, les vents ont grimpé au-dessus des 60 nœuds. La brunante tombait et nous entrions dans le courant chaud du Gulf Stream, au nord-ouest des Bermudes. Des cathédrales nuageuses nous barraient la route, un mur encore plus sombre que la nuit et si affreusement zébré d'éclairs qu'il semblait suicidaire de vouloir le franchir. La violence du vent dura à peine quelques heures. La mer n'eut pas le temps de déferler. Malgré la voilure réduite à une simple trinquette, nous fuyions au triple galop, la peur aux fesses et à peine gîtés sur le côté des vagues, en priant pour que cet enfer de décharges électriques tombent ailleurs que sur la *V'limeuse*. Déjà les étoiles apparaissaient au loin. Et le vent s'essoufflant à 30 nœuds sous la lune perdait son caractère menaçant et devenait à nos yeux aussi confortable qu'une brise de demoiselle.

Il m'en reste un souvenir très vif, comme si l'océan nous avait émis un simple « quarante-huit heures » en guise d'avertissement. Un jour ou l'autre, il faudrait nous mesurer à des conditions plus extrêmes.

Et comme nous approchons des mêmes parages, je ne peux m'empêcher d'y penser.

Pour les plaisanciers qui, à l'automne, arrivent de New-York ou de Nouvelle-Écosse et vont vers les Antilles, les Bermudes annoncent la proximité du beau temps. Mais pour nous qui venons du sud, l'archipel marque au contraire la fin d'une navigation facile. Aussitôt sorti des calmes de la mer des Sargasses, on sent le changement météorologique, le début des conditions aléatoires de l'Atlantique Nord. Déjà, nous avons bien failli ne pas nous arrêter ici à cause du mauvais temps.

Tout au long de l'escale, je me défendrai mal d'une anxiété un peu sourde. Peu importe la route que nous choisirons pour rentrer à la maison, il nous faudra repasser sur les lieux des souvenirs.

Pour le moment, nous sommes attachés au grand quai de Saint-Georges et nous profitons de l'atmosphère de cette halte importante dans l'Atlantique Nord. À ce temps-ci, soit début juin, beaucoup de voiliers qui ont passé l'hiver aux Antilles rentrent en Europe et font escale aux Bermudes avant de filer vers les Açores. D'autres viennent de la côte est américaine.

L'ambiance sur les quais rappelle celle de Madère, mais la ressemblance s'arrête là. De l'autre côté de l'Atlantique, l'île portugaise nous offrait de saisissants contrastes de climat entre le niveau de la mer et celui des hauts sommets frangés de nuages : un véritable enchantement pour les marcheurs ! Tandis que les Bermudes, avec leur climat tempéré et un relief tout en collines, plaisent davantage aux golfeurs.

L'archipel est formé de plusieurs îles reliées par des ponts. Le port principal d'Hamilton se trouve au centre, sur la plus grande. Pour s'y rendre en bateau, il faut suivre un chenal dans l'immense lagon protégé par une ceinture corallienne qui déborde l'archipel très loin au nord.

Venant du sud, nous préférons l'accès plus simple au port de Saint-Georges. Le village peut être chouette, hyper-tranquille, les jours sans touristes, soit du jeudi soir au mardi matin. Ces jours-là, nous avons la permission de prendre la place à quai des paquebots. Mais lorsque l'énorme *Horizon* revient avec sa cargaison d'Américains plus ou moins enrobés selon l'âge, il devient pénible de circuler dans les rues déjà très étroites. Et encore plus difficile de supporter les sempiternels « *Oh my God! Look at that! It's beautiful, isn't it ?* »

Depuis une semaine, toutefois, le nombre de marins surpassent celui des touristes. Il est arrivé de nouveaux bateaux européens, dont quelques grands voiliers-écoles, qui participent à une course par étapes depuis l'Espagne. Organisée dans le cadre du cinq centième anniversaire des premières navigations de Christophe Colomb, celle-ci va les conduire jusqu'à New-York, puis Boston, où sont prévus les prochains rassemblements et parades.

Évangéline ne sait plus ou donner de la tête, tantôt elle cause avec un Français, tantôt un Espagnol, tantôt un Italien...

Un jour, les enfants aident l'équipage d'un super catamaran à s'accoster, ce qui nous vaut une invitation à prendre un verre à bord. Le *Highest Honour 2*, vingt-cinq mètres, appartient à l'entreprise martiniquaise de charter ATM. Le bateau remonte vers Québec, skippé par un Français très sympathique, Alain, qui pense s'installer par la suite à Montréal. Il aimerait étudier l'acupuncture, ce qui lui permettrait de voyager tout en exerçant un métier passionnant. C'est ainsi qu'il se retrouvera avec mon frère Pascal comme professeur, au cégep Rosemont !

Il y a quelques voiliers québécois au travers des autres. L'un d'eux, *Scaramouche 4*, un plan Roberts de 13 mètres en acier, arrive de New-York après une traversée difficile et son propriétaire pense déjà le mettre en vente. La construction impeccable et l'intérieur peaufiné, en bois clair, témoignent des années de travail minutieux : un vrai bijou. Robert n'avait pas prévu, pourtant, que la navigation le rendrait à ce point anxieux.

Carl l'encourage à être patient avec la mer. Il ne faut pas espérer, lui dit-il, qu'elle nous récompensera au centuple, dès les premières traversées, pour nos longues années d'investissement. Mais je doute qu'il arrive à le persuader. Je crois qu'il faut avoir éprouvé un minimum de plaisir, ne serait-ce que deux ou trois secondes de bonheur pur à la barre de son bateau, par gros temps, pour s'y accrocher par la suite en dépit des angoisses et des peurs. Sinon, on ne remonte jamais la pente de la désillusion.

Un autre bateau québécois entre dans le port, peu de temps après. Il s'agit cette fois d'un C & C 41, de Montréal. Parti lui aussi de New-York, il devait rallier la Guadeloupe, mais les équipiers sont tout à coup très pressés de rentrer au Québec. Un peu chagriné par la tournure des événements, Bernard Mital décide de sortir le bateau ici et de le mettre au sec jusqu'en octobre. Il vient nous voir avec des sacs remplis de lait, fromages, pain, saucisses, jus, jambon, etc. Au fil de la conversation, nous apprenons qu'avant de s'acheter un voilier, Bernard se passionnait pour le pilotage de monomoteur. Incroyable, le nombre de pilotes qui croisent notre route depuis que Carl s'est mis à rêver au ciel plutôt qu'à la mer !

Bernard pratique aussi la médecine générale, et six mois plus tard, à Longueuil, lorsque Sandrine fera la première et seule crise d'asthme de son existence, en réaction à la pollution, aux poils de tapis et probablement à notre retour, c'est lui qui l'accueillera à l'urgence et s'occupera d'elle.

Tous ces compatriotes rencontrés sur les quais se montrent passionnés par notre aventure en famille et nous encouragent à publier un récit. Carl s'imagine déjà dans une petite chambre d'auberge, cherchant l'inspiration au-delà d'une fenêtre qui donnerait sur la campagne ou sur le bord du fleuve. Retiré loin des corvées de repas et d'épicerie, il passerait de longs mois en solitaire devant sa machine à écrire...

L'avenir lui réservera bien des surprises. Il ne sait pas encore qu'il travaillera avec sa blonde durant plus de quatre ans, tout en continuant à faire les courses et à préparer à manger !

Pour l'instant, tout comme moi, il a mis de côté la rédaction commencée à Cape Town et se contente de prendre des notes dans son journal. Hier, par exemple, il s'inquiétait de ce que l'amabilité des Bermudiens était devenue une valeur monnayable, un bien de consommation pour des visiteurs habitués à l'incognito antipathique et froid des grandes villes. La gentillesse, jadis une valeur humaine, est aujourd'hui une sorte de garantie de la prospérité touristique de l'île.

Les trois dernières semaines de juin s'écoulent en menues occupations : balades en vélo jusqu'à Hamilton, baignades, vie sociale intense pour Évangéline et pêche aux requins pour Damien, qui traînait sur les quais des pêcheurs depuis une semaine et a fini par faire valoir son expérience.

Un seul coup de vent a touché les Bermudes, en pleine nuit, semant une belle confusion le long des quais. Maintenant on parle de la première dépression tropicale de la saison, actuellement sur Cuba et en route vers la côte américaine.

Chaque matin, Évangéline va chercher les cartes météo au bureau des douanes. Les prévisions s'étalent sur cinq jours et donnent un aperçu global des systèmes dépressionnaires en formation.

Le 28 juin, l'ouverture semble propice. Les derniers voiliers inscrits dans la course par étapes ont quitté pour New-York. Ils seront à Boston vers le 10 juillet et Carl propose de rejoindre le grand rassemblement là-bas.

Le lendemain, nous réglons les 180 dollars américains – trente par visiteur – exigés depuis un an ou deux, embarquons les derniers pains frais, les caisses de bières payées hors taxes et déposées à la douane, et remplissons le réservoir d'eau douce.

Puis, l'estomac légèrement noué, nous empruntons la passe étroite entre les rochers et sortons à la mer libre, vaillants sous un ciel gris comme des dompteurs d'angoisse.

L'équipage aguerri (D.)

La mer ne se lasse pas d'être maussade.

Nous croisons encore des bouquets de sargasses et des colonies de « voiles portugaises », ces physalies mauves et roses qui voyagent comme nous en s'aidant du vent.

À 380 milles au nord-ouest des Bermudes, nous sommes bien loin des alizés. Depuis trois jours, le vent tourne sans arrêt sous les lignes de grains. Les fronts froids se suivent.

Aujourd'hui, 2 juillet, le temps change soudainement. L'air devient humide, presque de la brume, avec une visibilité de deux à trois milles.

Damien m'annonce que la barre se tient seule, au près serré. Le Gulf Stream n'est plus qu'à 50 milles et nous y serons vers minuit. Comme s'il comprenait la source de notre anxiété, le nordet augmente durant l'après-midi et bientôt nous devons abattre de plusieurs degrés. La vague prend de l'ampleur, se hache à rebrousse-poil du courant. Nous passons la nuit à sauter de l'une à l'autre en retombant parfois si lourdement que le cactus de Damien, posé sur le rebord de la bulle, s'envole à travers le carré avant d'atterrir dans une gerbe de terre qui recouvre coussins et tapis.

Dehors, l'air devient glacial. Les enfants sortent à tour de rôle pour prendre leur quart, habillés comme en hiver.

Sandrine et Noémie se lèvent alors qu'il fait encore noir. Promues aux quarts de nuit depuis Saint-Martin, elles se tiennent compagnie, se réconfortent mutuellement, s'apportent des chocolats chauds, de la musique...

Elles ont beaucoup changé en six ans. Non pas qu'elles se soient rapprochées davantage en voyageant, car le plus souvent Damien se glissait entre elles. Mais il en faut très peu pour qu'elles retrouvent cette connivence parfaite qu'elles partagent depuis leur naissance. Et quand je les vois sur le pont, à rigoler ensemble pendant que le reste de la famille se repose à l'intérieur, je me dis que très peu de relations conduisent à une aussi merveilleuse complicité.

Quand j'affirme qu'elles ont changé, je veux plutôt parler d'une évolution propre à chacune d'elles.

Noémie, qui le plus souvent s'est retrouvée seule lorsque Sandrine et Damien s'amusaient ensemble, a développé une surprenante force intérieure. C'est le calme, surtout, qui impressionne chez cette enfant de 11 ans. Et une allure de grande dame dont se moque parfois

Damien, mais qui dénote une droiture d'esprit, une sagesse et un équilibre que je lui envie d'avoir déjà trouvé à son âge.

Sandrine est plus mystérieuse, vaguement tourmentée et camoufle une grande sensibilité sous des allures nonchalantes de petite *bum*. Son intelligence, sa compréhension quasi diabolique de l'âme humaine la rend fascinante. Elle a cet étrange pouvoir sur les autres, mélange de séduction par la tendresse et de réparties mordantes.

Au cours des années, leurs différences de caractères ont peu à peu modelé leur visage, leurs expressions, bien qu'elles en portaient déjà, toutes petites, les signes distinctifs.

Il est difficile d'avancer avec certitude que le voyage aura influencé leur personnalité, mais il aura sans doute permis à leur caractère de mieux s'affirmer.

L'autre jour, aux Bermudes, des gens nous ont dit qu'ils trouvaient nos enfants différents des autres. Simplement par leur manière d'écouter, par une forme d'attention, de concentration peu commune chez les petits terriens.

Moi qui mesure les autres à leur regard, je concède que les petits *v'limeux* ont tous un peu de mer dans les yeux. Je retrouve cette belle mouvance, ce scintillement de lumière, cette puissance contenue et qui à l'occasion se déchaîne en brefs éclairs de violence avant de retrouver un apaisement plus tendre.

La navigation océanique nous a tous changés, peut-être plus profondément que nous l'imaginons. En nous aguerrissant à leurs humeurs, la mer et le ciel ont développé en chacun de nous cette hyper-attention propre aux espèces sauvages. Cette mutation lente a dû finir par émerger dans les regards. Elle explique ma confiance absolue en deux fillettes de 11 ans, aptes à barrer dans la noirceur un voilier de vingt tonnes, alors que je douterais de tout adulte étranger.

Le vent a molli sitôt franchi le Gulf Stream et le baromètre a grimpé de 1011 à 1020 en moins de vingt-quatre heures. Nous respirons mieux. Ce n'est pas encore cette fois que nous croiserons la tempête de notre existence.

Mais trois ans plus tard, Carl et Évangéline se retrouveront de nouveau à bord de la *V'limeuse*, entre les Bermudes et Halifax, lorsqu'une dépression se creusera au-dessus d'un méandre de ce foutu courant.

En très peu de temps, la mer devient dangereuse, se hérisse en vagues anarchiques de la hauteur des mâts et qui croulent de toutes parts.

Le nouveau safran, construit après notre retour au Québec, s'avère alors trop court et sans prise suffisante dans l'eau. Il rétablit à peine la course du bateau qui menace de se mettre constamment travers aux lames si la moindre erreur à la barre est commise. Les barreurs se relaient à trois sans jamais descendre à l'intérieur. Mais ce n'est que lorsque Carl prend les rênes qu'Évangéline se permet de fermer l'œil, et vice versa.

Harnachés et recroquevillés à tour de rôle contre un sac de voile, le père et la fille traversent en trente-six heures le pire cauchemar de leur carrière de marins.

L'admiration de Carl pour les compétences et le sang-froid de sa fille aînée, tout comme le rapprochement qui suivra, sera, à mon avis, l'un des plus extraordinaires cadeaux de cette tempête.

Quelques jours plus tard, la *V'limeuse* devra revenir aux Bermudes pour permettre à deux équipiers de terminer leur voyage en avion. L'un d'eux, confiné à l'intérieur du bateau durant la tourmente, est encore sous le choc.

Même Évangéline, après avoir embrassé l'herbe du port, m'avouera au téléphone qu'elle a eu très peur de mourir. Sans les autres membres de la famille, elle se sentait beaucoup plus vulnérable.

Je comprends exactement ce qu'elle a ressenti. Nous avons formé pendant six ans une cellule homogène, habitués à répartir sur les épaules de six personnes la responsabilité de la navigation. N'ayant jamais connu de malheurs véritables, nous en sommes venus à nous croire protégés.

Aujourd'hui, 4 juillet 1992, rien de tout cela n'est encore arrivé. Et tandis que nous nous éloignons du Gulf Stream et pénétrons dans les eaux plus froides de la côte atlantique, une grande part de mon angoisse disparaît dans le sillage.

Évangéline ✎

À 150 milles de Boston, après six jours de mer et de temps pourri ! La joie est établie à bord !

Vous avez bien compris, j'ai décidé d'écrire un peu aujourd'hui parce que j'en ai marre de rester couchée toute la journée à me lamenter sur le temps et sur notre traversée qui ne va pas très bien. En fait ça va un peu mieux aujourd'hui, et s'il n'y avait pas ce maudit froid de canard, avec un peu de soleil et du vent qui viendrait de la bonne direction, ça serait encore mieux.

Depuis hier il fait tellement froid qu'avant son quart il faut au moins de vingt à vingt-cinq minutes pour s'habiller ! Alors comme exemple, je vais vous dire comment je m'habille. Donc, pour commencer, petite culotte et tee-shirt, mes collants mauves qui sont tellement horribles que je les porte seulement en mer, un gros pull-over en laine, des pantalons de ski, ma veste Équinoxe, un bas et un haut de ciré Peter Storm, et pour finir un gros bas de ciré jaune puant et l'énorme haut de ciré vert de pêcheur, sans oublier des grosses chaussettes bleues et les bottes de pluie, le chapeau de fourrure, l'écharpe et les gants. Je ne vous décris pas la dégaine quand c'est fini, c'est à peine si je peux me traîner dehors. Et encore, ce matin, je me suis gelée le bout du nez ! Bref, c'est la joie. Je n'ose même pas imaginer ce que sera l'hiver au Québec. HORRIBLE !

Noémie ✎

Boston

Enfin Boston ! C'est cela que nous avons dit après sept longs jours de mer, où quatre heures par jour il fallait sortir à la barre pour se laisser engourdir par les embruns et par le vent glacial qui nous arrivait du nord.

Le soleil était déjà bas et nous étions tous excités de voir cette grande ville tout illuminée sortir de la brume. Nous avons mouillé l'ancre juste en face des gros buildings du centre-ville, vers 9 heures du soir.

Nous sommes venus à Boston pour deux raisons. D'abord à cause des quarante-cinq énormes voiliers à trois mâts et de beaucoup d'autres plus petits qui ont paradé hier toute la journée dans la baie. C'était très beau et impressionnant. Pour mieux voir, nous étions tous montés sur les barres de flèche d'où nous avions une vue terrible sur les grands voiliers.

La deuxième raison est que Carl veut louer une auto et faire une surprise à sa mère pour le jour de sa fête, le 17 juillet.

Le cœur nomade (D.)

Propulsés hors d'une galaxie de solitude et de brume, nous avons ancré notre balcon au pied d'une grande ville américaine. Les immeubles se dressent à moins de trois cents mètres ; quelle incroyable perspective de l'espèce humaine !

Malgré cette proximité et après plus de deux semaines, je me sens toujours étrangère à l'agitation des hommes. Souvent je me demande combien de temps durera ce sentiment de non-appartenance, une fois revenue au Québec. Un mois, six mois, un an ? Jusqu'au moment où nous laisserons le bateau et déménagerons dans un logement ? Se peut-il que la différence ne s'efface jamais complètement ?

Je suis seule avec mon chapelet de questions que j'égrène inlassablement chaque jour, lorsque je longe la rivière Saint-Charles. La famille est rentrée à Montréal et j'ai proposé de garder la *V'limeuse* durant leur absence. Au fond, j'avais besoin de cette semaine à ne rien faire d'autre que de réfléchir en marchant du matin au soir.

Sitôt le petit déjeuner pris dans le cockpit en regardant le va-et-vient des bateaux, je saute dans la barque et je rame vers les pontons de la marina. Une succession de petites rues me font traverser le vieux Boston, son grand parc, et me conduisent ainsi jusqu'à la rivière. Sur plusieurs milles, les rives sont aménagées en promenades, bordées de gazon et d'arbres. Partout les citadins se prélassent au soleil, patinent, roulent en vélo, courent ou marchent en échangeant des sourires de connivence.

De la rivière, je me dirige ensuite vers les banlieues de Cambridge ou de Brookline. J'essaie d'amadouer mon cœur nomade, d'apprivoiser son caractère sauvage en lui présentant de belles maisons... Si l'on t'offrait de vivre dans l'une d'elles, Dominique, laquelle choisirais-tu ? Mais le cœur répond à la raison qu'il n'en existe aucune à sa ressemblance, que ces cages immenses et splendides l'effraient, et que les autres, plus modestes ou mignonnes, avec des arbres devant et des fleurs aux fenêtres, témoignent d'un amour qu'il ne saurait éprouver pour quatre murs.

Hier, je me suis rendue jusqu'au quartier universitaire d'Harvard. Un coin agréable avec des cafés, des boutiques et un immense magasin de cassettes et CD où l'on peut écouter les nouveautés. Il y avait un concert en plein air, la soirée était belle. Je suis rentrée tard en me souvenant des nuits montréalaises de mes 15 ou 16 ans, lorsque je marchais sans crainte malgré l'heure tardive. Je n'aurais jamais cru faire un jour la même chose dans une grande ville américaine.

Il était plus de minuit lorsque j'ai retrouvé la silhouette ronde et large de notre coursier des mers, immobile devant le vieux Boston illuminé. L'image de ce Pégase qui m'attendait sous les étoiles tenait presque du rêve. Quelle maison rivaliserait un jour avec une évocation aussi exaltante de la liberté ? Mes recherches m'apparaissaient bien dérisoires tandis que seule, dans ma petite barque à rames, je rentrais chez moi.

Ce matin, en prenant mon café, j'ai terminé le livre de Pierre Schœndœrffer : *Le Crabe-Tambour*. À l'endos, on décrit ce roman qui se déroule en grande partie sur la mer comme « un voyage au long cours à la rencontre du destin ».

La plupart des livres s'imposent dans notre vie comme s'ils avaient le pouvoir d'éclairer notre route. Celui-ci est passionnant. En lisant certains passages, j'ai pensé à tout ce qui m'arrivait depuis mon départ d'Afrique du Sud. L'auteur parle des deux cerveaux humains : le plus petit, haut lieu des émotions viscérales, et le plus grand, le néo-cortex, *domaine de la raison, de la pensée et de son expression : le langage.* Hors ce dernier *semble gouverner intelligemment les hommes jusqu'à ce que les émotions les inondent de passions inarticulées.* Le néo-cortex, si génial avec ses milliards de neurones, devient alors impuissant à traduire *la mystérieuse petite musique* du vieux cerveau primitif.

Il semble que mon néo-cortex ait abdiqué car pour moi rien ne va plus : j'ai le cœur à l'envers.

La complicité très silencieuse, établie au fil des mois avec Mike durant notre escale à Cape Town, devait camoufler une belle charge explosive car elle a déclenché une avalanche d'émotions, sitôt nos sentiments avoués, à trois jours du départ.

Je me suis retrouvée en mer, désemparée, avec le besoin viscéral de rester en contact avec lui. Et j'ai appris à transporter ma pensée au-delà des limites habituelles. Parfois je me demande si je l'ai rencontré pour cette unique raison car je n'en trouve aucune autre.

Depuis, je navigue entre un bonheur exalté et une impitoyable détresse. Heureuse d'explorer avec la passion d'une adolescente ces surprenants messages du vieux cerveau. Malheureuse de me sentir aussi divisée, à cheval sur deux versants du cœur.

Maintenant que la famille n'est plus là pour me rappeler la place immense qu'elle tient dans ma vie, qui viendrait me prevenir qu'il y a des dangers à voyager ainsi dans les zones floues de l'absolu... Et que tôt ou tard, l'on finit par blesser les êtres proches que l'on voulait épargner.

Schœndœrffer écrit dans son roman : « le choix de l'homme n'est pas toujours entre le Bien et le Mal, mais bien entre le Bien et le Bien, entre deux valeurs essentielles, qui tout à coup, par une sinistre facétie du destin, se trouvent en contradiction. Il faut choisir. Et en choisissant un Bien, on renie l'autre. »

Choisir... Le sentiment de trahir mon compagnon de vingt ans d'aventure me donne parfois la nausée. Et pourtant, je le sais, le jour où je cesserai d'être silencieuse, Carl commencera à souffrir et je devrai faire un choix.

Comment arrive-t-on à choisir entre deux parties aussi importante de soi-même ?

Alors je marche, jour après jour, et je jongle avec cette fin de voyage qui s'annonce comme une déchirure profonde. Et tant que je mets un pied devant l'autre, il me semble que je garde mon équilibre. Je me sens nue, bientôt je perdrai une grande part de ce que j'aime le plus au monde : un bateau, la mer, les quarts de lune... quoi d'autre ?

Une voix me dit qu'il m'en restera un calme intérieur... Est-ce cela le message, l'épreuve ultime du voyage ? Perdre tout sauf soi-même... et découvrir que l'essentiel est encore là, digéré, mémorisé dans les cellules, à l'abri des tempêtes extérieures.

Aujourd'hui, huitième jour, la famille doit arriver d'un moment à l'autre. Ils me demanderont si je me suis ennuyée, et pour être honnête, je devrai dire non. Bien sûr, ils feront un peu la tête, car pour eux je suis la mère, la compagne, bien avant d'être une promeneuse solitaire.

Ça y est, ils sont là, tous sauf Évangéline qui est restée à Montréal pour garder le fils de nos amis René et Catherine.

Ils approchent avec des sacs plein les bras, leurs regards bleus et des sourires de vainqueurs. Savent-ils l'effet qu'ils produisent sur moi, mes enfants blonds qui ont traversé mille souvenirs à côté de leur mère, et leur père rebelle et poète qui ne croit pas à l'amour mais m'écrit des vers plus émouvants que des couchers de lune ? Savent-ils que même si mon cœur nomade s'éloigne parfois, ils n'ont pas à s'en faire ?

Comment pourrais-je, le moment venu, ne pas les choisir ?

La route des champs (D.)

« Il n'y a que les fous qui ne changent pas d'idée. » Brandissant ce vieil adage, nous modifions encore une fois nos plans. Nous devions mettre le cap sur Halifax en partant de Boston, puis rentrer dans le golfe Saint-Laurent et nous offrir quelques semaines d'escale aux îles de la Madeleine avant de remonter le fleuve jusqu'à Montréal.

Finalement, Carl m'avoue qu'il se sent fatigué, pressé d'arriver. Depuis plusieurs nuits, il ne réussit pas à se libérer d'une certaine angoisse, comme s'il appréhendait un changement d'humeur de notre bonne étoile. Il préfère le scénario choisi au retour de notre première virée dans l'Atlantique, en 1985 : soit emprunter la rivière Hudson depuis New York, puis les canaux jusqu'au lac Champlain. Même le démâtage, inconvénient majeur de cette option, lui semble moins éprouvant qu'une navigation plus longue avec des risques de coups de vent.

Nous quittons Boston le 30 juillet au matin et après cinq journées de voile et autant de nuits au mouillage, nous arrivons à New York.

L'approche d'une île aussi célèbre que Manhattan provoque une émotion grisante. Ralentie par un fort courant de marée, la *V'limeuse* parade le long du boulevard Roosevelt avec une lenteur de reine.

Elle nous laisse tout le temps d'étudier cette fascinante image de grandeur nord-américaine, avec ses hautes tours de verre, des immeubles aussi prestigieux que l'Empire State Building, tout cela ramassé sur quelques milles carrés entourés d'eau et de vieux quais.

Et pour qui vient du large et aperçoit l'immense statue solitaire, érigée à quelque distance des hommes au milieu de la baie et brandissant son flambeau, le symbole de la liberté peut paraître équivoque... Va-t-on vraiment la trouver sur le grand continent américain ou plutôt la perdre en laissant la mer ?

À partir de là, la navigation sur la rivière Hudson devient un jeu d'enfant. Le seul moment délicat concerne l'opération démâtage. Elle se déroule à la marina de Castleton où l'on peut opérer soi-même la grue et va nous donner bien du fil à retordre. Il nous faut quatre heures pour coucher les deux mâts sur le pont, quatre heures interminables au cours desquelles nous accumulons toutes les erreurs possibles : nœud attaché du mauvais côté, boucle trop longue, poids mal réparti, etc. L'un des mâts a dû être posé sur le ponton pour simplifier les manœuvres et au moment de le rembarquer à bord nous atteignons le summum de la maladresse. Suite à un brusque écart du bateau, Carl se retrouve à l'eau avec la tête de mât dans les bras tandis qu'à l'autre extrémité de cette balançoire, Noémie s'envole dans les airs au bout de sa corde.

Le préposé de la marina s'énerve, le temps file et un autre voilier attend son tour. Eh bien qu'ils patientent ! L'équipage de *Plume au Vent*, avec lequel nous sympathiserons par la suite, nous confirmera que nous avions l'air de tout sauf d'une famille aguerrie par six années en mer. Peut-être bien... Mais dans d'autres coins du monde où les marins s'entraident, rétorquerons-nous à la blague et pour les mettre un peu mal à l'aise, on nous aurait sûrement prêté main forte.

Le voyage est presque fini. Ses ailes repliées, la *V'limeuse* entre au royaume des vaches.

En trois jours, une douzaine d'écluses nous grimpent jusqu'au lac Champlain. Puis celles de la rivière Richelieu nous redescendent vers le fleuve Saint-Laurent.

Ce matin, il ne reste plus que quelques milles avant le pont de Sorel. Le ciel paresse au-dessus de Saint-Ours, comme une couverture de laine grise tendue entre la terre et l'espace. Installée à la barre à roue, je glisse ma cassette préférée dans le baladeur. Certaines de ces chansons m'ont accompagnée durant mes plus belles nuits au large. Je veux qu'elles résonnent ici, le long des chalets, comme un ultime écho de mon adieu à la mer.

Laissant Carl et la *V'limeuse* accostée au quai de Sorel, je file à Montréal sur le pouce, avec les enfants... La dernière auto nous dépose sur la rive sud, près du tunnel Hippolyte-Lafontaine. Les enfants protestent mais j'insiste pour marcher le long du fleuve. Il y a maintenant une piste cyclable... mon Dieu que tout a changé ! La marina Ville-Marie n'existe plus... voilà donc le fameux Port de Plaisance de Longueuil, entouré d'espaces verts, et sa capitainerie pour le moins voyante...

Malgré les cris qui redoublent, j'entraîne mes mousses vers le pont Jacques-Cartier. La lumière s'adoucit, une pluie d'or coule sous les vieux arbres du Parc Lafontaine... La rue Rachel... Je ris, j'ai presque envie de pleurer... Les enfants ne rechignent plus, ils ont compris que j'arrive à Montréal après six ans et que j'étire le plaisir... Jeanne-Mance, où habite ma mère... J'ouvre la porte, Évangéline est là, radieuse. Comme elle s'est épanouie en un mois ! On dirait que sa personnalité a explosé hors des limites du bateau... Et puis voilà Marie-Anne, ma mère, toujours aussi belle, que je prends dans mes bras tandis que l'émotion monte...

La tempête à quai (D.)

Septembre 1992. Port de Plaisance de Longueuil. Pas un bruit à l'intérieur de la *V'limeuse*. Ce matin, les enfants ont enjambé les filières, sac d'école au dos, en route vers de nouvelles aventures... Nous n'étions pas pressés de les inscrire dans ces hauts lieux de l'apprentissage, mais j'ai compris qu'ils s'angoissaient, surtout la nuit, avec les fameux tests d'évaluation.

Tout s'est réglé très vite. En quelques jours, les orthopédagogues ont fait rentrer nos moussaillons dans les rangs de la normalité. Sandrine et Noémie se sont retrouvées en sixième année, comme si elles n'avaient jamais quitté le Québec.

Damien a dû se battre davantage. Ses difficultés en français le dirigeaient normalement vers une classe spéciale de 1re secondaire. Mais il a su convaincre le directeur que sa volonté de mettre les bouchées doubles le plaçait à l'avant des élèves les plus motivés.

De son côté, Évangéline tire sa révérence aux polyvalentes puisqu'elle a l'âge de terminer ses cours à l'école des adultes : d'ici au printemps, elle devrait décrocher son diplôme d'études secondaires.

Voilà, je rends à la société mes quatre matelots, mes complices, mes petits débrouillards curieux, et tout à coup avides de ressembler aux autres. Ce qu'ils ont appris avec moi ne semblera pas toujours évident. Je n'ai pas trop insisté sur les propositions subordonnées ni sur l'imparfait du subjonctif... J'ai préféré les guider à partir de leurs propres intérêts, les encourager à découvrir par eux-mêmes. L'école saura-t-elle, à son tour, susciter ce minimum de plaisir ou d'émotion sans lequel il ne sert à rien d'apprendre ?

L'essentiel de la connaissance se mesure mal. Moi-même, j'hésite à dire quel est le bagage exact de ces enfants qui ont vécu à ciel ouvert durant six ans et se sont brûlés les yeux sur l'invisible splendeur de l'univers.

Maintenant qu'ils passent leurs journées loin du bateau, Carl et moi nous retrouvons seuls, aux prises avec notre angoisse du futur. L'autre matin, sitôt les enfants disparus au bout du ponton, des nuages lourds et sombres ont noirci l'atmosphère. N'en pouvant plus de me sentir absente, Carl m'a priée de lui parler.

Ainsi depuis des jours, entre le départ et le retour des écoliers, la tempête fait rage à bord de la *V'limeuse*. Nous tirons à deux des bords insoutenables en remontant le courant des derniers mois, mais aussi de nos vingt années de vie commune. Fouettés par la furie du vent, aveugles et blessés, nous traversons à rebours chacune des petites meurtrissures du passé, comme si, dans la douleur, la mémoire s'évertuait à nous maintenir sous le joug d'émotions anciennes.

Parfois le vent reprend son souffle. Et lorsque mon amant se désarme au pied du lit et qu'ensemble nous léchons nos plaies durant des heures, entremêlant les larmes et les gémissements, je meurs de le voir souffrir. Le poison que je lui distille contre ma volonté a toutes les chances de nous être fatal à tous les deux.

Carl a toujours aimé cette image du saumon qui parcourt le monde et revient mourir dans sa rivière. J'ai peur qu'il sombre, dans un grand coup de cafard. Plus encore, j'ai peur qu'il en vienne à me haïr de ne plus aimer que lui. Peur qu'après des milliers de jours et de nuits à naviguer ensemble, il ne reste qu'une absurde déchirure entre deux solitudes échouées, terrassées par la dernière tempête.

Octobre approche. De grands V d'outardes migrent vers le sud et m'arrachent au passage un sourire un peu triste. Quand la nostalgie devient trop forte, je vais marcher le long du fleuve et je pense à ma vie en mer. J'essaie de retrouver l'état d'esprit qui donnait parfois à mon existence des contours aussi clairs.

Lorsque j'y arrive, j'éprouve une grande paix. La certitude d'un équilibre trouvé. J'aurai bientôt 36 ans, je n'envie rien à personne. Je suis allée très loin à l'intérieur de moi et au bout du monde...

Mais qu'arrive-t-il après ? Le grimpeur rendu tout en haut de son Everest hésite-t-il avant de redescendre ? Lui prend-il parfois l'envie de s'envoler ?

Devant moi, il n'y a plus rien de précis. Alors je plonge mon regard dans le courant du fleuve, immuable et tranquille, rassurant comme un vieux sage, afin qu'il m'indique encore une fois la meilleure route à suivre...

Réaction en chaîne (C.)

Je suis assis à la réception de La Presse, boulevard Saint-Laurent. J'attends depuis au moins vingt minutes que quelqu'un daigne me recevoir, là-haut à la rédaction, sur quoi seulement on me laissera franchir la cloison vitrée et prendre l'ascenseur jusqu'au troisième.

Tout à l'heure, j'ai demandé à voir un chef de pupitre. « Lequel, il y en a six... et à quel sujet ? » Comme je n'en connaissais aucun, j'ai choisi un nom au hasard en précisant que nous revenions d'un long voyage et qu'il y aurait peut-être matière à le souligner dans un article.

Je me lève tous les cinq ou dix minutes et m'informe : on me répond que la personne est toujours occupée. Pendant ce temps, je me demande si je ne devrais pas abandonner cette démarche, tellement elle ne me convainc pas. Je doute que notre navigation, menée sans coup d'éclat, n'intéresse grand monde, à commencer par les médias. N'ai-je pas, en cours de route, vainement tenté de les sensibiliser à notre aventure en famille ?

En juillet dernier, lors de cette visite surprise à ma mère depuis Boston, j'ai contacté le service des nouvelles de Radio-Canada pour les prévenir de notre arrivée prochaine. Comme il n'y avait pas beaucoup d'enthousiasme au bout du fil, je n'ai jamais rappelé.

Pour le moment, l'attente se fait longue ici et j'annonce au commis en me dirigeant vers la sortie que je vais revenir un peu plus tard. Mais dans mon for intérieur, j'ai pris la décision contraire.
J'ai cadenassé mon vélo devant l'entrée du Palais de Justice, rue Saint-Antoine. Juste avant de l'enfourcher pour retourner à Longueuil, je pense aller saluer ma première blonde et bonne amie Louise Mailhot, juge à la Cour d'Appel du Québec.

Je lui vaudrai toujours ce petit briefing dans son bureau.

Une heure plus tard, je retraverse la rue et me présente à nouveau à l'édifice de La Presse. Pas de chance, mon bonhomme est parti pour son lunch : « Désirez-vous voir quelqu'un d'autre ? »
Encore une fois, je dois choisir au hasard : « Allons-y pour Marc Doré. »
La vie est ainsi faite : tout dépend sur qui on tombe.
Il y a six chefs de pupitre et vous vous doutez que sur ce nombre il y en a un qui sera plus disposé que les autres à vous écouter. Vous tirez le nom et bingo ! Dix jours plus tard, vous décrochez la première page de l'édition du samedi, photo en couleurs et titre sur trois colonnes.
Cet heureux dénouement que je ne peux m'empêcher de dévoiler maintenant, tellement ce souvenir vivace continue de me surprendre après cinq ans, est pourtant très loin de mes intentions lorsque, dans les minutes suivantes, je rencontre Marc Doré.
Je dois même paraître blasé à ses yeux : « Il y a six ans, nous sommes partis de Longueuil avec nos quatre enfants, sur un voilier,

et nous sommes revenus il y a quelques semaines. Nous ne savions pas exactement où cela nous mènerait, tout comme nous ignorions combien de temps nous pourrions tenir avec si peu d'argent. Finalement, tout s'est bien passé et je pensais dire à ceux qui rêvent de partir que c'est faisable. Tout est possible quand on veut sauver sa vie. Je trouve que trop peu de Québécois naviguent, que la mer vaut la peine d'être essayée, et un court article dans lequel nous raconterions notre expérience pourrait en encourager certains. J'ai bien hésité avant de venir ici, mais quand j'ai regardé le calendrier et vu que le 11 octobre approchait, je me suis dit qu'il n'était peut-être pas trop tard... Si quelque chose paraissait, si possible ce jour-là, six ans plus tard, ce serait le moment idéal de dire aussi un gros merci à tous ceux qui nous ont aidés. »

Ce ton neutre est tout à fait naturel. Je ne parle pas de fabuleux voyage, d'expérience unique, etc., pour la bonne raison que je ne le vois pas ainsi. Je suis encore au ras de ce quotidien que nous avons vécu si longtemps, et je manque d'élévation, de recul pour l'apprécier à sa juste valeur. C'est le public qui nous en fera prendre conscience, sitôt la nouvelle publiée. Il viendra nous chercher au milieu des chaises, nous hissera sur la scène et nous demandera d'en parler. Il attend des révélations qu'il faudra apprendre à formuler.

Mais nous n'en sommes pas encore là. Il reste quelques étapes à franchir et la prochaine paraît assez facile à atteindre : revenir rencontrer Marc Doré dans une semaine au plus tard avec quatre à cinq feuillets sur notre voyage. Il m'a proposé l'entrevue signée par l'un des journalistes de la salle de presse, mais j'ai une sainte horreur des questions.

« C'est un piège », dis-je à Dominique, après que nous ayons noirci quelques pages ensemble au bateau. « Jamais nous n'arriverons à résumer notre voyage en si peu de mots. » Le débit est bon et ce travail à quatre mains fonctionne au-delà de nos espérances. « Qu'est-ce qu'on fait, on recommence ou on lui téléphone ? »

« Monsieur Doré, nous avons écrit cinq pages et nous sommes à peine aux Galápagos. Il reste presque tout le Pacifique et l'océan Indien au complet... peut-on continuer jusqu'à dix, maximum douze ? »

Il acquiesce mais deux jours plus tard, c'est de nouveau l'impasse : nous n'entrons toujours pas dans le carcan. Cette fois, il veut lire le texte comme condition préalable à toute extension supplémentaire.

Je me souviens encore de son commentaire quand je rappelle : « C'est très bon, continuez, on se débrouillera pour tout publier. » C'est l'émotion surtout que je perçois au bout du fil. Je cours annoncer la nouvelle à Dominique qui croit d'abord à une blague.

Cela nous fait redoubler d'ardeur et nous remettons presque vingt-cinq feuillets dans le délai prévu. Nous sommes toujours persuadés que, dans le meilleur des cas, notre article se retrouvera au début du cahier C.

Ensuite, tout va très vite. Le photographe Pierre McCann passe tirer un portrait de famille à l'étrave de la *V'limeuse* mais reste très discret sur les intentions de la rédaction. En chargeant ses appareils Nikon de pellicule couleur, il n'est pas sans savoir que son assignation risque la une.

Le vendredi après-midi, 9 octobre, en allant apporter les dernières corrections aux épreuves, nous apprenons que si tout va bien dans le monde au cours des prochaines heures, nous devrions faire la manchette demain matin. Autrement dit, seule une catastrophe pourrait nous déloger de cette place de choix. Il faut se croiser les doigts et espérer qu'aucun Boeing 747 n'explose en plein vol avant 10 heures ce soir, heure de tombée.

« Ça ne va pas vous coûter trop cher », fait Marc Doré, goguenard, devant nos mines étonnées. En mimant le jeu du fieffé coquin, il n'est pas loin de dire que nous sommes dorénavant à la merci de la grosse machine médiatique. Notre sort y est lié. Le sien aussi d'une certaine manière car il a pris un risque : l'image qu'il propose de nous réussira-t-elle à rejoindre le grand public ? Peut-on laisser passer un peu de cette fraîcheur du large au milieu des sujets brûlants de l'actualité ?

En le quittant, je lui demande s'il ne vaudrait pas mieux écrire, à la fin du texte, un numéro ou une adresse pour les lecteurs désireux de nous rejoindre. Les gens éviteraient ainsi de téléphoner à La Presse. « Ce n'est pas nécessaire, répond-il. Il est très rare que nous recevions des appels suite à un article. »

9 octobre 1992

Nous serrons la main de Marc Doré. Dehors, il tombe des clous. Nous sommes fatigués, mais contents. Rentrons au bateau tranquillement, sur nos vélos. Je vais acheter six bières, des chips, du dip à l'oignon. Plus tard, je fais l'amour à Dominique. Il pleut toujours. Nous sommes bien. Au souper, nous avons fait un test. Dominique lisait des passages et les enfants essayaient de deviner qui de nous deux avait écrit. Pas moyen de le savoir. Une belle réussite à quatre mains.

10 octobre

Damien, debout vers 8 heures 30, saute sur son BMX et va au dépanneur chercher le numéro du samedi. Youpi ! fait-il en arrivant. La photo en couleurs est belle et c'est titré : SIX ANS EN MER.

La journée se passe à savourer notre victoire. Les enfants partent pour Montréal, invités chez la famille. Les premiers lecteurs de La Presse qui reconnaissent la *V'limeuse* s'amènent sur le ponton de la marina.

Ce soir, nous nous préparons, Dominique et moi, un petit dîner au champagne.

13 octobre

Ce matin, CJMS nous demande une entrevue téléphonique. Puis M. Lemelin, de la marina, m'apporte un message de la télévision Quatre Saisons qui souhaite interviewer la famille, et plus spécialement Évangéline et Damien pour leur bulletin de nouvelles. D'autres messages pleuvent au bureau de Marc Doré. La recherchiste d'Ad Lib, à Télé-Métropole, tente aussi de nous joindre.

Les enfants ne sont pas très chauds à l'idée d'affronter les caméras.

Nous cherchons toujours un logement.

18 octobre

Je souhaite un bon anniversaire à Dominique aux petites heures du jour : 36 ans. Incroyable. Comme si elle avait encore 18 ans. Elle est restée comme un paysage que j'aurais découvert un jour et dont l'image continue toujours de voyager avec moi. Je lui dis que je l'aime.

20 octobre

Lever tôt. L'enregistrement d'Ad Lib est à 5 heures cet après-midi. L'appréhension de paraître devant les caméras nous tiraille toute la journée. Finalement tout se déroulera très bien. Jean-Pierre Coallier nous suggère de passer à l'émission de Claire Lamarche, où nous aurions davantage de temps pour élaborer sur le voyage. Il lui en parlera.

22 octobre

Les organisatrices du Salon International du Tourisme Voyage nous invitent à devenir leurs porte-parole. Elles rêvent de transporter la *V'limeuse* à la Place Bonaventure, mais je leur dis d'oublier ça. Il en coûterait trop cher et le bateau n'est pas prêt pour être exposé de la sorte aux visiteurs.
Nous devrons, d'ici l'ouverture, passer quelques entrevues radiophoniques et signaler notre présence au Salon.

29 octobre

Journée des professionnels au Salon. Trouvons notre kiosque. Dominique déploie la carte du monde. Elle a préparé une belle présentation de photos, collées sur des cartes marines. Durant la cérémonie d'ouverture, on nous fait monter sur la scène et on nous remet les quatre pages laminées de notre article paru dans La Presse. Les photographes mitraillent, le ministre du Tourisme nous serre la main...

30 octobre

Nous arrivons au Salon vers 13 heures 30. C'est parti pour une dure journée mais qui nous laisse tout surpris de l'intérêt qu'on nous porte. Notre aventure a rejoint toutes les couches de la population, et ce jusqu'aux grands-mères. Les bouchons se forment autour de Dominique, à un bout de kiosque, et autour de moi un peu plus loin. Ça ne dérougit pas.
Nous commençons à recevoir des invitations pour des conférences.

L'article dans La Presse a fait boule de neige. En trois semaines, emportés par le courant de sympathie, nous sommes devenus des messagers de l'aventure. Je n'en reviens toujours pas. Aujourd'hui, à la Place Bonaventure, je regarde Dominique entourée de cette foule curieuse. Elle parle avec de grands gestes et sourit sans relâche, depuis plus de deux heures.

Je pense à ce texte de vingt-cinq pages qui nous a permis de comprendre une chose essentielle : nous pouvons encore travailler ensemble.

Bientôt, ce sera novembre. Une fois installés pour l'hiver et la première couche fine de neige posée sur les derniers événements, nous retrousserons nos manches et commencerons à écrire...

5 ANS PLUS TARD...

Évangéline

Bilan [bila] n.m. (It. *bilancio*, balance). 2. *Bilan de qqch (opération, événement*, etc.), leur résultat, positif ou négatif.

On m'a demandé d'écrire un bilan. Après avoir chialé comme je le fais toujours lorsqu'on me demande quelque chose qui exige un minimum d'effort, je me suis dit que ce serait une bonne idée. Depuis le temps que je lis ce que Dominique et Carl écrivent sur mon compte sans pouvoir répliquer, l'heure de la vengeance a enfin sonné ! Blague à part – sinon mon texte ne sera pas accepté –, faire un bilan n'est pas chose aisée. Si l'on applique à mon futur texte la définition du dictionnaire citée plus haut, on se retrouve avec la tâche plutôt complexe de résumer le résultat positif ou négatif de six ans de voyage et des cinq ans d'immobilité qui les ont suivis !

Je me souviendrai longtemps de cette journaliste de Quatre Saisons, venue nous interviewer à notre retour. Voulant centrer son reportage sur les deux adolescents, Damien et moi, elle avait tenté de nous mettre à l'aise en comparant la période de questions qui suivrait à une gentille conversation autour d'une tasse de café...

Le spot d'éclairage braqué au visage, le lent décompte : « *4... 3... 2... 1... 0... ça tourne. Chère Évangéline, tout d'abord, j'aimerais que tu nous dises brièvement ce que tu retires de ces six années de voyage ?* » La question mortelle ! celle qui, au lieu de désamorcer le stress d'une situation, met plutôt quelqu'un dans un embarras total. Et moi de bafouiller péniblement durant quelques secondes, puis de regarder Dominique avec des larmes de panique dans les yeux : « *Euh...! euh...! est-ce qu'on pourrait recommencer, s'il vous plaît ?* »

Vouloir résumer en une minute ce qu'un individu retire de six années de voyage m'apparaissait totalement absurde. Bien sûr, j'aurais pu répondre « le goût de repartir » ou bien « une grande curiosité vis à vis le monde et les gens qui l'habitent ». Mais il y avait tellement plus. J'en retirais une expérience familiale phénoménale, aussi riche en découverte que tous les pays du monde. Je revenais avec la tête pleine de visages, de paysages, de goûts différents, de souvenirs de mers hospitalières et houleuses. Quand on a 17 ans, six ans c'est plus que le tiers d'une vie. Racontez-moi le tiers d'une vie en une minute. Expliquez-moi la complexité d'une adolescence, l'intensité d'une famille, la beauté du monde, la différence de plus d'une dizaine de culture, la paix et la violence de la mer. Dites-moi en quelques mots l'humeur changeante d'Éole et de Neptune, parlez-moi des différents tons de bleu dont la mer se pare à ses plus belles heures. Mais surtout, racontez-moi l'essentiel, ce qui ne peut se traduire par une série de lettres alignées sur une feuille. Parce que, franchement, l'essence de ce voyage se traduit non par des mots mais par un sentiment, une soif de vivre, quelque chose de doux et de paisible qui m'habite et ne demande qu'à grandir à travers de futurs voyages.

Mais la plupart des gens, et surtout les médias, veulent des réponses courtes et si possible sensationnelles. Combien de fois ai-je hésité sur leurs questions embêtantes, comme par exemple : *Quel est l'endroit que tu as préféré* ? Même en tentant de trouver quelque chose d'intelligent à dire, je déteste cette question parce que non seulement elle demande une réponse stérile, car trop réduite, mais en plus, elle limite la passion des découvertes à un seul endroit. Auparavant, et pour en finir rapidement, je trouvais plus facile de répondre : l'Afrique du Sud. Maintenant que mon esprit refuse la simplification – que voulez-vous, j'ai 21 ans ! –, j'essaie de faire comprendre aux gens à quel point chaque pays me plaisait d'une manière différente.

On m'a souvent demandé aussi : *Vous devez être très proches les uns des autres dans la famille, n'est-ce pas* ? Une fois de plus, on répond par quelques mots qui effleurent le sujet. Je trouve plus facile d'écrire, et encore... Comment parle-t-on de ceux que l'on admire plus que tout ? Avec quels mots peut-on aborder le sujet délicat de l'amour familial, du respect, de la tendresse, des liens qui sont si serrés, indestructibles ? Comment ne pas avoir l'air *quétaine* en affirmant que l'on aime ses parents et que l'on veut devenir aussi « grand » qu'eux ? Je pense ne jamais pouvoir dire à quel point ils m'impressionnent. Parce qu'ils ont su être des parents différents, originaux, généreux, courageux, patients et surtout parce qu'ils ont su vivre et **nous** faire vivre à la hauteur de leurs rêves et de leurs idéaux. Ils m'ont aussi permis d'avoir une relation unique avec mon frère et mes soeurs. D'accord, la proximité a souvent déchaîné des crises, des engueulades, mais elles étaient à l'image de la force et de la puissance des liens qui nous unissent.

Il est évident que l'amitié à long terme m'a manqué, surtout vers la fin du voyage Mais il y a eu un aspect positif : au lieu de quelques amitiés durables, j'en ai vécu de courtes mais nombreuses.

De retour à Montréal, j'ai aussitôt téléphoné à Marie-Anne. Elle était ma meilleure amie avant le départ, mais je n'avais gardé aucun contact avec elle durant ces six années. On s'est donné rendez-vous le jour même, dans la cour de notre ancienne école alternative. Et c'est là qu'eurent lieu les retrouvailles de deux jeunes adolescentes si différentes à première vue, mais si semblables en profondeur. Pour moi, Marie-Anne incarnait la délinquance. Jeune fille à caractère plutôt rebelle, elle fumait du pot, « faisait » même parfois du « mush » (des champignons hallucinogènes), et dans chaque party où elle m'invitait, je voyais couler une impressionnante quantité de bière. Je dois admettre que, de mon côté, j'avais plutôt l'allure d'une jeune fille sage, je ne fumais pas, ne buvais presque pas, n'avais pas de chum, j'habitais chez ma grand-mère et j'allais à l'école.

Je me suis bien rattrapée depuis...

L'autre jour, j'ai demandé à Marie-Anne de m'écrire comment elle m'avait vue au retour et elle m'a remis ce texte :

« Je me souviens de l'instant où tu es arrivée au pied des marches de notre école. Je me souviens de tes vêtements colorés, de tes allures de jeune fille modèle, et moi, habillée de noir comme toujours, fumant une cigarette en t'attendant. Quel choc culturel, celui de ton retour ! À quoi peut-on s'attendre quand on retrouve une amie partie en mer depuis six ans ? Un grand mystère qui grandissait à force de te connaître. Comment pouvait-on avoir 17 ans et de jamais avoir désobéi à ses parents, ne jamais avoir pris une seule brosse à cet âge si propice ? Te souviens-tu de tes idéaux amoureux ? Combien de fois ont-ils été ébranlés depuis ? Quand je repense aux premiers mois qui ont suivi ton retour, il me semble que ce fut une suite interminable de questions. Je n'avais jamais voyagé. Mon voyage durant ces six ans avait été une longue série d'objections, de refus et de doutes. Nous étions vraiment différentes et il a fallu que nous nous apprivoisions. Mais tout ceci semble si loin aujourd'hui et tu es devenue l'une des personnes les plus près de moi et cela restera jusqu'à ce que la mer te reprenne. »

Le plus surprenant dans cette histoire, c'est que non seulement mon amitié avec Marie-Anne a repris son cours après six ans d'absence, mais, très rapidement, tous ses amis m'ont intégrée au sein de leur petite gang. Je retrouvais, par magie, du jour au lendemain, ce

377

qui m'avait manqué le plus durant mon voyage. Ce fut, en fait, le plus beau cadeau du retour.

Et d'ailleurs, mon retour au Québec, comment l'ai-je vécu ? Je pense pouvoir dire qu'à un certain niveau il m'a déçue. Et c'est normal. Lorsque l'on attend quelque chose avec impatience depuis si longtemps, et que finalement ce moment arrive, on ne peut qu'être désenchanté. Le scénario final n'a jamais la même intensité que tous ceux auxquels on a rêvé. Bien sûr il y a ces premiers moments magiques, les embrassades, les regards qui veulent tout capter en même temps et les remarques du genre : « Comme vous avez grandi ! » « Vous êtes donc bien beaux, tout bronzés comme ça ! ». Ou bien les questions inévitables : « Et puis, contents d'être de retour ? » et « Le voyage, c'était comment ? » La première rencontre se soldant avec l'éternel : « Et maintenant, quels sont vos plans ? ».

Quoi, c'était tout ?

C'est encore à mon journal que j'avais confié ce sentiment de vide qui m'a envahie une fois le chaos du retour disparu :

🖋 C'est bien évident que ça m'a fait tout drôle de revenir au Québec après six ans, mais pas autant que je le pensais. Après les quelques minutes ou heures de surprise, de joie et de retrouvailles, c'est fini, on est revenu. Dans le fond, on pourrait presque repartir. Tout le monde reprend sa petite vie routinière. Je ne sais pas moi, mais il me faut quelque chose de plus dans ma vie qu'une routine. Il me faut des découvertes, des nouveaux paysages, des endroits à découvrir, des gens à rencontrer.

Quand je relis ce texte, je me souviens à quel point je ne pouvais pas m'imaginer que quelqu'un qui travaillait cinq jours par semaine dans un bureau, avec comme seules vacances deux à trois semaines par année, puisse être heureux. Mon esprit ne concevait pas qu'une vie puisse être passée à un seul endroit, que l'on ait pas envie d'aller voir plus loin, ailleurs, la terre est si grande !

Deux ans plus tard, je commençais déjà à écrire des textes où j'opposais la mer à la terre ferme. Celui qui suit contient de nombreux clichés, mais je l'ai choisi parce que j'y exprimais déjà ma nostalgie du voyage et aussi ma peur du conformisme, de l'intégration radicale, d'un moule dans lequel je ne voulais pas me laisser couler.

« Sur un terrain d'incertitude et de vague à l'âme, j'espère et me perd. Je veux la mer et craint la terre. Trop stricte, trop stable pour la mouvance qui m'habite. Son sol est dur et son esprit droit. La mer, elle, ondule, calme, s'étend et étreint. Elle éclate, se fâche, s'ébroue et repousse, mais elle ramène toujours à elle ceux qui l'ont aimée. La mer.. On doit l'apprivoiser, connaître ses états d'âme allant du bleu pâle au noir opaque, en passant par ses crêtes blanches terrorisantes, comme l'écume aux coins d'une bouche en furie. Sa puissance me terrifie. Sa douceur me poursuit jusqu'au plus profond de mes rêves encombrés. Elle me reprendra un jour où la brise sera légère, pour me nettoyer de toute cette morosité et ce conformisme que la société m'apprend à chaque instant. Pour me redonner la liberté qu'elle seule peut accorder. »

Malgré ces « périodes noires », je dois tout de même avouer que l'adaptation à l'école n'a pas été trop dure.

Au moment où j'écris ces lignes, j'ai 21 ans et je viens de terminer mon majeur (deux ans) en cinéma à l'Université de Montréal. On peut dire que je suis dans la moyenne d'âge. Pourtant, il y a cinq ans je n'aurais jamais pensé que le retour à l'école se déroulerait si bien. J'avais 17 ans et j'avais peur. Je me voyais déjà couler les examens du ministère, me faire classer en secondaire 2, etc. Mais non, comme d'habitude mon côté paranoïaque avait encore pris le dessus pour rien. Les tests de classements furent loin d'être désastreux, et j'ai pu terminer mon secondaire à raison de quatre heures par soir, quatre soirs par semaine et ceci durant huit mois.

Ce fut tout de même un long et dur apprentissage. Les mathématiques, les règles de grammaire, la biologie et l'anglais, tout cela s'apprend très bien, mais la confiance en soi, ça ne se maîtrise pas si rapidement. Que font les enfants entre 5 et 18 ans, à longueur de journée ? Ils vont à l'ÉCOLE ! En tout et pour tout, peut-être consacrions-nous deux à trois heures par jour à l'étude sur le bateau et seulement si nous n'étions pas en mer, si nous n'avions pas décidé d'aller faire une balade en famille, s'il ne faisait pas trop beau, si... Alors finalement, je n'avais qu'à faire une simple étude comparative entre le nombre impressionnant d'heures passées à l'école d'un adolescent normal et celui beaucoup plus réduit que j'y avais consacré et je découvrais écrit en lettres majuscules le pourquoi de mon angoisse. On a beau se dire « même si je devais reprendre trois ans d'étude à cause du voyage, ça ne me dérangerait pas. Ces six années m'ont beaucoup appris à d'autres niveaux », il reste qu'on ne veut pas avoir l'air trop inadapté en rentrant.

Alors j'ai réagi comme tout bon individu dans ces circonstances, j'ai voulu prouver aux autres que j'étais aussi intelligente que le reste des jeunes de mon âge. Quel fut le résultat ? Et bien, selon une aide pédagogique du centre Katimavik, j'ai terminé mon secondaire dans un temps record et avec des résultats surprenants.

Ma principale angoisse se situait au niveau du français. Durant six ans, Carl avait revêtu l'habit du prof pas trop diplomate qui me faisait inlassablement retravailler mes textes, négligeant plus souvent qu'autrement de m'octroyer quelques mots d'encouragement. Le scénario était identique à tous les coups. Je ne crois pas qu'il y ait eu un seul travail de remis sans une bonne dose de larmes. Il faut dire que j'avais comme professeur quelqu'un dont j'admirais énormément le talent d'écrivain. Mon rêve était de pouvoir écrire comme mon père, un jour. Malheureusement il semblait que tout ce que j'arrivais à écrire ne lui plaisait jamais. Je me trouvais donc nulle, certaine de n'avoir aucun style, aucune imagination. D'ailleurs, je n'avais qu'à regarder mon journal de bord pour me persuader de l'insignifiance de mes écrits. Des descriptions simples de notre emploi du temps, la liste minutieuse de nos repas, les titres des livres lus, etc.

Je sais maintenant que l'exigence de mon père ne se voulait pas blessante, il souhaitait simplement que je m'améliore. Mais je sais aussi que son attitude a joué un rôle dans cette peur d'être jugée et critiquée qui me caractérisait alors et qui n'a pas encore disparu. Je suis toujours gênée de faire lire aux autres ce que j'écris.

C'est en partie grâce à un excellent prof de français, François Saint-Pierre, du centre Katimavik, que j'ai repris confiance en moi. Pour la première fois, quelqu'un d'objectif me disait que j'avais un style intéressant, que j'avais du talent ! Même si pour moi l'écriture demeurait synonyme de souffrance et de dur travail, j'y découvrais un aspect valorisant, motivant, et le goût d'exprimer autre chose que mon menu quotidien.

Je suis quelqu'un de têtu qui doit confronter ses peurs. J'avais peur du français et de l'écriture, c'est pourquoi j'ai décidé de m'inscrire en Lettres au CEGEP de Maisonneuve. Le fait le plus cocasse est que j'ai terminé mes deux années de collégial avec le premier prix d'excellence pour l'ensemble de mes résultats scolaires ! Comme quoi, même avec quelques années de secondaire en moins, ce n'est pas la fin du monde.

C'est drôle de penser que mes peurs concernaient l'école, le conformisme, l'intégration... alors que les gens s'imaginent que la mer en cause de bien plus terribles. *Vous devez avoir eu peur des fois ?* Ils aimeraient entendre parler de grosses tempêtes, de requins mangeurs d'hommes, de pirates sanguinaires, de *bibites* tropicales dangereuses, etc. Et bien non, aucune tornade, cyclone ou autres. Les requins blancs sont restés au large, les pirates aussi... Seul un vilain moustique m'a refilé la dengue, une sorte de virus qui cause de la fièvre... et qui, vous dirait ma mère, rend un peu *fofolle*!

Mais j'ai tout de même connu la peur en mer, deux ans après notre retour. Carl devait récupérer la *V'limeuse* aux îles Vierges, et il m'a demandé de l'aider. Nous avons fait une première escale aux Bermudes, puis nous sommes repartis vers Halifax et c'est là, dans le Gulf Stream, que nous avons essuyé un sale coup de vent, de ceux qui vous font regretter d'être venu au monde, comme je l'ai raconté dans mon journal de bord :

✍ Mardi 27 juin 1995. Il est 2 heures de la nuit. La mer se lève, le vent vient du nord et il augmente constamment. Nous devons baisser de la toile, prendre un ris dans la grand-voile, puis un deuxième, enrouler le génois un peu, puis beaucoup. Le cap est d'abord mauvais, puis réellement pas bon. Il faut fuir vers le sud. La mer est devenue tellement forte, les vagues sont immenses, certaines atteignent au moins douze à treize mètres de hauteur, ce sont de véritables murs qui s'élèvent derrière nous. De gigantesques montagnes bleues et blanches qu'il faut prendre d'une façon bien précise avec le bateau sinon... il pourrait se mettre de travers à la vague et un éventuel chavirage serait possible. Je n'ai jamais eu aussi peur de ma vie, peur de mourir en mer, de mourir noyée. Une des raisons qui a fait grandir ma peur d'une manière incroyable a été de voir Carl qui avait aussi peur que moi. Je disais : « On va l'avoir, papa » ;

il me répondait : « On va essayer en tous cas. » Je demandais : « Ça va aller ? » ; il me répondait : « J'ai hâte que ça finisse, câlisse ! » Je lui serrais la main et il faisait pareil. On avait peur ensemble. Je crois ne m'être jamais sentie aussi démunie et en même temps aussi proche de quelqu'un. Cette folie de vagues, de vent, d'interminables moments, couchée sur le pont, dans un ciré froid et trempé, à essayer de fermer les yeux pour quelques instants et cesser d'entendre les hurlements du vent et de sentir le bateau qui dérape dangereusement sur le dos cambré des vagues. Vouloir de tout son être que tout cela cesse. Se croiser les doigts et se serrer les dents à chaque rafale, se retrouver à prier le bon Dieu pour qu'il nous épargne encore pour cette vague. Quand le monde extérieur se transforme en enfer, il ne nous reste que l'imagination comme porte de secours. On pense à tous ceux qu'on aime, on pleure silencieusement à l'idée de ne plus les revoir, on s'accroche avec toute l'énergie du désespoir à l'image de la terre ferme, de la sécurité. On jure ne jamais remettre les pieds sur un bateau pour le reste de sa vie, si jamais on s'en sort !

Tout ce qu'on peut jurer sous le coup d'émotions incontrôlables !

J'ai déjà dit que j'étais d'une nature obstinée. L'été suivant, je me suis retrouvée à nouveau sur la *V'limeuse*, pour une deuxième et dernière tentative de ramener notre déesse des mers au bercail. Si la première tentative avait été éprouvante parce que la famille n'était pas au complet, cette fois c'était pire : j'étais la seule représentante au sein de l'équipage. L'épreuve en était doublement valorisante. Cette traversée des Bermudes à New York, j'en avais besoin pour me prouver ma capacité à reprendre la mer, même dans des lieux où j'avais connu sa puissance avec le plus de violence.

C'est sa grandeur majestueuse et parfois cruelle qui nous fait le mieux sentir notre petitesse et notre vulnérabilité de terriens. Comment peut réagir la fourmi devant le déchaînement des éléments sur sa fourmilière ? Se rebeller ? Contre quoi ? Contre qui ? La seule solution reste le repli sur soi, le voyage intérieur d'où surgissent les souvenirs heureux, les moments de joie. La crainte de ne plus jamais en revivre de semblables donne à elle seule assez d'énergie pour se battre jusqu'à l'accalmie.

On entend souvent dire que c'est dans les moments où l'idée de la mort est présente que l'on apprécie le plus la vie. Et bien je crois que l'on ne peut comprendre intégralement cette phrase que le jour où l'on en vit chaque syllabe avec toute l'intensité qu'elle demande.

Comme les voyages sur la *V'limeuse* se font plutôt rares ces temps-ci, je compense en enseignant la voile sur des catamarans, depuis deux étés. Yves Sansoucy, le président de la compagnie Mystère International, cherchait des instructeurs pour son école de voile au lac des Deux Montagnes. Malgré mon peu d'expérience en dériveurs, j'ai été engagée. Quand on fait de la voile depuis quinze ans sur une goélette de quatorze mètres et de vingt tonnes et que du jour au lendemain on embarque sur une bête de course d'à peine six mètres et de deux cents kilos, le contraste est grand. Ça ressemble à la différence entre une bonne grosse limousine et une voiture sport décapotable.

Ce travail d'étudiant me permet de garder contact avec la voile alors que mes études me dirigent vers le monde de l'image, que ce soit à travers le cinéma, la photo ou la vidéo. J'espère un jour arriver à concilier mes différentes passions.

Grand Canyon, 17 août 1997... C'est ici, dans un décor grandiose, que j'achève mon bilan.

Je suis sur la route de Los Angeles. Je vais reconduire François, celui qui fut d'abord un compagnon d'études, puis un très bon ami et enfin beaucoup plus que ça... Il part étudier un an à l'American Film Institute. Pour la première fois, ce n'est pas moi qui largue les amarres et ça me fait tout drôle.

Moi je reviens à Montréal pour faire un mineur en Arts Plastiques. Et après? Je ne sais pas exactement, mais parmi les nombreux projets, il y a bien quelques idées de voyages...

Comme écrivait Beaudelaire :

Mais les vrais voyageurs sont ceux-là seuls qui partent
Pour partir, coeurs légers, semblables aux ballons,
De leur fatalité jamais ils ne s'écartent,
Et, sans savoir pourquoi, disent toujours : Allons !

Damien

Il m'arrive parfois de repenser aux différentes situations qui ont marqué mon voyage tout au long de nos six ans en mer. Mais la plupart du temps c'est en parlant avec mes amis qui veulent en savoir plus sur mes expériences spectaculaires, comme par exemple sur mes plongées avec les requins.

J'ai des centaines de beaux souvenirs qui resteront gravés dans ma mémoire. Les images qui me reviennent le plus souvent à l'esprit sont des scènes de mer : les belles journées de navigation, toutes voiles hissées, lorsque nous approchions d'une nouvelle île ou d'un nouveau continent. L'une des approches qui m'a le plus marqué est l'arrivée à Rodrigues, dans l'océan Indien: une journée magnifique avec une belle petite brise, la *V'limeuse* filait à huit ou neuf nœuds et nous observions sur l'horizon, droit devant, une île minuscule grossir à vue d'œil.

Bien sûr, les scènes de pêche font aussi partie des meilleurs souvenirs : ces multiples expériences que j'ai vécues à bord de différents bateaux sur lesquels j'embarquais pour une journée et parfois plus. J'ai passé des nuits entières au large de Rodrigues, de Sainte-Hélène et des Bermudes, même s'il faisait parfois très mauvais. J'aimais tellement la pêche en haute mer que j'en oubliais les dangers.

Mais j'ai aussi des mauvais souvenirs.

Tout d'abord, la grande peur que j'avais éprouvée à l'idée d'être attaqué par des pirates dans la mer de Timor, avant d'arriver à Bali. Et aussi le souvenir de la chaleur au Sri Lanka, et d'une sensation d'étouffement à cause du grand nombre de personnes dans les villes et les transports en commun.

Mes plus grandes angoisses durant le voyage étaient reliées à la sécurité à bord de la *V'limeuse*. Elles revenaient la plupart du temps lors des tempêtes auxquelles nous devions faire face. Je me demandais toujours si nous allions réussir à passer au travers sans trop de dommage. Les premières tempêtes que nous avons rencontrées étaient sûrement celles qui m'ont fait le plus peur, car j'étais encore tout jeune et je me sentais inutile aux manœuvres.

Aujourd'hui, quand je pense à mon voyage, je suis sûr que c'est grâce à lui si j'ai acquis certaines qualités. J'ai développé une grande autonomie en prenant mes premières responsabilités très jeune. J'ai aussi une expérience face à l'approche des différents peuples. À maintes reprises, j'ai dû apprendre à me débrouiller pour communiquer avec des pêcheurs qui ne parlaient pas ma langue. Ce périple m'a aussi permis d'avoir une perception d'ensemble sur le monde. Enfin, je dois au voyage mon goût d'aventure et surtout de défi concernant mon avenir.

Si je devais trouver des points négatifs, je dirais que le côté le plus déplaisant de ces six années fût au niveau de l'amitié. Il était impossible de créer des relations durables car nous n'arrêtions jamais pour de très longs séjours. Je me rappelle ce capitaine de bateau de pêche avec lequel je m'étais lié d'amitié à Rodrigues en quelques semaines et à quel point j'ai eu de la peine lors de notre départ. Cette expérience s'est répétée à plusieurs reprises tout au long du voyage et plus je grandissais plus je trouvais cela pénible.

Les relations avec mes sœurs n'ont pas toujours été simples non plus. J'ai eu beaucoup de difficultés avec Évangéline. Un voilier de 14 mètres dispose d'un espace assez restreint et il arrivait souvent qu'on se marche sur les pieds. Les disputes avec elle se multipliaient à mesure que le voyage avançait et vers la fin c'était rendu insupportable pour nous deux. Maintenant que nous ne vivons plus sous le même toit et que nous avons vieilli, nous nous voyons pour parler et faire de la voile ensemble et notre relation s'est vraiment améliorée.

Malgré cela, je ne regretterai jamais la décision de mes parents de nous avoir embarqués dans un pareil voyage, sans nous demander notre avis. D'ailleurs nous étions tous très enthousiastes de quitter le Québec et de repartir vers de merveilleuses aventures. Seule la dernière année m'a paru très longue. J'étais rendu à un âge, 13 ans, où j'avais besoin d'amis pour plus de deux semaines et j'avais vraiment hâte d'arriver au Québec et aussi de retrouver la famille que je n'avais pas revue depuis notre départ.

J'avais aussi très peur. Mes craintes commençaient à faire surface à mesure que nous nous rapprochions. J'avais peur de revenir à l'école parmi des milliers d'élèves inconnus, peur de ne pas être à la hauteur et de ne pas passer les évaluations pour le Secondaire. Je craignais de ne pas retrouver assez rapidement les habitudes de la vie en société. Je me demandais si j'allais éprouver la sensation d'un manque de liberté, souffrir de ne plus pouvoir improviser au jour le jour, mais d'être plutôt soumis à un horaire fixe.

La froideur des gens m'a réellement frappé en arrivant ici. J'étais plutôt habitué de vivre avec des peuples chaleureux et des gens très attentifs à nous.

386

Ma première journée à l'école fut terrorisante. Je me sentais étouffé par tant de monde autour de moi, par tous ces étudiants bruyants. L'évaluation à laquelle on m'avait soumis avait été très déplaisante. L'orthopédagoge était une incompétente, elle parlait au téléphone avec une de ses amies pendant que j'essayais de me concentrer et de faire mon examen.

Mes amis ne m'ont jamais vu comme quelqu'un de différent, sauf parfois quand ils enviaient mon expérience de voyage et de la voile. Les adultes sont les seuls qui me trouvaient et me trouvent encore différent des autres jeunes. Je crois que la plupart d'entre eux auraient aimé vivre une enfance comme la mienne. De mon côté, je me sens avantagé par ma vision globale des choses et de la vie en général.

Les changements les plus importants auxquels j'ai dû faire face en retournant à l'école ont été de respecter sans cesse un horaire fixe, de m'astreindre durant plusieurs heures par jour à l'étude et aux devoirs et cela après une longue journée de cours. En prenant du recul aujourd'hui, après cinq années passées au secondaire, j'ai l'impression d'avoir perdu une partie de ma jeunesse à l'école.

Je crois que mon voyage aura une très grande influence sur mon avenir, car je vais rester dans un domaine qui me passionne énormément : le monde du nautisme. Cela va me permettre certainement de voyager et en même temps de faire valoir mon expérience au niveau des bateaux. Je travaille déjà depuis deux étés à la voilerie Saintonge de Granby.

À 18 ans, j'attends de l'avenir la réalisation d'une multitude de projets qui vont me faire pleinement profiter de la vie. Comme nous n'avons qu'une seule chance de bien la réussir, je veux la vivre à fond.

Un autre de mes objectifs est de me faire connaître, de tailler ma place parmi les grands. Je veux que l'on se souvienne de moi, que mon nom reste marqué dans la mémoire des gens.

La course océanique m'attire de plus en plus et j'aimerais aussi faire du convoyage de voiliers dans les années futures.

Pour finir, je tiens vraiment à remercier mes parents pour nous avoir entraînés dans cette fabuleuse aventure. Ils ont eu la force et le courage de réaliser un rêve que je n'oublierai jamais. J'ai adoré ce long voyage qui m'a fait vivre des expériences extraordinaires. Grâce à mes parents et à leur grande détermination, j'ai vécu six années mémorables.

Noémie

Longueuil, le 12 juillet 1997

Nous quittons le port de plaisance. Dominique et Carl prennent un mois pour corriger leur manuscrit et ils ont choisi le Saguenay comme destination. Sandrine et moi en profiterons pour terminer nos bilans.

Foutu bilan ! Pourtant je n'ai jamais eu de difficulté à écrire un texte. Mais ces derniers temps, j'ai un mal fou à aligner ne serait-ce que quelques lignes. Je dois absolument essayer d'écrire près de cinq pages sur les dix dernières années de ma vie. L'obstacle majeur vient sans doute de mon incapacité à mettre sur papier ce trop plein d'images et de sensations. Il me faut trier les souvenirs flous de ceux qui se sont démarqués, trouver les mots justes pour exprimer la partie la plus importante de mon enfance.

Longueuil s'éloigne doucement. J'ai soudainement l'impression de remonter le temps. Quand je pense qu'il y a onze ans environ, nous partions pour un long voyage. À quoi je pensais ce jour-là, je ne me rappelle plus très bien. Je me souviens seulement d'un étrange sentiment de confiance et d'excitation. Je ne crois pas avoir été triste de voir disparaître au loin les personnes venues larguer nos amarres et nous embrasser une dernière fois avant longtemps. J'ai dû fixer le rivage un moment, puis lorsque les visages n'étaient plus visibles, me tourner vers l'avant du bateau, aller m'asseoir près des autres sur un banc du cockpit et ensuite, comme à chaque départ qui a suivi celui-ci, ne plus penser à ce que je venais de laisser derrière moi mais à ce qui m'attendait devant.

Lundi le 14 juillet

Il est 22 heures 30. Nous sommes au quai de Trois-Rivières pour la nuit. Le vent s'est levé tout à l'heure et le bateau s'est mis à cogner contre le quai. J'ai quitté mes draps chauds pour aller aider Carl sur le pont. Il faisait froid dehors. Ça m'a rappelé toutes les fois durant le voyage où les choses ne se passaient pas comme on l'aurait souhaité. Où le vent se mettait à souffler de plus en plus fort. Au mouillage, un vent imprévu et non désiré qui se lève est synonyme de veille. L'ancre du bateau peut chasser et on doit garder un œil et une oreille ouverte

389

pour détecter le moment où elle va cesser de lutter et lâcher prise. En mer, c'est un peu la même chose, on doit être plus vigilant, être prêt à faire des manœuvres, ne pas laisser le barreur seul si le vent force trop.

Mais je parle comme si je faisais partie du « on ». En y repensant, je me rends compte à quel point j'ai bénéficié de mon jeune âge tout au long du périple. Maman et papa s'occupaient de tout pendant que Noémie dormait dans son cocon. C'était tellement bon de pouvoir rester couchée même lorsque le vent sifflait entre les haubans. Je savais toujours que Dominique et Carl veillaient pour nous, que je n'avais aucune raison de m'inquiéter.

Maintenant que je vieillis, je comprends mieux la fatigue que traînaient mes parents vers la fin du voyage. Un voilier est une énorme responsabilité, surtout lorsqu'il abrite quatre moussaillons dans son ventre.

Je ne crois pas que mes parents m'en veuillent d'avoir préféré m'endormir lorsque je sentais la crainte me serrer la gorge. On a tous droit à son enfance, à cette période où l'on ne porte aucun poids sur ses épaules. Bien sûr, parfois la peur m'envahissait malgré cette confiance absolue que j'avais en eux, car même enfant, l'on sent quelquefois que maman et papa ne peuvent rien contre les forces de la nature qui se déchaînent. Lorsque la crainte transparaissait dans les yeux de ma mère ou de mon père, alors je préférais ne pas les regarder en face et je tentais d'étouffer la mienne.

C'est une des raisons pour laquelle j'ai apprécié mon retour au Québec. Dans notre appartement, mon lit ne tanguait plus quand je m'y couchais et lorsque le vent battait contre la fenêtre, je pouvais fermer tranquillement les yeux et oublier qu'autrefois je serais devenue anxieuse de savoir si tout tiendrait sur le bateau.

Mercredi le 16 juillet

La ville de Québec s'élève devant nous, toujours aussi majestueuse. C'est moi qui suis à la barre. D'ailleurs j'ai toujours adoré les arrivées. Je n'ai pas oublié la puissance du sentiment qui m'envahissait à chaque découverte d'un endroit dont l'existence même nous était étrangère quelques mois plus tôt.

Il y a eu plusieurs sortes d'approches tout au long du voyage. Mais les plus belles, celles qui sont restées ancrées en moi, sont ces journées magnifiques où l'apparition de la terre était progressive, où tranquillement la légère enflure au-dessus de l'eau prenait toute sa forme.

Par contre, chaque arrivée amène inévitablement un départ, et celui-ci est justement une des parties les plus difficiles du voyage.

Lorsqu'on est jeune, le besoin d'amitié est très fort. Alors de quitter un endroit c'est aussi de perdre des amis et de devoir tout recommencer à zéro ailleurs.

Le départ et l'arrivée. C'est ce qui rend le voyage en bateau si caractéristique. Pouvoir arriver dans n'importe quel endroit au monde en ne s'y rattachant qu'avec une ancre ou quelques cordages. C'est comme planter une partie de soi en terre inconnue et la reprendre quand bon nous semble. Pour moi, voyager c'est avant tout aller chercher partout dans le monde des choses à voir, à apprendre, à découvrir. Des choses qui me feront grandir un peu plus à chaque fois. Alors n'est-il pas merveilleux de pouvoir retirer l'essentiel d'un endroit sans risquer de rester pris au piège de la société qui le dirige ?

Le départ et l'arrivée, deux extrémités d'un séjour, deux réalités différentes rattachées par des événements, des souvenirs. Ils se sont reproduits des dizaines de fois tout au long du voyage et c'est ce qui me manque le plus depuis notre rentrée au pays. Je supporte mal de ne plus bouger, de ne plus partir à la découverte d'endroits différents. Cette nouvelle stabilité m'oppresse, elle m'empêche de voir trop loin dans l'avenir sans craindre d'y rester à jamais.

Je ne sais pas ce que je veux faire plus tard et je n'ai sans doute pas envie de m'accrocher à un futur déjà établi. J'ai l'impression de rester libre aussi longtemps que je ne prévois rien qui m'oblige à m'installer pour de bon au Québec. Bien sûr, pour l'instant je suis aux études et de toute façon mes parents diraient que je suis trop jeune pour voyager seule et sans le sou. Il ne me reste qu'à vieillir et gagner un peu d'argent pour bouger de chez nous. Quitter le Québec, le pays, le continent, peu importe. Simplement bouger.

Justement, hier soir nous étions à Portneuf et j'ai rencontré deux jeunes Français. Ils font le tour du Québec sur le pouce depuis un mois et demi. Ils m'ont donné le goût de partir le sac sur le dos. Je leur ai parlé de notre voyage et ils ont été très impressionnés. « Je pense que tu as une vie heureuse », a dit l'un d'eux en regardant la *V'limeuse*. Je n'ai rien répondu sur le coup. Mais avant de m'endormir, je me suis reposé la question, par rapport à notre voyage. Comment savoir si l'enfant que j'étais entre 5 et 11 ans avait compris sa chance de vivre une pareille aventure ? Aujourd'hui, je crois que je n'aurais pas pu vivre une meilleure expérience. J'avais la planète comme terrain de jeux, un monde entier à découvrir, et lorsque je repartais d'un endroit la tête remplie de souvenirs et de rêves, je n'avais qu'à me laisser bercer jusqu'au prochain port.

Un enfant peut-il demander mieux qu'une école où les heures de récréation sont plus importantes que les heures de cours, et où la première matière enseignée est celle de la vie ?

Pour tout vous dire, je n'ai absolument pas souffert de ces six années de quasi-vacances et je crois qu'elles ont valu de loin un primaire régulier. Dans aucune école, on ne m'aurait offert d'étudier l'histoire de plusieurs pays, d'apprendre les cultures de populations différentes et de dessiner la mer et la terre sur plus de 50 000 kilomètres. Dans aucune d'elles, mes professeurs n'auraient étés les personnes qui m'inspirent le plus grand respect et la plus grande admiration.

Bien entendu, tout ne fut pas parfait. Comme j'en faisais mention un peu plus tôt, j'ai vécu des amitiés sans cesse trop brèves à mon goût. Par chance, j'avais Sandrine. Mais une sœur, même jumelle, n'amène pas autant de nouveauté et de changement que le fait un ou une amie. Je dois avouer que je suis quand même très heureuse de l'avoir eue tout au long du voyage. J'ai bien vu qu'Évangéline et Damien nous regardaient parfois d'un œil jaloux alors que nous nous perdions dans notre monde où tout était si simple et amusant. C'est encore un peu comme ça aujourd'hui, mais en moins fantastique.

D'ailleurs tout au long du voyage, Damien a souvent cherché à séparer ses sœurs jumelles. Notre complicité était un peu menaçante pour lui. Nous le rejetions inconsciemment et il ne pouvait pas jouer non plus avec Évangéline qui était beaucoup trop sérieuse. Alors s'il ne réussissait pas à partager nos jeux ou à imaginer quelque chose que nous aimions faire tous les trois, il s'arrangeait pour nous désunir. Tour à tour, l'une ou l'autre se retrouvait en dehors du cercle et comme je n'aimais pas pêcher ou construire des petits bateaux de *styrofoam* et bien j'étais plus souvent qu'autrement celle qui quittait la scène. C'est peut-être à cause de ça qu'aujourd'hui j'ai tant besoin de prendre ma place ! Une frustration enfouie qui se réveille.

Mais peu importe les inconvénients qu'a eus cette vie de famille, je crois que les avantages sont de beaucoup les plus importants. Sans me vanter, je connais peu de familles aussi unies que la nôtre. Sur un bateau, les liens se tissent vite puisque la distance, autant physique que mentale, est presque inexistante. La bulle familiale dans laquelle nous avons vécu ne fut brisée que quelques fois, lorsque nous acceptions de partager la *V'limeuse* avec des équipiers. Les expériences de ce genre ont différé d'une fois à l'autre et je garde des merveilleux souvenirs de deux équipiers qui ont voyagé avec nous. Bernard et Claude sont ceux qui, d'après moi, n'ont fait qu'améliorer l'atmosphère à bord et ce malgré les quelques accrochages. Je leur concède facilement que nous n'étions pas toujours faciles à vivre !

Jeudi le 17 juillet.

Partis de Québec ce matin, nous approchons l'île aux Coudres. Il vente beaucoup et le mer grossit de plus en plus.

On devrait être à Tadoussac demain ou après-demain. Nous sommes déjà le 17 juillet. Il ne reste qu'un peu plus d'un mois avant la rentrée des classes. Il me semble que la 4e secondaire vient à peine de se terminer. Je me rends compte à quel point mon opinion sur l'école a changé depuis le retour. En arrivant au Québec, j'étais vraiment excitée à l'idée d'aller à l'école. J'avais terriblement hâte de connaître quelque chose de nouveau, de me faire des amis. Heureusement, tout s'est déroulé à merveille malgré le fait que Sandrine et moi étions dans des classes différentes, ce qui nous a éloignées pour un temps.

Le début du secondaire a été plus difficile. Je perdais mes meilleures amies du primaire et il m'a fallu plus de temps pour trouver celles avec qui j'allais vivre mes folies d'adolescence. Encore aujourd'hui, j'apprécie l'école pour son côté social. C'est bien la seule joie qu'elle me procure !

Mais mon cas n'est pas aussi désespéré qu'il en a l'air. Je réussis très bien à l'école et cela depuis le début. Malgré le manque d'intérêt pour la plupart des matières enseignées, j'ai l'intention de continuer encore quelques années. J'espère seulement y trouver plus de satisfaction à mesure que se spécialiseront mes études. En quatre années de secondaire, je n'ai connu qu'un seul professeur, en musique, avec qui j'ai eu vraiment beaucoup de plaisir à apprendre. Preuve que les méthodes d'enseignement ont encore du chemin à faire pour soulever l'enthousiasme des élèves ! On parle beaucoup du manque de motivation des étudiants, mais pas tellement de celui des professeurs qui enseignent depuis des années la même matière...

Vendredi le 18 juillet

Tout à l'heure, nous sommes arrivés à Tadoussac, entourés par les baleines. C'était très beau. J'adore les paysages du Saguenay, ces immenses falaises qui se jettent dans le fjord. Aussitôt la *V'limeuse* ancrée, je suis partie faire une promenade avec les chiens le long de la plage.

Je ne suis pas de celles qui se dépensent physiquement ; la mer m'a donné un calme et une paix intérieure qui ne se troublent que rarement. Toutefois, j'ai retiré du voyage le plaisir de la marche, et comme le reste, il me manque beaucoup. Bien sûr, il m'arrive encore de marcher, pour aller au dépanneur ou à l'école, mais jamais comme autrefois lorsque nous partions des journées entières à la découverte d'un endroit. En voyage, marcher c'est se déplacer à son rythme, être au même niveau qu'un peuple. C'est prendre son temps pour profiter d'un lieu, c'est s'asseoir au pied d'un arbre quand la fatigue se fait sentir et respirer le souffle du pays. Arrêter de marcher, c'est perdre tout cela et plus encore. Arrêter de marcher, c'est se laisser entraîner par la course du temps.

Mardi le 22 juillet

Nous sommes partis de Tadoussac il y a deux jours. La *V'limeuse* est maintenant sur un tangon dans la baie Éternité. Ici aussi tout est superbe. Le paysage ressemble un peu à celui des Marquises.

Il me reste seulement trois jours pour terminer le bilan. J'ai l'impression d'avoir encore des centaines de choses à dire sur notre voyage. Mais au fond, en y repensant bien, ce que j'ai vécu pendant six ans ce n'est pas seulement un voyage, c'est mon enfance, c'est aussi un mode de vie que je trouvais tout à fait normal autrefois et que je trouve étrange de bénir maintenant qu'il est terminé. C'est un peu comme d'être penchée au-dessus de la tombe d'un ami et de me remémorer tous ses bons côtés. Mais le voyage n'est pas mort, il continue de vivre en moi et il refera surface aussitôt que je lui laisserai sa chance.

Il m'a dotée d'une très grande curiosité qui ne demande qu'à être assouvie. Je sens qu'elle m'influence dans mes choix d'avenir et m'oriente vers un mode de vie qui devra garder une part d'imprévu.

Jeudi le 24 juillet

Demain, Sandrine et moi retournerons à Longueuil, sur le pouce, avec nos sacs à dos. Ce ne sera pas une longue route, mais j'ai hâte quand même de me retrouver sur le bord du chemin.

Je n'ai pas pu écrire hier car j'ai marché toute la journée dans les montagnes, avec Carl. Ça m'a permis de réfléchir. Je repensais à la question de l'un des deux Français rencontrés à Portneuf. Oui, bien sûr que j'étais heureuse durant ces six années de voyage, mais je crois l'être encore aujourd'hui. Certainement que tout cela me manque, mais ça ne m'a jamais empêchée de profiter du moment présent, des cinq années sur la terre ferme et de ce qu'elles m'ont apporté. Je suis contente d'être revenue. D'avoir vécu la fin de mon enfance et une partie de mon adolescence au Québec. Je crois que dans cette phase de la vie, on a besoin de trouver quelque chose de stable, quelque chose à quoi s'accrocher quand tout se bouscule à l'intérieur de soi. J'ai vécu ici des choses et des expériences inoubliables, avec des personnes qui me tiennent énormément à cœur. Alors oui, j'ai hâte de retrouver ce que j'ai perdu en cessant de voyager, mais je sais que je ne dois pas non plus oublier les beaux moments passés ici, chez moi.

Sandrine

Imaginez que vous avez à réfléchir sur votre enfance. Par où commenceriez-vous ? Et bien moi je n'en sais rien. Il faudrait sûrement commencer par le début comme la plupart du temps. Mais où est le début ? Est-ce seulement les premières images du bateau, mes premiers souvenirs sur la mer ou simplement la première fois que j'ai réalisé que je faisais quelque chose d'extraordinaire.

Je ne me souviens plus avec précision de tous les détails du début du voyage. Et pourtant, la première image qui me vient à l'esprit est celle du départ. Je nous revois partant du quai, gesticulant des *au revoir* aux gens restés sur la berge. Je ne peux me rappeler si, ce jour-là, j'étais consciente de l'aventure dans laquelle nous nous embarquions. J'avais cinq ans d'expérience de vie, presque cinq ans sur la mer. À ce moment-là, j'avais la tête remplie des souvenirs du premier voyage : notre tour de l'Atlantique Nord qui avait duré un an. J'avais déjà en moi l'habitude de la mer, des départs et qui sait peut-être aussi la piqûre pour l'aventure. Je vivais cette vie comme n'importe laquelle, sans vraiment me poser de questions.

Ensuite les images deviennent plus rares, je me rappelle de quelques moments qui m'ont marquée, de plusieurs endroits, gens ou bateaux selon les ports et les pays. Souvent, quand j'essaie de revivre certains moments du voyage, j'arrive à retrouver des détails que j'avais oubliés. Un rire, une odeur, un visage qui est resté ancré en moi plus longtemps que je ne l'aurais cru.

Plus tard, les souvenirs se clarifient et deviennent des périodes de temps plutôt que de simples images. Tout cela dépend quand même beaucoup de l'endroit où nous étions. Si j'en garde des souvenirs inoubliables, c'est habituellement parce que j'avais énormément apprécié l'escale ou quand des événements marquants s'y étaient produits.

Maintenant, quand je pense au voyage, je ne peux m'empêcher de revoir, plus souvent qu'autrement, les bons moments. Je regrette cette tranquillité d'esprit qui régnait, cette nonchalance qui nous faisait vivre au jour le jour, sans autre but que d'avancer. Tous ces moments passés en famille, tranquillement à la voile, tous sur le pont, regardant le coucher du soleil, seuls au milieu du monde avec la mer pour nous bercer. Les belles journées ensoleillées, au spi, couchés sur le pont, à la barre ou à l'avant pour regarder nos compagnons de voyage, les dauphins, s'amuser sous l'étrave. Nos grandes marches, les cris et les rires des gens devant nos regards timides d'enfants qui apprennent la vie selon diverses coutumes.

Je m'ennuie énormément des moments de solitude, la nuit à la barre, sous les étoiles. De nos plongées dans de l'eau claire, intrus parmi des centaines de poissons presque tous différents les uns des autres.

Je pourrais continuer longtemps ainsi à ramener à ma mémoire tous mes coups de cœur du voyage. Malheureusement, ces moments maintenant plus magiques que jamais me semblent beaucoup trop loin. Après cinq ans, ils hantent de plus en plus mes pensées et je continue de m'accrocher à eux en espérant en revivre de semblables un jour.

Il m'arrive d'avoir le cœur à l'envers, de me dire que j'ai compris trop tard la grandeur de notre voyage. Je commence seulement à réaliser tout ce que mon enfance en mer m'a apporté. Tous ces moments uniques que je n'ai peut-être pas su vivre à fond car je ne m'étais pas vraiment rendu compte que nous faisions quelque chose d'extraordinaire, d'incroyablement beau, quelque chose qui allait changer ma façon de voir les choses, de penser, d'aimer... ma façon de vivre. Une expérience qui resterait à jamais enracinée dans le fond de mon âme et qui allait désormais me guider dans tout ce que j'entreprendrais. Comme un ange descendu sur terre pour prendre soin de moi en me rendant plus forte quand je veux tout balancer.

D'un autre côté, j'envie maintenant mon innocence d'enfant. Peut-être qu'aujourd'hui, si je repartais, mes attentes seraient trop grandes et je n'arriverais pas à retrouver la magie de mes souvenirs. N'ont-ils pas tendance, justement, à être un peu trop beaux ? Après tout, il n'y avait pas seulement des choses magnifiques. Les coups de masse y étaient aussi.

La plupart de mes mauvais souvenirs se rattachent au mauvais temps. Je me revois couchée sur le coussin d'une banquette, coincée entre le coffre du moteur et le mur pour ne pas foutre le camp en bas d'une couchette, essayant tant bien que mal d'oublier mon mal de mer, malgré l'eau salée qui rentrait parfois par le grand panneau et que je recevais sur la tête quand une vague recouvrait le pont, malgré les mouvements du bateau roulant sur le côté ou plongeant dans le creux d'une déferlante, malgré l'inquiétude qui me rongeait le ventre quand j'entendais des cris et des pas sur le pont juste avant de sentir la *V'limeuse* se coucher et tremper son pavois dans l'écume, malgré le bruit des tasses et des assiettes qui se cognaient sans cesse sur les portes d'armoire, malgré le son le plus pénible à entendre quand tu as mal au coeur : celui de l'hélice qui gémissait en tournant à toute vitesse et me rappelait seulement que nous étions au milieu de nulle part.

Heureusement, il n'y a pas eu souvent de situations comme celles-ci. Mais je n'avais pas besoin d'une très mauvaise mer pour me sentir mal. À chaque fois que nous restions un long moment au même endroit, mon corps avait le temps de perdre l'habitude de notre vie sur l'eau. Il me fallait ensuite deux à trois jours en mer, si elle était houleuse, avant de retrouver ma forme.

J'ai d'autres mauvais souvenirs du voyage. Ils se rapportent à certaines ville que j'ai moins appréciées, comme Colombo au Sri Lanka, Antananarivo à Madagascar, ou Natal au Brésil. Des villes de pays pauvres où la qualité de la vie n'a rien de fantastique, même que je la trouvais assez repoussante. C'est sûrement la chaleur étouffante, la quantité démesurée de gens et la saleté qui me déplaisaient. Parfois nous devions faire attention aux voleurs. À d'autres endroits, les guides ne nous lâchaient pas d'une semelle, essayant toujours de nous soutirer le plus d'argent possible, vu notre allure touristique.

Mais bien sûr ces éléments n'ont pas suffi à gâcher mes séjours dans ces pays, car une foule de choses plaisantes s'y passaient aussi.

Enfin, les derniers mauvais souvenirs concernent nos engueulades d'enfants. Je dirais qu'il a dû y en avoir comme dans n'importe quelle famille. Sauf que nous vivions sur un bateau. Et habituellement, quand nous nous disputions, Dominique et Carl n'étaient pas là, donc l'annexe non plus. Essayez de fuir ou de vous retrouver seul sur un voilier de quatorze mètres ! Il vous paraît bien petit quand arrive le moment où vous ne voulez plus rien savoir de vos frères et soeurs. Pas moyen de s'enfermer dans sa chambre puisque nous n'avions pas de chambre, pas moyen d'aller prendre une marche car elle se serait arrêtée sec sur le bord d'une filière.

Le fait d'avoir eu très peu d'intimité a sûrement augmenté la fréquence de nos chicanes. Par contre, c'est aussi parce que nous étions toujours ensemble que nous avons pu devenir si proches. Si nous avions habité une maison et passé chacun de notre côté beaucoup de temps à l'extérieur à jouer avec nos amis, je n'aurais peut-être pas développé une si belle relation avec Damien. J'étais la seule des trois sœurs qui aimait partager ses jeux. J'adorais me sentir à sa hauteur, me sentir importante pour lui, et me faire expliquer certaines choses qu'il connaissait bien. C'est sûrement mon petit côté *tomboy* qui m'a rapprochée de lui. Il aurait peut-être préféré un vrai frère pour se battre avec lui car il passait beaucoup de temps à vouloir nous « endurcir ».

Depuis le retour, notre relation s'est modifiée. Nous sommes devenus moins complices, mais il nous arrive encore de nous retrouver pour nous raconter ce que nous vivons chacun de notre bord.

Avec Noémie, j'ai eu une superbe relation mais je ne crois pas que le voyage y était pour quelque chose. Nous étions unies en tant que jumelles, comme aujourd'hui d'ailleurs.

Notre relation a un peu changé quand nous sommes rentrées à l'école. Chacune a pris le large de son côté pour revenir environ deux ans après. Maintenant, nous avons les mêmes amies et nous entendons très bien.

Noémie, en exagérant un peu, c'est peut-être la meilleure et la pire chose qui m'ait été donnée. La pire... pour des raisons connues de nous deux seules. La meilleure, car après avoir été ma compagne de jeu elle sera sûrement ma compagne de voyage. Après tant d'années passées ensemble et tant de moments et souvenirs précieux, je crois qu'elle est l'une des seules personnes avec qui je repartirais. Toujours les mêmes envies, les mêmes goûts qui continuent de nous unir. Les mêmes projets que, j'en suis certaine, nous réaliserons.

À cause de notre grande différence d'âge, je n'ai jamais été aussi proche d'Évangéline. Elle ne jouait que rarement avec nous et comme elle se tenait avec des gens plus âgés qu'elle, son monde était très loin du nôtre. J'ai toujours été un peu jalouse d'elle à ce sujet. Elle avait tant d'aisance à se faire de nouveaux amis. Je trouvais en elle ce que j'avais le plus de difficulté à être. Maintenant, comme elle n'habite plus avec nous, nous profitons davantage des moments où nous sommes ensemble.

Bon ! Terminées les relations entre frère et sœurs. Mais il ne faut pas oublier celle avec mes parents. J'ai passé onze ans avec eux à temps plein. Nous avons partagé les mêmes moments, avons découvert ensemble mille et une choses. J'ai grandi et tout appris avec eux. Nous vivions une vie de famille unique.

Même avec ses hauts et ses bas, notre relation est toujours aussi belle aujourd'hui. Le lien tient bon, il est tissé serré et je ne crois pas qu'il se brisera un jour. Si parfois je n'en suis pas si certaine, je n'ai qu'à regarder autour de moi les relations qu'ont mes amies avec leurs parents !

Le retour au Québec, je l'attendais avec impatience pour revoir mon pays, ma famille, tous ces gens dont il ne me restait que quelques souvenirs vagues. J'avais hâte de leur raconter ce que nous avions vécu. Je me souviens bien de ma frayeur de voir Évangéline revenir au Québec quelques semaines avant nous car je me disais : « C'est pas juste, elle va tout raconter à tout le monde ». J'ai découvert avec surprise en arrivant que les gens proches de nous n'étaient pas tellement curieux à propos de notre voyage. Bien sûr ils étaient contents de nous revoir, mais les longues soirées auxquelles j'avais rêvé, passées avec toute la famille, à leur faire vivre nos aventures, ne se sont jamais vraiment produites. Par après, les questions de tout le monde sont venues bien assez vite et l'excitation du retour passée, je me suis lassée d'y répondre si souvent.

Je me souviens aussi combien nous avions peur de ne pas nous faire d'amis rapidement. Heureusement, pour Noémie et moi, le fait d'entrer au primaire nous a aidées énormément. Les élèves de l'école, encore plus excités que nous à l'idée d'avoir des jumelles qui revenaient d'un tour du monde, ne nous ont même pas laissé le temps de rentrer dans la cour avant de se jeter sur nous et de nous bombarder de questions. Je me rappelle encore très bien ma gêne extrême quand, en entrant dans la classe pour la première fois, les élèves se sont mis à m'applaudir. Par chance, je n'ai pas eu à aller en avant pour me présenter car je crois que je n'aurais pas survécu. J'avais déjà visité des écoles mais de me retrouver dans une classe de trente élèves et d'être moi-même une étudiante était quelque chose de tout nouveau pour moi.

Contrairement à ce que je craignais, le fait de n'avoir jamais été à l'école auparavant n'a vraiment rien changé et mon retour, ou plutôt ma rentrée à l'école s'est déroulée extrêmement bien. Les premiers jours passés et après avoir bien ri de mon accent français, les élèves et les professeurs me voyaient comme une personne très ordinaire et c'est sûrement ce qui m'a aidée à m'insérer aussi vite dans le mouvement de la société.

En fait, pour moi le retour n'a été que la prolongation de l'aventure. Je continuais à découvrir une foule de nouvelles choses. Notre nouveau mode de vie, si ordinaire pour tout le monde mais très différent pour nous, me plaisait bien. J'adorais voir mes nouvelles amies tous les jours, sortir de chez moi pour aller jouer sans avoir à sauter dans l'annexe, me réveiller la nuit sans me demander si l'ancre tenait le coup ou si nous étions arrivés au port. Quand il ventait, j'étais contente de me retrouver solidement attachée à la terre ferme et de m'endormir en sachant que j'allais être au même endroit le lendemain matin. À l'école, je n'avais aucune difficulté, contrairement à ce que les professeurs avaient pensé, et j'aimais cette nouvelle expérience même si je trouvais le temps d'étude un peu trop long comparativement à ce que nous avions connu pendant six ans.

L'excitation du retour a duré environ deux ans. Elle a laissé place à la monotonie d'une vie ordinaire d'adolescent qui vit sa vie comme celle des autres, sans se poser de questions. La routine de l'école était implantée, il n'y avait donc pas d'autre choix que de la suivre en essayant d'en soutirer le plus de plaisir possible. Ma facilité dans toutes les matières et la rapidité avec laquelle je me suis fait de très bonnes amies ont beaucoup aidé les choses. J'avais laissé le voyage de côté et n'y pensais que rarement. De nouveaux genres de « voyages » m'ont permis de « repartir » de temps en temps : des trips qui me faisaient voir la vie et la réalité différemment et qui rendaient le quotidien un peu moins terre à terre. Mais même ces courtes évasions sont devenues de plus en plus banales et j'ai fini par m'en lasser.

Aujourd'hui la situation a encore changé. Mon goût du voyage m'est revenu petit à petit pour maintenant occuper une grande partie de mes pensées. J'ai la tête remplie d'idées et de projets. J'ai besoin de repartir pour me reposer de la société. J'aimerais le faire à nouveau sur la *V'limeuse,* avec Carl et Dominique, ce qui me permettrait de ne pas attendre trop longtemps car je n'ai pas encore l'âge de voyager seule. Je vieillis trop lentement à mon goût car si c'était juste de moi, je ne serais déjà plus ici. Le secondaire sera fini dans un an et je n'en peux plus d'attendre. Je veux rentrer à nouveau dans mon ancienne vie qui me manque de plus en plus. Je ne veux pas que le voyage ne soit qu'un beau souvenir de jeunesse. Je veux revivre certains moments et en vivre un tas d'autres, mais je veux surtout retrouver la liberté et le changement que je n'ai pas ici.

Le goût de repartir en bateau m'est revenu l'été dernier, quand nous avons descendu le fleuve jusqu'à Baie-Johan-Beetz, au mois d'août. Cela faisait quatre ans que je n'avais pas remis les pieds sur la *V'limeuse* et sans qu'elle m'ait vraiment manqué, je l'ai retrouvée avec beaucoup d'émotion. De voyager à nouveau en voilier m'a permis de me souvenir de plein de moments précieux que j'avais presque oubliés. Seulement d'être à la barre, de m'étendre sur le pont pour lire un livre, de m'allonger sur mon ancien lit, de monter dans le mât ou d'entendre le son de l'hélice, ces anciennes habitudes ont réussi à me faire quitter le Québec durant un moment.

J'ai aussi découvert une foule de choses que je n'avais pas pris le temps de voir quand j'étais petite. Bien sûr, je vieillis, j'aurai bientôt 16 ans et je vois la vie différemment. Le bateau aussi. Je le vois maintenant comme une façon d'arrêter le temps. C'est un moyen de transport qui me laisse le temps de vivre chaque instant avec une intensité que je ne retrouve nulle part ailleurs. Je réalise maintenant que c'est ce qui me manquait beaucoup sans que je m'en sois vraiment aperçu

Le voilier est aussi un des meilleurs endroits pour me retrouver moi-même. Pour m'arrêter un moment comme sur le bord d'une rive avant de me faire reprendre dans le courant de la société.

Ça me rend folle de voir vivre la majorité des gens. En fait, je ne comprends pas comment on peut faire la même vie pendant vingt-cinq ou quarante ans. Comment peut-on vivre toute une année et la résumer en une seule journée, ces vingt-quatre heures que l'on répète sans cesse. Ça fait seulement cinq ans que je vis ainsi et je suis en train de devenir folle.

Justement, cette folie des changements me cause quelques petits problèmes. Je n'ai pas encore réussi à voir ce que je pourrais bien faire de ma vie sans me prendre au piège d'une routine. Et comme les inscriptions pour le cégep sont dans moins de six mois, je vais commencer à me faire du sang de cochon bientôt. Il faut que je me trouve des études que je vais aimer et qui vont me permettre plus tard de concilier travail et aventure.

Ah, ce foutu voyage ! Qu'est-ce qu'il me fait... des fois !

Épilogue

J'aime les hommes qui font ce qu'ils peuvent
Assis sur le bord des fleuves
Qui regardent descendre vers la mer
Les bouts de bois, les vieilles affaires,
La beauté d'Ava Gardner...

Alain Souchon

« Allez-vous repartir ? » (C.)

« Allez-vous repartir ? » demande-t-on souvent pour sonder nos intentions. La question fait plaisir, signe flatteur que nous portons dorénavant la marque prestigieuse de la vie d'aventure et, en y répondant, il m'arrive comme le corbeau dans la fable de laisser tomber le fromage : « Très certainement, voyez-vous, j'ai fait ça toute ma vie, je ne vois pas pourquoi je m'arrêterais demain. »

Ce n'est pourtant pas par vanité qu'une telle réponse fuse, mais peut-être est-ce par délicatesse. Elle se veut rassurante pour ceux qui, secrètement, souhaitent nous voir poursuivre dans ce rôle. Et je les en remercie pour cette confiance et en même temps pour ce rappel à l'ordre, au cas où il nous prendrait cette idée farfelue et contraire au bon sens de nous installer pour de bon sur un coin de terre. Honnêtement, j'en rêve depuis si longtemps que je suis obligé d'admettre ceci : jusqu'à ce jour, les moyens pour y arriver n'ont pas dû être les bons.

Aujourd'hui, en réfléchissant mieux à ce que réserve l'avenir, je me dois d'être plus nuancé dans mon propos. Nous mettrons encore beaucoup d'énergie à préparer d'autres départs, mais de quel ordre seront-ils ? Seront-ils commandés de l'intérieur, comme si une loi naturelle l'exigeait, ou obéiront-ils à un goût passager, à un besoin de changer d'air qui nous conduit trop bien vers là où nous voulons aller ?

Le départ de 1986, avec le recul et la réflexion qu'ont engendrés les cinq dernières années d'écriture, m'apparaît maintenant comme ayant appartenu à cette catégorie rare de situations que l'on ne contrôle que partiellement. La plus large part de ce qu'on réalise répond à une sourde et irrésistible attirance qui, en fait, devient la réussite d'une entreprise.

Notre dernier voyage est né d'une conjoncture propice. Plus je scrute attentivement les événements qui nous y ont conduits, plus je reconnais que le travail, l'acharnement, la ténacité, la volonté ne pouvaient garantir à eux seuls le succès. Il fallait qu'une flamme embrase toute cette mixture et l'amène à la bonne température pour créer la cristallisation.

Cette flamme se nomme-t-elle envoûtement ? Est-ce ce pouvoir irraisonné qui nous saisit pour le meilleur ou le pire, qui fait dire à Renaud dans une de ses chansons : « Ce n'est pas l'homme qui prend la mer, c'est la mer qui prend l'homme » ?

Je ne m'approprie pas ces paroles en croyant une seule minute endosser l'uniforme de marin. Je suis très loin encore de cette consécration. Je ne me prends que pour un filet d'eau que la gravité entraîne irrémédiablement vers les grandes profondeurs.

T'en souviens-tu ? (D.)

Le soleil descend sur le stade olympique. De la terrasse au troisième étage, on aperçoit les grues du port au-dessus des arbres et des toits de Longueuil, et l'on accompagne d'invisibles cargos dans leur lente remontée du fleuve.

Ici, la mer est un souvenir.

Évangéline a appuyé sa tête contre l'épaule de son frère. Sandrine s'ouvre une bière et en verse un verre à Noémie. Couchés sous le vent du barbecue, les chiens hument les odeurs de steak et surveillent le Chef du coin de l'œil.

En ce début septembre 1997, nous célébrons les 22 ans d'Évangéline, les 16 ans des jumelles, la parution prochaine du tome 2...

– On devrait me fêter tout de suite, propose Damien, laissant entendre par là que nos réunions de famille se font trop rares.

Je suis comme lui, j'aime quand nous sommes réunis tous les six, invulnérables et paisibles d'avoir vécu tant d'extrêmes ensemble.

– J'ai fini de relire une dernière fois vos bilans, les enfants...

Les têtes se tournent vers moi, un sourire se dessine sur les lèvres de Noémie :

– Et tu trouves ça nul, hein ?

Toujours besoin d'être rassurés, ces enfants...

– Au contraire, je suis touchée par tout ce que vous dites sur le voyage, sur vos souvenirs... Vous en avez si peu parlé durant les dernières années... Je me disais, bon, ils sont pris par autre chose. Ils vivent dans le présent et au fond c'est mieux ainsi. On devient nostalgique à trop se remémorer les bons moments du passé.

Évangéline part à rire d'un seul coup :

– Te souviens-tu, Damien, aux Galápagos et aux Marquises, quand on approchait d'une plage en Zodiac et que tu sautais à l'eau avant d'arriver tellement tu avais peur qu'un rouleau chavire l'annexe ? Pas très brillant, le petit frère...

– Pas si fou que ça. Je préférais garder le contrôle de la situation... Et puis Dominique m'avait traumatisé la fois où la déferlante a renversé le Zodiac au Galápagos et qu'elle a crié : ça y est, tout est fini...

– J'ai dit ça, moi ?

– Oui, oui...

– En tout cas, reprend Noémie, moi, je me souviens que j'avais la frousse d'arriver en Australie parce que je me disais : s'il y a des

407

déferlantes près des plages et qu'une vague retourne l'annexe, on risque de se faire manger par un requin blanc.

— Moi, en arrivant en Australie, j'ai surtout eu peur qu'on soit obligés de repartir, dit Évangéline. Vous souvenez-vous, le moteur refusait de démarrer et il y avait une houle d'enfer, on ne savait pas si on réussirait à rentrer à voile dans le port de Coffs Harbour. Heureusement qu'un remorqueur est venu nous aider... Mais la fois où j'ai eu le plus peur, c'est à Sydney, en face de l'opéra, quand la *V'limeuse* a chassé sur son ancre et que vous étiez partis faire des courses tous les deux en ville, parents indignes !

— Oui, mais te souviens-tu aussi du jour où tes parents indignes sont venus vous chercher à la bibliothèque de Sydney avec la super camionnette Toyota ?

— Moi, je m'en souviens, fait Damien. On n'en revenait pas, tellement elle était belle. J'étais tout excité parce qu'on allait camper pendant deux mois...

— Je me rappellerai toujours le premier matin où on est sortis de la tente : il y avait deux kangourous juste à côté, dans l'herbe !

— C'est vrai que c'était bien, l'Australie.

— Moi, il y a plein d'endroits que j'ai aimés, dit Sandrine. Les Chagos, par exemple, c'était super cool. Je rêve souvent d'y retourner. Quand j'en parle à des amis, tout le monde veut y aller. Imaginez le *party* qu'on ferait là-bas, sur nos îles désertes... On a quand même eu du fun, quand on était petites... Te souviens-tu, Noémie, à Raïatea, quand on allait marcher dans la montagne avec Epinson, et qu'on se faisait peur en disant qu'il y avait des gros sangliers ?

— Oui, d'ailleurs, tu le trouvais pas mal *cute*, Épinson, non ?

— Mets en... Je me rappelle aussi que j'aimais les îles des Tongas, avec les petits cochons qui couraient partout autour des maisons, comme des petits chiens.

— Hum...! dit Carl, moi, le petit cochon, je l'ai surtout aimé sur la broche... tout bien rôti... Je crois que c'est l'un de mes plus beaux souvenirs du voyage. Ça et les moments où je m'ouvrais une bonne bière après un quart de nuit difficile. Je me souviendrai toujours de celle que j'ai bue entre les Chagos et Rodrigues, dans le mauvais temps. Quelle sensation extraordinaire ! Je me revois appuyé sur le coffre du moteur, brûlé par la fatigue, débouchant ma canette...

— Tiens, prends-en une p'tite, poups ! fait Évangéline en lui tendant une bière. T'as l'air d'avoir soif... Pis toi, maman, tu ne parles pas beaucoup...

ANNEXE

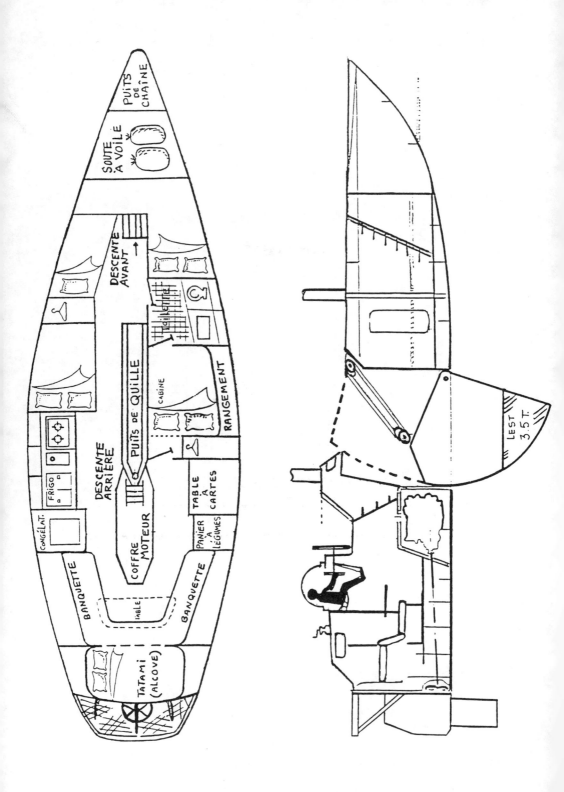

CARACTÉRISTIQUES DE LA
V'LIMEUSE

Architecte : Michel Joubert, France
Plan : Damien II
Longueur : 14,14 m
Longueur à la flottaison : 12,30 m
Largeur maxi : 4,40 m
Tirant d'eau, quille basse : 3,08 m
         quille haute : 0,90 m

Déplacement lège : 15 t
Déplacement en charge : 20 t
Lest : 3,5 t
Surface de voilure au près : 134 m²
Gréement : goélette
Matériau : acier
Moteur : 140 ch

Espérons simplement que les enfants
qui naissent aujourd'hui
auront encore, dans vingt ans,
un bout d'herbe verte pour leurs pieds nus,
un bout d'air pur pour leurs poumons,
un bout d'eau bleue pour embarquer
et un bout de baleine à l'horizon,
pour leurs rêves.

Cousteau

Si tu es en colère et que les dauphins te
font devenir joyeux, alors c'est fantastique.

Extrait du journal d'Évangéline

Cartes, mise en pages
et typographie : Dominique Manny
Dessins d'enfants : Damien, Noémie
et Sandrine De Pas

Séparations de couleurs
et infographie : R.P.J. Litho Inc.

Cet ouvrage
composé en Garamond léger
corps 11,2 sur 13
a été achevé d'imprimer en octobre 1997
sur papier Édition 400

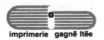

imprimerie gagné ltēe

sur les presses de l'Imprimerie Gagné
à Louiseville, Québec